Robinson, Edward;

Palästina und die südlich angrenzenden Länder

1. Band

Robinson, Edward; Smith, E.

Palästina und die südlich angrenzenden Länder

1. Band

Inktank publishing, 2018

www.inktank-publishing.com

ISBN/EAN: 9783747778999

Palästina

und

die südlich angrenzenden Länder.

Tagebuch einer Reise

im Jahre 1838

in Bezug auf die biblische Geographie unternommen

von

E. Robinson und E. Smith.

Nach den

Original-Papieren mit historischen Erläuterungen

herausgegeben

von

Eduard Robinson,

Doctor und Professor der Theologie in Neu-York.

Mit neuen Karten und Plänen in fünf Blättern.

Erster Band.

Halle,

Verlag der Buchhandlung des Waisenhauses.

1841.

4

Herrn

Carl Ritter

Professor an der Universität und Mitglied der Akademie der
Wissenschaften zu Berlin,

ein geringes Zeichen

inniger Freundschaft und Verehrung.

Vorrede.

Die Veranlassung, die Bewegungsgründe, und die Art der Reise, über welche diese Bände berichten, sind zu Anfang und Ende des einleitenden Abschnitts hinreichend dargelegt worden. Es bleibt hier nur übrig, von der Form zu reden, welche die Materialien durch die Bearbeitung erhalten haben.

Es war ursprünglich mein Plan, dem Publikum nur die Resultate unsrer Untersuchungen in Palästina vorzulegen ohne Bezug auf persönliche Begegnisse. Der Rath von Freunden jedoch, deren Urtheil ich über mein eignes stellen muſs, war dieser Verfahrungsweise entgegen. Ich habe daher überall die persönlichen Vorfälle in die Erzählung verwebt und mich bemüht, es so zu thun, daſs die Art und Weise, wie das gelobte Land sich unsern Augen darstellte, und die Wege, auf welchen wir zu den in diesem Werke aufgestellten Ansichten und Schlüssen gelangten, daraus erhellen. Es liegt darin wenigstens Ein Vortheil für das Publikum. Da wir nämlich zu hoffen wagen, daſs diese Bände eine nicht unbeträchtliche Anzahl neuer Aufschlüsse über die historische Topographie Palästina's enthalten, so wird der Leser dadurch besser in den Stand gesetzt, die Gelegenheiten zur Beobachtung, welche die Reisenden hatten, zu beurtheilen, sowie auch die Sicherheit ihres Zeugnisses und die allgemeine Genauigkeit ih-

A *

7

rer Schlufsfolgen zu würdigen. In allen diesen Punkten
wünschen wir uns auch der schärfsten Prüfung nicht zu
entziehen.

Einen ähnlichen Zweifel hegte ich für einige Zeit
in Betreff der zu wählenden Erzählungsform — ob ein
vollständiger und regelmäfsig geordneter Bericht über jeden Gegenstand, einen nach dem andern, vorzuziehen sei,
wie in den Werken Pococke's und Niebuhrs, oder
ein eigentliches Tagebuch, wie die Maundrells und
Burckhardts. Ich wählte letzteres aus ähnlichem Grunde,
wie die bereits angeführten, nämlich weil auf diese Weise
der Leser besser im Stande sein wird, den Gang der Untersuchung und Ueberzeugung in des Reisenden eignem
Gemüthe zu verfolgen. — Jedoch hängt dieser Form nothwendig der Uebelstand an, dafs Bemerkungen über ein
und denselben Gegenstand zuweilen an verschiedenen Stellen zerstreut sind, anstatt als Theile Eines Ganzen zusammen zu stehen. So hat, was den heutigen Horeb als
den wahrscheinlichen Ort der mosaischen Gesetzgebung
betrifft, die Anordnung nach der Zeitfolge mich veranlafst,
zuerst von ihm zu sprechen, als er bei unsrer Annäherung
sich uns zeigte; dann wieder, als wir die Ebne mafsen und
die Compafsrichtungen der Berge umher aufnahmen; und
dann noch einmal, als wir den Gipfel desselben erstiegen.
Ebenso sind bei Beit Jibrîn, dem alten Eleutheropolis, das
wir zu zwei verschiednen Malen untersuchten, verschiedne
darauf bezügliche Gegenstände besprochen, wie sie sich
beim jedesmaligen Besuche natürlich darboten. Dennoch
scheint es mir, als sei diese Unbequemlichkeit nicht grofs
genug, um die allgemeinen Vortheile der Tagebuchform
aufzuwiegen.

Eine andre wichtigere Aenderung des ursprünglichen Planes entstand während der Ausarbeitung des Werkes selbst. Diese hat nicht allein den Umfang bedeutend vergröfsert, sondern auch die Mühe der Arbeit mehr als vervierfacht. Ich meine die Einführung geschichtlicher Erläuterungen und die Erörterung verschiedner auf die historische Topographie des heiligen Landes bezüglicher Punkte. Meine erste Absicht war nur zu beschreiben, was wir gesehn, und dem Leser die Anwendung der Thatsachen selbst zu überrlassen. Aber im Verlauf meiner Arbeit erhoben sich unaufhörlich Fragen, die ich nicht umgehen konnte, wenn ich mir selbst genügen wollte. Dies führte bisweilen zu langen Untersuchungen, und wo mich diese zu einem genügenden Resultate leiteten, schien es fast eine Pflicht gegen den Leser zu sein, sie dem Werke einzuverleiben. Meist waren es Gegenstände, die sich auf die Topographie der Bibel bezogen, und eng verwandt mit ihrer Auslegung, auch oft solche, die noch nie von Einem, der selbst das heilige Land besucht, erörtert worden waren.

Ein Zweig dieser historischen Untersuchungen, den ich der weiteren Beachtung künftiger Geographen und Reisenden zu empfehlen mich gedrungen fühle, bietet ein vergleichsweise noch ganz unbetretenes Feld dar. Ich meine die Masse von geschichtlicher Tradition, die seit lange dem heiligen Lande von fremden Geistlichen und Mönchen gleichsam angeheftet ist, im Gegensatz zu der gewöhnlichen Ueberlieferung oder Aufbewahrung alter Namen unter der eingebornen Bevölkerung. Die allgemeine Ansicht, von welcher ich dabei ausgegangen, und die Grundsätze, nach denen wir bei unsren Untersuchungen verfuhren, sind zu Anfang des siebenten Abschnittes zur Gnüge dargelegt,

Diese Ansicht ist in den folgenden Theilen des Werkes
stillschweigend durchgeführt und in den meisten Fällen
der Versuch gemacht worden, zu zeigen, nicht nur was
Wahrheit ist, und was nur legendenhafte Ueberlieferung,
sondern auch wie weit die letztre zurückgeht.

In der Geschichte der ausländischen Ueberlieferung
sind drei verschiedene Perioden zu unterscheiden, deren Inhalt und Charakter in gewissen Epoche machenden Schrift-
documenten mit ziemlicher Vollständigkeit dargelegt ist. Ich
bedaure, dafs ich auf diese verschiednen Perioden im Werke
selbst nicht überall entschiedener hingewiesen habe. Die
erste fällt in das vierte Jahrhundert, ungefähr um das Jahr
333, wo ausländischer Einflufs eben dauernd festen Fufs
gefafst, und sich noch nicht bedeutend von der Fluth der eigentlichen Volksüberlieferung getrennt hatte; von dieser
Periode haben wir Urkunden im Onomasticon des Eusebius und im Jerusalemer Itinerarium. Die zweite ist das
Zeitalter der Kreuzzüge im zwölften und dreizehnten Jahrhundert; ihre Traditionen sind am vollständigsten in dem
Werke des Brocardus niedergelegt, um das Jahr 1283
Die dritte Periode fällt in den Anfang des siebzehnten
Jahrhunderts, wo das Buch des Quaresmius den ganzen Zustand der Tradition darbietet, wie sie damals in den
Klöstern in Umlauf war, die grofse Quelle, aus welcher
die meisten europäischen Reisenden ihre Nachrichten geschöpft haben. Wenn man nun diese drei Perioden ver-
gleicht, so ist es interessant, obwohl auch peinlich, wahrzu-
nehmen, wie das Licht der Wahrheit immermehr erblichen
und endlich oft ganz in Nacht verloschen ist. Das Onomasticon mit all seinen Mängeln und falschen Hypothesen
hat uns doch noch viel der echten Ueberlieferung des

Volkes angehöriges Material bewahrt, und enthält viele Namen von Orten, die seitdem nie wieder aufgefunden wurden, obwohl sie noch jetzt vorhanden sind; während wiederum die wenigen Seiten des Brocardus in topographischer
Hinsicht mehr werth sind, als der ungefüge Foliant des
Quaresmius. Gewifs ist, dafs in der langen Zeit zwischen
Eusebius und den Kreuzfahrern viel in der Kirche vergessen ward, was im Volke sich erhielt; und in der folgenden Periode ging dieses Versinken in Vergessenheit
kaum weniger raschen Schrittes weiter. Selbst während
der letzten beiden Jahrhunderte, fürcht' ich, ist, so weit es
an den Klöstern und Reisenden lag, die Sache der biblischen Geographie eben nicht sehr gefördert worden.

Wie sie hier dem Publikum vorliegen, können diese
Bände demnach eine geschichtliche Uebersicht der heiligen Geographie von Palästina seit dem neuen Testamente
genannt werden, indem bei jedem beschriebenen Orte nach-
gewiesen wird, wie weit und zu welcher Zeit er bisher
bekannt gewesen. Genau läfst sich dies freilich nur auf
diejenigen Landestheile anwenden, die wir untersucht haben, was jedoch in gewissem Sinne beinahe das ganze
westlich vom Jordan gelegene Palästina begreift.

Ein Punkt, dem wir besondre Aufmerksamkeit widmeten, war die Rechtschreibung der arabischen Namen,
sowohl in arabischer als in römischer Schrift. Was die erstere betrifft, so hatte mein Gefährte, Herr Smith, schon
unsre Reise einigermafsen vorbereitet, indem er sich die
Namen von Oertern in vielen Provinzen und Distrikten,
durch Eingeborne von Erziehung niedergeschrieben, verschaffte. Diese Listen wurden nachher aus verschiedenen
Quellen und namentlich auch von ihm selbst beim eignen

Besuch der Orte bereichert und berichtigt. Die übrigen Namen wurden von ihm nach der Aussprache der Araber mit grofser Vorsicht und nach den Regeln der Sprache niedergeschrieben. Für die Gegend vom Sinai und von Wady Mùsa hatten wir den Vortheil, Burckhardts Orthographie zu benutzen, die wir gewöhnlich, wenn auch nicht immer, richtig fanden. Es ist der Mühe werth zu bemerken, dafs Burckhardt bisher fast der einzige fränkische Reisende in diesem Bereich gewesen, der uns arabische Namen mit arabischer Schrift gegeben hat [1]).

Unter diesen Umständen mufsten wir nothwendig den Mangel eines regelmäfsigen Systems der Rechtschreibung für diese Namen, wenn mit lateinischen Lettern geschrieben, sehr empfinden. Kaum die Spur eines festen Systems der Art hat bis jetzt existirt, ausgenommen in speciellen Werken. Der Gegenstand ward vor die allgemeine Versammlung der amerikanischen Mission in Jerusalem gebracht, und nach sorgfältiger Ueberlegung beschlossen, im Allgemeinen das System anzunehmen, das von Pickering für die indianischen Sprachen Amerika's vorgeschlagen worden [2]), natürlich mit denjenigen Modificationen, welche für nothwendig gehalten wurden, um es den orientalischen Zungen anzupassen. Zwei Bewegungsgründe bestimmten die Missionare, diesem System den Vorzug zu

---

1) Die mit arabischen Buchstaben geschriebenen Namen auf Jacotin's grofser Karte von Palästina, so wie die in den Reisen von Scholz, sind so ganz unrichtig, dafs sie hier gar nicht in Betracht kommen.

2) Essay on a uniform Orthography for the Indian Languages of North America. By John Pickering. Cambr. N. E. 1818. — Die indianischen Sprachen von Nordamerika und die der Inseln des stillen Meeres sind meist auf dieses Schreibsystem zurückgeführt worden.

geben; erstlich der wirkliche Werth desselben und die
Leichtigkeit seiner Anwendung, und zweitens, dafs es
schon in Europa und in den Vereinigten Staaten für die
einheimischen Namen Nordamerika's und der Südseeinseln
in sehr ausgebreitetem Gebrauche war; so dafs, wenn es
auch für die orientalischen Sprachen angenommen wurde,
in den Schriften der Missionen und den Publicationen der
Missionsgesellschaft eine Regelmäfsigkeit der Orthographie
gesichert wurde. Bei einigen wenigen schon allgemein in
europäische Sprachen eingeführten arabischen Namen haben wir es vorgezogen, der gewöhnlichen Orthographie zu
folgen, z. B. Saladin, Wady, u. s. w.

Zu demselben Zwecke hat mein Freund sich bemüht, in einem kurzen aber sehr deutlichen Aufsatze die
Regeln der Aussprache des heutigen gesprochenen Arabischen darzulegen. Wir sind sicher, dafs dies den Ken-
nern des Arabischen willkommen sein wird. Ein Anhang des letzten Bandes wird diesen Aufsatz enthalten.
Ihm folgen die oben erwähnten Listen von arabischen Ortsnamen, die vollständiger im Anfang des neunten Abschnitts
besprochen sind. Die arabische Orthographie aller der
Namen, die im Texte vorkommen, ist gleicherweise in einem alphabetischen Register am Ende des Werkes gegeben.

Die begleitenden Karten sind unter meiner eignen
Aufsicht von Herrn Kiepert entworfen worden, einem
jungen Gelehrten in Berlin von grofsem, vielversprechen-
dem Talent. In den von uns besuchten oder berührten
Landestheilen sind sie beinahe ausschliefslich nach unsern eignen Beobachtungen und den Nachrichten, die wir
zu sammeln im Stande waren, construirt worden; die andern Theile sind nach den besten fremden Autoritäten er-

gänzt worden; nämlich die Gestalt und Ufer der Meerbusen
des rothen Meeres nach der Karte des Capitän Moresby;
das Land südlich von Wady Mûsa und ein Theil der Halbinsel des Sinai nach Laborde, mit Berichtigungen nach
Burckhardt und Rüppell; die Küste von Palästina nördlich bis nach 'Akka und die Gegend um Nazareth nach der
grofsen Karte Jacotins, welche nach den während der
französischen Expedition im Jahre 1799 gemachten Messungen angefertigt wurde, wobei jedoch die Ortslagen an
der Küste nach späteren astronomischen Beobachtungen
berichtigt worden sind. [1]) Das kleine Stück transjordani-
schen Landes, welches sich auf unsern Karten findet, ist
nach den Routen und Beobachtungen Burckhardts von
Neuem construirt worden, die mit denen von Seetzen, Irby und Mangles und einigen wenigen Andern von geringerer Bedeutung verglichen wurden. Der ganze Berg
Libanon nördlich von Sidon ist nach handschriftlichen Karten des Professor Ehrenberg in Berlin und des Herrn
Bird von der amerikanischen Mission in Syrien, die mir
gütigst zu diesem Zwecke mitgetheilt wurden, entnommen.
Die Karte des Ersteren wurde schon von Berghaus benutzt; die des Letztern sind bisher noch nie vor das Publikum gebracht worden. — Was die Ausdehnung und
den Werth unsres eignen Materials anbetrifft, so verweisen wir den Leser auf das Memoir des Hrn. Kiepert,
welches dieses Werk begleitet. Die Weise, in welcher

---

1) Die grofse Karte Jacotins ist nur in den Theilen von Werth,
die wirklich von den Ingenieurs untersucht wurden; nämlich längs der
Küste nördlich bis 'Akka und in der Gegend von Nazareth und dem Berge Tabor. Die andern Theile taugen nicht viel.

die Karten von Hrn. Mahlmann, der selbst ein geschickter Kartenzeichner ist, in Stein gravirt worden sind, wird sicher Jeden befriedigen.

Bei der Construction der Karten ist es ein Hauptgrundsatz gewesen, keinen Namen und keine Ortslage auf blofse Vermuthung ohne eine hinreichend positive Autorität anzunehmen. Wo man die Existenz eines Ortes kennt, ohne dafs seine Lage bestimmt ausgemacht ist, ist er als ungewifs bezeichnet. Die Folge dieses Grundsatzes ist gewesen, dafs eine Menge von Namen, alte und neue, ausgeschlossen worden, die aufs Gerathewohl auf den meisten Karten Palästina's figuriren. Denn was ist der Vortheil einer Vervielfältigung von Namen, von denen wir nicht wissen, wohin sie gehören? Auf der andern Seite möchte ich gern glauben, dafs an Wahrheit und Richtigkeit sehr viel gewonnen worden ist. Die Orthographie der Namen auf den Karten habe ich meistentheils auf unser System zurückgeführt; bei mehreren indessen längs der Küste des rothen Meeres, so wie bei einigen andern war mir dies nicht möglich, und sie sind daher durch die Art des Stichs unterschieden.

Dies ist alles, was ich in Betreff des vorliegenden Werkes zu sagen habe. Wir möchten es als einen blofsen Anfang betrachtet wissen, als einen ersten Versuch, die Schätze der biblischen Geographie und Geschichte, die noch im heiligen Lande zu finden sind, zu Tage zu fördern; Schätze, die Jahrhunderte lang unaufgegraben gelegen, so bedeckt vom Staub und Schutt der Zeiten, dafs selbst ihr Dasein vergessen war. Wär' es in unsre Macht gestellt, noch einmal jenes Land der Verheifsung zu bereisen, mit der bei unsrem ersten Besuch und bei der Ausarbeitung

dieses Werks gesammelten Erfahrung, und aufserdem mit
passenden Instrumenten ausgerüstet, so zweifle ich nicht,
dafs wir der christlichen Welt würden bei weitem wichtigere und genügendere Resultate vorlegen können. Doch
dieses hohe Glück kann ich wenigstens nicht mehr hoffen
zu geniefsen. Mein Gefährte aber kehrt zu dem Sitze seiner Bestrebungen nach Beirût zurück, und nimmt Instrumente der besten Art mit, in der Hoffnung, auf seinen ge-
legentlichen Reisen im Stande zu sein, unsre früheren Beobachtungen zu bestätigen und zu berichtigen, und seine Untersuchungen auch über andre Landestheile auszu-
dehnen. Ich hoffe noch das Medium der Mittheilung mancher seiner weitern Beobachtungen zu sein, und vergönnt
es Gott, so werden wir auf diesem Wege noch zusammen
thätig seyn zur Beförderung des Studiums und der Erläuterung der heiligen Schrift.

Ich habe dieses Werk handschriftlich in Berlin ausgearbeitet, wo der unbeschränkte Gebrauch der vor-
trefflichen königlichen Bibliothek und der sehr schätzbaren Privatsammlungen Ritters, Neanders und Heng-
stenbergs mir alle literarischen Mittel aufschlofs. Für
alle diese Vergünstigungen und andern von vielen Freunden genossenen Beistand meinen innigsten Dank! Wie
viel ich aufserdem dem Rathe und der unermüdlichen Güte
Ritters verdanke, brauche ich denen nicht zu sagen, die
ihn kennen; die vielen Monate herzlichen Umgangs, den
seine Freundschaft mir gestattete, werden immer zu den
Lichtpunkten meines Lebens gehören.

Das ganze Manuscript war im August 1840 vollendet.
Seit dieser Zeit ist Palästina durch die Intervention der
europäischen Grofsmächte dem Sultan wieder unterworfen

worden, und die ägyptische Herrschaft hat dort ein Ende genommen. Ich sehe indefs keinen Grund, irgend etwas von dem zu ändern, was ich geschrieben habe; und mein Buch mag nun in dieser Hinsicht ein Zeugnifs abgeben von dem Zustande, in welchem wir das Land kurz vor dieser Veränderung der Dinge gefunden haben.

Das Werk ist zuerst in meiner Muttersprache, der englischen, geschrieben, dann aus der Handschrift in's Deutsche unter meiner Aufsicht übersetzt worden. Ich habe die Uebersetzung sorgsam durchgesehn, und selbst die Correkturbogen bis zum Ende des neunten Abschnittes gelesen. Ich hoffe demnach, dafs sich in derselben keine bedeutende Abweichung vom Sinne der Urschrift finden wird. Der gröfsere Theil der Uebersetzung, mit Ausnahme des ersten Bandes, rührt von meinem jungen Freunde, Hrn. Predigt - und Schulamtscandidaten Selbach aus Bremen, her, dessen Fleifs und ungemeine Genauigkeit ich dankbar anerkenne.

Das Geschäft, diese Bände in der Abwesenheit des Verfassers zum Druck zu fördern, ist auf das Gütigste von Herrn Professor Rödiger in Halle übernommen worden, der dadurch den Verbindlichkeiten, die mir seine Freundschaft seit langer Zeit schon auferlegt, eine neue hinzugefügt hat. Das Publikum wird mit mir fühlen, dafs das Werk nicht in bessern Händen hätte sein können.

An den Leser.

I. Die Regeln für die Aussprache der in diesem Werke vorkommenden arabischen Namen werden im Anhang, am Ende des Aufsatzes über die arabische Aussprache, vollständig mitgetheilt. Es genügt hier zu bemerken, dafs die Vocale im Allgemeinen wie im Deutschen und Italienischen, die Consonanten dagegen wie im Englischen auszusprechen sind. Aufserdem sind folgende Abweichungen und Bestimmungen zu beachten.

Vocale.

ei bezeichnet blofs ein gedehntes e.

ŭ ist das englische kurze dumpfe u, wie in but, tub.

y am Ende eines Wortes ist ein ganz kurzes halbstummes i, wie im Englischen fully.

Consonanten.

j hat immer den englischen Laut, etwa wie das deutsche dsch.

s ist immer scharf, wie ss in essen u. s. w.

w hat den englischen Laut in water, ausgesprochen u-ater.

y im Anfang einer Sylbe spreche man wie ein deutsches j aus.

z weich, gerade wie das gewöhnliche deutsche s.

dh steht für das weiche englische th in then, this, wie das neugriechische δ.

gh ist der Repräsentant des arabischen Ghain, ein den europäischen Sprachen unbekannter Laut. Man wird es am besten als ein blofses g aussprechen.

kh etwa wie das rauhe schweitzerische ch.

sh wie das deutsche sch.

th hat den scharfen englischen Laut in thick, thus, wie das neugriechische ϑ.

Das Zeichen (') ist der Repräsentant des arabischen 'Ain.

II. Das Maas der Entfernungen wird gewöhnlich in Stunden gegeben, deren Länge aber mit der Art der beim Reisen benutzten Thiere und nach der Beschaffenheit des Bodens sich verändert. Als allgemeine

Durchschnittsregel ist folgende Bestimmung in Meilen als die richtigste und bequemste befunden worden:

	Deutsche M.	Engl. geogr. M.	Röm. M.
1 Stunde mit Kamelen =	$^1/_2$	2	$2^1/_2$
1 St. m. Pferden u. Maulthieren = $^3/_5$		2.4	3

III. Das gewöhnliche Landmaas ist der Feddân (Joch), der aber sehr unbestimmt und veränderlich ist. Im Allgemeinen kann er mit dem deutschen Morgen und dem englischen Acre verglichen werden.

IV. Das Getreidemaas ist folgendes:

1 Ardeb ist sehr nahe $3^5/_{16}$ Scheffeln gleich, oder 5 engl. Bushels.

1 Ruba' ist der 24ste Theil eines Ardeb.

1 Mid (Maas) in Palästina enthält 12 Ruba's.

V. Gewichte:

1 Rutl oder Pfund ist im Allgemeinen etwa 2 Loth weniger als das Preussische Pfund; bisweilen aber wird es nur zu ungefähr $^3/_4$ Pfund gerechnet.

1 Ukkah (von den Fremden Oke genannt) ist ungefähr $2^2/_3$ Pfund Preussisch.

1 Kuntâr (Centner) enthält 100 Rutl's.

VI. Das Geld wird überall nach Piastern berechnet, deren Werth aber veränderlich, und seit den letzten funfzehn bis zwanzig Jahren sehr gesunken ist.

1 Piaster enthält 40 Füddah's, im Türkischen Parah's.

10	—	waren im J. 1838 gleichgeltend mit 1 Oestr. Gulden.
20	—	—	1 Oestr. Marien-Thlr.
21	—	—	1 Span.Th., Colonnato.
100	—	—	1 Pfund Sterling.

1 Kis oder Beutel ist 500 Piaster oder 25 Oestr. Thaler.

In Konstantinopel stand im J. 1838 der Span. Thaler (Colonnato) auf 23 Piaster, und die andern Münzen in gleichem Verhältnisse.

Die Maase, Gewichte und Gelder Aegyptens, denen die von Syrien ziemlich gleich sind, siehe in Lane's Mod. Egyptians II. p. 370. ff.

Chronologisches Verzeichniss

der Werke über

Palästina, den Berg Sinai und die angrenzenden Gegenden.

Die nachfolgende Uebersicht umfaßst, mit geringen Ausnahmen, nur solche Werke, welche bei der Abfassung dieser Bände zu Rathe gezogen sind. Sie ist, wie ich glaube, bis zu der Zeit von Breydenbach und Felix Fabri im Jahr 1483 beinahe, wo nicht ganz vollständig. Von den in spätere Zeit fallenden Werken sind nur die bedeutenderen oder verbreiteteren angegeben worden; jedoch ist selbst das Verzeichniß dieser umfassender, als irgend ein früher vorhandenes, obgleich keineswegs vollständig. Die Königliche Bibliothek in Berlin, deren Benutzung mir vergönnt war, ist reich in diesem Fach, und enthält eine grofse Menge von Werken über Palästina aus dem sechszehnten Jahrhundert und späterer Zeit, welche ich in keinem Katalog aufgeführt gefunden habe. Es ist wahr, die meisten derselben wiederholen einander nur, und sind von geringem Werthe; wie es auch bei vielen der neueren Reisebeschreibungen der Fall ist. Und doch würde gewifs eine Aufzählung von diesen allen einem auf Vollständigkeit Anspruch machenden Katalog zukommen. — Umständliche Nachricht über einige der frühern Reisen findet man in Beckmann's Literatur der ältern Reisebeschreibungen, 2 Bde. Gött. 1808 — 10.

Die Werke des Josephus, nächst der Bibel die Hauptquelle für die Geschichte und Antiquitäten von Palästina, sind hier überall nach der Ausgabe Havercamp's citirt, 2 Bände, fol. Amsterd. 1726. Die Abschnitte des geographischen Werks des Ptolemaeus (um 250. n. Chr.), welche sich auf Palästina beziehen, werden von Reland vollständig mitgetheilt, Palaestina p. 426 sq. Dasselbe ist auch bei dem Theile der *Tabula Peutingeriana* der Fall, welcher das heilige Land darstellt; ebend. p. 421. Diese merkwürdige Tafel verdankt ihren Namen dem Gelehrten und Staatsmann Peutinger aus Augsburg, welcher lange in ihrem Besitz war. Es ist eine rohe Zeichnung der Militärstrafsen des römischen Reichs, mit den Entfernungen zwischen den Städten, nicht später als im vierten Jahrhundert abgefafst, und zuweilen der Regierungszeit Theodosius des Grofsen, um das Jahr 380, zugeschrieben. Daher führt sie auch mitunter den Namen *Tabula Theodosiana*. Mannert und Andere setzten ihre Entstehung in die Zeit des Alexander Severus zwischen 222 und 235. Das jetzt, so viel man weifs, einzig vorhandene handschriftliche Exemplar scheint aus dem 12. oder 13. Jahrhundert herzurühren. Es ist eine lange schmale Karte, die auf zwei an den beiden Enden befindlichen Rollen aufgewickelt, und in der Kaiserlichen Bibliothek zu Wien mit grofser Sorgfalt aufbewahrt wird. Scheyb gab sie zuerst vollständig heraus in Facsimile, Wien 1753. fol.; und sodann Mannert, Lips. 1829. fol.

Das erste der nun folgenden Verzeichnisse führt nur Werke von Schriftstellern auf, welche selbst in Palästina u. s. w. gereist oder ansässig gewesen. Das zweite umfafst geographische Beschreibungen von andern Schriftstellern. Das einem Werke vorgesetzte Jahr ist das wirkliche Datum der Reise oder des Aufenthalts in Palästina u. s. w. Wo dieses unbestimmt ist, steht vorn *c.* für *circa*. Den bedeutenderen Werken ist ein Sternchen vorangestellt.

I. Itinerarien, Reisen u. s. w.

* *c* 330 – 400. Eusebii et Hieronymi *Onomasticon Urbium et Locorum S. S. Graece et Lat. ed. J. Bonfrerio*, fol. Par. 1631, 1639; auch in Hieron. Opp. ed. Martianay, Tom. II. — *Ed. J. Clerico*, fol. Amst. 1707, der Geogr. Sacra Samson's angehängt. Wieder gedruckt in Ugolini Thesaur. Tom. V. — Das Werk des Eusebius war griechisch geschrieben, und wurde von Hieronymus mit vielen Aenderungen und Zusätzen ins Lateinische übersetzt. Siehe unten Bd. II. S. 6.

Die drei folgenden Itinerarien wurden von P. Wesseling mit Anmerkungen zusammen herausgegeben in 1 Vol. 4to. Amst. 1735, nämlich

I. Antonini Augusti *Itinerarium*, ein blofses Verzeichnifs von Namen und Entfernungen. Das Datum ist nicht bekannt; aber das Werk fällt augenscheinlich später als die Zeit der Antonine. Der Palästina betreffende Abschnitt findet sich bei Reland, Palaest. p. 416 sq.

II. *333. *Itinerarium Hierosolymitanum seu Burdigalense*, von Bourdeaux bis Jerusalem. Das Datum ist durch die Erwähnung der Konsuln Zenophilus und Dalmatius in dem Abschnitte über Konstantinopel gegeben. Reland hat die Namen und Entfernungen der in Palästina erwähnten Orte mitgetheilt, aber nicht die Beschreibung von Jerusalem und der Umgegend, welche von Wichtigkeit ist; Palaest. p. 415. — Es giebt frühere Ausgaben dieses Itinerariums, und der Text Wesseling's ist in dem Anhang von Chateaubriand's Itinéraire wieder abgedruckt.

III. Hieroclis Grammat. *Synekdemus, Graece*, ein Verzeichnifs von Ortschaften in Palästina und anderswo. Das Datum ist nicht bekannt; aber das Werk wird von Wesseling in die ersten Zeiten der Regierung Justinian's c. 530 gesetzt; Prolegom. p. 626.

B

*c. 373. Ammonii Monachi *Relatio de Sanctis Patribus Barbarorum incursione in Monte Sinai et Raithu peremptis*, Gr. et Lat. in Illustrium Christi Martyrum lecti Triumphi, ed. F. Combefis, Lut. Par. 1660. 8vo. p. 88.
* c. 400. St. Nili Mon. Eremitae *Narrationes quibus caedes Monachorum Montis Sinae describitur*. Gr. et Lat. in Sanct. Patris Nili Opera quaedam nondum edita, , ed. Petro Possino. Lut. Par. 1639. 4. Lat. in Acta Sanct. Jan. Tom. I. p. 953. [1]).
c. 600. *Itinerarium* B. Antonini Martyris (seu Placentini), ex Museo Menardi, Juliomagi Andium (Angers) 1640. 4. Aus einer andern Handschrift abgedruckt in den Acta Sanctorum Maii, Tom. II. p. X. Ugolini Thesaur. Tom. VII. — Das Datum dieses Itinerariums ist ungewifs; aber es scheint jünger zu sein als die Zeit Justinian's († 565) und älter als die muhammedanischen Eroberungen.
* c. 697. Adamnanus (ex Arculfo) *de Locis sanctis Libri III.*, ed. Gretsero, Ingolst. 1619, wieder abgedruckt in Gretseri Opp. Tom. IV. Ratisb. 1734; desgl. in Mabillon Acta Sanctor. Ord. Benedict. Saec. III. P. II. p. 499. — Arculfus, ein französischer Bischof, wurde auf der Rückkehr von einer Wallfahrt nach Jerusalem auf die Insel Jona an der westlichen Küste von Schottland verschlagen, wo Adamnanus damals Abt des berühmten Klosters war. Der letztere schrieb diesen Bericht über Palästina nach der Mittheilung des Arculfus nieder, und legte ihn im Jahr 698 dem König Alfred von Northumberland vor. Die Abhandlung des Beda Venerabilis *de Locis Sanctis*, in dessen Werken abgedruckt, ist nur ein Auszug aus diesem Buche des Adamnanus. Siehe Beckmann Bd. II. S. 508 ff.
c. 764. St. Willibaldi *Vita seu Hodoeporicon*, welches eine Nachricht über seine Wallfahrt nach dem heiligen Lande enthält; abgedruckt in Canisii Thesaur. Monumentor. Eccl. et Hist. ed. Basnage, Tom. II. P. I. p. 99 sq. Auch in Mabillon Acta Sanctor. Ord. Benedict. Saec. III. P. II. p. 365. Der letztere Herausgeber nimmt als Datum das Jahr 786 an. — St. Willibald war in England geboren, und wurde im Jahr 742 Bischof von Eichstädt in Baiern. Von seiner Schrift giebt es zwei Recensionen, welche beide von Mabillon aufgenommen sind. Siehe *Brocardus* weiter unten.
c. 870. Bernhardi (Sapientis Monachi) *Itinerarium in Loca Sancta*, in Mabillon Acta Sanctor. Ord. Benedict. Saec. III. P. II. p. 523.

---

1) Man hat noch eine dem Eucherius, Bischof von Lyon im 5. Jahrhundert, zugeschriebene kleine Abhandlung unter dem Titel: *Epistolae ad Faustinum de Situ Judaeae urbisque Hierosolymitanae*, gedruckt in Labb. Bibliothec. nov. Manuscriptor. Tom. I. p. 665—7, Ugolini Thesaur. Tom. VII. Aber Eucherius war, wie es scheint, niemals in Palästina; der Traktat ist aus Josephus, Hieronymus und Andern entnommen und hat wenig Werth.

Auch abgedruckt nach einem Ms. der Cottonschen Bibliothek in Relations des Voyages de Guil. de Rubruk, Bernard le Sage, et Saewulf, par F. Michel et T. Wright. 4to. Paris 1839. p. 201 sq. — Mabillon's Exemplar enthält nur das sehr kurze Itinerarium Bernard's und seiner beiden Reisegefährten; das von Michel und Wright theilt auch einen specielleren Bericht über die heiligen Orte mit, welcher nur aus der Abhandlung des Adamnanus, wahrscheinlich von einer spätern Hand, abgeschrieben ist. Bernard erzählt, dafs er beim Beginn seiner Reise den Segen des Papstes Nicolaus erhielt, ohne Zweifel des ersten dieses Namens, welcher im Jahr 867 starb; denn den nächstfolgenden Papst Nicolaus finden wir erst im Jahre 1059. Dies rechtfertigt das Datum vom J. 870, welches diesem Itinerarium nach Wilhelm von Malmsbury, de Regib. Anglor. cap. 2. zuzuweisen ist. S. Beckmann II. S. 518. Die Cottonsche und Oxforder Handschriften geben irrthümlich das Jahr 970 als Datum an.

1096 — 1125. Fulcheri Carnotensis Gesta Peregrinantium Francorum cum armis Hierusalem pergentium, in Bongars Gesta Dei per Francos p. 381. Vollständiger in Du Chesne Scriptores Francic. Tom. IV. p. 816. Paris 1641. — Fulcher von Chartres, ein Mönch oder Presbyter, begleitete den Herzog Robert von der Normandie im ersten Kreuzzuge 1096 nach Palästina. Seine Geschichte verbreitet sich über die Jahre 1095 bis 1124. [1]).

1102 — 3. Saewulfi Relatio de Peregrinatione ad Hierosolymam et Terram Sanctam; zum ersten Mal abgedruckt in Michel und Wright's Relations des Voyages de Guil. de Rubruk etc. Paris 1839. 4to. p. 237 sq.

c. 1125. Daniel (Igumen) Reise nach dem heiligen Land. Daniel war ein russischer Abt (ἡγούμενος), welcher Palästina im Anfang des 12. Jahrhunderts besuchte. Sein Reisebuch ist eins der frühesten Dokumente der alten slavonischen Sprache, und wurde zuerst gedruckt in Puteschestwia Russkitsch ludei w tschuja zemli, d. i. Reisen der Russen in fremde Länder, Petersb. 1837. 8.

*c. 1150. el - Edrîsi's geographisches Werk enthält einen Bericht über Palästina um die Mitte des zwölften Jahrhunderts. Auszüge des arabischen Textes, Rom. 1592. 4to. Madrid 1799. 8vo. Französisch: Géographie d'Edrisi, par P. A. Jaubert, Tom. I. Paris 1836. 4to. [Tom. II. 1840.] Der von Syrien handelnde Abschnitt ist arabisch und lateinisch edirt in Rosenmüller's Analecta Arabica P. II. Lips. 1828. [2]).

---

1) Die Geschichtswerke von Fulcher, Wilhelm von Tyrus und Jacob de Vitry sind wegen der vielen in ihnen enthaltenen geographischen Notizen in dieses Verzeichnifs mit aufgenommen.
2) Es ist nicht gewifs, ob Edrisi selbst Syrien besucht hat; aber seine Beschreibung ist von zu grofser Wichtigkeit, als dafs sie hier übergangen werden dürfte.

B *

*1160 — 73. Benjamin Tudelensis *Itinerarium*, Reisen des Benjamin von Tudela, eines spanischen Juden. Oefter gedruckt, z. B. *Hebraice cum Vers. et notis Const. l'Empereur*, Lugd. Bat. 1633. 8. Französisch: *Voyages de Rabbi Benjamin etc. par J. B. Baratier*, 2 Tom. Amst. 1734. 8.; auch in einer andern Version in Bergeron's Voyages etc. Tom. I. la Haye 1735. 4. Englisch: *Travels of Rabbi Benjamin etc.* Lond. 1783. 12mo. Hebräisch und englisch von *A. Asher*, mit Anmerkungen, 2 Vol. Berlin 1840. Diese letztere ist die beste Ausgabe von allen. Man hat oft behauptet, dafs dieses Buch voller Ungenauigkeit und Fabeln sei, und dafs der Verfasser niemals die von ihm beschriebenen Gegenden besucht habe. Aber die erstgenannten Fehler sind bei den Schriftstellern dieses Zeitalters gewöhnlich; und ich habe in seinem Bericht über Palästina, so weit er reicht, gefunden, dafs derselbe von einem Augenzeugen herrührt und eben so genau und glaubwürdig ist, als irgend einer der andern Berichte aus dieser Periode.

c. 1175 — 80. R. Petachiae *Peregrinatio etc. Hebr. et Lat.* in Wagenseil Exercitationes sex varii argumenti, Altorf 1687. 4. Alt. et Norimb. 1719. 4. Hebräisch und französisch: *Tour du Monde ou Voyages du R. Pethachia, par M. E. Carmoly*, Paris 1831. 8. [auch in N. Journ. Asiat. T. VIII]. — Rabbi Petachia war ein Jude aus Regensburg; sein Itinerarium ist von weit geringerem Werth als das vorhergehende des Rabbi Benjamin.

1175. Gerhardi, *Friderici I. in Aegyptum et Syriam ad Saladinum legati, Itinerarium*, A. D. 1175. In der Chronica Slavonica Helmoldi et Arnoldi Abbatis Lubecensis, ed. Bongart, Lub. 1702. 4. p. 516 sq. — Gerhard reiste von Aegypten nach Damascus über den Sinai und die Ostseite des todten Meers, wobei er durch Bostra kam. Das Itinerarium ist durch Arnold von Lübeck seiner Chronik eingefügt; es ist kurz und von geringer Bedeutung.

1185. Joannes Phocas *de Locis Sanctis etc., Gr. et Lat.* in den Symmikta des Leo Allatius, Colon. Agr. 1653. 8. Venet. 1733. fol. Die lateinische Uebersetzung ist auch abgedruckt in den Acta Sanctorum Maii, Tom. II. p. 1. — Phocas war von Geburt ein Creter und lebte als Mönch auf Patmos. Er erwähnt nichts von den Kreuzfahrern. Das obige Datum ist das von L. Allatius angegebene.

*1182 — 85. Willermus (Guil.) Tyrensis *Historia Rerum in partibus transmarinis gestarum etc. seu Historia Belli Sacri*; abgedruckt Basel 1549. Ebdas. 1560. Eb. 1583. Auch in Bongars Gesta Dei per Francos, Hannov. 1611. fol. — Dieser Schriftsteller, der hauptsächlichste und bedeutendste Geschichtschreiber der Kreuzzüge, wurde im Jahr 1174 zum Erzbischof von Tyrus ernannt. Er fing seine Geschichte im Jahr 1182 an (siehe lib. I. c. 3.), und führte sie in 22 Büchern vom Anfang der Kreuzzüge bis zur Aufhebung der Belagerung von

Kerak durch Saladin im Jahr 1184 fort. Er giebt viele werthvolle topographische Notizen.

*c. 1200. Bohaeddini *Vita et Res gestae Saladini*, *Arab.* et *Lat.* ed. *A. Schultens*, *cum Ind. Geograph.* Lugd. Bat. 1735. fol., und mit einem neuen Titelblatt ebd. 1755. — Saladin starb im Jahr 1193. Behaeddin war sein Sekretär und Gesellschafter. Der geographische Index von Schultens ist für die arabische Topographie Palästina's und Syrien's von Werth.

c. 1200. Gaufried (Jeffrey) Vinisauf *Iter Hierosolymitanum Regis Anglorum Richardi I.*; in Historiae Anglic. Scriptores ed. Gale, Tom. II. p. 247 sq.

1211. Willebrandi ab Oldenborg *Itinerarium Terrae Sanctae*, gedruckt in den Symmikta des Leo Allatius, Colon. Agr. 1653. 8. Venet. 1733. fol. — Der Verfasser war Kanonikus zu Hildesheim.

* c. 1220. Jacobi de Vitriaco *Historia Hierosolymitana*, Duaci (Douay) 1597. 8vo. Auch in Bongars Gesta Dei per Francos, Hannov. 1611. fol., und in Martene et Durand Thesaur. nov. Anecdot. Tom. III. Lut. Par. 1717. — Der Verfasser, ein französischer Priester, wurde Bischof von 'Akka, und schrieb seine Geschichte um das Jahr 1220, nach der ersten Einnahme von Damiette im Jahr 1219. Er starb im J. 1240. Histoire Lit. de France. T. XVIII. p. 224.

Dem 12. und 13. Jahrhundert gehören auch die folgenden Itinerarien und Sammlungen an, sechs an der Zahl:

I. Eugesippus *de Distantiis Locorum Terrae Sanctae*, *Gr.* et *Lat.* in den Symmikta des Leo Allatius, Colon. Agr. 1653. 8. Venet. 1733. fol. — Dieser Schrift hat Allatius als Datum das Jahr 1040 vorgesetzt; aber der Verfasser spricht gleich auf der ersten Seite von der Festung Mons Regalis in Arabia Petraea, als welche von König Balduin I. von Jerusalem erbaut worden sei. Dies fand aber im Jahr 1115 statt. S. Will. Tyr. XI, 26.

II. Epiphanii Hagiopolitae *Enarratio Syriae*, *Urbis Sanctae*, etc. *Gr.* et *Lat.* in den Symmikta des Leo Allatius. Der Verfasser war ein syrischer Mönch. Das Datum des Werkes ist ungewifs; aber es scheint aus späterer Zeit zu sein, als das des Phocas, und älter als die Zerstörung der Klöster auf dem Berge Tabor im dreizehnten Jahrhundert.

III. Johannis Wirzburgiensis *Descriptio Terrae Sanctae*, in B. Pezii Thesaur. Anecdotor. Tom. I. P. III. p. 483. Fabricius setzt diesen Schriftsteller in den ersten Theil des 12. Jahrhunderts, Meusel in das 13te. Die Schrift ist von geringem Werth.

IV. * *Gesta Dei per Francos* etc. (ed. J. Bongars). Hanoviae 1611. fol. Dieses Werk enthält aufser der Geschichte des Fulcher, Wilhelm von Tyrus und Jacob de Vitry, verschiedene historische Traktate

über die Kreuzzüge von gleichzeitigen Schriftstellern, z. B. Raimund de Agiles, Albertus Aquensis, Guibert und andern.
V. *Reinaud *Extraits des Historiens Arabes relatifs aux Guerres des Croisades*, Paris 1829. 8.
VI. In Hackluyt's Voyages, Vol. II. Part. I. sind historische Notizen von vielen englischen Pilgern und Kreuzfahrern nach dem heiligen Lande während derselben Jahrhunderte enthalten; aber man findet darin keine Specialitäten von grofsem Werthe.

---

c. 1247. Jacobi Pantaleonis *Liber de Terra Sancta.* Dieser Schriftsteller, ein französischer Priester, wurde im J. 1252 lateinischer Patriarch von Jerusalem. Die hier citirte Schrift wird von Adrichomius p. 287 erwähnt; aber ich habe keine weitere Nachricht darüber gefunden, und nicht erfahren können, ob sie jemals gedruckt wurde. Vgl. le Quien Oriens Chr. III. p 1257.
**c.* 1283. Brocardi (Borcardi, Burchardi) *Locorum Terrae Sanctae Descriptio.* Venet. 1519. 8vo. Auch gedruckt in Sim. Grynaei Novus Orbis Regionum etc. Fol. Basil. 1532.; ebdas. 1555. Edirt von R. Reineccius, Magdeb. 1587. 4. zugleich mit dem Itinerarium des B. de Saligniaco; von J. Clericus angehängt dem Onomasticon des Euseb. und Hieron., fol. Amst. 1707, nach der Ausgabe des Grynaeus, und wieder abgedruckt in Ugolini Thesaur. Tom. VI. Eine abweichende Recension gibt Canisius im Thesaurus Monumentor. Eccl. et Histor. ed. Basnage, Tom. IV. p. 9. Deutsch im Reyfsbuch des heil. Landes. — Diese Darstellung des Brocardus scheint das Lieblingswerk der Klöster gewesen zu sein, und wurde häufig abgeschrieben. In der That haben sich die Mönche, wie es scheint, oft damit beschäftigt, diese und andere ähnliche Abhandlungen mit Veränderung der Form und des Stils umzuschreiben, indem sie so gleichsam eine neue Recension lieferten. Es sind viele Handschriften von Brocardus vorhanden, und selbst die gedruckten Exemplare enthalten nach Beckmann nicht weniger als vier solche Recensionen. Ich habe selbst die Ausgaben des Reineccius, le Clerc und Canis verglichen, und obgleich die Fakta nebst der Anordnung derselben im Allgemeinen gleich sind, so ist doch die Sprache verschieden, und jeder hat im Vergleich mit den übrigen viele Zusätze und Lücken. Man hat zuweilen zwei Schriftsteller dieses Namens angenommen, um diese Abweichungen zu erklären, aber ohne hinreichenden Grund. Vgl. die parallelen, obgleich nicht so frappanten Fälle bei St. Willibald und Bernard oben. — Ebenso herrscht eine grofse Ungewifsheit über das Datum. Alle Herausgeber setzen die Beschreibung ins 13. Jahrhundert, einige in die erste Hälfte, andere gegen den Schlufs; aber das Uebergewicht von Autorität scheint sich nach der letzteren Periode, oder gegen

das Jahr 1280 hinzuneigen. Adrichonius nimmt das Jahr 1283 an; p. 287.
Siehe Beckmann a. a. O. Bd. II. S. 31 ff. Brocardus selbst erwähnt
den Berg Tabor als verwüstet, was im Jahr 1263 herbeigeführt wurde;
c. VI. p. 175. Die in dem vorliegenden Werke citirte Ausgabe ist die
von le Clerc.

*1300 — 30. Abulfedae *Tabula Syriae, Arab. et Lat. ed.
J. B. Köhler*, Lips. 1766. 4. Auch *Descriptio Arabiae, Arab. et Lat. ed.
J. Greaves* in Hudson's Geographiae vet. Scriptores minores, Tom. III.
Oxon. 1712. 8. — Abulfeda war Fürst von Hamah in Syrien, und beschreibt das Land als ein Augenzeuge. Eine vollständige Ausgabe seines ganzen geographischen Werks im Original ist zu Paris 1837 u. 1840
von Reinaud und Mac Guckin de Slane besorgt.

*1321. Marinus Sanutus, *Liber Secretorum fidelium Crucis*
etc., gedruckt in den Gesta Dei per Francos, Tom. II. Der Verfasser
war ein edler Venetianer, hatte den Osten viel bereist und wie es scheint
auch Palästina besucht; er beschäftigte sich viele Jahre hindurch mit einem Plan zur Wiedereroberung dieses Landes durch die Christen. Das
dritte Buch enthält eine Beschreibung des heiligen Landes. Das Jahr
1321 war das, in welchem er sein Werk dem Papste vorlegte.

1322 — 56. *The Voiage and Travaile of* Sir John Maundeville
in vielen Handschriften und Ausgaben, englisch, französisch, italienisch, deutsch und lateinisch vorhanden; neueste Ausgabe Lond. 1839. 8.
Deutsch im Reyfsbuch des heil. Landes. — Sir John ist gewöhnlich
für einen Erzähler von Wundergeschichten gehalten worden; aber nachdem ich seine Route von Aegypten bis Jerusalem verfolgt habe, mufs ich
ihm die Gerechtigkeit widerfahren lassen, zu sagen, dafs seine Geschichten nicht wunderbarer sind, als die der meisten andern Pilger dieser Tage, während sein Buch in dieser Partie eben so korrekt ist,
als die Berichte der meisten neueren Reisenden, und dabei weit unter-
haltender.

1324 — 25. *Travels of* Ibn Batuta, aus dem Arabischen übersetzt von Prof. Lee, Lond. 1829. 4. — Der Abschnitt über Palästina
umfafst nur vier Seiten, p. 19 — 22.

1336. Guilielmi de Baldensel *Hodoeporicon ad Terram
Sanctam*, gedruckt in Canisii Thesaur. Monumentor. ed. Basnage Tom.
IV. p. 331. Nicht ohne Verdienst. Siehe Beckmann a. a. O. I. S. 226.

*1336 — 50. Ludolphi (seu Petri) de Suchem *Libellus de
Itinere ad Terram Sanctam*, Venet. ohne Jahrzahl 4to. Deutsch: *Von
dem gelobten Lande und Weg gegen Jherusalem*, ohne Druckort 1477. 4to.
Auch im Reyfsbuch des heiligen Landes. Eine lateinische Handschrift
von diesem Werke findet man in der Königlichen Bibliothek zu Berlin. —
Ludolph (Rudolf) oder Peter war Kirchherr zu Suchem in der Diöcese
Paderborn. Sein Reisebuch ist mit grofser Einfachheit geschrie-

ben und hat einen Anstrich von Wunderbarem, aber es ist entschieden das beste Itinerarium des 14. Jahrhunderts.

1346. Rudolph de Frameynsberg, *Itinerarium in Palaestinam, ad Montem Sinai, etc.*, gedruckt in Canisii Thesaur. Monumentor. Eccl. ed. Basnage, Tom. IV. p. 358. — Dieser Aufsatz umfafst nur zwei Folioseiten, und würde nicht der Erwähnung werth sein, wenn es nicht um der Vollständigkeit willen geschähe.

c. 1349. Stephan von Novgorod, *Reise nach dem heiligen Land* um d. J. 1349. In den russischen Reisen, die oben unter *Daniel* i. J. 1125 erwähnt sind.

In das 14. oder 15. Jahrhundert gehört, wie es scheint, die anonyme Abhandlung *de Locis Hierosolymitanis*, griech. und lat. in den Symmikta des Leo Allatius, Colon. Agr. 1653. 8. Venet. 1733. fol. Die Sprache dieses Traktats ist fast die Neu - Griechische, und dies, so wie der Inhalt, weist auf eine ganz späte Abfassungszeit hin.

1420. Sosim (Hierodiaconus) *Reise nach dem heiligen Land*; in den oben citirten russischen Reisen, unter Daniel i. J. 1125.

1449. Steph. von Gumpenberg (und Andere), *Wahrhaftige Beschreibung der Meerfahrt in das heil. Land*, Frankf. 1561. 4. Auch im Reysbuch des heil. Landes. — Von geringem Werth.

1466. Basilius (ein Kaufmann aus Moskau) *Reise nach dem heil. Lande*; in den oben unter Daniel im J. 1125 citirten russischen Reisen.

1467. Hans von Mergenthal, *Reise und Meerfahrt Herrn Albrechts Herzog zu Sachsen in das heilige Land nach Jerusalem*, Leipz. 1586. 4. Leyd. 1602. 4.

* 1479 — 80. Hans Tucher's *Reyssbeschreybung*. Augsb. 1482. fol. Nürnb. 1482. 4. ebend. 1483. 4. Augsb. 1486. fol. Frankf. 1561. 4. Auch im Reysbuch des heil. Landes.

1481 — 83. *Voyage van* Joos van Ghistele, te Ghend. 1557. 4. ebend. 1572. 4. — Joos van Ghistele, ein flämischer Edelmann, reiste in den Jahren 1481 — 83. nach Palästina, begleitet von seinem Kaplan, Ambrosius Zeebout. Letzterer verfafste diese Beschreibung der Reise in dem alten flämischen Dialekte.

* 1483 — 84. Bernh. de Breydenbach, *Itinerarium Hierosolymitanum, ac in Terram Sanctam*, Mogunt. 1486. fol. Spirae 1490. fol. eb. 1502. fol. Deutsch: *Die heiligen Reisen gen Jherusalem u. s. w.* Maynz. 1486. fol. Augsb. 1488. fol. Auch im Reifsbuch des heil. Landes. Auch franz. und holländ. gedruckt. — Breydenbach war Dechant der Kathedrale in Mainz; er reiste nach Jerusalem und von da nach dem Berg Sinai mit dem Grafen von Solms und mehreren Andern. Dieser Reisebericht ist sehr geschätzt worden, aber nicht so genau als der seines Zeitgenossen Felix Fabri. Siehe den folgenden Artikel.

* 1483 — 84. Felix Fabri (d. i. Schmidt) *Eigentliche Be-*

schreybung der Hin- und Wiederfahrt zu dem heil. Land gen Jerusalem,
ohne Druckort 1556. 4. Auch im Reyfsbuch des heil. Landes. — Felix,
ein Dominikanermönch und Prediger zu Ulm, besuchte zuerst das heilige
Land im Jahr 1480. Dann ging er 1483 wieder dahin, in Begleitung des
Hans Werli von Zimber und Andern. Von Jerusalem bis zum Sinai
reiste diese Gesellschaft mit der Breydenbach's zusammen. Nach Vergleichung der beiden Berichte finde ich den des Fabri vollständiger und
genauer; und wo sich nur ein Widerspruch findet (wie bei Hebron), ist
der letztere vorzuziehen. Es ist nicht der geringste Grund zu der zuweilen gemachten Voraussetzung vorhanden, dafs dieses Werk und das
von Breydenbach ursprünglich einerlei waren. Siehe die Vorrede zu der
Ausgabe von 1556.

Anmerkung. Bis hierhin ist das Verzeichnifs der gedruckten
Werke beinahe, wo nicht ganz, vollständig. Um diese Zeit scheinen
Wallfahrten nach dem heiligen Lande oder wenigstens Beschreibungen
derselben häufiger geworden zu sein. Edelleute, selbst Fürsten rei-
sten oft von Gefolge begleitet dahin; und mehrere derartige magere
Reiseberichte aus dieser Periode finden sich in bem *Reyfsbuch.* Da-
hin gehören die Itinerarien Alexander's, des Pfalzgrafen am Rhein, des'
Johann Ludwig Grafen von Nassau im Jahr 1495, und Bogislaus des
X., Herzogs von Pommern i. J. 1496. — Von jetzt an umfaſst das
Verzeichnifs nur die bedeutenderen oder verbreiteteren Werke.

----

* 1495. Mejr ed-Dîn, *Geschichte von Jerusalem,* aus dem Arabischen ins Französische übersetzt durch von Hammer in den Fundgruben des Orients, Bd. II. S. 81, 118, 375, u. s. w. — Der Verfasser
schrieb, wie er selbst sagt, im J. d. H. 900, d. i. 1495 n. Chr.; siehe S.
376. Dies ist die vollständigste arabische Beschreibung der heiligen Stadt.

1507 — 8 Martini a Baumgarten in Braitenbach's *Peregrinatio in Egyptum, Arabiam, Palaestinam cj Syriam,* Norimb. 1594. 4.
Englisch in Churchill's Coll. of Voyages, Lond. 1704. — Kurz, aber offenbar Bemerkungen eines verständigen Beobachters.

1507 — 8. Georgii (Prioris Gemnicensis) *Ephemeris, sive Dia-
rium Peregrinationis Aegypti, Montis Sinai, Terrae Sanctae et Syriae,*
gedruckt in Pezii Thesaur. Anecdot. Tom. II. P. III. p. 453.

1507 — 8. Anselmi *Descriptio Terrae Sanctae,* in Canisii
Thesaur. Monumentor. Eccl. ed. Basnage, T. IV. p. 776. — Der Ver-
fasser war ein Franziskanermönch von den Minoriten de Observantia.
Die Abhandlung hat geringen Werth.

1516. Bern. Amico *Trattato delle piante e imagine de' sacri
edifizi di Terra Santa, disegnati in Jerusalemme,* Roma 1609. fol. Firenze 1620. fol. — Der Verfasser war Präses (Vikar) des heiligen Grabes

im Jahr 1516. Das Werk ist hauptsächlich wegen der Kupferstiche geschätzt worden, welche indefs sehr geringes Verdienst haben.

1519. L u d w i g T s c h u d i von Glarus *Reyss - und Pilgerfahrt zum heiligen Grab*, St. Gallen 1606. 4.

1522. B a r t h o l. d e S a l i g n i a c o *Itinerarium Hierosolymitanum et Terrae Sanctae Descriptio*, Lugd. Segus. 1526. 4. Auch Magdeb. 1587. 4., dem Werke des Brocardus angehängt. — Der Verfasser theilt sein Werkchen in *Tomi* d. h. hier kleinere Abschnitte.

* 1546 — 49. P i e r r e B e l o n d u Mons, *Observations de plusieurs singularitez et choses mémorables trouvées en Grèce, Asie, Judée, Egypte, Arabie etc.* Paris 1553. 8. Ebend. 1555. 8. Augmentez, Paris 1588. 4. Lateinisch, Antv. 1589. 8. Englisch, Lond. 1693. 8. Auszüge im Deutschen in Paulus Sammlung der Reisen u. s. w. Th. I. II. — Belon war ein verständiger und genauer Beobachter.

1552 — 59. B o n i f a c i i a Ragusio *Liber de perenni cultu Terrae Sanctae*, Venet. 1573. 8. — Bonifacius war ein Franziskaner, und neun Jahre lang Guardian des heiligen Grabes. Er führt auch den Titel „Episcopus Stagni." Das Werk wird oft von Quaresmius citirt; aber ich bin nicht im Stande gewesen, eine weitere Spur davon aufzufinden. Siehe Quaresmius Elucid. T. I. Praef. p. XXXV. Wadding Annal. Minorum i. J. 1342. LXXII.

1565 — 66. J o h. H e l f f r i c h, *Bericht von der Reise aus Venedig nach Hierusalem, in Aegypten, auf dem Berg Sinai, u. s. w.* Leipz. 1581. 4. Auch im Reyfsbuch des heil. Landes.

1565 — 67. C h r i s t o p h. F ü r e r ab Haimendorf, *Itinerarium Aegypti, Arabiae, Palaestinae, Syriae, etc.* Norimb. 1620. 4. Deutsch: *Reisebeschreibung in Aegypten, Arabien, Palästina, u. s. w.* Nürnb. 1646. 4.

* 1573 — 76. L e o n h. R a u w o l f, *Aigentliche Beschreibung der Reyss so er ain die Morgenländer, fürnehmlich Syriam, Judäam u. s. w. selbst vollbracht*, 3 Theile, Augsb. 1581. 5. Frankf. 1582. 4. Mit einem 4ten oder botanischen Theil, Laugingen 1583. 4. Auch im Reyfsbuch des heil. Landes. Englisch in Ray's Coll. of curious Voyages and Travels, Vol. I. Lond. 1693. 8. ebd. 1705. 8. — Rauwolf war ein Arzt und ein Botaniker; seine Reisebeschreibung ist eine der bedeutendsten im sechszehnten Jahrhundert. Beckmann a. a. O. Bd. I. S. 1. Bd. II. S. 170.

1576 — 81. S a l o m. S c h w e i g g e r ' s *Bechreibung der Reyss aus Tübingen nach Constantinopel und Jerusalem*, Nürnb. 1608. 4. ebend. 1614, 1619, 1639, 1664. 4. Auch im Reyfsbuch des heil. Landes, 2 Aufl. — Schweigger war ein protestantischer Theolog aus Tübingen. Sein Werk gewährt wenig Auskunft.

1579 — 84. H a n n s J a c. B r e u n i n g von und zu Buachenbach, *Orientalische Reyss in der Turkey u. s. w. benanntlich in Griechenland,*

Egypten, Arabien, Palästina und Syrien, Strasb. 1612. fol. Der Verfasser hat mitunter ans Rauwolf abgeschrieben. Das Buch ist jetzt sehr selten. Beckmann Bd. I. S. 269.

1583 — 84. Nic. Christoph (Principis) Radzivil *Jerosolymitana Peregrinatio, primum a Th. Tretero ex Polonico Sermone in Latinum translata,* Brunsberg 1601. fol. Antv. 1614. fol. Deutsch: *Hierosolymitanische Reysse und Meerfahrt,* Mainz 1602. 4. Auch im Reyfsbuch des heil. Landes, 2. Ausg.

*1586. Jean Zuallart (Giovanni Zuallardo) *Il devotissimo Viaggio di Gierusalemme,* Roma 1587. 8. ebend. 1595. 8. eb. 1597. 8. Späterhin französisch von dem Verfasser erweitert: *Très-devot Voyage de Jerusalem* etc. Anwers 1608.4. Deutsch unter dem Titel: Joh. Schwallart's *Deliciae Hierosolymitanae, oder Bilgerfahrt in das heil. Land,* Cölln 1606. 4; auch im Reyfsbuch des heil. Landes, 2. Ausg. — Zuallart war ein Flamänder von Geburt, und machte seine Reise nach Jerusalem, nachdem er sich in Rom aufgehalten hatte. Sein Werk wurde zuerst mehrere Male italienisch in Rom herausgegeben; aber er kehrte später in sein Vaterland zurück, und gab das Werk aufs Neue in einer verbesserten Gestalt französisch zu Antwerpen heraus. Sowohl die italienischen als französischen Ausgaben haben eine Anzahl Kupferstiche von Gegenständen in und um Jerusalem anscheinend nach seinen eignen Zeichnungen, welche, obgleich von geringem Verdienst, sehr beliebt wurden. Im 6. Buch sind die Gebete, Hymnen u. s. w. zusammengestellt, welche von den Mönchen an den verschiedenen heiligen Orten hergesagt und gesungen wurden.

*In diese Periode gehört das *Reyfsbuch des heiligen Landes,* Frankf. 1584. fol. Dies ist eine Sammlung der Journale verschiedener Reisender im heiligen Lande, in deutscher Sprache, entweder als Original oder Uebersetzung, angefertigt von Sigismund Feyerabend, einem Buchhändler in Frankfurt, und daher zuweilen als *Feyerabendsche Sammlung* bezeichnet. Von den bereits aufgezählten Autoren enthält das ursprüngliche Reyfsbuch: *Brocardus, Maundeville, Rudolf von Suchem, Gumpenberg, Tucher, Breydenbach, Felix Fabri, Helffrich, und Rauwolf,* aufser neun andern; im Ganzen achtzehn. — Eine andere Ausgabe, mit einem zweiten die Reiseberichte von *Schweigger, Radzivil* nud *Zuallart* (Schwallart) in etwas abgekürzter Gestalt enthaltenden zweiten Theil, erschien unter dem Titel: *Bewahrtes Reissbuch des heiligen Landes u. s. w.* Frankf. 1629. Nürnb. 1659.

1589. De Villamont *Voyages* [en Italie et en Palestine], Paris 1600. 8. ebend. 1604. 8. Arras 1605. 8. Lyon. 1606. 8. Paris. 1614. 8.

c. 1590. Pant. d'Aveyro *Itinerario da Terra Santa et todas suas Particularidades,* Lisboa 1593. 4. ebend. 1600. 4.

* 1598 — 99. Joh. Cotovicus (Kootwyk), *Itinerarium Hierosolymitanum et Syriacum*, Antv. 1619. 4. — Kootwyk war Rechtsgelehrter in Utrecht, und ein genauer und gescheuter Beobachter. Sein Werk ist vollständiger und bedeutender, als irgend ein anderes aus dem sechszehnten und früheren Jahrhunderten. Jedoch scheint er die Voyage Zuallart's stark benutzt zu haben; seine Kupferstiche wenigstens sind alle treue Copien von den in diesem Werke enthaltenen. Er ist sehr vollständig in Beziehung auf das Rituelle und Ceremonielle in den Klöstern, und theilt die von den Mönchen an den verschiedenen heiligen Orten hergesagten Gebete und Hymnen mit; aber diese scheint er auch aus Zuallart entnommen zu haben.

1598 — 99. Don Aquilante Rochetta *Peregrinatione di Terra Santa etc.* Palermo 1630. 4. Die Kupferstiche sind aus Zuallart.

1609 — 27. Will. Lithgow, *Discourse of a Peregrination from Scotland to the most famous Kingdoms in Europe, Asia and Africa*, Lond. 1632. 4. ebend. 1646. 4. Holländisch, Amst. 1652. 4. — Nachlässig und von geringem Werth.

* 1610 — 11. George Sandys *Travailes, containing a History of the Turkish empire etc., a Description of the Holy Land, of Jerusalem etc. with fifty graven maps and Figures*, fol. Lond. 1615, 1621; 6. Ausg. 1658. etc. Holländisch, Amst. 1654. 4.; eb. 1665. 4. Deutsch, Frankf. 1669. 8. — Der Verfasser schreibt mit treuherziger Einfachheit und unzweifelhafter Redlichkeit. Die Kupferstiche, welche sich auf Jerusalem und die Umgebung beziehen, sind zunächst aus Cotovicus copirt, also dieselben, wie die bei Zuallart.

1614 — 26. Pietro della Valle *Viaggi descritti da lui medesimo in lettere famigliari*, 3 Tom. Roma 1650 — 53. Französisch, Paris 1661. 4.; ebend. 1664. 4.; eb. 1745. 8. Amst. 1766. 8. etc. Englisch, Lond. 1665. fcl. Holländisch, Amst. 1664 — 65. 4. Deutsch, Genf 1674. fol. — Leicht und oberflächlich. Dem Autor verdankt Europa die erste Abschrift des Samaritanischen Pentateuchs.

c. 1615. Henry Timbertake, *A true and strange discourse of the Travels of two English Pilgrims — towards Jerusalem, Gaza, Grand Caire*, etc. Lond. 1616. Auch in dem Harleian Miscellany Vol. I. p. 327.

* 1616 — 25. Francisci Quaresmii *Historica theologica et moralis Terrae Sanctae Elucidatio*, 2 Tom. fol. Antv. 1639. — Quaresmius war aus Lodi gebürtig und lebte zu zwei verschiedenen Malen als Mitglied des lateinischen Klosters in Jerusalem. In seiner Anrede an den Leser auf dem letzten Blatte des zweiten Bandes sagt er uns, daß dieses Werk im Jahr 1616 angefangen und um das Jahr 1625 in Jerusalem vollendet wurde; vgl. Tom. I. p. IX. Er kehrte alsdann nach Italien zurück, und suchte sein Manuscript drucken zu lassen, aber ohne

Erfolg. Er wurde jetzt zum zweiten Mal als Guardian oder Terrae Sanctae Praesul et Comissarius apostolicus nach Jerusalem geschickt, und versah dieses Amt während der Jahre 1627—1629. Bei seiner darauf folgenden Rückkehr nach Europa führten ihn Umstände nach Flandern, wo der Druck seines Werkes im Jahr 1634 begann und 1639 vollendet wurde. Er scheint späterhin General-Procurator des Ordens der Franziscaner und ihr Provinzial in der Provinz Mailand geworden zu sein. Siehe Morone, Terra Santa nuov. illustr. T. II. p. 380, 383 sq. — Das Werk des Quaresmius ist sehr unbestimmt und grenzenlos weitschweifig. Es hat sehr geringen Werth in topographischer Hinsicht, ist aber wichtig für die Geschichte der katholischen Stiftungen im heiligen Lande, und weil es auch den Zustand der lateinischen Ueberlieferung zur Zeit seiner Abfassung angiebt.

1627. F. Ant. del Castillo, *El devoto Peregrino y Viaye de Tierra Santa*, Madrid 1656. 4. — Die Kupferstiche sind von Zuallart entlehnt.

1635 — 36. Georg Christoff Neitzschitz *Siebenjährige Weltbeschauuny* [1630 — 37,] *herausgegeben von C. Jäger*, Bautzen 1666. 4. Nürnb. 1673. 4. Magdeb. 1753. 4. — Dieses Werk mafst sich mehr an, als es Verdienst hat.

1644 — 47. Bernardin Surius *Le pieux Pélerin ou Voyage de Jerusalem*, Brusseles 1666. 4. — Der Verfasser war Präses (Vikar) des heiligen Grabes.

* 1646 — 47. Balth. de Monconys *Journal des Voyages*, publié par son fils, 3 Tom. Lyon 1665. 4. Paris 1677. 4. 1695. 12mo. 5 Tom. —. Der erste Band enthält die Reisen in Aegypten, auf dem Berge Sinai, in Palästina und Syrien. Der Verfasser war ein fleifsiger Beobachter, namentlich in Beziehung auf das die Künste und Wissenschaften unter den Orientalen Betreffende.

* 1651 — 52. Jo. Doubdan, *Le voyage de la Terre Sainte*, Par. 1657. 4. 1661. 4. Die erste Ausgabe hat nur die Anfangsbuchstaben J. D. Die zweite ist mit dem vollständigen Namen des Verfassers versehen. Er war Kanonikus zu St. Denis, und sein Werk verräth Gelehrsamkeit und Forschung.

1651 — 58. Mariano Morone da Maleo, *Terra Santa nuovamente illustrata*, 2 Parti, Piacenza 1669. 4. — Der Verfasser war Vikar und agirender Guardian des heiligen Grabes sieben Jahre hindurch, sowie ein specieller Freund und Schüler des Quaresmius; siehe Pt. II. p. 381, 383 sq.

1655. Ignatius von Rheinfelden, *Neue Jerosolymitanische Pilyerfahrt, oder Kurze Beschreibung des gelobten heiligen Landes*, Würzb. 1667. 4. — Der Verfasser war ein Kapuzinermönch.

1655 — 59. Jean de Thevenot *Relation d'un Voyage fait au*

Levant. . . . et des Singularitez particulières de l'Archipel, Constantinople, Terre-Sainte etc. Rouen et Paris 1665. 4. Englisch, Lond. 1687 — Auch *Suite du Voyage du Levant*, Paris 1674. 4. *Voyage de l'Indostan*, Paris 1684. 4. Alles wieder gedruckt unter dem Titel: *Voyages tant en Europe qu'en Asie et Afrique*, 5 Tomes. Paris 1689. 8. Amst. 1705. 12mo. eb. 1712. 12. ebend. 1727. 8. etc. Deutsch: *Reisen in Europa, Asia und Africa*, Frankf. 1693. 4. Englisch: *Travels in the Levant etc.* Lond. 1687. fol. — Thevenot hat lange Zeit die Beschuldigung tragen müssen, er habe nicht selbst die von ihm beschriebenen Länder besucht, sondern sein Werk aus den Nachrichten anderer Reisender, sowohl mündlichen als schriftlichen, namentlich denen von d'Arvieux compilirt. So Moréri Dict. Historique Tom. X. p. 138. Paris 1759. Dies wird jedoch jetzt als Irrthum angesehen. welcher aus einer Verwechselung dieses Autors mit *Nicolas Melch. de Thevenot* herrührte, der um dieselbe Zeit eine Sammlung von Reisebeschreibungen verschiedener Verfasser herausgab, unter dem Titel: *Relation de divers Voyages curieux etc.* 2 Tom. en 4 Part. fol. Paris 1664. Ebendas. 1672. eb. 1696. Siehe die Bibliographie Universelle Art. Thevenot Jean et Melchisedek. Rosenmüller Bibl. Geogr. I, 1. S. 75 — 77. Meusel Biblioth. Histor. II. 1. p. 257, X. 2. p. 171. — D'Arvieux selbst legt auch das Zeugnifs ab für das Faktum, dafs Thevenot in Palästina gewesen ist, und berichtet, er sei von einem Malteser Korsaren gefangen genommen und nach Haifa gebracht worden. Er erzählt auch, dafs er Thevenot nachher beim Weiterreisen behülflich gewesen, und spricht von seinem im Orient erfolgten Tode. S. D'Arvieux Mémoires Par. 1735. Tom. I. p. 284. Tom. III. p. 349. Vgl. Thevenot Voyages, Amst. 1727. Tom. II. p. 660 sq.

* 1658 — 65. L a u r. d'A r v i e u x *Voyage dans la Palestine, vers le Grand Emir, Chef des Arabes du desert connus sous le nom de Bedouins etc. fait par ordre du Roi Louis XIV. Avec la description de l'Arabie par Abulfeda, traduite en Français par M. de Roque,* Paris 1717. 8. Amst. 1718. 8. Deutsch von Rosenmüller, *Die Sitten der Beduinen-Araber,* Leipz. 1789. 8. Holländisch, Utrecht 1780. 8. Englisch, London. 1718. 8. ebend. 1723. 8. — D'Arvieux lebte als Mitglied der französischen Factorei in Sidon von 1658 bis 1665 und starb als Konsul zu Aleppo im Jahr 1702. Sein Bericht über die Bedawin wird für einen der besten gehalten. Seine Reisen überhaupt, mit Einschlufs der obenerwähnten, finden sich in folgendem Werk: *Mémoires du* C h e v. d'Arvieux, *contenants ses Voyages à Constantinople, dans l'Asie, la Syrie, la Palestine, etc. recueillés de ses originaux,* par Labat, Paris 1735. 8. 6 Tomes. Deutsch: *Des Herrn von Arvieux hinterlassene merkwürdige Nachrichten u. s. w.* Kopenh. u. Leipz. 1753. 8. 6 Bde.

1666 — 69. F r a n z F e r d. v o n T r o i l o *Orientalische Reisebeschreibung u. s. w. nach Jerusalem, in Egypten und auf den Berg ina*

u. s. w. Dresd. 1676. 4. Leipz.'u. Frankf. 1717. 8. Dresd. u. Leipz.
1733. 8. — Der Verfasser war ein schlesischer Edelmann, wohlmeinend,
aber leichtgläubig.

1672 — 83. Corn. de Bruyn (le Brun) *Reyzen door den Le-*
vant etc. Delft 1699. fol. Französisch: *Voyage au Levant etc.* Par. 1714. fol.
Par. et Rouen 1725. 4. 2 Tom. — Der Verfasser war ein Fläinischer Künst-
ler; und die zahlreichen Kupferstiche nach seinen Zeichnungen machen
das Hauptverdienst seines Werks aus, obgleich dasselbe nicht'grofs ist.
Er gesteht von della Valle, Thevenot, Dapper und Andern frei entlehnt
zu haben.

1674. Mich. Nau, *Voyage nouveau de la Terre Sainte*, Paris
1679. 12. blofs mit neuem Titelblatt, wie es scheint, Paris 1702, 1744,
1757. — Die Benutzung dieses Werkes verdanke ich der Bibliothek zu
Göttingen.

1684. Heinr. Myrike's *Reise von Constantinopel nach Jerusa-*
lem und dem Lande Kanaan; mit Anmerkungen von J. H. Reitz, Osna-
brück 1714. 8. Itzstein 1719. 8.; ebend. 1789. 8. Holländisch, Rotterd. 1725. — Der Verfasser war Kaplan der holländischen Gesandtschaft
zu Konstantinopel.

1688. De la Roqne, *Voyage de Syrie et du Mont Liban*, 2 Tom.
Paris 1722. 12. Amst. 1723. 12.

* 1697. Henry Maundrell, *Journey from Aleppo to Jerusa-*
lem at Easter 1697. Oxford 1703. 8.; eb. 1707, und öfter französisch,
Utrecht 1705. 12. Paris 1706. 12. Deutsch, Hamb. 1706. 8.; eb.
1737. 8.; auch in Paulus' Sammlung Th. I. Holländisch von Münter-
dam, 1705. 8.; auch in Halma's Woordenboek van het H. Land, Fra-
neck. 1717. 4. — Maundrell war Kaplan der englischen Faktorei in
Aleppo. Sein Buch ist der kurze Bericht eines klugen und scharfsin-
nigen Beobachters, und vielleicht noch immer das beste Werk über die
Landestheile, durch welche er reiste. Sein Besuch in Jerusalem war ein
eiliger, und er sah hier wenig mehr als die gewöhnliche von den Mönchen gezeigte Runde heiliger Orte.

1697 — 98. A. Morison *Relation historique d'un Voyage au Mont*
de Sinai et à Jerusalem, Toul. 1704. 4. Deutsch, *Reisebeschreibung u. s. w.*
Hamburg 1704. 4. — Der Verfasser nennt sich selbst Chanoine de
Bar le Duc. Sein Werk ist vollständig, aber in andern Rücksichten mit
dem seines Zeitgenossen Maundrell nicht zu vergleichen.

* 1700 — 23. Van Egmond en Heymann, *Reyzen door en ge-*
deelte van Europa, Syria, Palästina, Aegypten, den Berg Sinai etc.
2 Deelen. Leyd. 1757 — 8. 4. Englisch, *Travels etc.* by van Egmond
and Heymann, 2 Vol. Lond. 1759. 8. John Heymann war Professor
der orientalischen Sprachen auf der Universität zu Leyden, und reiste
im Osten von 1700 bis 1709. J. E. van Egmond van der Nyenburg war

holländischer Gesandter zu Neapel, und reiste in den Jahren 1720 — 23. Viele Jahre nachher wurden die Reiseberichte leider durch J. W. Heymann, Arzt zu Leyden, in Briefform gebracht, aber auf solche Weise, dafs die Beobachtungen der beiden Reisenden nicht geschieden sind. Dieses Werk reiht sich den besten über Palästina an.

1722. *A Journal from Grand Cairo to Mount Sinai and back again. Translated from a Manuscript written by the* [Franciscan] *Prefetto of Egypt*, by Rob. Clayton Bishop of Clogher, Lond. 1753. 4. ebend. 1753. 8. Wieder abgedruckt in Pinkerton's Coll. of Voyages and Travels, Vol. X. Auch als Appendix zu Maundrell's Journey, Lond. 1810. — Deutsch, *Tagereise u. s. w.* übersetzt *von Cassel,* Hannov. 1754. 8.

*1722. Thomas Shaw's *Travels, or Observations relating to several parts of Barbary and the Levant*, Lond. 1738. fol. 1757. 4. Edinb. 1808. 8. Auch in Pinkerton's Coll. of Voyages and Travels, Vol. XV. Französisch: *Voyages*, etc. 2 Tom. la Haye 1743. 4. Deutsch: *Reisen* u. s. w. Leipz. 1765. 4. — Dr. Shaw war Kaplan der englischen Faktorei zu Algier von 1720 bis 1732, und reiste in Aegypten und Palästina im Jahr 1722. Er wurde späterhin Professor des Griechischen zu Oxford, und starb im Jahre 1752. Seine Bemerkungen zeigen Urtheil und sind sehr schätzbar.

1734. Charles Thompson's *Travels, containing his observations on France, Italy, Turkey, the Holy Land etc. etc.* Dublin 1744. 8. 4 Vol. Lond. 1748. 3 Vol. Der über das heilige Land sich verbreitende Theil findet sich deutsch in Baumgarten's Sammlung von Erläuterungsschriften u. s. w. Halle 1747. 4. B. I.

1737 — 38. Jonas Kortens *Reise nach dem gelobten Lande, Aegypten, Syrien und Mesopotamien,* Altona 1741. 8. Mit 3 Supplementen, Halle 1746. 8., mit 4 Supplementen, Halle 1751. 8. — Korte war ein Buchhändler zu Altona. Sein Werk zeigt, dafs er ohne Gelehrsamkeit und etwas leichtgläubig war. Was er sah, beschreibt er mit einfacher Redlichkeit; aber er theilt auch Vieles nach Hörensagen mit, ohne in die Genauigkeit seiner Berichterstatter Mifstrauen zu setzen.

*1737 — 40. Richard Pococke's *Description of the East, and some other countries*, 2 Vol. in 3 Parts, fol. Lond. 1743 — 48.; ebendas. 1770. 4. Deutsch von Windheim, Erlangen 1754. 4. 3 Bde. Revidirt von Breyer, ebd. 1771. Holländisch von Cramer, Utrecht 1780. Französisch ohne die Karten und Kupferstiche, Paris 1772. 12. 6 Tom. —. Pococke war im Jahr 1738 in Palästina, und starb 1765 als Bischof von Meath. Er war ein klassischer, aber kein guter biblischer Gelehrter, und besafs nur geringe Kenntnifs vom Arabischen. Er ist nicht immer ein treuer Berichterstatter, und das Urtheil von Michaelis ist richtig, dafs Pococke der Augenzeuge von Pococke dem Abschreiber anderer Reisenden oder alter Schriftsteller sorgfältig zu unterscheiden sei. Er

stellt nicht selten eine Sache so dar, dafs er den Eindruck hinterläfst,
das Erzählte selbst gesehen zu haben; während eine genauere Besichti-
gung zeigt, dafs er nur aus andern Büchern entlehnt hat. Jedoch ist
sein Werk eins der bedeutendsten über Palästina. Siehe Michaelis Ori-
ental. Biblioth. Th. VIII. S. 111. Rosenmüller Bibl. Geogr. I, 1. S. 85.
— Die dieses Werk begleitenden Pläne und Ansichten wurden augenscheinlich nur nach der Wiedererinnerung angefertigt und sind erbärmlich.
Den Plänen vom Sinai und Jerusalem z. B. läfst sich kaum die geringste Aehnlichkeit mit ihren Originalen zuschreiben, und sie dienen nur
dazu, den Leser·irre zu leiten. So auch die angeblichen Copien der
Sinaitischen Inschriften. —

*1749 — 53. Fridr. Hasselquist, Iter Palaestinum: eller re-
sa til Heliga Landet etc. Stockholm 1757. 8. Deutsch: Reisen nach
Palaestina von 1749 bis 1752, herausg. v. Linné, Rostock 1762. Englisch: Voyages nd Travels in the Levant etc. Lond. 1766. 8. Französisch, Paris 1769. — Der Verfasser war ein Schüler von Linné, an
welchen die meisten seiner Briefe gerichtet sind. Er wurde ausgesandt,
um naturhistorische Sammlungen zu machen, und starb auf seinem Rückwege zu Smyrna. Aus·seinen Berichten und Papieren fügte Linné einen
Anhang über die Naturgeschichte von Palästina hinzu, welcher vielleicht
noch immer die vollständigste wissenschaftliche Abhandlung über den
Gegenstand ist, die wir haben.

1754 — 5. Stephan Schulz, Leitungen des Höchsten auf den
Reisen durch Europa, Asia und Africa u. s. w. Halle 1771 — 75. 8.
5 Bde. Die Reise in Palästina findet sich im 5. Bde. — Schulz reiste
als Missionar für die Juden, und wurde später Pastor zu Halle. Sein
Reisebericht ist äufserst weitschweifig und trivial. Ein (sehr verbesserter)
Auszug ist in Paulus Sammlung Th. VI. VII. mitgetheilt.

1760 — 68. Giov. Mariti, Viaggi per l'Isola di Cipro e per la
Soria e Palaestina etc. Lucca e Firenze 1769 — 71. 8. 5 tomi. Französisch, Neuwied 1791. 8. Tom. I. II. Im Deutschen abgekürzt, Altenb.
1777. 8. — Der Verfasser war ein Florentinischer Geistlicher, ein Abate.

*1761 — 67. Carsten Niebuhr, Beschreibung von Arabien, Co-
penh. 1772. 4. Französisch: Description de l'Arabie, Copenh. 1773. 4.
Amst. 1774. 4. Paris 1779. 4. — Ein gröfseres Werk ist: Reisebeschreibung nach Arabien und andern umliegenden Ländern, Bd. I. II. Copenh.
1774 — 78. 4. Bd. III. Hamb. 1837. Französisch, Tom. I. II. Paris 1776
— 80. 4. Amst. 1776 — 80. 4. Berne 1780. 8. Englisch von Heron abgekürzt: Travels through Arabia etc. Lond. 1792. 4. 2 Vol. — Niebuhr
ist der Fürst der orientalischen Reisenden, genau, sehr verständig und
beharrlich. Sein Besuch in Jerusalem und dem heiligen Lande war jedoch kurz und eilig, so dafs er wenig mehr sah, als die Mönche Lust
hatten ihm zu zeigen. Siehe den dritten Band, der beinahe sechszig

C

Jahre nach den beiden andern herausgekommen ist.   Sein Plan von Jerusalem ist sehr mangelhaft.

1783—85.   C. F. Volney, *Voyage en Syrie et en Egypte etc.*
Paris 1787. 8. ebend. 1807. 2 Vol. 4.   Englisch: *Travels etc.* 2 Vol. Lond.
1787. 8.   Deutsch, 3 Bde Jena 1788 — 90.   — Das Werk ist eine Reihenfolge von Abhandlungen, voll Leben und Phantasie, und sehr unterrichtend.

1792 — 98.   W. G. Browne, *Travels in Africa, Egypt and Syria etc.* Lond. 1799. 4. Deutsch, Leipz. u. Gera 1890. 8.

1800 — 2.   Edw. Dan. Clarke, *Travels in various countries of Europe, Asia and Africa*, Lond. 1811 4to. 5 Vol. 4. Lond. 1816 — 18. 11 Vol. 8. — Dr. Clarke war nur siebzehn Tage in Palästina, da er den 29. Juni 1801 in 'Akka landete und sich den 15. Juli wieder zu Yâfa einschiffte.   Sein Werk bietet fleifsige Forschungen in Büchern dar, wobei seine Anmerkungen oft mehr werth sind als der Text; aber man trifft hier einen grofsen Mangel an gesundem Urtheil.   Einige von den extravaganten Hypothesen und kühnen Behauptungen des Verfassers sind schon anderswo berührt worden; s. Anm. XXV und XXVIII.

1803 — 7.   Ali Bey, *Travels in Morocco ... Egypt, Arabia, Syria etc.* Lond. 1816. 4. 2 Vol.   — Der Verfasser war ein Spanier Namens Domingo Badia y Leblich, welcher als Muhammedaner reiste.   Er war im Jahr 1807 in Palästina.   Siehe Vol. II. p. 140, 259.

* 1803 — 10.   Ulrich Jacob Seetzen, *Briefe u. s. w.* in Zach's Monatlicher Correspondenz, durch viele Bände zerstreut; die wichtigsten Briefe findet man in Bd. XVII, XVIII, XXVI, XXVII. Ein paar minder bedeutende Auszüge stehen auch in den Fundgruben des Orients, Bd. I. S. 43, 112. II. S. 275, 474. III. S. 99.   Einige Theile dieser Briefe wurden ins Englische übersetzt unter dem Titel: *A brief Account of the countries adjoining the Lake of Tiberias, the Jordan, and Dead Sea*. Lond. 1813. 4. — Seetzen war gescheut, unternehmend und unermüdlich.   Er starb an Gift in Arabien 1811.   Was wir von ihm haben, sind nur gelegentliche und in Eile geschriebene Briefe.   Seine Reiseberichte sind bisher nicht herausgegeben worden; sie befinden sich jetzt seit funfzehn Jahren oder länger in den Händen des Prof. Kruse in Dorpat, früher in Halle.   Von einem Gelehrten, welcher die Manuscripte untersucht hat, ist mir gesagt worden, dafs sie wenige wichtige allgemeine Fakta aufser den durch die Briefe bereits bekannt gewordenen enthalten. — Das folgende Verzeichnifs der Tagebücher und anderer Papiere von Seetzen, so weit sie aufgefunden sind, ist mir handschriftlich von Prof. Ritter mitgetheilt worden.   Sie sind bekanntlich von Seetzen selbst, hauptsächlich in Kairo, ausgearbeitet.   In Deutschland erhielt man sie um das Jahr 1822 oder 1823, und es wurden sogleich Anstalten zu ihrer Herausgabe getroffen; aber erst jetzt stellt sich dieselbe dem Ver-

nehmen nach näher in Aussicht. I. Reise von Aleppo nach Damascus. — II. Reise durch Haurân. — III. Reise von Damascus durch den Antilibanon und Libanon nach Baalbek, Tripolis und zurück. — IV. Nachricht über arabische Literatur und Manuscripte, und ein Glossarium von ungewöhnlichen arabischen Wörtern. — V. Reise von Damascus nach Tiberias, dann durch 'Ajlûn und das Belka nach Kerak, und um das Südende des todten Meeres nach Jerusalem. Eine Skizze von dieser Reise findet sich in seinen Briefen, Zach's Monatl. Corr. Bd. XVIII, S. 331 ff. 417 ff. — VI. Tagebuch über seinen Aufenthalt in Jerusalem, und über eine Reise nach Yâfa, 'Akka, Sûr, Nazareth, und zurück nach Jerusalem. — VII. Reise um das ganze todte Meer, und zurück nach Jerusalem. Hiervon ist noch gar kein Bericht herausgegeben worden. — VIII. Reise von Jerusalem nach Hebron und über die Wüste nach dem Sinai. Eine Skizze ist enthalten in Zach a. a. O. Bd. XVII. S. 132 ff. — IX. Reise vom Sinai nach Suez und Kairo. — So weit die vollständigen Journale. Briefe, welche seine Forschungen in Aegypten und seine darauf folgende Reise nach der Halbinsel des Berges Sinai beschreiben, finden sich in Zach a. a. O. Bd. XXVI. XXVII.

1806—7. F. A. de Chateaubriand, *Itinéraire de Paris à Jerusalem* etc. 3 Tomes. Paris 1811. 8. u. öft. Englisch: *Travels etc.* Lond. 1811. 8. 2 Vol. Deutsch, Leipz. 1812. 3 Bde. 8. — Beredt und oberflächlich. Seine Berufung auf Autoritäten ist meistentheils werthlos. Siehe Anm. XXVIII.

* 1809—16. John Lewis Burckhardt, *Travels in Syria and the Holy Land*, Lond. 1822. 4. Deutsch: *Reisen in Syrien u. s. w.* mit *Anmerkungen von W. Gesenius*, Weimar 1823—4. 8. 2 Bde. — Dieses Werk enthält alle Reisen Burckhardt's in Syrien, Palästina und nach dem Berge Sinai. Seine andern Reisen gehören nicht hierher. Als orientalischer Reisender nimmt Burckhardt eine der ersten Stellen ein; er zeigt sich zuverlässig, voll Urtheil, unsichtig, beharrlich. Er führte sehr viel aus; jedoch war dies nur eine Vorbereitung zu dem grofsen Plane, der ihm vorschwebte, in das Innere von Afrika einzudringen. Er starb plötzlich im Jahr 1817 zu Kairo.

1811. J. Fazakerley, *Journey from Cairo to Mount Sinai, and Return to Cairo*, in R. Walpole's Travels in various Countries of the East, Lond. 1820. p. 362. — Diese Reise wurde gemeinschaftlich mit Galley unternommen.

1815. William Turner, *Journal of a Tour in the Levant*, Lond. 1820. 8. 3 Vol. Der Bericht über Palästina steht im 2. Bande.

1815—16. Otto Friedrich von Richter. *Wallfahrten im Morgenlande, herausg. von J. P. G. Ewers*, Berlin 1822. 8. — Die Erzählung ist kurz, läfst aber einen sorgfältigen Beobachter erkennen. Der Verfasser starb im Jahr 1816 zu Smyrna.

C *

1816. J. S. Buckingham, *Travels in Palestine*, Lond. 1821. 4. ib. 1822. 2 Vols. *Travels among the Arab Tribes etc.* Lond. 1825. 4. ib. 2 ed., 2 Vols. 8. — Beide Werke zusammen deutsch: *Reisen u. s. w.* Weimar 1827. 2 Bde. 8.

1816—18. Rob. Richardson M. D. *Travels along the Mediterranean and parts adjacent, during the years 1816—17—18.* Lond. 1822. 2. Vol. 8.

1817. J. R. Joliffe, *Letters from Palestine etc.* 2 Vol. Lond. 1819. 8. 3 edit. Lond. 1822. 8. — Deutsch von Bergk, *Reise in Palästina u. s. w.* Leipz. 1821.

1817—18. le Comte de Forbin, *Voyage dans le Levant en 1817 et 1818.* Paris 1819. Fol. Mit prachtvollen Kupferstichen. Auch ohne dieselben, Paris 1819. 8. Das Werk hat mehr Werth für die Künste, als für die Wissenschaft.

* 1817—18. Irby and Mangles, *Travels in Egypt and Nubia, Syria and Asia Minor during the years 1817 and 1818. Printed for private distribution.* Lond. 1822. 8. — Gut geschrieben und voller zuverlässiger Nachrichten. Es ist sehr zu bedauern, dafs das Werk nicht für ein gröfseres Publikum herausgegeben wurde, und es würde noch jetzt eine Herausgabe verdienen. Die Benutzung desselben verdanke ich der Bibliothek der Royal Geogr. Soc. of London.

* 1818. Th. Legh, *Excursion from Jerusalem to Wady Músa,* in Macmichael's Journey from Moscow to Constantinople in the years 1817—18, Lond. 1819. 4. Chap. IV. p. 185. Abgedruckt in dem (American) Biblical Repository, Oct. 1833. Vol. III. p. 613.

1820—21. J. M. A. Scholz, *Reise in die Gegend zwischen Alexandria und Paraetonium ... Egypten, Palästina und Syrien,* Leipzig u. Sorau 1822. 8. Der Verfasser ist katholischer Professor der Theologie zu Bonn. Sein Werk giebt gute Auskunft über die katholischen Stiftungen in Palästina.

1820—21. F. Hennicker, *Notes during a visit to Egypt. . . . Mount Sinai and Jerusalem,* Lond. 1823. — Flüchtig und oberflächlich.

1821. John Carne, *Letters from the East,* 2 Vol. 8. Lond. 3. edit. 1830. Auch: *Recollection of Travels in the East,* 2 Vol. 8vo. Lond. 1830. Deutsch: *Leben und Sitte im Morgenlande,* von Lindau, 4 Bde 1826.

1821—22. J. Berggren, *Resor i Europa och Oesterländerne,* 3 Delen, Stockholm 1826—28. 8. — Deutsch: *Reisen in Europa und im Morgenlande aus dem Schwedischen,* 3 Bde. Leipzig und Darmstadt 1828—34. 8.

1823. Rev. Wm. Jowett, *Christian Researches in Syria and the Holy Land,* Lond. 1825. 8. Boston 1826. 12.

* 1826—31. Ed. Rüppell, *Reisen in Nubien, Kordofan und dem Peträischen Arabien,* Frankf. 1829. 8. Auch: *Reise in Abyssinien,*

2 Bde. Frankf. 1838. 1840. 8. Das letztere Werk umfasst noch eine andere Reise nach der Halbinsel des Sinai im Jahre 1831, welche zur genaueren Bestimmung der Berghöhen unternommen wurde. Siehe Bd. I. S. 103.

* 1828. Leon de Laborde, *Voyage de l'Arabie Pétrée*, par Laborde et Linant, Paris 1830 — 34. Fol. Englisch: *Journey through Arabia Petraea etc.* Lond. 1836. 8. Ebend. 1838. 8. — Der Hauptwerth des französischen Werks liegt in dessen prachtvollen Ansichten, zu welchen der Text meist als Erläuterung dient. Das englische Werk ist eine Compilation von geringerem Werth und giebt nur einen Theil der Ansichten im verkleinerten Maafsstabe.

* 1829. A. Prokesch (Ritter von Osten), *Reise ins heilige Land im Jahre* 1829. Wien 1831. 8.

1830 — 31. Michaud et Poujoulat, *Correspondence d'Orient*, 1830 — 31. 7 Tom. Paris 1834. 8.

1832 — 33. Ed. Hogg M. D. *Visit to Alexandria, Damascus, and Jerusalem, during the successfull campaign of Ibrahim Pasha*, 2 Vol. Lond. 1835. 12.

1833. Rev. Spence Hardy, *Notices of the Holy Land etc.* Lond. 1835. 8.

1833. Rev. Vere Monro, *A Summer Ramble in Syria*, 2 Vol. Lond. 1835. 8.

* 1834. (Marmont) Duc de Raguse, *Voyage en Hongrie . . . en Syrie, en Palestine, et en Egypte*, 5 Tom. Par. 1837. 8. Bruxelles 1837 — 39. 12. — Vorzüglich werthvoll in politischer und militärischer Hinsicht.

1836. J. L. Stephens, *Incidents of Travel in Egypt, Arabia and the Holy Land; by an American*, 2 Vol. 12mo. New York 1837. Lond. 1837. Mehrere Ausgaben.

1836. Rev. C. B. Elliott, *Travels in the three great Empires of Austria, Russia, and Turkey*, 2 Vol. Lond. 1838. 8. Die Reise in Syrien und Palästina ist im zweiten Bande beschrieben.

1836 — 38. Rev. J. D. Paxton, *Letters on Palestine and Egypt, written during a residence there in the years* 1836 — 7 — 8. Lexington Ky. 1839. 8. Lond. 1839. 8.

1837. Lord Lindsay's *Letters on Egypt, Edom, and the Holy Land.* 2 Vol. Lond. 1838. 12. 3. Ausg. Lond. 1839 12.

1837. Joseph Salzbacher, *Erinnerungen aus meiner Pilgerreise nach Rom und Jerusalem im Jahre* 1837. 2 Bde. Wien 1839. 8. Der Verfasser ist Domcapitular der St. Stephanskathedrale zu Wien. Sein Werk enthält die jüngste Auskunft über die katholischen Stiftungen in Palästina.

1837. G. H. von Schubert, *Reise nach dem Morgenlande.* 3

Bde. Erlangen 1838—40. 8. — Ein Hauptaugenmerk dieser Reise war Naturgeschichte.

II. Werke über die Geographie von Palästina. [1])

1590. Christ. Adrichomius, *Theatrum Terrae Sanctae cum Tabulis geograph.* Colon. Agr. 1590. Fol. Ebdas. 1593, 1600, 1613, 1628, 1682. — Der Verfasser war ein aus Delft gebürtiger holländischer Geistlicher und starb zu Cöln im Jahre 1585. Er folgt hauptsächlich dem Brocardus, giebt aber am Ende des Werks ein Verzeichnifs von vielen andern zu Rathe gezogenen Autoren.

* **1646.** Sam. Bocharti *Geographia Sacra seu Phaleg et Canaan,* Cadomi (Caen) 1646. Fol. Frankf. 1674. 4. Lugd. Bat. 1692. Fol. Ebend. ed. Villemandy, 1707. Fol.

1665. Nic. Sanson, *Geographia Sacra ex V. et N. Test. desumta et in Tabulis quatuor concinnata.* Paris 1665. cum Notis Clerici, Lugd. Bat. 1704. fol. — Sanson, ein berühmter französischer Geograph, starb im Jahr 1667.

1677. Olf. Dapper's *Naukeurige Beschrijving van gantsch Syrie, en Palestyn of Heilige Lant, etc.* Rotterd. 1677. fol. Amst. 1681. fol. Deutsch: *Asia, oder Beschreibung des gantzen Syrien und Palestins oder gelobten Landes.* Amst. 1681. fol. Nürnb. 1689. fol. — Eine grofse Masse von Materialien ohne Urtheil durcheinander geworfen.

1701. Christoph Cellarius, *Notitia Orbis Antiqui seu Geographia Plenior.* 2 Tom. 4. Lips. 1701—5. Auxit J. C. Schwarz, ebendas. 1731—32. Mit neuem Titel, ebendas. 1772—73. — Syrien und Palästina findet man im 2ten Band.

1708. Ed. Wells, *An historical Geography of the New Test.* 2 Vol. Lond. 1708. 8. Ebendas. 1712. 8.; mehrere Male wieder gedruckt. Auch: *An historical Geography of the Old Test.* 3 Vol. Lond. 1712. 8. etc. Beide Werke deutsch von Panzer, Nürnb. 1765. 8. 4 Theile.

* **1714.** Hadr. Reland, *Palaestina ex monumentis veteribus illustrata,* Traj. Bat. 1714. 4. Norimb. 1716. 4. Abgedruckt in Ugolini Thesaur. Antiq. Sac. T. VI. — Dies ist noch immer das klassische Hauptwerk über Palästina bis zu der Aera der Kreuzfahrer herab. Eine neue Ausgabe mit Einschlufs der Resultate neuerer Forschungen würde noch werthvoller sein.

---

1) Das vorgesetzte Datum bezieht sich auf die Zeit der ersten Herausgabe.

1758—68. Will. Alb. Bachiene, *Heilige Geographie* u. s. w.
6 Deelen. Utrecht 1758—68. 8. Deutsch von G. A. Maas, *Historische und geographische Beschreibung von Palästina* u. s. w. 2 Th. in 7 Bden, Cleve u. Leipz. 1766—75. 8.

1785. Ant. Friedr. Büsching's *Erdbeschreibung.* Th. V. *Palästina, Arabien* u. s. w. Altona 1785. 8. Mit einem neuen Tittelblatt als Th. XI. Abth. 1. Hamb. 1792. — Eins der besten Bücher über die neuere Geographie von Palästina.

1790. Ysbrand van Hamelsveld, *Aardrijkunde des Bijbelse* etc. Amst. 1790. 8. 6 Vol. — Deutsch von Jänisch, *Biblische Geographie,* Hamb. 1793 — 96. 8. 3 Bde. Die Uebersetzung ist unvollendet.

1799. Conrad Mannert *Geographie der Griechen und Römer,* Th. VI. Abth. 1. *Arabien, Palästina, Syrien.* Nürnb. 1799. 8. 2. Aufl. Leipz. 1831.

1817. C. F. Klöden, *Landeskunde von Palästina,* Berlin 1817. 8.

* 1818. Carl Ritter, *Die Erdkunde* u. s. w., II. Theil. *West-Asien,* Berlin 1818. 8. — Von hohem Werthe, namentlich für die physische Geographie von Palaestina. Eine neue gänzlich umgearbeitete Ausgabe ist binnen kurzem zu erwarten.

1820. G. B. Winer, *Biblisches Real-Wörterbuch,* Leipz. 1820. 8. Umgearbeitet, sehr vermehrt und verbessert, Leipz. 1833 — 38. 2 Bde 8. Die geographischen Artikel sind mit grofser Sorgfalt abgefafst.

1826. E. F. Karl Rosenmüller, *Biblische Geographie,* 3 Bde. Leipz. 1823 — 28. 8. Der zweite Band beschäftigt sich mit Palästina. — Dieses Werk scheint in Eile und ohne umfassende Forschungen compilirt zu sein.

1835. Karl von Raumer, *Palästina.* Leipz. 1835. 8. Neue vermehrte und sehr verbesserte Ausgabe, Leipz. 1838. — Das Werk ist mit grofser Sorgfalt abgefafst, und bildet ein treffliches Handbuch.

Jerusalem.

1747. J. B. D'Anville *Dissertation sur l'étendue de l'ancienne Jerusalem et de son Temple.* Paris 1747. 8. Abgedruckt in dem Anhang zu Chateaubriand's Itinéraire.

1833. Justus Olshausen, *Zur Topographie des alten Jerusalem.* Kiel 1833. 8.

1838. F. G. Crome, *Jerusalem,* in Ersch und Gruber's Encyclopädie, Abschn. II. Th. 15. S. 273 — 321. — Der vollständigste und werthvollste Versuch über die alte und neuere Topographie der heiligen Stadt.

Memoir

zu den dieses Werk begleitenden Karten

von

Palästina und den südlich angrenzenden Ländern,

von

Heinrich Kiepert.

Die gänzliche Umgestaltung, welche die Geographie des gröfsten Theils von Palaestina und der südlich angrenzenden Länder durch die von den Herren Robinson und Smith gemachten Entdeckungen und gesammelten Materialien erfahren hat, und die grofsen Veränderungen, welche die danach von mir construirten Karten gegen alle früheren Arbeiten dieser Art zeigen, schienen eine möglichst genaue Rechenschaft über alle Punkte der Construction und Nachweisung aller übrigen dazu benutzten Quellen nothwendig zu machen. Wenn ich mich aber hierin kürzer, als man nach Maafsgabe ähnlicher Memoirs vielleicht erwartet, fassen werde, besonders in Betreff der astronomisch bestimmten Positionen, auf welche die ganze Construction sich gründet, so geschieht dies theils weil im vorliegenden Werke an den betreffenden Stellen fast alles hierauf Bezügliche angeführt ist, theils in Rücksicht auf das vortreffliche Memoir von Berghaus zu seiner Karte von Syrien, wo jene Punkte alle mit so grofser Ausführlichkeit besprochen sind, dafs es nur der Rechenschaft über Abweichungen von diesen Bestimmungen bedarf, indem neue Beob-

achtungen seitdem nicht publicirt worden sind. Besondere Aus-
einandersetzungen aber über die durch Verknüpfung verschiedener Routen zu bestimmenden Fixpunkte vermittelst Berechnung
aus den durch Construction der Routen entstandenen Dreiecken,
wie sie Berghaus im angeführten Memoir sehr ausführlich dargelegt hat, schienen um so weniger nothwendig, als einestheils die
Anwendung der neuen Materialien die Unhaltbarkeit vieler von
jenen, scheinbar bis auf Secunden genau berechneten Positionen
gelehrt hat, anderntheils die Robinson'schen Routen, indem sie
durch genaueste Bezeichnung in jeder Beziehung alle andere Reiseberichte, selbst die Burckhardtschen weit hinter sich lassen,
neben den Aufnahmekarten von Jacotin und Moresby, mit denen
sie sehr wohl übereinstimmen, als höchste Autorität angenommen
wurden, so dafs einfache Construction und Einordnung zwischen
die astronomisch sichern Punkte vollkommen hinreichend erschien.

Was nun die Construction der Routen betrifft, so ist natürlich die aufmerksamste Sorgfalt auf die Entwickelung der Ro-
binsonschen Reiselinien verwendet worden, welche sämmtlich ursprünglich im Maafsstab von 1 : 200000 der natürlichen Länge,
oder 4,1112 pariser Duod. Linien auf die geographische Meile
zu 60 = 1 Grad, die nächste Umgebung Jerusalems und das Sinai - Gebirg in vierfach so grofsem Maafsstab (1 : 5000) construirt worden; dann in den Maafsstäben von resp. 1 : 100000,
1 : 200000, 1 : 400000 mit allem topographischen Detail und mit
Hereinziehung aller übrigen Aufnahmen und Reiserouten von einiger Zuverlässigkeit ausgeführt, und sowohl während als nach
der Arbeit von Prof. Robinson aufs Genaueste revidirt und endlich
auf die halben Maafsstäbe zum Stich reducirt worden sind. Der
Stich aber ist von dem durch mannichfache geographische Arbeiten rühmlichst bekannten Hrn. Mahlmann in Berlin mit so sorgfältiger Treue, Correctheit und Sauberkeit ausgeführt und für die

Richtigkeit auch des geringsten Umstandes, namentlich auch der Orthographie, bei der Correctur von Prof. Robinson's und meiner Seite dergestalt Sorge getragen worden, dafs in dieser Hinsicht wohl jeder billigen Anforderung Genüge geschehen.

Die aufser den Robinson'schen anderweitig benutzten Materialien bestehen hauptsächlich in den Karten von Jacotin, Moresby, Laborde, Ehrenberg, Bird und Seetzen; auch hat die Berghausische sehr schätzbare Karte als Hülfsmittel zur leichtern Orientirung und durch den Reichthum des darin benutzten Stoffes wesentliche Dienste geleistet, welche dankbar anerkannt werden müssen; ferner in den Reiseberichten von Burckhardt, Laborde, Irby und Mangles, zum Theil auch Buckingham, Prokesch, Berggren, Berton und mehreren Andern von geringerer Wichtigkeit, welche an den betreffenden Stellen erwähnt werden sollen, insoweit dies nicht im Text des vorliegenden Werkes schon geschehen ist. Es versteht sich, dafs auch diejenigen dieser Itinerarien, welche Berghaus schon mit so gutem Erfolg benutzt hatte, nämlich die von Burckhardt und Buckingham, soweit sie in den Raum unsrer Karte fallen, nochmals auf's Genaueste construirt wurden, um in Verbindung mit den übrigen den vollkommen sichern Theilen der Karte so genau als möglich angepafst zu werden, indem eine ganz eben so zuverlässige Zeichnung, wie in den durch die Robinson'schen Routen oder durch Jacotin's und Ehrenberg's Karten festgelegten Theilen, selbst nach Burckhardt's Berichten bei öfters mangelnden, unsichern, oder bestimmt fehlerhaften Richtungs- oder Entfernungsbestimmungen nicht möglich war. [1]

Ueber die Bestimmung der Werthe für die Zeitmaafse in Längenmaafse kann ich ganz auf die in Bd. I. S. 420 mitge-

---

[1] Beispiele davon sind die Positionen von Ma'in bei Hesbân, Tell el-Kâdy bei Bâniâs, Kŭl'at esh-Shŭkif, u. a. Die beiden ersteren sind nach Burckhardt auf Berghaus' Karte falsch niedergelegt.

theilte Berechnung von Berghaus verweisen, wonach die Reisestunde auf Kameelen, deren Schritt sehr gleichförmig ist, im
Durchschnitt einen Werth von 2 (oder genau 2.09) geographischen Meilen zu 60 auf den Grad hat, welcher durch die Construction der Routen zwischen Kâhirah, Suweis, Sinai, 'Akabah
und Hebron gefunden, und für die Bestimmung der schon durch
Burckhardt's und Laborde's Routen bekannten Lage von Petra
ebenfalls als genau erfunden wurde. Für die nach Maafsgabe
der verschiedenen Beschaffenheit des Terrains mehr wechselnden
Werthe der Reisestunde auf Maulthieren und Pferden wurde durch
Construction der Routen in Palaestina, namentlich zwischen Jerusalem, Hebron, Gaza und Ramleh, und von Jerusalem nordwärts bis Safed (zum Theil auf dem Terrain der Jacotin'schen
Karte) das durchschnittliche Resultat von 2.4 geogr. Meilen oder
25 Stunden auf einen Grad gefunden, das aber in sehr bergigen
Gegenden, wie an der Westküste des todten Meeres oder zwischen Jerusalem und Taiyibeh und bei Beit Ûr, sich auf 2.2 bis
2 geogr. M. reducirt, in vollkommenen Ebnen dagegen, wie in
der Gegend zwischen Tell es - Sâfieh und Gaza oder im Ghôr
bei Jericho bis zu 2.8 und 3 geogr. M. erweitert werden mufs.

Blatt I und II.

Sinai-Halbinsel und petraeisches Arabien. —
Sinai-Gebirg.

1. *Carton.* Wege von Kâhirah bis Suweis und
östlicher Theil von Nieder-Aegypten. (Gosen oder
esh-Shürkìyeh.)

Was auf diesem Carton aufserhalb der Route der Reisenden
liegt, namentlich der darin begriffene Theil des Nil-Delta, ist
aus der Karte „*de la basse Egypte, dressée par P. Coste,*

Architecte du Viceroy Muhammed 'Aly" (1827, Maafsstab
1:600000,) natürlich mit Berücksichtigung der Meridians-Cor-
rection nach der durch Daussy [1]) genauer bestimmten Länge von
Kâhirah, reducirt; die übrigen Routen aber zwischen Kâhirah
Belbeis, Râs el-Wady und Suweis aus Jacotin's grofser Karte
von Aegypten in der Déscription de l'Egypte, mit Vergleichung
von Laborde's Karte von Arabia Petraea eingetragen. Namen
der alten Geographie sind nur insofern sie für den Zweck dieses
Blattes von Interesse sind, keineswegs vollständig darin zu finden.
2. Sinai-Halbinsel. Die ganze Küstenlinie der beiden
Meerbusen von Suweis und 'Akabah ist aus der neuesten Aufnahme der Bombay-Marine [2]) eingetragen, doch mit Meridians-
Correction nach Rüppell's sehr genau bestimmten Positionen von
Suweis und 'Akabah, die für unsere Construction als absolute
Fixpunkte zu Grunde gelegt wurden. [3]) Die englische Karte hat
fast genau dieselben Breiten und denselben Längenunterschied
zwischen diesen beiden Punkten, eber eine 5 bis 6 Minuten öst-
lichere absolute Länge, was wohl, da dieselbe durch Chronometer von Bombay aus gefunden wurde, der noch nicht vollkommen
genau bekannten Länge von Bombay zuzuschreiben ist[4]); auch
stimmen nach dieser Correction die übrigen von Berghaus be-
sprochenen Positionen an diesen Küsten mit derselben Karte sehr
gut überein, daher eine Vergleichung derselben hier unnütz sein
würde, zumal die Robinson'sche Route keine derselben berührt.

---

1) Connaissance du Temps, 1832, p. 54.

2) Chart of the Red Sea compiled from a stasimetric Survey exe-
cuted in the years 1830 — 33 in the Hon. Company's Ship Palinurus,
by Comdr. R. Moresby and Lt. F. G. Carless. — Der Maafsstab ist
wenig gröfser als der unsrer Karte.

3) Vergl. Berghaus' Memoir, S. 29 ff.

4) S. Text Bd. I. S. 277.

Die Position des Sinai-Klosters wurde durch Construction der Routen von Suez und 'Akabah nach dem Kloster, und durch die Richtungswinkel von Jebel Mûsa und Jebel Kâtherin auf die Insel Tirân, deren Lage durch dieselbe Moresby'sche Karte und Rüppell's Beobachtung gegeben war, genau eben so gefunden, wie Rüppell's unmittelbare astronomische Beobachtung sie fixirt hatte. [1])

Der gröfste Theil der Robinson'schen Routen in der Halbinsel fällt mit Burckhardt's und Laborde's Itinerarien zusammen, deren Vergleichung aber nur von geringem Nutzen gewesen ist, und denen überhaupt nicht derselbe Grad von Zuverlässigkeit zukommt; wie aus einer Vergleichung mit Laborde's Karte de l'Arabie Pétrée leicht zu ersehen ist. Daher können auch die übrigen Reisewege Laborde's und Burckhardt's in der Halbinsel [2]), welche, jene nach seiner Karte, diese nach sorgfältiger Construction seiner Itinerarien und mit aufmerksamer Vergleichung, wo sie zusammenfielen, so genau als möglich eingetragen wurden, keineswegs auf denselben Grad von Richtigkeit, wie die Routen unserer Reisenden, Anspruch machen. In manchen Fällen blieb auch so die Zeichnung unsicher, wie bei Wady Soleif und Abu-Tâleb und im Süden zwischen Jebel Murdâm und Wady Urfa', wo Burckhardt's Bericht nicht vollkommen verständlich ist und an Ungenauigkeit zu leiden scheint, namentlich auch mit Laborde schwer in Uebereinstimmung zu bringen ist. Zur Berichtigung der Routen dieser Reisenden dienten indessen die auf manche der darin berührten Punkte von Jebel Mûsa und Kâtherin aus von Herrn Smith genommenen Richtungswinkel, so wie auch Burckhardt's Winkelmessungen mit dem Compafs von Um Shau-

---

1) S. Text Bd. I. S. 150.

2) Die übrigen Reisenden geben durchaus kein topographisches Detail von Bedeutung, was nicht auch hierin enthalten wäre.

mer und Serbâl aus, für die Construction von Nutzen gewesen sind.

In Betreff der Terrainzeichnung sind die Umgebungen von Robinson's und Smith's Routen nach deren Beschreibung so genau als möglich ausgeführt, ebenso bei Burckhardt; bei Laborde sind sie aus seiner Karte entlehnt, allein nur in unmittelbarer Nähe seiner Reisewege, ohne die aus der Phantasie gegriffene Zeichnung, womit die zwischenliegenden Räume auf der Labordeschen Karte so freigebig ausgefüllt sind, zu beachten, da derselben weder Möglichkeit der Richtigkeit im Einzelnen, noch auch Wahrheit des Terraincharakters zukommt. [1]) Das Terrain auf der Westküste des Bahr Suweis und der Ostküste des Bahr 'Akabah ist aus Moresby's Karte, als der einzigen Autorität copirt, ohne auf Genauigkeit Anspruch zu machen; aus derselben sind die Namen einzelner Küstenpunkte entlehnt, und da die Schreibart derselben unsicher, mit feinerer Schrift bezeichnet worden.

Das Special - Kärtchen des Sinai - Gebirgs gründet sich, aufser den durch die Wanderungen der Reisenden über die Ebne er–Râhah, auf die Berge Mûsa und Kâtherîn, und durch die anstofsenden Wadys, besonders auf die von jenen drei Punkten auf die benachbarten Berge genommenen Compafswinkel, welche ein Dreiecknetz ergaben, wodurch die gegenseitige Lage der angeführten Ebne, des Klosters, der Berge Jebel Mûsa, Kâtherîn, ed-Deir, Humr, Zebeir, Sûmr et-Tinia, el-Ghûbsheh, Sülsül Zeit, es-Sürey, el-Fürcia', Um Lauz, Um 'Alawy, und der Pässe von Nübk Hâwy und W. Suweiriyeh vollkommen genau bestimmt wurde, so dafs dieses Kärtchen wohl als sehr zuver-

---

1) Namentlich ist auf dieser sonst schön ausgeführten Karte die hier so stark vorherrschende Plateaubildung von tiefen Thälern durchschnitten, gänzlich verwischt und durchaus im Charakter scharfer isolirter Höhen und Spitzen gezeichnet worden.

lässig angesehen werden darf, während Laborde's Zeichnung derselben Gegend, auf die kein einziger jener genau gemessenen Winkel sich anwenden läfst, als ganz verfehlt bezeichnet werden kann. —

3. Von 'Akabah nach Hebron. Die Construction dieser Route, genau nach den Richtungswinkeln der Reisenden und den Werth der Reisestunde = 2 geogr. M. gesetzt, würde, wie die Zeichnung derselben von Berghaus im London Geographical Journal Bd. IX. auch ergeben hat, Hebron in 31^0 32' N. B. und 32^0 38' 46" O. L. von Paris bringen. [1] Allein die Linie 'Akabah - Hebron ist zu lang, und die Winkel auf dieser Route nicht immer so vollkommen sicher, um eine feste Bestimmung der Lage von Hebron daraus herzuleiten. Die wahre Lage von Hebron findet sich aus der Construction der Routen zwischen Hebron, Jerusalem, Ramleh und Gaza, und zwar am genauesten aus der Route von Jerusalem über den Frankenberg und Beni Na'im dicht bei Hebron vorbei nach Zif, in 31^0 32' 30" N. B. und 32° 47' 56" O. L., also mehr als 9' weiter östlich als Berghaus hat [2]), wonach die ganze Route von 'Akabah nach Hebron nicht unbedeutend östlicher gerückt werden mufs, besonders in ihrem nördlichen Theile von Jebel 'Aräif an.

Der südlichste Theil dieser Route in unmittelbarer Nähe von 'Akabah, namentlich der die westlichen Gebirge hinaufführende Pafs enthielt in seiner Terrainbildung so viel Detail, dafs eine speciellere Darstellung desselben in einem Carton, im vierfachen Maafsstab der Hauptkarte, nothwendig wurde.

4. Wüste et-Tih. Die schätzbaren Notizen über die

---

1) S. Berghaus geogr. Almanach auf das Jahr 1840. S. 532, 534.

2) Das Azimuth von Hebron auf dem Horizont von Jerusalem ergiebt sich daraus S. 17° W. rechtweisend, so dafs Seetzen's Azimuth, S. 4° W. nur um 13°, nicht wie Berghaus annahm, um 36° zu weit östlich ist.

Wege vom Sinai-Kloster, und von Suweis durch die Wüste et-Tih nach Gaza und Hebron aus den, wie es scheint, sehr zuverlässigen Mittheilungen Tuweileb's, welche im Bd. I. S. 438 zu finden sind, gaben so viel neue Positionen in einer bisher fast unbekannten Gegend und stimmen im Ganzen so gut untereinander und mit allen übrigen Nachrichten, dafs sie, verbunden mit den durch Winkel von der 'Akabah-Hebron Route aus bestimmten Lagen von Jebel Ikhrimm, Yelek und Helâl, und den Routen Burckhardt's, Rüppell's und Lord Prudhoe's, die sie vertical oder in ostwestlicher Richtung durchschneiden, sehr wohl zu einer approximativen Bestimmung des Laufes der bedeutenderen Wasserbetten der Wüste, namentlich des grofsen Wady el-'Arish, über dessen Lauf man so lange im Dunkeln gewesen ist, gebraucht werden konnten. Jedoch mufs nach solchen Materialien natürlich die Construction des betreffenden Theils unserer Karte an Genauigkeit den übrigen unendlich nachstehen, zumal da selbst die Routen jener drei europäischen Reisenden hier keineswegs als völlig zuverlässig anzunehmen sind. Namentlich scheint in Lord Prudhoe's Route die Entfernung zwischen Nükhl und W. Rawâk (2 Stunden) wenigstens um 3 bis 4 Stunden zu klein angegeben, wenn nicht ein Zwischenpunkt ausgelassen ist. In Burckhardt's Route wiederum scheint die Entfernung zwischen Türf er-Rukn (welches durch Robinson's Winkel bestimmt ist, bei Rüppell Darfureck) und Nükhl zu gering angegeben. Sehr auffallend ist, dafs er durchaus nicht bemerkt, dafs von Emshash in W. Jerâfeh an bis Türf er-Rukn (beide Punkte durch Robinson's Route sicher,) sein bis dahin und hernach wieder westlicher Weg südsüdwestlich geht [1]), während sowohl Walker als Berghaus den-

---

1) Wahrscheinlich weil seine Begleiter die Haj-Strafse gewinnen wollten, und sich nach dem Wasser richten mufsten, ein Umstand, der

selben grade westlich gezogen haben, wodurch auch Türf er-
Ruku viel zu weit nördlich kam. [1])

Tuweileb's Routen konnten, da die Entfernungen nur nach
ganzen Tagereisen angegeben sind, (welche nach dem Vorkommen des Wassers in der Wüste sich bestimmen, also ziemlich
veränderlich sind, indem sie von 6 bis 10 Stunden wechseln)
natürlich nur vermuthungsweise eingetragen werden; doch da sie
mehrere durch die andern erwähnten Routen bekannte Punkte
berühren, wie die Pässe er-Râkineh und el-Mureikhy, Nükhl,
Bìr eth-Themed, W. Ghureir, Mushehhem, Rawâk, Jebel Ikhrimm, Yelek, Helâl, W. el-'Ain, Khüberah u. s. w., so geben
diese ihnen einen etwas höheren Grad von Sicherheit. Nur bei
wenigen der durch alle diese Wege durchschnittenen Wady's blieb
der Lauf zweifelhaft; wie bei W. Ghureir und Mushehhem, von
welchen es nur wahrscheinlich ist, dafs sie zum Becken des Jerâfeh gehören. Bei W. Khüberah scheint derjenige der beiden
arabischen Berichte, welcher ihn in den 'Arîsh fliefsen läfst, deshalb den Vorzug zu verdienen, weil er von der Strafse über Nükhl
nach Gaza nördlich von Jebel Helâl durchschnitten wird, was
nicht gut möglich wäre, wenn er zum W. Sherî'ah oder Süny

---

bei den Routen durch die Wüste oft grofse Abweichungen vom graden
Wege verursacht.

1) Hiernach ist auf der Berghaus'schen Karte sogar Rüppell's Route,
die auf dessen Karte (wie Robinson's Route, mit der sie bis Mufâriket
Turk zusammenfällt, beweist) ganz richtig dargestellt ist, gänzlich gegen Norden verschoben, um Uebereinstimmung mit Burckhardt zu bewirken; ebenso ist dadurch auf derselben Karte Nükhl viel zu nördlich
gekommen, dessen Breite nun durch Tuweileb's Routen, (die, wenn
auch weniger speciell, doch, da sie eine nordsüdliche Richtung haben,
hierfür anwendbar sind) grade so wie sie aus Rüppell's und Lord Prudhoe's Routen hervorgeht, bestimmt wird.

D

L

flösse. [1]) Auch der Lauf des W. es-Süny, in den der W. es-Seba' fliefsen soll, ist keineswegcs bestimmt. Die Araber nennen ihn einen Arm von W. Sheri'ah; aber fast möchte man ihn für das grofse Wasserbett halten, welches nach Jacotin's Karte wenig südlich vom Sheri'ah sich in's Meer ergiefst, indem dasselbe sonst ganz ohne Namen bliebe, und von den Wady's, in welche die von der Robinson'schen Route durchschnittenen kleineren Thäler auslaufen, kein anderer Name als der des Süny an diese Stelle pafst.

Die Küstenstrecke von el-'Arish bis Gaza ist gänzlich aus Jacotin's Karte in die unsrige aufgenommen worden.

5. Wege zwischen Hebron und Petra. — Wady el-'Arabah. Durch die Construction der Routen von Hebron nach Petra und zurück hat Berghaus für den Hinweg 33′ 13″, für den Rückweg 32′ 58″, im Mittel 33′ 5″ Längenunterschied gefunden. [2]) Aber durch Fixirung der auf dem Hinwege berührten Punkte am Südende des todten Meeres durch Winkel von 'Ain Jidy, 'Ain Terábeh und Rás el-Feshkhah aus, (s. unten bei Süd-Palästina), so wie durch Berücksichtigung der Richtungswinkel auf den Berg Hor von verschiedenen Punkten jener Route aus, wurde diese Distanz noch um 3′ 30″, also auf 29′ 35″ verringert; so dafs die Länge von Petra 33° 17′ 45″ O. von Paris gefunden wurde; womit Laborde's Länge 43′ 20″ östlich von 'Akabah, (also 33° 23′ 50″ von Paris [3]), so wie die

1) Die Jacotin'sche Karte zeigt nach den Recognoscirungen von Bouchard eine, wie es scheint, genaue Zeichnung des W. el-'Arish bis wenige Stunden oberhalb seiner Mündung, wo er sich in zwei grofse Thäler theilt; von diesen scheint das westliche W. el-'Arish, das östliche W. Khŭberah zu sein.

2) Berghaus geogr. Almanach 1840. S. 534.

3) Laborde's absolute Länge von Petra ist um 40″ gröfser, weil seine Länge von 'Akabah um so viel zu weit östlich ist.

54

von Berghaus aus Burckhardt's Itinerar von Kerak aus südlich deducirte Länge 33^0 $14'$ $52''$, sehr wohl übereinstimmen. [1]) — Dagegen ist die aus derselben Quelle abgeleitete Breite von Petra 30^0 $15'$ $30''$, so wie auch die von Moore durch astronomische Beobachtung gefundene, 30^0 $19'$, viel zu gering. Die Construction der Robinson'schen Routen ergab 30^0 $26'$; Laborde hat von 'Akabah aus 30^0 $24'$; der mittlere Werth 30^0 $25'$ ist auf unsrer Karte angenommen worden, ohne jene andern zu sehr abweichenden Resultate zu berücksichtigen. [2]) Auch Bertou's Routen von Hebron durch Wady el-'Arabah bis Akabah und über Petra zurück, welche ich nach seinen im Bulletin de la Soc. de géogr. de Paris (1839) mitgetheilten Winkeln [3]) und Entfernungsangaben von neuem (und genauer als auf der in demselben Bulletin und dem Londoner geogr. Journal Vol. IX. gegebenen Karte geschehen ist) construirt habe, konnten, da öfters die Angabe der Wegerichtung ausgelassen oder falsch angegeben zu sein scheint [4]), nicht zur genauen Bestimmung der Lage von Pe-

---

1) Berghaus Memoir S. 35.

2) Unsre Position von Petra ist auch die einzige, welche mit den Angaben der alten Itinerarien, (die, wenn sie correct sind, darum mehr Vertrauen verdienen, weil sie auf genauen Ausmessungen der römischen Strafsen beruhen,) vollkommen übereinstimmt. S. die betreffende Stelle im Text des vorliegenden Werkes. Berghaus' Annahme (Mem. S. 35.) beruht auf Verwechselung der Stationen von Ailah und Ad Dianam auf der Peutinger'schen Tafel, und hat dadurch 16 röm. Meilen zu wenig.

3) Auffallend ist, dafs der Reisende immer nur die Richtung seines Weges mittelst des Compasses, und zwar öfter als nöthig, mittheilt; dagegen niemals Richtungswinkel auf entferntere Punkte, z. B. den Berg Hor, den er während seiner ganzen Reise stets vor Augen hatte, was für die Construction seiner Route von bedeutendem Nutzen gewesen wäre.

4) Theilweise fallen Bertou's Routen mit denen von Robinson und Smith zusammen, und können durch diese controllirt werden.

D *

tra dienen, sondern mufsten nur zwischen den anderweitig bestimmten Punkten, die sie berühren, so gut es ging, eingetragen werden. Sie waren so von einigem Nutzen, um die Lage
mancher Punkte in und um Wady 'Arabah, namentlich der Pässe
von W. Yemen und er-Rübâ'y und der Quellen Ghamr, Melihy,
Ghüdhyân u. a. genauer zu bestimmen.

Von der ganzen Gegend östlich von W. 'Arabah, aufser
der nächsten Umgebung Petra's, welche auch unsre Reisenden besucht haben, ist der südlich von Petra gelegene Theil bis 'Akabah nach Laborde's Karte, als einziger Autorität, mit Vergleichung von Burckhardt's Route von Petra über Usdaka, 'Ain Dâ-
legheh und W. Güründel durch die westliche Wüste [1]), gezeichnet worden. Der nördliche Theil, von Petra bis Kerak, oder
die Distrikte Jebâl und Kerak, beruht auf Construction von Burckhardt's Routen in diesen Gegenden mit Vergleichung der Berichte
von Irby und Mangles, welche leider nicht speciell genug sind,
um sie vollständig construiren zu können, aber doch manches
schätzbare Detail liefern, wie die Lage der Ruinen von Ghüründel, dem alten Ariudela, und der alten Römerstrafse von da
nach Shôbek.

6. Araber-Stämme. Die Namen der Bedawîn-Stämme
auf diesem Blatte sind nach den von Robinson und Smith eingezogenen Erkundigungen, womit auch die Nachrichten der übrigen
Reisenden genau übereinstimmen, in den ungefähren Stellen ihrer gewöhnlichen Wohnsitze eingetragen, wenn auch ganz genaue
Bestimmung und feste Abgrenzung nach der Natur dieser wan-
dernden Bevölkerung unmöglich war.

---

[1]) Aus derselben Route sind die Positionen von Wady und Jebel
Beyânch und Wady Lehyâneh in der Wüste zwischen W. 'Arabah und
Robinson's Route entnommen.

Blatt III.

Jerusalem mit seiner näheren Umgebung.

Da die Messungen von Robinson und Smith nicht genug Material enthielten, um einen gänzlich neuen Plan danach zu construiren, so konnten sie nur zur Vervollständigung und Berichtigung des genauesten bis jetzt vorhandenen Planes, des Catherwood'schen [1]), welcher unserer Zeichnung zu Grunde liegt, benutzt werden. Dieselben beziehen sich besonders auf die genaueren Maafse der Stadtmauern von einem Thor oder vorspringenden Punkte zum andern; auf die Richtung der Mauern vom Yâfa - Thor nordwestlich, die bis jetzt auf allen Plänen falsch grade westlich gezeichnet waren, und die dadurch etwas veränderte Lage des lateinischen Klosters [2]); endlich auf die gröfsere Genauigkeit der Zeichnung der Thäler Ben -Hinnom und Josaphat mit ihren Quellen und Wasserbehältern, so wie des Oelbergs. Auch ist zum erstenmal das Terrain sowohl innerhalb der Stadt, als in deren nächster Umgebung genau und zuverlässig dargestellt.

---

1) Catherwood's Plan, der auch mit dem in Berggren's Reisen fast völlig identisch ist, scheint selbst nur aus dem Sieber'schen (Prag 1818) reducirt und mit mehreren Zusätzen und Berichtigungen versehen zu sein. Das Terrain ist auf beiden sehr mangelhaft angegeben.

2) Derselbe Fehler in den Mauern findet sich schon berichtigt in einem von Dr. Westphal vor etwa 15 Jahren aufgenommenen Plane, (woraus eine unvollständige Reduction mit sehr willkührlich und ganz falsch eingetragenem Terrain im 1sten Jahrgang der Hertha publicirt worden ist,) dessen Benutzung uns durch Dr. Parthey's gütige Mittheilung gestattet wurde. In demselben finden sich Winkel zwischen den beiden Endpunkten der östlichen Mauer des lateinischen Klosters, 9 Moscheen der Stadt, der heil. Grabkirche und mehreren Punkten der Stadtmauern, alle sehr genau bis auf einzelne Minuten mit dem Sextanten gemessen, wodurch die Lage mehrerer Punkte, namentlich die des Klosters, genauer bestimmt werden konnte.

Um dasselbe bei dem sogenannten Berg des Aergernisses und dem nördlichen Gipfel des Oelbergs, so wie im Nordwesten der Stadt genau auszuführen, fehlte es jedoch an Materialien; auch der weitere Lauf des Kidron-Thales von seiner südlichsten Ecke an östlich ist nicht ganz sicher. Ueber die wenigen aufgenommenen Bezeichnungen aus der alten Topographie ist die ausführliche Abhandlung im Text des vorliegenden Werkes (Bd. II. S. 1 ff.) nachzusehen. Die vielen ganz unbegründeten Legenden-Namen, welche auf allen andern Plänen figuriren, sind auf dem unsrigen natürlich absichtlich weggeblieben.

Die von Robinson selbst auf dem Höhenrücken nordwestlich von der Stadt gemessene Basis *a b* von 660 Lond. Fufs, deren Lage durch die Entfernung und Richtungswinkel beider Endpunkte vom westlichsten Punkt der Stadtmauer und durch Winkel von beiden Punkten (*a* und *b*) auf die Kuppel der heil. Grabkirche bestimmt wurde, diente wieder zur Bestimmung einer gröfseren Basis zwischen dem Wely auf dem Oelberg (*A*) und einem Felsen nahe am nördlichen Gipfel dieses Berges (*B*), da unmittelbare Messung wegen des Terrains unmöglich war. Durch die Winkel von *a* und *b* auf *A* und *B*, und von *A* und *B* auf die Kuppel der heil. Grabkirche, so wie die Richtnng zwischen *A* und *B* selbst, wurde im Mittel aus vier verschiedenen Werthen die Länge von *A B* auf 1426 Yards oder 4278 Lond. Fufs (4016.5 Par. F.) gefunden. Diese Basis sollte zur Berechnung der Entfernung einiger wichtiger, von beiden Punkten aus sichtbarer Positionen in der Umgebung von Jerusalem dienen, scheint aber zu kurz zu sein, um selbst bei der gröfsten mit dem Compafs möglichen Genauigkeit der Winkelmessung für Entfernungen von fünf oder mehr geogr. Meilen sichere Resultate zu liefern; und wirklich zeigt die Construction, dafs fast alle daraus hergeleitete Entfernungsbestimmungen zu grofs sind, daher sie hier übergangen werden können. Indessen trugen doch die doppelten Beobachtungen von A und B aus in Verbindung mit andern dazu bei, die Lage von Neby Samwîl, Taiyibeh, dem Frankenberge und dem Nordende des todten Meeres sehr genau zu bestimmen.

Von den auf dem Blatt „Umgebungen von Jerusalem" enthaltenen Routen wurden, nachdem die Position des lateinischen Klosters zu Jerusalem im Mittel aus den besten Beobachtungen zu 31^0 $46'$ $43''$ N. B., 32^0 $52'$ $36''$ O. L. von Paris bestimmt[1]), und der Plan der Stadt mit nächster Umgebung verkleinert eingetragen war, zuerst die Routen südlich bis Bethlehem und nördlich über er-Râm bis Beitîn construirt, da beide ziemlich auf ebenem Boden fortlaufend gröfsere Gleichmäfsigkeit in der Reduction der Zeitwerthe auf Entfernungen, und, da sie meistentheils mehrmals gemacht sind, gröfsere Sicherheit der Zeitwerthe gewähren, als die übrigen in mehr gebirgigen Gegenden gehenden Wege. Von den Zwischenpunkten derselben aus konnte nun durch die vielen grade in dieser Gegend gemessenen Winkel ein sehr vollständiges Dreiecknetz über fast das ganze in diesem Blatte enthaltene Terrain gelegt werden, für das die einzelnen Theile der angeführten Route als Basis dienten, und durch welches die Construction der übrigen Routen, welche meist durch sehr gebirgiges Terrain laufen (wie besonders die über 'Anâta und Jeba' nach Taiyibeh, so wie die nach Neby Samwîl und el-Jib) und deshalb nicht dieselbe Genauigkeit in Anwendung der Zeitwerthe erlaubten, sehr erleichtert und berichtigt wurde. So sind nunmehr besonders die Positionen von Tekû'a, dem Frankenberge, Bethlehem, Beit Jâla, Neby Samwîl, el-Jib, Râm-Allah, Bireh, Beitîn, er-Râm, Deir Diwân und Taiyibeh als sehr zuverlässig,

---

[1) Siehe das vorliegende Werk, Bd. II. S. 13.

wenigstens relativ zur Lage von Jerusalem zu bezeichnen, und könnten sich nur mit dieser ändern.

Durch die Richtungswinkel von Robinson und Smith wurden aufserdem die Lagen vieler zwischen den Routen liegender Punkte bestimmt; bei einigen, besonders in der Gegend westlich von Jerusalem, konnten auch etliche andere Berichte zur genauen Fixirung benutzt werden; so für Sôba, Küstül, Külônieh und Küryet el - 'Enab ein früheres Itinerar von Smith, so wie auch das von Prokesch; für Beit Sufâfa, esh-Sherafât, Mâlihah und 'Ain Kârim, Entfernungen und Winkel von Prokesch; für Deir el - Musüllabeh und Sâtâf, Berggren; für 'Ain Yâlo, el - Welejeh, Beit Sûrik, el - Kubeibeh und Beit 'Euân, Doubdan und Pococke.

Das Terrain ist auf diesem Blatte vielleicht mehr, als streng verantwortet werden kann, ausgeführt worden; doch auch da, wo es von den Reisenden nicht überblickt werden konnte, nur nach den genauesten vorhandenen Berichten.

Blatt IV und V.

Palaestina.

1. **Südlich und südwestlich von Jerusalem.** An die Umgebung von Jerusalem wurde die Route nach Gaza geknüpft, dessen Lage durch Jacotin's Karte mit Correction des Meridians nach denen von Kâhirah und Yâfa, wie schon auf Berghaus' Karte geschehen ist, in 31^0 $27'$ $30''$ N. B. und 32^0 $7'$ O. L. von Paris bestimmt wurde, — eine Lage, welche auch die alten Itinerarien sehr wohl bestätigen. Doch mufste, da die Construction nach dem Verhältnifs von 2.4 geogr. M. auf die Stunde Gaza mehrere Minuten weiter nördlich und östlich gebracht haben würde, dieser Werth in den völlig ebenen Gegenden zwischen Gaza und dem Fufs der judäischen Gebirge bis zu 3 geogr. M.

erweitert werden. Da der auf dem Wege nach Gaza berührte
Ort Beit Jibrin auf dem Rückwege wieder auf einer andern Strafse erreicht wurde, so liefs sich die Lage desselben sehr genau
feststellen, und diente dann wieder, um durch die beiden Routen
von hier über Idhna und Teffüh und von Idhna über el-Burj und
Dúra nach Hebron, die Lage von Hebron oder el-Khülil zu bestimmen,· vorzüglich die Länge. Diese wurde dadurch fast genau ebenso gefunden, wie durch die Fortsetzung der Route von
Jerusalem südlich über Tekú'a nach Beni Na'im, welches von einem Punkt bei Hebron in $1\frac{1}{2}$ Stunden Entfernung sichtbar war,
und von da nach Zif, für dessen Bestimmung wieder die Route
von Hebron nach Petra diente. Die Route von Jerusalem über
Tekú'a bestimmt zugleich, in Verbindung mit der Entfernung
von Hebron nach Jerusalem auf dem graden Wege (wo die Reisenden durch die hügelige, keine freie Aussicht erlaubende Natur
des Bodens verhindert wurden, die Wegerichtung zu notiren, daher die Länge von Hebron dadurch nicht bestimmt werden konnte)
und der antiken Entfernungsangabe von 22 röm. M. P., am genauesten die Breite von Hebron zu 31^0 $32'$ $30''$; wovon Moore's
astronomische Bestimmung 31^0 $31'$ $30''$ nur um eine Minute
abweicht.

Von den aufserhalb der Routen der Reisenden liegenden
Punkten sind alle, welche durch zwei oder mehr Winkel hinlänglich fixirt werden konnten, aufgenommen; aufserdem auch
einige, für deren Bestimmung nur Ein Richtungswinkel und die
ungefähre Schätzung der Entfernung vorhanden war; letztere aber
alle mit einem (?) bezeichnet. Eine kleine Anzahl Orte zu beiden Seiten der Hebron-Jerusalem-Strafse wurden ferner aus Seetzen's Karte genommen, welche sich auch in Smith's Listen an
den gehörigen Stellen fanden, und da sie von lauter sichern

Punkten umgeben sind, leicht ohne grofsen Fehler eingeordnet werden konnten; doch sind auch diese mit (?) bezeichnet.

2. Todtes Meer und Ghôr. Für die Bestimmung der Länge mehrerer Punkte an der Westküste des todten Meeres gab es drei Wege, nämlich die Construction der Routen von Hebron nach Petra, welche das Südende des Meeres berührt, — von Kürmül nach 'Ain Jidy in der Mitte der Westseite des Meeres, — und von Deir Diwân nördlich von Jerusalem nach Jericho und von da nach dem Nordende des Meeres. Da alle auf diese Weise an der Küste des Meeres gewonnenen festen Punkte durch Winkel untereinander verbunden waren, so liefs sich hierdurch ein um so gröfserer Grad von Genauigkeit erreichen; und es zeigte sich eine sehr erfreuliche Uebereinstimmung in den Resultaten. Zu Grunde gelegt wurde indessen der nördlichste Weg als der sicherste, indem der höchste Punkt des Uebergangs über das Kürüntül - Gebirg in demselben durch vier Winkel und Zeitmaafs sehr zuverlässig bestimmt, und bei der geringen Entfernung von diesem Punkt nach Jericho über 'Ain Dûk, Tawahin es-Sukkar, und 'Ain es-Sultân, welche Punkte alle untereinander und mit Jericho durch Winkel verbunden waren, kaum ein Fehler von $\frac{1}{4}$ geogr. M. möglich war. Unsre Position von Jericho (das Kastell in 31^0 $51'$ $15''$ N. B. und 33^0 $8'$ $40''$ O. L. von Paris) läfst sich somit als sehr zuverlässig bezeichnen. [1])

---

1) Berghaus hat nur 1 geogr. M. mehr Entfernung von Jerusalem, übrigens grade dasselbe Azimuth auf Jerusalem N. $70'/_2^0$ O., welches ich durch Construction der Robinson'schen Route gefunden habe; ein überraschend richtiges Resultat, was bei der Ungenauigkeit seiner damaligen Hülfsmittel bemerkenswerth ist. Unsre Entfernung zwischen Erîha und Jerusalem, 14 geogr. M. in grader Linie (das alte Jericho lag noch 1 geogr. M. näher an Jerusalem,) pafst noch besser zu den 150 Stadien (15 geogr. M.) des Josephus, als die 15 geogr. M. auf Berghaus' Karte.

Von Jericho war es leicht, die Jordanmündung zu bestimmen; obgleich hier in der völligen Ebne des Ghôr der Längenwerth für die Zeitmaaſse wieder etwas erweitert werden muſste. Sollte die Jordanmündung und el-Helu in der Länge um vielleicht ¼ Minute zu weit östlich gelegt sein, so wird dieser Fehler in der Position von Râs el-Feshkhah wieder durch den Winkel von Jericho auf dies Vorgebirge compensirt. Für die genaueste Breitenbestimmung aber haben wir die Winkel vom Oelberge und Taiyibeh auf das Nordende des todten Meeres, welche mit den durch die Construction der Route erlangten Resultaten vollkommen übereinstimmen.

Die Route von Râs el-Feshkhah bis 'Ain Jidy konnte nur nach Bestimmung des letztern Punktes construirt werden, da die Compaſsrichtungen des Weges wegen der gebirgigen Beschaffenheit dieser Gegend hier mangelhaft, und die Zeitmaaſse weniger genau waren. Die bedeutende westliche Ausbiegung in el-Hüsâsah wird durch die Winkel von dort auf Tekú'a, den Frankenberg und Oelberg festgestellt. Durch Winkel von Bir ez-Za'ferâneh, Beni Na'im und Kürmül, und durch die Entfernung von Kürmül wurde ebenso der Paſs von 'Ain Jidy fixirt, und die damit zusammenhängende Position der Quelle 'Ain Jidy (und somit auch die des Passes) durch Winkel auf Râs el-Feshkhah, 'Ain Terâbeh und Râs Mersed bestätigt. Letzterer Punkt ist ebenfalls durch Winkel von beiden erstern hinsichtlich der Länge gefunden worden. 'Ain Jidy ist somit auch als vollständig sicherer Punkt zu betrachten.

Durch Winkel von Râs el-Feshkhah, 'Ain Terâbeh und 'Ain Jidy aus wurden nun zuerst Ost- und Westende des Salzberges Khashm Usdum an der Südküste des Meeres gefunden, und danach die Bestimmung derselben Punkte durch die Route von Hebron nach Petra (welche eben wegen der Gebirgsbeschaffenheit zwischen Zuweirah el-Fóka und dem Meere zur absoluten Längenbestimmung nicht taugte) modificirt; die Breite wurde allein durch die letztere Route gefunden. Es möchte somit die Position von Khashm Usdum ebenfalls als genau bezeichnet werden können, indem der höchste mögliche Fehler (wegen der nicht durchaus genau zusammentreffenden Winkel) $\frac{1}{2}$ bis 1 Minute in der Länge und kaum so viel in der Breite betragen dürfte. Hierdurch wurde zugleich die für die Zeichnung des Meers wichtige Position von ez-Zuweirah el-Fóka verificirt.

Die Küste von 'Ain Jidy bis zum Südwestende des Meeres konnte nur nach einigen Winkeln von ersterem Punkt auf Sebbeh und einzelne andere Küstenstellen und nach Schätzungen der Entfernung nach dem Augenmaafs dargestellt werden, bleibt daher im Detail etwas ungewifs. Sehr genau bestimmt sind dagegen Nord- und Südende der Halbinsel im südlichen Theil des Meeres, und die Mündungen der Wady's Zürka Ma'in, el-Môjib und Dera'ah durch viele Winkel von 'Ain Jidy, 'Ain Teräbeh, Râs el-Feshkhah, ez-Zuweirah el-Fóka, und dem Südende des Meeres, wenn auch die zwischenliegenden Küstenstrecken, namentlich der die Halbinsel mit dem östlichen Ufer verbindende Isthmus, (wofür auch Irby und Mangles' Bericht, aber nicht ihre ganz fehlerhafte Karte benutzt wurde,) nicht ganz genau gezeichnet werden konnten.

Auf der andern Seite aber zeigte die Construction nach allen angeführten Winkeln und Entfernungsbestimmungen, dafs die bei 'Ain Jidy gemessene Basis von 1500 Yards viel zu kurz war, als dafs die an ihren beiden Endpunkten zur Bestimmung der Breite (und wo möglich auch Länge) des todten Meeres gemessenen Compafswinkel, bei der nicht hinlängliche Genauigkeit gewährenden Natur des Instruments, sichere Resultate hätten liefern können. Die daraus abgeleiteten Entfernungen sind durchgehends zu kurz, und können somit hier ganz übergangen werden. [1])

Ich bin in der Auseinandersetzung der Construction grade dieser Gegend etwas weitläuftiger gewesen, weil eben hier unsre Zeichnung am auffallendsten von allen früheren Karten abweicht, und zum ersten Mal für die genaue Lage und Form des todten Meeres sichere Data enthält.

Die wüste Gegend zwischen dem Meridian von Jerusalem westlich und dem todten Meere und Jericho östlich ist, mit Ausnahme der Wege nach Jericho, noch nie durchforscht worden, und der Lauf der Wady's konnte daher nur sehr unbestimmt darin angedeutet werden; selbst die Position des Klosters Mâr Sâba an dem südlichsten Weg von Jerusalem nach dem Jordan nach Mariti's, Medem's und Parthey's Bericht ist nicht völlig sicher; ebenso wenig der Zug der Jericho-Wege, so viele Reisende dieselben auch betreten haben.

Im Ghôr nördlich von Jericho ist nur die Lage der Ruinen von 'Aujeh und, hinsichtlich der Länge, des Berges Kürn Sürtübeh durch mehrere Winkel bestimmt; letzterer in Betreff der Breite nur durch Bertou und einen unsichern Winkel von Garizim aus. Mehr Detail enthält Bertou's Itinerar von Beisân bis Jericho [2]), und scheint, da die Summe seiner Entfernungen sehr wohl stimmt, auch in den einzelnen Abständen Vertrauen zu verdienen. Aber da die Namen der von ihm durchschnittenen Wady's gröfstentheils unverständlich sind, so haben wir nur diejenigen davon aufgenommen, welche auch unsren Reisenden durch Berichte der Araber bekannt geworden. Der Lauf des Jordan ist

---

1) z. B. von 'Ain Jidy bis zur Mündung des W. el-Mojib 7,86 geogr. M., während die wahre Entfernung wenigstens 9 geogr. M. beträgt. S. Text Bd. II. S. 449.

2) Bulletin de la Soc. de Géogr., Sept. 1839.

in Ermangelung besserer Nachrichten der Karte desselben Reisenden entnommen, mit Berücksichtigung der wenigen darüber
von Robinson, Burckhardt, Buckingham, Irby und Mangles mitgetheilten Notizen, kann aber durchaus keinen Anspruch auf Genauigkeit machen. Auch die Position von Sukhot (Succoth) bei
Beisân ist aus Bertou entnommen, mufs aber nur als zweifelhaft
angesehen werden.

3. Gegenden westlich von Jerusalem bis zum
Meere. Die Routen von Idhna über Beit Nettif (welches durch
die Route von Jerusalem nach Gaza bestimmt war), nach Ramleh
und von da nach Jerusalem, und die Richtungswinkel von Tell
es-Sâfieh auf 'Âkir und Ramleh und von Ramleh auf Neby Samwil ergaben, aufs genaueste unter sich übereinstimmend, die Position von Ramleh 1' 45" südlicher und 2' westlicher als die Jacotin'sche Karte, mit Berücksichtigung der Meridianscorrection.
So bleibt die Entfernung von Yâfa zwar dieselbe; aber der Richtungswinkel von Yâfa auf Ramleh kommt, statt S. 52° O. wie
bei Jacotin, nur S. 39° O. heraus. Da unsre Reisenden Yâfa
nicht besuchten, und es von Ramleh aus nicht sichtbar war, so
bleibt die Entscheidung dieser auffallenden Differenz noch ungewifs; und da unsre Construction, so weit sie reicht, in sich im
besten Einklang steht, so sind nur zwei Fälle möglich: entweder dafs hier Jacotin's Karte einen Fehler hat (was ich nicht
gern annehmen möchte, da Jacotin selbst in Ramleh war); oder
dafs die von uns angenommene Position von Jerusalem zu südlich lag, gegen welche Vermuthung (aufser der genauen astronomischen Bestimmung von Niebuhr und Correy) wieder der Umstand spricht, dafs alsdann die Positionen von Gaza und Hebron
nothwendig auch nördlicher gerückt werden müfsten, was nach
allen andern Zeugnissen dafür nicht gut möglich ist. Die Lösung dieser Frage bleibt also künftigen Untersuchungen vorbehal-

ten; auf unsrer Karte ist vermuthungsweise die betreffende Stelle der Jacotin'schen corrigirt worden.

Für die Position von 'Amwâs, dem alten Emmaus oder Nicopolis, sind, aufser dem Winkel von Tell es-Sâfieh aus, die in den alten Itinerarien gegebenen, wie es scheint, sehr genauen Entfernungsangaben von Lydda, Jerusalem und Eleutheropolis benutzt worden. Die bei 'Amwâs nahe vorbeiführende Route von Ramleh über Kubâb, Lâtrôn und Küryet el-'Enab nach Jerusalem ist nach dem früheren Itinerar von Smith und einem von Lanneau eingetragen worden [1]; dies jedoch ohne Angabe der Richtungswinkel, die nur für Kubâb und Lâtrôn aus Robinson's und Smith's Winkeln von Ramleh und Beit 'Ûr aus genommen worden.

Die ganze Küstenstrecke von Gaza bis Yâfa mit den alten Städten Askalon, Azotus und Jamnia ist, nach Correction der Position von Yâfa nach den von Berghaus angeführten Beobachtungen [2], aus Jacotin's Karte aufgenommen, womit auch die Maafse der alten Itinerarien sehr gut übereinstimmen. Die Küstenlinie ist, da noch keine Aufnahme der syrischen Küsten vorhanden, nur in der nächsten Strecke südlich von Yâfa, wo die Franzosen auf ihrem Rückmarsche sie berührten, zuverlässig.

4. Gegenden östlich vom Jordan, nämlich Kerak, el-Belka und Jebel 'Ajlûn. Für diese Gegenden sind hauptsächlich und fast allein Burckhardt's Itinerarien benutzt worden, welche sorgfältig construirt und in manchen Punkten durch Buckingham, Irby und Mangles vervollständigt oder verbessert wurden. Die Position von Kerak ist aufserdem durch vier sehr genaue, in ein und demselben Punkt sich schneidende

---

1) Siehe Anmerk. XL. am Ende des dritten Bandes.
2) Memoir S. 26.

Richtungslinien festgestellt, die Robinson und Smith von Hebron, ez-Zuweirah el-Fôka, 'Ain Jidy und 'Ain Teràbeh aus gemessen; eben so durch Winkel von denselben auch die Mündungen aller ins todte Meer sich ergiefsenden Wady's (aufser Seil Jerrah), so wie des W. Sha'ib im nördlichen Ghôr. Der untere Lauf des W. Zürka Ma'in mit den warmen Quellen des alten Callirrhoe ist durch Irby und Mangles' Route von Ma'in aus und ihre Richtungswinkel auf verschiedene Punkte westlich vom todten Meere fixirt; auf ihre Autorität wurde auch die Lage von Ma'in, die Burckhardt fälschlich S: O. von Hesbân angegeben hatte, in S. W. berichtigt. Für die Gegend um es-Salt sind aufserdem Buckingham und Seetzen benutzt worden. [1])

In Jebel 'Ajlûn ist besonders die Position von Kül'at er-Rübüd nach den Richtungswinkeln von Robinson und Smith von Taiyibeh aus, und Irby und Mangles von dem Punkt ihres Uebergangs über den Jordan zwischen es-Salt und Nâbulus, so wie der Route derselben von Beisân nach Jerash, berichtigt worden, wodurch es bedeutend weiter westlich und etwas südlicher als auf Berghaus' Karte zu liegen kommt. Hiermit änderte sich zugleich

---

1) Auf Burckhardt's Rückweg von 'Ammân nach el-Fuhais findet sich im englischen Original (die deutsche Uebersetzung ist nicht ganz deutlich) der auffallende Fehler, dafs die Entfernung von Sâfût (welches schon 4 Stunden von 'Ammân liegt) bis Fuhais zu 4'|₂ Stunden angegeben ist, so dafs der ganze Rückweg, den Burckhardt nur einen wenig nördlicheren nennt, sich auf 8'/₂ Stunden belaufen sollte, während der Hinweg nur 4 Stunden betrug. Aufser der Unwahrscheinlichkeit eines so ungeheuren Umwegs, wovon Burckhardt kein Wort bemerkt, und der Zurücklegung von 12'/₂ Stunden in einem Tage, wovon noch ein Theil durch Untersuchung der Ruinen von 'Ammân weggenommen wurde, wird unsre Berichtigung (4'/₂ Stunden von 'Ammân bis Fuhais, nach Burckhardt's gewöhnlicher Art zu zählen, also '/₂ St. von Sâfût nach Fuhais) auch durch Seetzen's Karte bestätigt.

die Lage von Jerash, welches wir übereinstimmender mit Moore's astronomischer Breitenbeobachtung (32° 16' 30") in N. B. 32° 19' 30" gesetzt haben, während es bei Berghaus noch 2' nördlicher liegt. Auch die Gegend zwischen 'Ajlûn und Jerash südlich von Irbid und Um Keis nördlich wurde gegen die Berghaus'sche Zeichnung etwas gegen Südwesten verschoben, was die relativ geringere Genauigkeit der darüber von Burckhardt, Buckingham, Irby und Mangles vorhandenen Berichte sehr wohl erlaubte. — Die berichtigte Position von el-Arba'in bei Beisân ist aus Bertou's Route entnommen; die von Um Keis oder Gadara, nach den Angaben der alten Itinerarien XVI M. P. von Tiberias und XVI M. P. von Scythopolis, um ein weniges westlicher als bei Berghaus gerückt worden.

5. Von Jerusalem bis Nazareth. Dieser von vielen europäischen Reisenden zurückgelegte und beschriebene Weg konnte doch erst nach den Nachrichten unsrer Reisenden genau construirt werden, so dafs die Position so wichtiger Orte wie Nâbulus, Sebüstieh und Jenin selbst gegen Berghaus' Karte wesentlich berichtigt erscheint. Die Construction dieser Route, wozu für die Zeitmaafse aufser den ältern Reisenden besonders Smith's früheres Itinerar zur Vergleichung diente, war um so sicherer, da sie fast genau dieselbe Position für Nazareth ergab, wie sie die Jacotin'sche hier auf trigonometrischer Vermessung beruhende Karte zeigt. Aus letzterer ist auch in unsrer Karte dieser Punkt aufgenommen; und die unbedeutende Abweichung der Construction (von nicht vollen 2 geogr. M. auf eine Länge von 56 geogr. M.) wurde auf die ganze Route compensirt. — Die Lage von Nâbulus und Sebüstieh, und danach auch die übrige Route, würde noch gewisser sein, wenn die Lage der einzigen der in dieser Gegend aus Robinson's und Smith's Winkeln bestimmten Positionen, welche auch auf dem sichern Theile der Jacotin-

E

schen Karte vorkommt, Tûl Keram 3½ geogr. M. im W. S. W.
von Sebüstieh (bei Jacotin „Toun Karin“ 1¼ geogr. M. im N.
von Fer'ôn) sich hätte sicher bestimmen lassen. Allein nach unsrer Construction fallen beide Ortslagen 4 geogr. M. auseinander;
und es scheint fast, dafs entweder Robinson und Smith oder Jacotin einen falschen Namen für den resp. Ort gehört haben. Letzteres scheint mir aus mehreren Gründen wahrscheinlicher. [1]

Die Route von Jenîn über Tûbâs nach Nâbulus ist aus
Berggren's Reisen entnommen, aber wegen theils ungenauer,
theils mangelnder Entfernungsangaben nicht ganz zuverlässig.

6. Küste von Yâfa nördlich. Distrikte von Haifa, 'Akka, Jenîn, Nâsirah, Tübarîyeh, Shâghûr, und
Safed. Dieses ganze Terrain ist, wie auf Berghaus' Karte,
aus der zum Theil trigonometrisch aufgenommenen und hier gröfstentheils sehr zuverlässigen Karte von Jacotin entnommen, natürlich mit Berücksichtigung der Meridianscorrection nach den
astronomischen Beobachtungen für Yâfa, Kaisârîyeh, Cap Kar-
mel und 'Akka, und mit Berichtigung der Orthographie so weit
es möglich war. [2] Indessen konnten durch die von Jenîn bis
Safed in diesen Raum fallende Route von Robinson und Smith,
deren Beobachtungen sich grade hier, wo sie durch ganz zuver-

---

1) Die ganzen Strafsen von Jenîn über Sânûr und Nâbulus nach
Jerusalem, so wie von Ramleh nach Jerusalem, sind mit all ihrem Detail auf Jacotin's Karte, wie es scheint, nur nach sehr unvollständigen
und zum Theil unrichtigen Nachrichten eingetragen, und ganz unzuver-
lässig; daher sie auf Berghaus' Karte nicht hätten in dieser Gestalt benutzt werden sollen.

2) S. Berghaus' Memoir S. 26. Namen aus Jacotin's Karte, deren wahre Orthographie nicht auszumitteln war, namentlich in dem Distrikt Haifa, von welchem die Reisenden keine Liste erhalten konnten, und
einzelne in Nâbulus sind in der Karte durch feinere Schrift bezeichnet.

lässige Theile der Jacotin'schen Karte controllirt werden konnten (wie von Nazareth bis Tiberias), als aufserordentlich genau bewiesen, bedeutende Zusätze und Berichtigungen gemacht werden.

Namentlich war dies bei dem östlichen Theil der Jacotinschen Aufnahme der Fall, so dafs von den in diesem Theile gelegenen sechs Positionen, die Berghaus als sehr genau aus Jacotin in seine Längen- und Breitentafel aufgenommen hat [1]), sich nur drei, en-Nâsirah, Tübariyeh und Semakh, als ganz zuverlässig zeigten. Die Positionen von Safed und Jisr Benât Ya'-kôb dagegen (letztre durch die von Burckhardt und Anderen angegebene Entfernung zweier Stunden vom See Tiberias und durch einen Winkel von Benît) mufsten um ein Unbedeutendes berichtigt, die von Beisân endlich, welches Jacotin nur von Jisr Mejâmi'a aus in einer Entfernung von beinahe 3 Stunden gesehen hat, durch Robinson's und Smith's Winkel von Zer'in auf Tell Beisân in eine bedeutend südlichere Lage gesetzt werden, mit der auch Bertou's sehr detaillirtes Itinerar von Tübariyeh über Beisân nach Jericho, und Burckhardt's Route von Nazareth über Beisân nach es-Salt übereinstimmen. Nach denselben und Buckingham's Route von Nazareth nach es-Salt ist die Topographie der Gegend zwischen Beisân, Tabor und Tübariyeh vervollständigt worden. Die Lage der Orte am kleinen Hermon und Gilboa-Gebirg, so wie im südlichen Theil der Ebne Esdraelon zwischen Jenîn, Zer'in und Lejjûn, welche sich fast alle auch bei Jacotin, aber theilweise in falschen Lagen finden, sind durch Robinson's und Smith's viele und genaue Richtungswinkel fest bestimmt worden.

Ebenso hat die Form des See's von Tiberias, besonders dessen nordwestliche und nördliche Seite (die von den Franzosen,

---

1) Memoir S. 28.

nach Jacotin's Karte zu urtheilen, keinesweges genau aufgenommen worden ist), eine nicht unbedeutende Veränderung erlitten, sowohl durch Robinson und Smith's Route von Tiberias nach der Jordanmündung, als auch durch die vielen auf allen Punkten dieses Weges gemessenen Winkel, welche in Verbindung mit den Winkeln von und auf Tabor, Tell Hattin und Safed ein sehr vollständiges und in sich übereinstimmendes Dreiecknetz über den ganzen See ergeben haben. Wegen des vielen schätzbaren Details, welches die Route unsrer Reisenden in dieser für biblische Geographie besonders des neuen Testaments so wichtigen Gegend darbot, und welches der Maafsstab unsrer Karte alles einzutragen nicht erlaubte, ist ein besonderer Carton davon für nöthig erachtet worden.

In dem Distrikt esh-Shâghûr, den die Franzosen nur auf einem Wege durchzogen, ist Jacotin's Karte (mithin auch die unsrige) natürlich sehr unvollständig. In der von Paultre wahrscheinlich sehr eilig relevirten Gegend nördlich von Safed aber enthält sie viele Namen, die, obgleich sehr corrumpirt, sich doch in denen von Robinson und Smith's Listen theilweise wiedererkennen lassen, ohne dafs aber die Position bei allen verbürgt werden konnte; bei Semâ'y und Meirôn, auf welche unsre Reisenden von Safed aus Winkel gemessen, ist sie wenigstens falsch angegeben.

Zwischen Safed und Bahr el-Hûleh sind einige Wady's und die Dörfer el-Mûghâr und el-Wûkâs, da ihre Lage und Namen durch die Listen bestätigt worden, aus Bertou's Route entnommen.

7. Von Safed bis Sûr. Hier geht die Route unsrer Reisenden wieder durch ein noch vor wenigen Jahren ganz unbekanntes, genau auch bis jetzt noch nicht beschriebenes Terrain. Es ist daher um so mehr zu bedauern, dafs die Reisenden in der Meinung, auf einem bekannten Wege zu sein, ihre Beobachtun-

gen nicht mit derselben Genanigkeit und Vollständigkeit wie früher fortsetzten, da durch die Constrnction dieser Route genau
nach den Compafsrichtungen sich eine um 4 bis 5 Minuten öst-
lichere Lage von Safed (Sûr als vollkommen astronomisch bestimmten Punkt angenommen) ergeben würde, als nach Jacotin's
Karte wie nach den südlicheren Routen Robinson's und Smith's
möglich ist. Diese Abweichung, welche nur die Länge, nicht
die Breite betrifft, mufste, da sie wohl auf Ungenauigkeit einiger
Richtungswinkel beruht, auf die ganze Route so gut es ging
vertheilt werden. [1]) Uebrigens zeigen die wenigen durch dieselbe
fixirten Ortspositionen, dafs der diese Gegend enthaltende, auch
in die Berghaus'sche Karte anfgenommene Theil der Jacotin'schen
Karte auf höchst ungenauen Nachrichten beruht und gar keine
Autorität hat. Nur die Lage von Tershihah wurde daraus aufgenommen, da dieser Ort (nach Jacotin's Terrainzeichnung zu urtheilen) wohl von der Meeresküste aus sichtbar ist, und Smith's
Richtungswinkel auf ihn sehr wohl dazu pafste.

8. Küste von 'Akka bis Beirût. Da Jacotin's genaue Aufnahme wenig nördlich von 'Akka endet, und bis jetzt
noch keine Aufnahme der syrischen Küsten (welche trotz ihrer
Wichtigkeit für die Wissenschaft wie für den Handel und die
Schiffahrt noch immer die unbekanntesten des Mittelmeeres sind)
vorhanden ist [2]), so blieb nichts übrig, als, wie auch Berghaus

---

1) Leider trifft diese Ungewifsheit dadurch auch die wichtige Position von Kûl'at esh - Shûkîf, welche durch eine von Robinson und
Smith von Haddata aus genommene Compafsrichtnng genauer bestimmt
wurde.

2) Auch auf der neuesten Seekarte dieses Theils des Mittelmeeres
(The Levant, or the Eastern Basin of the Mediterranean, by the Hy-
drographic Office, London 1839) sind die syrischen Küstenlinien noch
sehr unbestimmt gezogen und ohne alles Detail, während die von Klein -
Asien und Nordafrika sehr genau gezeichnet erscheinen.

gethan hat, zwischen die wenigen astronomisch bestimmten Punkte die zuverlässigsten Reiserouten einzutragen. Doch habe ich mir erlaubt, nach diesen'und den alten Itinerarien, selbst in den Positionen, für welche astronomische Beobachtungen vorhanden sind, (zumal dieselben öfters bedeutend von einander abweichen,) einige Aenderungen gegen die Berghaus'sche Karte zu machen. Denn die alten Itinerarien, so selten sie zu solchen Zwecken gebraucht werden, verdienen dennoch grade hier alles Vertrauen bei der gröfsten Uebereinstimmung aller drei (Antonini, Hierosolymitanum und Tabula Peutingeriana) in den Zahlen, so wie durch die Art ihrer Entstehung, nämlich genauer Ausmessung auf den antiken Strafsen; und da der Zug der alten Strafse durch die Richtung der Küste bedingt ist und deren Spuren an einigen Stellen sich noch erhalten haben, so sind sie hier sehr leicht anzuwenden. Diese Aenderungen betreffen namentlich Sûr, Sürafend und Saida. Die alten Itinerarien haben übereinstimmend:

	It. Hieros.	Ant.	Tab. Peut.
Von Ptolemais ('Akka) bis Tyrus (Sûr)	XXXII	XXXII	XXXII
Von Tyrus bis Sidon (Saida)	XXIV	XXIV	XXIV
Von Sidon bis Berytus (Beirût)	XXVIII	XXIX	XXX

von welchen Werthen der erste am genauesten zu sein scheint. Oder reducirt auf geogr. Meilen mit Abzug von $\frac{1}{20}$ für Terrain und kleinere Krümmungen des Weges [1]:

Von 'Akka bis Sûr	24.4 g. M.	nach Smith $10'/_2$ Stunden (langsam)
Von Sûr bis Saida	18.2	nach R. u. S. 8 St.
Von Saida bis Beirût	21.2	– – 9 St.

eine überraschende Uebereinstimmung; während auf Berghaus' Karte nach Gauttier's Breiten die Entfernung Sûr bis Saida grö-

---

1) Dieser Abzug scheint hinlänglich, da das Terrain längs der Küste ziemlich eben ist.

ſſer iſt, als die von Saida nach Beirût. Wir haben daher in Uebereinstimmung mit diesen itinerarischen Berichten die Breite von Sûr, Saida und Beirût angenommen wie folgt:

Sûr zu 33° 18' 20". Gauttier hat 33° 17'; Hell 33° 20' 53".
Saida zu 33° 33' 20". Niebuhr hat 33° 33' 15"; Hell 33° 33' 40"; Gauttier 33° 34' 5".
Beirût zu 33° 50' 30", nach Gauttier's Beobachtungen von Cap Beirût 33° 49' 45",

indem die Stadt nicht, wie Berghaus annimmt, in gleicher Breite mit dem Cap, sondern nordöstlich davon liegt, wie auch Robinson's Bericht bemerkt.

Im Einzelnen ist die Küstenstrecke von ez-Zîb bis Sûr nach Vial's Marschroute bei Jacotin gezeichnet und durch Smith's früheres Itinerar vervollständigt. Die Lage von Sürafend mit den Ruinen des alten Sarepta zwischen Tyrus und Sidon wird durch Robinson und Smith's Itinerar vollkommen festgestellt und zeigt, daſs Hell's Breite von Râs Sürafend, 33° 30', um 3 Minuten zu grofs ist [1]), oder sich auf einen andern Punkt bezieht, dem dieser Name fälschlich beigelegt ist. Die Küste von Saida bis Beirût ist auf Berghaus' Karte nach der Ehrenberg's vom Libanon reducirt; da aber jene nicht von Ehrenberg selbst besucht, sondern nur nach andern Quellen gezeichnet ist, so bedachte ich mich nicht, auch diese Strecke etwas zu verändern, und die Positionen von Râs Neby Yûnas und Râs Dâmûr bedeutend weiter westlich vorzurücken, was durch Buckingham's Richtungswinkel von Râs Neby Yûnas aus nothwendig gemacht wird.

9. El Hûleh, Wady et-Teim und Jebel esh-Sheikh. Die Zeichnung dieser Distrikte gründet sich auf die Routen Burckhardt's von Ba'albek über Hâsbeiya und Bâniâs

---

1) Welches nicht unmöglich ist, da Hell grade in Breitenbeobachtungen so grofse Differenzen von Gauttier hat; z. B. bei Sûr 3' 53".

nach Damaskus; Buckingham's von Damaskus über den Antilibanon, Râsheiya und Jebel el - Hawa nach Bâniâs und von da
durch Merj 'Ayûn und bei Kül'at esh-Shükîf vorbei nach Saida;
Smith's durch Merj 'Ayûn über Jezzîn nach Beirût; und Bertou's
von Beirût über Jezzîn bei Kül'at esh-Shükîf vorbei über Hâsbeiya und Bâniâs nach Tiberias. Da alle wichtige Punkte aus
diesen Berichten im Text des vorliegenden Werkes berührt sind,
(so wie auch dafs die Lage von Kül'at esh-Shükif und Kül'at
Bâniâs durch Winkel von unsren Reisenden berichtigt worden,
und der Weg von Bâniâs südlich von Burckhardt's Weg bei dem
See Phiala der Alten vorbei aus Irby und Mangles entnommen
ist), so bemerke ich nur noch, dafs einige der darin nicht erwähnten Positionen, besonders im oberen Wady et-Teim, aus Seetzen's Karte eingetragen sind.

10. Libanon. Der den nördlichen Theil des Libanon,
wohin die Route unsrer Reisenden nicht mehr reicht, enthaltende
Carton ist hauptsächlich aus dem Grunde beigegeben worden, um
von dem schätzbaren Material einer unedirten Skizze des Libanon
von Hrn. Bird, die vom Verfasser zur Benutzung mitgetheilt wurde,
so viel als möglich Gebrauch zu machen und dasselbe zur öffentlichen Kenntnifs zu bringen. Dies Material besteht vorzüglich
aus einer Menge bisher gänzlich unbekannter Ortspositionen; die
Skizze war jedoch hinsichtlich der Entfernungen nicht genau genug entworfen, um absolute Positionen davon zu entnehmen. Daher wurde, aufser den bei Berghaus [1] angeführten astronomisch
sichern Punkten, Ehrenberg's mit grofser Genauigkeit aufgenom-
mene und vom Verfasser zur Benutzung gütigst überlassené
Karte, vorzüglich so weit sie seine eignen Routen enthält, zu
Grunde gelegt; demnächst auch Burckhardt's, Buckingham's und

---

[1] Memoir S. 26.

Bertou's Routen hineinconstruirt; und dann die Positionen, welche
Bird's Karte aufserdem enthielt, zwischen den schon bekannten
mit gröfserer Sicherheit eingetragen: wobei freilich nicht zu vermeiden war, dafs einzelne, besonders in den höheren Gebirgsge-
genden, die zum Theil schon in Bird's Karte als zweifelhaft bezeichnet waren, unsicher blieben und als solche angegeben wurden. — Aufser dem eigentlichen Libanon umfafst dieser nach
Bird und Ehrenberg gezeichnete Theil unsrer Karte auch ein
Stück der Bükâ'a zwischen Bsherreh, Ba'albek und Zahleh.

Die Zeichnung der unteren Bükâ'a stützt sich auf Maundrell's Weg von Saida über Meshghürah, el-Kür'ûn und Jubb
Jenin nach Damaskus, und Burckhardt's Routen von Zahleh nach
'Anjar und Hâsbeiya (die an mehreren Ungenauigkeiten leidet),
und von Bârük über Kefareiya, Jubb Jenin und Aithy nach Damaskus; letztere habe ich, abweichend von Berghaus' Zeichnung, nördlich von Hümmârah in seiner andern Route verlegt,
weil sowohl Burckhardt selbst, als auch die Listen von unsern
Reisenden Sultân Ja'kôb und Hümmârah als südlich von Jubb
Jenin und Kâmid el-Lauz gelegen angeben.

Die Route von Jebeil über den Libanon nach Ba'albek ist
von Squire. [1]) Die nordöstliche Richtung der Küste von Tarâbulus aus, wodurch sie zwischen diesem Orte und Tartûs eine
bedeutende Bucht macht, während sie bei Berghaus fast nördlich
grade hinaufgeht, wird nicht nur durch Burckhardt's Richtungswinkel auf seiner Route von Kül'at el-Husu nach Tarâbulus, und
Buckingham's Winkel von Tarâbulus auf Derrejah an jener Küste (N. O. gen O.), sowie durch die Entfernungen zwischen Tartûs und Tarâbulus in neuen oder Antaradus und Tripolis in den
alten Itinerarien nothwendig gemacht, sondern auch durch Ehren-

---

1) In Walpole's Travels in the East, Vol. IV.

E *

berg's und Bird's Zeichnung, wie auch durch die oben angeführte englische Seekarte von 1839 bestätigt.

In der Terrainzeichnung des Libanon bin ich gröfstentheils Ehrenberg's Karte gefolgt. Die an topographischem Detail überreiche Gegend zunächst um Beirût hat, um für alles Platz zu finden, in einem besondern Carton dargestellt werden müssen.

11. Eintheilung in Provinzen und Distrikte. Dieselbe ist nach den von Herrn Smith gesammelten Listen der Ortsnamen versuchsweise ausgeführt worden, obgleich auch so noch oft die Grenzen zweifelhaft waren, indem theils anderweitig bekannte Orte nicht in den Listen vorkamen, theils von einzelnen Distrikten (Yâfa, Haifa, Belâd Beshârah und Belâd esh-Shükûf) gar keine Listen existirten. Namentlich sind die Grenzen der Unterabtheilungen nicht vollkommen genau anzugeben gewesen, und daher ausgelassen worden. Indessen wird auch so diese nur annäherungsweise richtige Eintheilung eine genauere und richtigere Uebersicht geben, als dies bei denjenigen der Fall war, welche nach ungleich unvollkommneren Materialien in allen früheren Karten versucht worden sind.

Verbesserungen und Zusätze

zum Memoir.

S. XLIV Z. **17** lies **aber** statt **eber**.

— - Z. **4** v. u. l. T. G. Carless st. F. G. Carless.

— XLV Z. **13** — l. auch st. nuch.

— XLVI Z. **9** — l. denselben st. derselben.

— L Z. **9** v. o. nach den Worten: an diese Stelle paſst, ist Folgendes zuzusetzen: Vielleicht ist die Angabe: ein Zweig des W. Sheriah, so zu verstehen, daſs eine Bifurcation statt findet, indem W. es - Süny nicht in den W. Sheriah, sondern aus demselben geht, nach der Trennung den W. es - Seba' aufnimmt, und dann durch das auf der Jacotinschen Karte angegebene Wasserbett bei Kefr Hetteh ins Meer geht. Dies ist wenigstens die einzige Annahme, wodurch alle Angaben sich erklären, und danach ist die zweifelhafte Stelle in dem Laufe der Wadys auf der Karte zu ändern, wie auch in der englischen Ausgabe geschehen ist.

— LXII Z. **5** v. u. l Corry st. Correy.

— LXV Z. **1** — l. Position st. Positionen.

— LXIX Z. **14** ff. wird Türshihah (so ist zu lesen) irrthümlich als aus Jacotin's Karte, die den Namen gar nicht hat, entlehnt, angegeben; es ist von Berghaus entnommen, aber doch wahrscheinlich richtig.

Berichtigungen in den Karten sind, auſser der angegebenen Stelle bei W. es - Süny, folgende zu machen, die in die englische Ausgabe aufgenommen worden sind:

Auf dem Plan des Passes von 'Akabah, in der Karte der Sinai - Halbinsel, ist im Maaſsstab zu lesen: Engl. geogr. Meilen statt: Deutsche g. M.

LXXVI

Zu Ma'ân bei Petra ist der alte Name Maon zu setzen.

Auf dem nördlichen Blatte von Palästina ist zu dem Orte Sôlam zwischen Nazareth und Jezreel der alte Name Shunem zu setzen.

Auf demselben Blatte an der Südgränze der Libanon-Provinz sollte Kŭl'at esh-Shŭkîf ein wenig südlicher, dem Lîtâny-Flusse um die Hälfte näher stehen, und dicht dabei das Dorf Bŭrghŭz neben der Brücke Jisr Bŭrghŭz auf der Südseite des Flusses.

Inhaltsverzeichniss

zum ersten Bande.

E * *

Zweiter Abschnitt.

Von Kairo nach Suez S. 54—95.

Dritter Abschnitt.

Von Suez nach dem Berge Sinai S. 96—237.

Vierter Abschnitt.

Fünfter Abschnitt.

85

Sechster Abschnitt.

Jerusalem. Erste Eindrücke und Vorfälle S. 367 — 415.

Erster Abschnitt.

Einleitung. Griechenland und Aegypten.

Das Werk, welches ich hier dem Publicum übergebe, enthält die Beschreibung einer Reise, die bei mir ein lange genährter Herzenswunsch gewesen, und seit mehr als funfzehn Jahren in alle meine Lebenspläne eingeschlossen war. Schon während meines frühern Aufenthalts in Europa, vom Jahre 1826 bis zum Jahre 1830, hoffte ich immer, es würde sich mir eine passende Gelegenheit zu einer solchen Reise darbieten; aber damals war Syrien meistentheils der Schauplatz des Krieges und grofser Bewegungen, was mich nebst mehrern andern Hindernissen von der Ausführung meines Vorsatzes abhielt. Im Jahr 1832 stattete Herr Eli Smith, Amerikanischer Missionar in Beirût, einen Besuch in den Vereinigten Staaten ab, nachdem er mit dem Missionar Dwight eine bedeutende Reise durch Armenien und Persien gemacht hatte. Er war ehedem mein Schüler und Freund gewesen, und so war denn ein Besuch des heiligen Landes bald der Gegenstand unsers Gesprächs. Wir verabredeten mit einander, wenn irgend möglich, diese Reise künftig gemeinschaftlich zu machen, und entwarfen schon im Allgemeinen den Plan, den wir nun haben ausführen können. Ein Hauptpunkt dabei war, vom Berge Sinai aus über 'Akabah nach Wady Mûsa und von da nach Hebron und Jerusalem zu gehn, ohne dafs wir damals wufsten, dafs irgend ein Theil dieses Weges schon von einem Reisenden gemacht wäre, wiewohl es seitdem fast eine Haupt-Reise-

1

89

strafse geworden ist. Ich schätze mich glücklich, dafs ich schon
damals einen solchen Begleiter mir sicherte, der durch seine
vertraute Kenntnifs des Arabischen, durch seine Bekanntschaft
mit dem syrischen Volke und durch die Erfahrungen, welche er
auf seinen frühern, weiten Reisen gemacht hatte, so wohl befä-
higt war, die Schwierigkeiten zu erleichtern und die Hindernisse
zu überwinden, die mit einer Reise im Morgenlande verbunden
sind. Diesen Vorzügen meines Gefährten, verbunden mit seiner Neigung für geographische und historische Untersuchungen
und seiner Geschicklichkeit, den Arabern Auskunft über Einzelnes zu entlocken und die Wahrheit davon herauszufinden, verdanke ich die wichtigern und interessantern Resultate dieser Reise.
Denn wäre ich gezwungen gewesen, mit einem gewöhnlichen, un-
gebildeten Dolmetscher zu reisen, so würde ich gewifs viel weniger haben unternehmen können, als wir zusammen ausgeführt;
viel Interessantes wäre dann übersehen und viele Nachforschungen ohne genügende Antwort geblieben. [1])

Am 17ten Juli 1837 schiffte ich mich mit meiner Familie
in Neu-York ein und landete nach einer glücklichen Fahrt von
achtzehn Tagen in Liverpool. Wir giengen nun nach London,
indem wir unterwegs eine kurze Zeit in Leamington und seinen
reizenden Umgebungen verweilten, so wie auch einige Tage in
der ernsten Stille Oxfords und seiner alterthümlichen Hallen. In
London, wo gerade die Zeit, in der Alles auf dem Lande war,
traf ich doch einige Veteranen unter den Reisenden im Orient, die
mir so manchen Wink gaben, welcher mir nachher sehr nützlich
ward. Nach einigen Wochen giengen wir über Antwerpen und

---

*) Die Resultate der oben erwähnten Reise des Herrn Smith nach
Armenien sind unter dem Titel herausgekommen: Researches in Arme-
nia, by Messrs. Smith and Dwight. Boston 1833. London 1834.

Brüssel nach Kölln, und von da in kleinen Tagereisen den herrlichen Rhein hinauf nach Frankfurt und so über Weimar und Halle
nach Berlin. Hier hoffte ich von Ritter viel zu lernen, da Manches, wonach ich zu forschen hatte, ganz aufser dem Kreise meiner wissenschaftlichen Beschäftigungen lag; aber ich traf ihn nicht,
da er selbst auf einer Reise zur Erforschung des klassischen Bodens
Griechenlands und der dazu gehörigen Inseln begriffen war.

Meine Familie liefs ich bei Verwandten in Deutschland und
reiste von Berlin am 13ten Nov. ab nach Halle, wo Gesenius,
Tholuck und Rödiger mich auf vieles Wichtige in Betreff der
Untersuchungen, die ich vorhatte, aufmerksam machten. Meine
Reise ging nun über Wien nach Triest. Der ganze Weg war
sehr unangenehm, unaufhörliche Regengüsse und Schneefall, begleitet von heftigen Stürmen und allen Unannehmlichkeiten und Beschwerden eines früh eintretenden Winters. Während der ganzen Tour von Berlin bis nach Triest schien die Sonne nur zwei
Tage und auch da nur sehr wenig. Ich kam nach Triest unter
einem gewaltigen Schneewetter, das nur kurze Zeit nachliefs, um
bald auf eine andre Weise sich mit noch gröfsrer Heftigkeit be-
merklich zu machen — als wüthender Levanter, begleitet von
ungeheuren Regengüssen. Am andern Tage, dem 30ten November,
waren alle Spuren des Winters verschwunden, ausgenommen der
Schnee auf den Spitzen der Alpen von Friaul. Der herrliche italienische Himmel breitete sich wolkenfrei über mir aus, und liebliche Frühlingslüfte spielten über den klaren Wogen des Adriatischen Meeres. Es war eine fast augenblickliche Verwandlung des
rauhesten Winters in ein herrliches anmuthiges Maiwetter. Ich
begrüfste diese Veränderung mit dankbarem Herzen und betrachtete sie als ein günstiges Vorzeichen; und wirklich wurde von
da an meine Reise keine Stunde lang, ja fast keinen Augenblick durch ungünstiges Wetter unterbrochen.

1*

Ich hatte den Weg über Triest gewählt, weil er der kürzeste ist, und freute mich, dafs er in der letztern Zeit dadurch noch kürzer und bequemer geworden war, dafs die Dampfschiffe des Oesterreichischen Lloyds jeden Monat zwei Mal sowohl nach Constantinopel als nach Alexandrien gingen. Ich hatte mich in London emsig danach erkundigt, ›konnte aber nichts Bestimmtes erfahren, ob von Triest Dampfschiffe nach dem Orient gingen. In Berlin hatte ich mich besonders bei den Gesandtschaften von England, Oesterreich und Bayern darum befragt, aber vergebens, bis ich endlich auf der Post daselbst nähere Auskunft erhielt. Dieser Weg bot zwei bedeutende Vortheile vor dem auf der Donau von Wien nach Constantinopel dar. Auf diese Weise konnte ich erstens vierzehn Tage in Athen zubringen und dennoch Aegypten zur bestimmten Zeit erreichen; und dann konnte ich von Griechenland aus nach Aegypten kommen, ohne Quarantaine zu halten, während Alle, die von irgend einem Theile des türkischen Reichs nach Aegypten kamen, sich einer Quarantaine von drei Wochen unterwerfen mufsten.

Am ersten December schiffte ich mich in Triest ein. Fast im letzten Augenblicke kamen noch zwei junge Landsleute hinzu, die mit mir durch Aegypten reisten. Einer von ihnen begleitete mich auch durch das gelobte Land. Unser Schiff war der Giovanni Arciduca d'Austria, unter dem Befehl des Capitän Pietro Marasso, eines der verständigsten und artigsten Capitäne, die ich auf meinen Reisen kennen lernte. Sieben Monate nachher fand ich dies schöne Dampfschiff auf der Fahrt zwischen Syra und Alexandrien und Capitän Marasso als Führer eines gröfseren Schiffes, Mahmoudie, das zwischen Syra und Konstantinopel fuhr. Es war ein lieblicher Sonnenuntergang, als wir den Hafen von Triest verliefsen; eine Fluth goldner Strahlen ergofs sich über den klaren Wasserspiegel und die mit weifsen Häuschen und

Landsitzen bedeckten Berge gegen Osten, und warf ihren Wiederschein von dort auf Stadt und Schiffe unten. Wir fuhren rasch
bei dem Meerbusen von Capo d'Istria vorbei, sahen die Lichter
von Isola und den Leuchtthurm von Pirano, und setzten im Fin-
stern unsern Weg nach Ancona fort.

Der folgende Morgen war klar und schön; vor uns lag die
italienische Küste, in deren Hintergrund sich die mit Schnee bedeckten Apenninen erhoben. Um neun Uhr ankerten wir in dem
von Felsen umringten malerischen Hafen von Ancona, wo wir bis
gegen Abend verweilten und dann unsern Weg das Adriatische
Meer hinab fortsetzten. Am andern Tage mufsten wir ganz
gegen den Wind den breitesten Theil des Adriatischen Meeres
durchschneiden, wo die Inseln und Küsten an beiden Seiten nur
hie und da sichtbar wurden. Nur Monte Gargano konnte man
an der italienischen Küste den ganzen Tag über sehen. Aber
der Morgen des vierten Tages war reizend und herrlich. Bei Sonnenaufgang waren wir in der Meerenge von Otranto, der kleinen
Insel Saseno und dem Vorgebirge Linguetta gegenüber, während
das Auge auf der linken Seite von den hohen Spitzen der Akro-
keraunischen Berge gefesselt wurde, dem Schrecken der Schiffer
des Alterthums — wilde, finstere, wüste Bergspitzen, wie vom Blitze
zerstört und verödet; daher auch ihr Name. Die Sonne ging
jetzt im schönsten Glanze über ihnen auf. Die Albanische Küste
besteht ebenfalls aus hohen Felsrücken, wüst, aber malerisch.
Lange Zeit war keine Spur menschlicher Wohnungen zu bemerken. Nachher sah man einige elende Dörfer, die an der steilen
Felswand angeheftet zu sein schienen, aber keine Spur von Feldbau, ja kaum von Pflanzenwuchs. Nachmittags nahten wir uns
der Insel Korfu, fuhren den reizend schönen Canal entlang und
ankerten Abends im Hafen zwischen der kleinen Insel Vido und
der Stadt. Die ganze Gegend, die Insel, der Hafen und die ge-

genüber liegende Küste von Albanien sind sehr malerisch, und erinnerten mich in vieler Beziehung an den Meerbusen von Neapel, obgleich hier Alles viel kleiner ist.

Wir verweilten bis den andern Tag gegen Abend in Korfu (den 5ten December). Wir gingen ans Land, besichtigten verschiedne Theile der Stadt, genossen die herrliche Aussicht vom Leuchtthurme auf dem hohen Felsen der Citadelle, und mischten uns unter das Volk. Es waren die ersten Griechen, die wir sahen, und ich muſs zur Ehre des griechischen Volks gestehen, es waren die schlechtesten. Die Straſsen waren gedrängt voll von zerlumptem Gesindel, wilde, rohe, sonnverbrannte Gesichter, die zu Byron's Schilderungen hätten sitzen können. Die Lazzaroni in Neapel sehen in Vergleich mit ihnen vornehm aus. Und dennoch können diese Korfuaner auf ein Paar Boote voll wilder Albanischer Bauern, die wir im Hafen bemerkten, stolz herabsehn. Die Regierung der Ionischen Inseln, unter der Leitung und dem Einflusse des Englischen Statthalters, hat viele Schulen angelegt, in denen die Bibel gelesen wird. Herr Lowndes, der verständige Missionar der Londoner Missionsgesellschaft, ist der General-Superintendent aller dieser Schulen auf den Inseln, und war eben von einer Reise zurückgekehrt, auf der er 80 Schulen besucht hatte. Religionsunterricht wird auſser dem Lesen der heiligen Schrift nicht gegeben. Nach der Schätzung des Hrn. L., der nun schon 22 Jahre in Korfu sich aufhält, hat die Stadt etwa 16000 Einwohner, und die ganze Insel etwa 35000. Andere geben die Zahl anders an.

Beim Sonnenuntergang fuhren wir ab, sahen am Abend noch die Inseln Paxos und Anti-Paxos, und gingen in der Nacht durch die Straſse zwischen St. Maura und Theaki, dem alten Ithaka. So verloren wir natürlich den Anblick des Sapphofelsens an der Westseite der erstern Insel. Am Morgen befanden wir uns ein wenig S. O. von der letztgenannten Insel, die wir ganz deutlich, obgleich nur aus der Ferne sahen; doch war dies hinreichend, all unser klassisches Gefühl aufzuregen, und den Helden Ulysses, so wie den Dichterfürsten Homer uns lebhaft vor die Seele zu rufen. Diese beiden Inseln, so wie auch Kephalonia, bieten sich dem Schiffer als finstere, hohe Felsgebirge dar, ohne irgend einen Anschein von Fruchtbarkeit.

Wir fuhren in die Bai von Patras und lagen einige Stunden auf der Rhede vor Anker. Der Meerbusen wird von Bergen eingeschlossen, die jeden Wind abhalten. Das Wetter war warm und lieblich wie ein Tag im Juni. Patras ist ein grofses, zerstreut liegendes Dorf mit ungefähr 7000 Einwohnern, unten am westlichen Abhange des Berges Voda, des alten Panachaikon. Ueber dem Dorfe liegt eine zerstörte Festung, von wo aus man eine schöne Aussicht auf den Meerbusen und seine Ufer hat. Die Ebene von Patras ist fruchtbar und ziemlich gut angebaut. Im Norden des Meerbusens befindet sich das alte Aetolien; dort sieht man am Ufer das neue Missolunghi; weiter östlich die Mündung des Eurotas, und weit nordöstlich die schneeigen Gipfel des Oeta und Parnassus. Eine Stunde oder mehr N. O. von Patras ist der enge Eingang in den Meerbusen von Lepanto, der von beiden Seiten durch niedrig liegende Festungen vertheidigt wird; und dicht dahinter liegt die Stadt Lepanto am nördlichen Ufer. Von Patras geht gewöhnlich die Post zu Lande nach Athen über den Isthmus von Korinth, und Reisende schlagen oft diesen Weg ein.

Gegen Abend waren wir wieder auf der Reise und fuhren in der Nacht an der Küste von Arkadien entlang. Am andern Morgen, bald nach Sonnenaufgang, befanden wir uns ganz dicht an der Küste, nahe bei Navarin und Modon, und sobald wir die Inseln Sapienza und Cabrera umschifft hatten, steuerten wir an dem Meerbusen von Koron vorüber nach der Küste von Maina.

Hier erblickten wir die hehre Spitze des Pentedactylon, des alten
Taÿgetus, in seiner ganzen Majestät — der höchste und wil-
deste Gipfel des Peloponnes. Dieses Gebirge, das Rückgrad des
alten Lakonien, wird noch immer von einem tapfern und kühnen
Volke, den Mainoten bewohnt, die sich ihrer reinen Abstam-
mung von den alten Spartanern rühmen, so wie auch, dafs sie
nie unterjocht worden. Die Begebenheiten der jüngst verflofsnen
Jahre scheinen jedoch die letztere Behauptung in Frage zu stellen, während einige slavische Wörter und Ortsnamen von Sach-
verständigen auf eine Vermischung mit slavischem Blute gedeutet
werden. Wir fuhren ganz nahe an der Küste vorbei und konnten
viele Dörfer bemerken, d. h. Haufen von steinernen Hütten mit vier-
eckigen.Thürmen dazwischen, die in den früher so alltäglichen
Fehden zwischen Familien und Nachbarn zur Vertheidigung dienten. Die kräftige Hand einer geordneten Regierung hat diese
Kämpfe verringert und viele dieser Festen zerstört. Das Volk
richtet jetzt seine Aufmerksamkeit mehr auf die Künste des Frie-
dens und der Civilisation. Sie verlangen nach Lehrern; eine
Missionsstation ist erst vor Kurzem von der Amerikanischen Missionsgesellschaft unter dem Schutze des wackern alten Mainoten-
fürsten Mauromichalis gegründet worden, und es läfst sich der
günstigste Erfolg davon erwarten.

Nachmittags schifften wir um die hohe Felsspitze des Vorgebirges Matapan und durchschnitten den Meerbusen von Lakonien nördlich von Cerigo nach Cap Malea. Das letztere Vorgebirge passirten wir Abends und steuerten in der Nacht mehr
nach Hydra zu. Morgens den 8ten December waren wir in einiger Entfernung neben dieser Insel, und konnten rechts das kleine
Eiland Georg und etwas weiter hin Zea und Thermia sehen.
Auch das Vorgebirge Colonna ward sichtbar und hinter demselben
die Insel Helena, während der Berg Hymettus vor uns lag; eine

Wolke schüttete eben Schnee auf ihn herab. Beim weitern Fortschreiten kam uns die Akropolis und dann der Pentelikus zu Gesicht, und sobald wir das Vorgebirge Munychia umschifft hatten,
konnten wir um 11½ Uhr in dem ovalen, vom Lande eingeschlofsnen Bassin des Piräus ankern. — Wir waren erstaunt,
Kutschen, offenbar deutschen Ursprungs, dort halten zu sehen;
bald safsen wir in einer derselben und fuhren auf einem chaus-
sirten Wege nach Athen, das etwa noch 6 englische Meilen entfernt war.

Diese Fahrt war nicht ohne traurige Gefühle. Der Tag
war trübe, kalt und unfreundlich. Die Ebene und die Berge umher, der Schauplatz so mancher ergreifender Erinnerung, lagen
unangebaut und öde vor uns; zu allen Seiten sahen wir die herrlichsten Denkmäler des Alterthums in Trümmern, jetzt nur Monumente des Falles menschlicher Gröfse und menschlichen Stolzes.
Auch war der Eintritt in die Stadt nicht geeignet, diese Gedanken zu verscheuchen. Kleine steinerne Häuser, unordentlich
zusammengeworfen, krumme, ungepflasterte, schmutzige Gassen, — das ist nicht das Athen, wie es der Freund alter Geschichte in seiner Phantasie gern betrachtet; wohl aber ist dies,
mit wenigen Ausnahmen, das neue Athen. Selbst im besten
Theile der Stadt, in der Nähe des Hofes, hat Vieles das Ansehn
der Eile und Armseligkeit. Niemand kann sich darüber wundern,
wenn man bedenkt, unter welchen Umständen die Stadt erbaut ist;
dennoch mufs es den Fremden mit dem Gefühle getäuschter Erwartung und mit Trauer erfüllen. Dies währt jedoch nicht lange.
Die Macht geschichtlicher Erinnerungen ist zu gewaltig, als dafs
sie nicht über die gegenwärtige traurige Lage erheben sollte, und
der Reisende vergifst bald was er vor Augen hat und beschäftigt
sich nur mit der Erinnerung an das Vergangene.

Wir fanden eine willkommene Heimath in den gastlichen

Häusern der amerikanischen Missionare King und Hill, und freuten uns zu vernehmen, dafs ihre Bemühungen in Bezug auf Erziehung und Religions-Unterricht vom griechischen Volke dankbar anerkannt werden und gute Früchte tragen. Die Geistlichkeit ist bekanntlich solchen Bemühungen entgegen und die Regierung meist ganz gleichgültig, mit Ausnahme der Mädchenschulen unter Mad. Hill's Leitung, welche insofern von der Regierung unterstützt werden, als sie auf eigne Kosten eine Anzahl Schülerinnen erhält, um sie nachher als Lehrerinnen in den Volks-Mädchenschulen anzustellen.

Die Alterthümer Athens einzeln genau zu beschreiben, ist hier nicht der Ort. Griechenland war nicht das Ziel meiner Reise; auch hatte der Besuch von Athen gar nicht in meinem ursprünglichen Plane gelegen. Ich war daher auch nicht anders darauf vorbereitet die Ueberbleibsel des Alterthums zu untersuchen, als durch das was ich an Ort und Stelle aus den trefflichen Werken Leake's und Wordsworth's lernen konnte. [1]) Doch wird keiner Athen je besuchen, ohne einen tiefen Eindruck von dem Schönheitssinn und der Pracht der Alten mit hinweg zu nehmen; die Erinnerung des Eindrucks, den ich selbst dort empfangen habe, ist alles was ich wieder zu geben im Stande bin.

Das Ausgezeichnetste in Athen ist ohne Zweifel die Akropolis. Es ist eine Felsmasse, die mitten in der Stadt sich steil erhebt und nur von der Nord-Westseite zugänglich ist. Oben auf der länglichen Area waren einst die herrlichsten Denkmäler der griechischen Kunst vereinigt; es war das Heiligthum des Ruhms, der Religion und der Künste des alten Athens. Die majestätischen Propyläen, das herrliche Erechtheion und der erhabene Parthe-

---

1) Leake's Topography of Athens. Wordsworth's Athens and Attica.

non, alles vom schönsten Marmor erbaut, obgleich jetzt in Trümmern darnieder liegend, sind noch Zengen des frühern Glanzes
der Akropolis und zeigen die vollkommne Harmonie des Einfachen, Erhabnen und Schönen, zu der nur griechischer Geschmack
sich aufgeschwungen hat. In dieser Beziehung giebt es keinen
Ort auf Erden wie diesen. Rom hat nichts, was hiermit verglichen werden könnte, und die ungeheuren Massen der ägyptischen Architektur lassen doch, indem sie das Gemüth mit der
Idee des Unermefslichen fast erdrücken, keinen Eindruck des
Schönen und Einfachen zurück.

Mein erster Gang in Athen war nach dem Areopagus, wo
einst der Apostel Paulus predigte.[1]) Es ist ein schmaler, nack-
ter Rücken von Kalksteinfelsen. Von Norden her steigt er allmälig
auf, fällt gegen Süden steil ab, und liegt dem westlichen Ende
der Akropolis gegen Norden, durch ein hohes Thal von letzterem
geschieden. Der südliche Theil liegt funfzig oder sechzig Fufs
über diesem Thale, obgleich bedeutend tiefer als die Akropolis.
Auf der Spitze bemerkt man noch die Sitze der Richter und der
Partheien, in den Felsen gehauen, und nach Südwest zu befindet sich eine ebenfalls in den Felsen gehauene Treppe nach dem
Thale unten. Westlich von diesem Felsrücken, in dem Thale
zwischen demselben und der Pnyx, war der alte Markt, und an
der südöstlichen Seite der spätere oder neue Markt. Auf welchem Markte Paulus alle Tage redete, ist unmöglich zu bestimmen; aber von beiden ist nur eine sehr kurze Strecke bis an
den Fufs des Mars-Hügels, zu dem Paulus wahrscheinlich auf
der so eben erwähnten Treppe geführt wurde. Hier stand er
auf einer erhabenen Bühne, umgeben von den Gelehrten und Wei-
sen Athens, während die Menge wohl auf der Treppe und im

---

1) Apostelgeschichte 17, 16 ff.

Thale sich befand; vor sich die hochberühmte Akropolis mit ihren Wunderwerken der griechischen Kunst, unter sich zur Linken den herrlichen Tempel des Theseus, das älteste und noch immer am besten erhaltene Gebäude Athens, während rings umher andre Tempel und Altäre die ganze Stadt erfüllten. Dennoch mitten unter dem, worauf die Athener so stolz waren, trug Paulus kein Bedenken zu verkündigen: „Gott, der die Welt gemacht hat, und Alles, was darinnen ist, sintemal er ein Herr ist Himmels und der Erde, wohnet nicht in Tempeln mit Händen gemacht!" Auch standen auf der Akropolis die drei berühmten Statuen der Minerva; die eine von Olivenholz; die andre im Parthenon von Gold und Elfenbein, das Meisterstück des Phidias; die dritte die kolossale Statue unter freiem Himmel, deren Speerspitze über den Parthenon weg von denen gesehn werden konnte, die am Meerbusen entlang segelten. Hierauf bezog sich Paulus wahrscheinlich und wies darauf hin, als er ihnen weiter verkündigte: „Die Gottheit sei nicht gleich den goldenen, silbernen und steinernen Bildern durch menschliche Gedanken gemacht." — Man kann sich nichts Zeit- und Ortgemäseres denken als dieses Meisterstück der Redekunst des Paulus. Aber die ganze Macht, Kraft und Kühnheit der apostolischen Rede kann man nur erst fühlen, wenn man an Ort und Stelle gewesen. Die ganze Beweisführung ist so meisterhaft, so ganz den scharfen und empfänglichen Gemüthern seiner Athenischen Zuhörer angemessen.

Dem Areopagus gerade gegenüber, im Angesichte des Platzes, der auf solche Weise durch die Predigt des grofsen Heidenapostels geweiht worden, befindet sich ein andrer noch bestimmter bezeichneter und kaum weniger interessanter Ort, der ohne Zweifel der Schauplatz der patriotischen Bemühungen des grofsen Athenischen Redners war. An dem östlichen Abhange des längern Hügels, der westlich vom Areopagus in gleicher Richtung sich erstreckt, befindet sich die Pnyx, der Ort, wo die Athenischen Volks-Versammlungen unter freiem Himmel gehalten wurden. Es ist eine halbrunde Area; der Fels am obern Theile ist bis zu einer Tiefe von acht bis zehn Fufs weggehauen und der niedere Theil ist an einigen Stellen mit einer Cyklopenmauer steil , aufgebaut. Auf der höchsten Spitze, mitten an der Rundung, tritt ein viereckiges Felsstück in die Area hinein, mit Stufen an beiden Seiten. Dies war der Ort, dieselbe Rednerbühne (Bema), auf der Demosthenes stand, als er zu den Athenern mit jenem Glutstrome der Beredsamkeit sprach, der

„Athen erschütterte und über Hellas blitzte,
Hin nach Philippus Stadt und Artaxerxes Throne."

Dafs dies genau die Stelle ist, kann gar nicht bezweifelt werden. Zwar stand das Bema ursprünglich auf der Spitze des Felsens, einige Ellen über der jetzigen Stelle, von wo der Redner den Piräus und die Flotte sehen konnte. Aber man hatte die Stellung desselben lange vor der Zeit des Demosthenes verändert.

An einem Nachmittage ritten wir mit Hrn. Hill nach der Stelle, wo die Akademie gewesen sein soll, in der Plato seine Weisheit lehrte. Es befindet sich dort nichts, den Ort genau zu bezeichnen. Er liegt nordöstlich von der Stadt in der Ebene jenseit des Kephisos, hier ein rauschender Bach, der zur Bewässerung der nahegelegnen Felder und Gärten dient. Das Ganze ist mit Olivenhainen bedeckt. Wir kehrten über den Hügel von Kolonos zurück, den Schauplatz des Oedipus auf Kolonos des Sophokles, wo einst ein Tempel des Neptun stand. Von diesem Hügel aus hat man eine herrliche Aussicht über Athen und die Umgegend. Es war ein köstlicher Nachmittag; die Luft hatte die ganze Helle und Durchsichtigkeit, die etwas so Merkwürdiges in dem Klima von Attika ist, in welchem Punkte sie den

Himmel Italiens und jedes andern mir bekannten Landes weit übertrifft. Die entferntesten Gegenstände sah man mit der größsten Deutlichkeit; die Insel Hydra schien kaum zehn (englische) Meilen weit zu sein, obgleich die eigentliche Entfernung wohl vierzig Meilen beträgt. Die Sonne ging unter, als wir noch auf dem Hügel waren, und ergofs eine Fluth durchsichtigen Glanzes über die Landschaft; und als der Wiederschein ihrer scheidenden Strahlen noch auf dem Parthenon ruhte und langsam an den dunklen Seiten des fernen Hymettus sich hinaufzog, folgte das köstlichste Purpurroth, das auch an den Gipfel des Hymettus emporstieg und sich über den ganzen Himmel verbreitete.

An einem andern Tage ritten wir mit demselben Freunde nach den alten Steinbrüchen an dem Abhange des Hymettus, und von da nach einem Landhause am Fuße des Berges. Der Hymettus war im Alterthume berühmt wegen seines Honigs; und noch jetzt wird in der Umgegend eine große Menge desselben gesammelt. In dem Landhause, das wir besuchten, befanden sich etwa zweihundert Bienenstöcke, und die Leute waren eben damit beschäftigt, den Honig einzusammeln. Dies war die zweite Ernte (im December), die erste und reichere war im August gewesen. Wir freuten uns, dafs wir den Honig vom Hymettus gleich an der Quelle kosten konnten, obgleich ich ihm nicht die aufserordentlichen Vorzüge zuerkennen kann, die sowohl die alten als die jetzigen Athener ihm beilegen. Er ist dunkel und schmeckt stark nach Thymian, da er vorzüglich aus dieser Pflanze gesogen wird, womit der ganze Abhang des Berges bedeckt ist.

An einem der letzten Tage unsers Aufenthaltes in Athen ging ich sehr früh nach der Akropolis, um die Sonne über den Berg Hymettus aufgehn zu sehn. Der Morgen war hell und kalt; zum ersten Male hatte der Winter leise Spuren von Eis in den Strafsen gezeigt. Ich war ganz allein auf der Akropolis mit-

ten unter diesen heiligen Trümmern früherer Herrlichkeit. Ich
setzte mich im Parthenon nieder, von wo aus das Auge durch
die Säulen des östlichen Porticus hindurch den ganzen Horizont
überblicken konnte, und erwartete so den Sonnenaufgang. Der
ganze Himmel war so glänzend hell, dafs ich lange nicht die Stelle
finden konnte, wo die Königin des Tages erscheinen mufste. Das
Sonnenlicht lag schon auf der östlichen Ebene und an den nördlichen Bergen, zwischen dem Hymettus und Pentelikus hindurch
strömend. Kleine flockigte Wolken kamen mit dem Nordwind
daher gezogen, und als sie über dem Hymettus schwebten und
von den Sonnenstrahlen beleuchtet wurden, schienen sie in flüs-
siges Gold verwandelt zu sein. Endlich erreichten die ersten
Strahlen das Parthenon und bekleideten seine Marmorstücke und
Säulen mit einem Silberschein. Nie in meinem Leben werde ich
diesen herrlichen Moment vergessen können.

Wir hielten uns siebzehn Tage in Athen auf, da das
Dampfboot zwei Tage über die bestimmte Zeit ausblieb. Das
Wetter war in dieser Zeit veränderlich; häufige Stürme und Regengüsse, und die Berge zuweilen dünn mit Schnee bedeckt und
bald darauf wieder einige Tage dazwischen, die den lieblichsten
Junitagen glichen. Wenn am Morgen das kleinste Wölkchen
am Hymettus hing, so regnete es gewifs im Laufe des Tages.
Das Thermometer fiel nur ein Mal bis unter den Gefrierpunkt,
und das sah man als die strengste Kälte des Winters an. Wir
hatten uns vorgenommen, einen Ausflug nach Argos zu machen,
wo sich einige unsrer Amerikanischen Freunde aufhielten, in der
Absicht über den Meerbusen von Nauplia zu setzen und über Korinth und den Isthmus zurückzukehren; aber ein Unwetter hinderte uns daran zu der bestimmten Zeit und auch noch einige
Tage nachher, und ich mufste zufrieden sein mit einem Blick
auf die Akropolis von Korinth, wie man sie von der Akropolis

Athens aus sieht. Aehnliche Umstände hinderten auch einen beabsichtigten Ausflug nach dem Gipfel des Pentelikus und der Ebene von Marathon.

Ich hatte natürlich nicht viel Gelegenheit das griechische Volk zu beobachten; auch wäre dies wohl nicht der rechte Ort, über seine politische Lage zu reden. Aber als das Ergebnifs meiner eignen Beobachtungen, verbunden mit dem, was ich von vielen Seiten her erfahren, mufs ich den Griechen des Königreichs das Zeugnifs geben, dafs sie, ein Völkchen von 800,000 Seelen, obgleich sie unter einer ausländischen Regierung stehen, in der sie als Nation keine Stimme haben, in der kurzen Zeit ihrer Unabhängigkeit ihre frühere Entartung in einem gewissen Grade abgelegt und sich selbst zu Charakterstärke, Redlichkeit und geistiger und sittlicher Kraft weit über alle andere ihrer Landsleute erhoben haben, besonders über die, welche sich noch immer unter türkischer Hoheit befinden. Das Volk verlangt begierig nach Unterricht und freien Institutionen; und obgleich es für die letztern noch nicht reif sein mag, so steht doch zu hoffen, dafs der Einflufs einiger der gröfsern europäischen Mächte, so gewaltig er sich auch zeigt, doch nicht stark genug sein wird, dies Verlangen zu ersticken.[1])

Während meines Aufenthalts in Athen erhielt ich Mittheilungen von meinem Freunde S m i t h , der sich damals in Smyrna aufhielt. Ich würde gern gleich zu ihm gegangen sein, damit wir so zusammen hätten nach Aegypten reisen können, aber seine Geschäfte erlaubten es ihm nicht, den Ort sogleich zu ver-

---

1) Seit ich diefs geschrieben, habe ich vom Prof. R i t t e r erfahren, dafs er zu derselben Ansicht in Bezug auf das Verhältnifs des geistigen und sittlichen Zustandes der Griechen innerhalb und aufserhalb des Königreichs gekommen sei.

lassen; und überdies lag noch eine Quarantaine von drei Wochen zwischen Smyrna und Alexandrien. Es war natürlich angenehmer und nützlicher, diese drei Wochen unter dem mildern Himmelsstriche und den Wundern Aegyptens zuzubringen, als in den Mauern eines elenden Lazareths in Syra oder Alexandrien eingesperrt zu sein. Wir verabredeten deshalb nach dem einstimmigen und herzlichen Rathe der übrigen Missionare in Smyrna und Athen, dafs wir uns gegen Ende Februars in Kairo treffen wollten, und überliefsen ihm das Vergnügen, die Quarantaine allein zu halten, indem wir uns sofort nach Aegypten wandten.

Wir bestiegen Abends den 25sten December das Dampfboot Baron Eichhoff im Piräus und waren am andern Morgen an der nördlichen Spitze von Syra, umgeben von einem herrlichen Kranze malerischer Inseln, früher die Cykladen genannt. Hinter uns lagen Jura, Zea und Thermia. Gegen Nordwest waren die hohen mit Schnee bedeckten Berge auf der Südspitze von Negroponte zu sehen; und südwestlich hatten wir Serfo und Sifanto. Dicht zu unsrer Linken befanden sich die grofsen Inseln Andros und Tinos, die erstere mit beschneiten Bergen; und vor uns Mycone, Delos und Grofs-Delos. Als wir die Nordspitze von Syra herumfuhren, erblickten wir Naxos, Paros und Antiparos, und konnten über der Südspitze von Tinos weg die Höhen von Nikeria sehen. Ein wenig mehr südlich sah ich mich lange nach Patmos um, aber vergeblich. Um 8 Uhr ankerten wir in der schönen Bai von Syra an der östlichen Seite der Insel. Dieser Ort ist in den letztern Jahren besonders berühmt geworden als der Haupthandelshafen Griechenlands und als der Mittelpunkt, wo alle die verschiedenen Züge der französischen und österreichischen Dampfschiffe sich durchkreuzen.

Wir verlebten hier einen angenehmen und sehr beschäftigten Tag, vorzugsweise in der Gesellschaft unsrer lieben Amerikanischen Freunde, des Dr. Robertson und seiner Familie, die seitdem nach Konstantinopel gegangen sind. Wir besuchten ihre Schulen und Druckerei, so wie auch die blühenden Schulen der englisch-kirchlichen Missionsgesellschaft unter der Pflege der Herren Hildner und Wolters. Die alte Stadt Syra liegt am Abhange eines kegelförmigen Hügels etwas von der Küste entfernt und enthält 5000 Einwohner. Die Neustadt, welche während der griechischen Revolution entstand, liegt tiefer an der Küste und man schätzt die Bevölkerung derselben auf 18000 Seelen. Der Schiffsbau wird hier in grofser Ausdehnung getrieben. Der Lebensunterhalt soll hier theurer sein als irgend wo anders in der Levante, besonders deshalb, weil alle Bedürfnisse des Lebens und des Luxus weit hergeholt werden müssen, da die Insel selbst fast gar nichts hervorbringt.

Wir schifften uns noch an demselben Abend den 26sten December am Bord des Dampfschiffes Fürst Metternich, das dort in Quarantaine lag, nach Alexandrien ein. Ein Gewitter, das über den Hafen wegzog, verzögerte unsre Abfahrt bis nach Mitternacht. Beim Aufgang der Sonne hatten wir die kleine Insel Polykandro zu unsrer Linken und zur Rechten Sifanto, Argentiera, Polino und Milo; während wir hinter Polykandro Sikyno und Nio gewahr wurden, und weit gegen Südost das hohe vulkanische Eiland Santorin, das Ritter einige Monate früher so genau untersucht hatte. Um 10 Uhr wurde Kreta sichtbar, aber nicht ganz deutlich und mit Wolken bedeckt. Abends ankerten wir im Hafen von Canea, an der Nordküste der Insel, nahe der Westspitze derselben. Diese Stadt enthält etwa 6000 Einwohner und liegt wie ein Amphitheater rings um einen kleinen innern kreisförmigen Hafen am Ende eines grofsen Meerbusens, indem das Land sich vom Wasser aus allmälich auf allen Seiten erhebt. Der gröfsere Meerbusen dehnt sich zwischen den Vorgebirgen

Spada und Meleka hin. Hinter der Stadt erhebt sich der Berg Melessa zu einer Höhe von etlichen tausend Fufs. Er war damals mit Schnee bedeckt, während fern gegen Osten, ungefähr in der Mitte der Insel, der majestätische und noch höher ragende Ida lag, ebenfalls mit einem weifsen Scheitel schimmernd in den letzten Strahlen der untergehenden Sonne.

Der kleine Hafen von Canea wird durch einen künstlichen Molo gebildet, der auf jeder Seite am Eingange eine Feste hat. Hier sahen wir zum ersten Male Moscheen und Minarets, letztere mit dem Halbmond geziert, was uns deutlich zeigte, dafs wir nun auf muhammedanischem Gebiete waren. Das Ende der Fasten des Rümadan war nahe, und die Minarets wurden von Reihen kleiner Lampen erleuchtet, die in grofser Anzahl an den äufseren Gallerien aufgehängt waren und in der Finsternifs des Abends einen angenehmen Anblick gewährten. Der Eindruck, den die Erleuchtung der Stadt des Abends macht, da sie nach allen Seiten hin sich erhebt, hat etwas Schönes und Imponirendes.

Kreta steht jetzt unter der Herrschaft des Pascha von Aegypten, und bot damals den selbst im Orient sonderbaren Widerspruch dar, dafs, während Aegypten selbst keine Quarantaine gegen Griechenland hatte, doch in Kreta eine sowohl gegen Griechenland als gegen Aegypten angeordnet war. Wir durften deshalb in Canea nicht landen; aber einige Amerikanische Missionsfreunde, an die wir Briefe hatten, kamen am andern Morgen in einem Boot heraus und erfreuten uns mit einem kurzen Besuche neben dem Schiffe. Herr Benton hatte sich mit seiner Familie seit etwa einem Jahre in Canea niedergelassen, und erfreute sich einer ermuthigenden Aussicht auf günstigen Erfolg seines Missionswerkes.

Wir verliefsen Canea wieder Vormittags 11 Uhr den 28sten December, und verfolgten unsern Weg längs der nördlichen Küste

2 *

von Kreta. Ein starker Nordost-Wind hatte sich erhoben, der
uns entgegen war und das Meer gewaltig aufwühlte, so dafs
wir nur langsam vorwärts kamen; dabei war die Bewegung des
Schiffes höchst unangenehm. Wolken zogen sich über der Insel
zusammen, so dafs wir nur dann und wann die Küste und den
erhabenen Gipfel des Ida erblickten. Am andern Morgen waren
wir dem Ostende Kreta's nahe, wovon nur ein schmaler Strich
unter den Wolken, die darauf ruhten, sichtbar war; und nordöstlich konnten wir die hohen Inseln Caso und Scarpanto unterscheiden. Der Nordost-Wind war nun günstiger für uns und
wir kamen schnell vorwärts, aber das Wetter war noch immer
kalt und die Bewegung unangenehm. Der folgende Tag, der
30ste December, war wärmer, und ein heftiger Regengufs von
Südwest hinterliefs ein starkes Wehen von dieser Seite her 'und
eine bedeutende Bewegung des Schiffes. Schon früh Nachmittags
begegneten wir einigen Schiffen, die beim Umschlagen des Windes Alexandrien verlassen hatten. Um 3 Uhr wurde die Diocle-
tianssäule sichtbar, und bald darauf die hohen Masten der ägyptischen Flotte, die im Hafen lag, nachher der Palast des Pascha
und mehrere andre Gebäude, und zuletzt der ganze Strand. Um
5 Uhr erreichten wir die enge Einfahrt des westlichen Hafens
und folgten einem Lootsen, der in seinem kleinen Boote uns den
Weg zeigte. Er wollte nicht an Bord kommen, indem er behauptete, dafs wir Quarantaine halten müfsten, — eine Neuigkeit, die
unsern Capitän etwas beunruhigte, da er den Hafen nur erst vor
wenigen Tagen in libera pratica verlassen und seitdem keinen Hafen besucht hatte, gegen den Quarantaine angeordnet
war. Eine halbe Stunde später warfen wir Anker dicht an der
Stadt mitten unter den ungeheuren Kriegsschiffen, die zur ägyptischen Flotte gehören. Ein Boot mit Franken, Sanitätsbeamten,
kam ans Schiff. Die Beamten stiegen mit aller nöthigen Vor-

sicht an Bord, und untersuchten Passagiere und Briefe ganz genau zum gröfsten Erstaunen unsers Capitäns, der dergleichen
noch nie erlebt hatte. Das Resultat der Untersuchung war zu unsern Gunsten; und plötzlich umarmte der erste Sanitätsbeamte, ein
Freund des Capitäns, denselben, und auf dem Verdeck erschol-
len ihre Küsse und Begrüfsungen. Wir waren keine theilnahm-
losen Zuschauer bei diesem Auftritt, und stimmten von Herzen
in den Jubel des Augenblickes ein. Wir hörten nun, dafs das
letzte französiche Dampfboot, das gerade acht Tage vor uns an-
kam, und mit dem wir zuerst unsre Ueberfahrt machen wollten,
durch Unachtsamkeit in Syra die Briefe und Pakete von Konstantinopel und Smyrna an Bord genommen hatte; ohne dafs dieselben vorher auf dem Sanitätsbureau durchräuchert worden waren.
In Folge dessen war das Schiff in Alexandrien zwanzig Tage unter Quarantaine gestellt und die Passagiere acht Tage, so dafs
diese erst den Tag nach unsrer Ankunft frei wurden. Wir waren natürlich herzlich froh, auf diese Weise der Gefangenschaft
in einem ägyptischen Lazareth entgangen zu sein.

Es war nun zu spät geworden, um noch an's Land zu
gehen und uns in einer fremden Stadt noch nach einer Wohnung
umzusehen. Wir warteten deshalb bis den nächsten Morgen und
landeten sodann mit dem Capitän am Zollhause. Sobald wir unsern Fufs an's Land setzten, brauchten wir keine Beweise mehr,
dafs wir Europa verlassen hatten und nun in den Orient eintraten. Wir befanden uns mitten in einem grofsen Gedränge, durch
das wir nicht ohne Beschwerde uns den Weg bahnten, Aegypter,
Türken, Araber, Kopten, Neger und Franken; Weifse, Schwarze,
Olivenfarbige, Hell- und Dunkelbraune und fast von allen andern
Farben; Langbärtige und Ohnbärtige; Trachten aller Art und
keine; Seide und Lumpen; weite Gewänder und Nacktheit; Weiber eingehüllt in formlose schwarze Mäntel, das Gesicht ganz

bedeckt, so dafs nur die Augen durch ein Paar kleine Löcher
guckten; unendliche Verwirrung und ein Geplapper und ein Gemisch von Sprachen, Arabisch, Türkisch, Griechisch, Italienisch,
Französisch, Deutsch und Englisch, wie es sich gerade traf;
lange Reihen von ungeheuren Kameelen, eins hinter dem andern
mit hochgepackten Lasten; kleine Esel aufgezäumt und gesattelt,
jeder einzelne von einem arabischen Knaben mit schlimmen Augen geführt, der mit ein wenig Matrosen-Englisch sein kleines
Thier einem nolens volens zwischen die Beine steckte; — das ist
ein oberflächliches Bild der Auftritte, die wir bei unsrer Landung in Alexandrien bemerkten.

Wir hatten uns endlich nach dem Fränkischen Viertel durch-
gedrängt, dem südöstlichen Theile der Stadt, durch enge, krumme,
schmutzige Strafsen und Gassen, zwischen nackten Mauern oder
schlechten Häusern mit flachen Dächern. Das Fränkische Viertel
ist nahe am östlichen Hafen und besteht aus einer breiten Strafse
oder einem Platze, der von grofsen Häusern im italienischen Geschmack gebaut, umgeben ist. Wir machten Hrn. Gliddon, dem
Consul der Vereinigten Staaten, unsre Aufwartung, an den ich
einen Brief von unsrer Regierung hatte; er schickte sogleich
seinen Kawwâs oder Janitschar, uns eine Wohnung zu besorgen
und unser Gepäck durch den Zoll zu bringen. Während unsers
Aufenthalts in Alexandrien und später in Kairo fühlten wir uns
sehr verbunden für die Aufmerksamkeit und Güte des Hrn. Gliddon, und ich ergreife mit Freuden die Gelegenheit, ihm öffentlich meinen Dank auszusprechen.

Es war gerade der dritte Tag des grofsen Festes der Muhammedaner (des kleinen Bairams der Türken), das dem Fasten
Ramadan folgt und drei Tage dauert. Es war daher das ganze
Volk voll Jubel und Freude. Taschenspieler zeigten ihre Künste
auf den öffentlichen Plätzen und in den Strafsen; die Kriegsschiffe

im Hafen waren bunt geschmückt mit Flaggen und Wimpeln, und
zu Mittag verkündigte der Donner ihrer Kanonen die Ehrensalve
des Tages. Dies war das erste und einzige muhammedanische
Fest, das wir Gelegenheit hatten zu sehen.

Vom alten Alexandrien, jener berühmten Stadt, die 600,000
Einwohner hatte und die zweite Stadt nach Rom war, ist kaum
noch eine Spur übrig. Die Hand der Zeit und der Barbarei haben schonungslos darüber gewaltet, und den alten Glanz derselben in den Staub und in das Meer begraben. Seine alten
Schulen der Gottesgelahrtheit, Sternkunde und anderer Wissenschaften; die herrliche Bibliothek, einzig in der alten Geschichte;
der Leuchtthurm, eins der sieben Wunderwerke der Welt; alles
das ist ganz und gar verschwunden und „ihre Stätte kennet sie
nicht mehr." Die Stelle, wo sich die alte Stadt befand, ist noch
mit Trümmern von Backsteinen und Ziegeln überstreut; ein Beweis, dafs auch die Materialien ihrer frühern Gebäude vernichtet sind. Der Boden ist umgegraben worden und selbst der Grund
derselben zerstört, um Steine zu den neuen Schiffswerften und
andren Bauwerken des Pascha zu bekommen. Die einzigen noch
vorhandenen Ueberreste der alten Stadt sind einige Cisternen, die
noch gebraucht werden; die Katakomben am Ufer, westlich von
der Stadt; der Granit-Obelisk des Thothmes III, mit seinem gefallenen Gefährten, die man von Heliopolis hieher gebracht hat
und gewöhnlich Kleopatra's Nadeln nennt; und die Säule Diocle-
tian's, die man mehr unter dem Namen der Säule des Pompejus
kennt. Letztere steht auf der erhabensten Stelle der alten Stadt
zwischen der neuen Stadt und dem See Mareotis. Da erhebt
sie sich einsam aus der Zerstörung, der einzige Zeuge von dem
Glanze, den sie zu erhöhen bestimmt war. Dicht dabei liegen
zerstreut die vernachlässigten Gräber eines muhammedanischen Be-
gräbnifsplatzes, die nur dazu dienen, den Anblick der Zerstörung

noch trauriger zu machen. [1] Die Katakomben sind beinah mit
Erde ausgefüllt und es ist sehr schwierig sie zu besuchen; sie
bestehn aus Hallen und Gemächern mit Nieschen für die Leichen, geschmückt mit Verzierungen nach griechischem Style;
aber sie sind hauptsächlich deshalb interessant, weil es die ersten ägyptischen Gräber sind, die der Reisende antrifft. Die Bevölkerung der neuen Stadt wird von Sachkundigen auf 40,000
Seelen angegeben.

Wenn der Reisende es schon bei seiner Landung in Alexandrien inne wird, dafs er die Grenzen des Morgenlandes betreten hat, so wird er nicht minder daran erinnert, sobald er sich
anschickt die Stadt zu verlassen und ins Innere Aegytens zu reisen.
Bisher hat er alle Reisebequemlichkeiten gehabt, die in Europa
und Amerika sich finden; er hatte nur auf die Abfahrt eines
Dampfschiffes zu warten und sich mit Sack und Pack an Bord
desselben zu begeben, ohne weiter an etwas zu denken oder für
etwas zu sorgen. Aber in Aegypten und Syrien ist das Reisen
ganz anders. Hier findet der Reisende weder Kunststrafsen, noch
Posten, noch Wirthshäuser, und ist daher ganz auf sich selbst ver-
wiesen. In Aegypten mufs er sich ein Boot für sich allein miethen, wenn er nicht einen Gefährten findet, der es mit ihm
theilt; er mufs sein eignes Bett, Kochgeräthschaften und Nahrungsmittel für die Reise mitnehmen, ausgenommen was er in
den Dörfern den Nil entlang bekommen kann; auch mufs er vor
Allem einen Bedienten haben, der zugleich Koch, Proviantmeister
und Dolmetscher vorstellen kann. Er befindet sich bald ganz in
der Gewalt dieser wichtigen Person, die gewöhnlich weder lesen
noch schreiben kann; und die Unannehmlichkeiten und Plackereien
in diesem Abhängigkeitsverhältnisse werden ihm gewifs immer

---

1) Siehe Anmerkung I, am Ende des Bandes.

drückender werden, bis er selbst etwas Arabisch gelernt hat, oder glücklicher Weise (wie es bei mir der Fall war) mit einem Gefährten zusammentrifft, der die Sprache genau kennt. Wenn der Reisende Zeit hat, so thut er sehr wohl, seine hauptsächlichsten Bedürfnisse in Alexandrien zu kaufen. Er gebraucht dieselben ebenso sehr auf der Fahrt nach Kairo wie nachher; und er wird dadurch Zeit sparen und die Sorge dafür in dieser Stadt vermeiden.

Die meisten Reisenden, wenn sie nach Alexandrien kommen, denken, dafs sie nur so gerades Wegs von dieser Stadt auf dem Canal und Nil nach Kairo reisen können; und leicht können einige Tage vergehen, ehe sie erfahren, dafs sie in Atfeh, wo der Canal vom Nil abgeht, ein anderes Boot zu miethen haben, indem der Canal vom Nil durch einen Damm mit Abflufs, aber ohne Schleufse getrennt ist. Hier mufs Alles was zwischen Alexandrien und Kairo geht, in ein anderes Schiff gebracht werden zur grofsen Unbequemlichkeit des Publikums und besonders zur Plage für den Reisenden, der eben erst das Land betreten hat. Die Boote auf dem Canal und auf dem Flusse sind sich ganz gleich, lang, schmal und spitz mit einer niedrigen Kajütte am Hintertheile, in der man selten grade stehen kann, und gewöhnlich mit zwei niedrigen Mastbäumen und ungeheuern dreieckigen Segeln, indem die Segelstangen auf der Spitze des Mastes sich herumdrehen. Die Kajütten haben meist nur Raum für zwei Personen, die darin schlafen und mit untergeschlagenen Beinen sitzen können. Wenn eine Gesellschaft aus mehrern besteht, so ist ein gröfseres Boot erforderlich, das die Ausgaben erhöht und gewöhnlich die Reise verlängert.

Es war ein lieblicher Morgen, den 5ten Jan. 1838 als wir zum ersten Male auf den Fluthen des gewaltigen Nils dahin schwammen. In Alexandrien hatten wir fast täglich Regengüsse

und in der Nacht, die wir zu Atfeh zugebracht hatten, war ein
Platzregen gefallen, der den Himmel aufklärte und einen will-
kommnen Nordwind hinterliefs. Dieser trieb uns nun ganz munter gegen den gewaltigen Strom vorwärts. Es war eine Zeit
geistiger Aufregung, neue Gefühle wurden in den ersten Tagen
unsrer Fahrt auf diesem majestätischen Strome geweckt, an den
sich die frühesten und angenehmsten Erinnerungen der Kindheit
und des Mannesalters knüpften. Es war ein herrlicher Anblick
auf den gewaltigen Strom zu schauen, der seine Wogen beinahe
funfzehn hundert englische Meilen fortwälzt, ohne einen einzigen Zuflufs zu empfangen, durch ein Land, das ohne ihn eine
Wüste sein würde; der aber durch sein Wasser diese Wüste
zu einem Garten der Welt macht. Der Rosetta-Arm des Nil,
wo wir ihn erreichten, erinnerte mich sehr an den Rhein bei Köln
in Betreff seiner Breite, seiner Strömung und im Allgemeinen der
Beschaffenheit seiner Ufer. Das Nilwasser ist berühmt wegen
seines angenehmen Geschmacks, und verdient diesen guten Ruf.
Fremde pflegen Anfangs zu viel davon zu trinken, und nicht
selten bekommen sie davon eine gelinde Abführung. Das Wasser
ist etwas trübe, wird indefs klar, sobald man es durch die po-
rösen Krüge, wie man sie dort gebraucht, filtrirt, oder sobald
man es etwas stehen läfst in Krügen, deren Inneres mit Man-
delteig gerieben ist.

Man sagte uns in Alexandrien, dafs wir wahrscheinlich in
drei Tagen Kairo erreichen würden; aber der günstige Wind dauerte
nur einen Tag, und nur erst nach einer Fahrt von fünf Tagen
landeten wir in Bulak, dem Hafen von Kairo. Einen ganzen
Tag lang, ehe wir dahin kamen, hatten wir die Pyramiden am
südlichen Horizont sich aufthürmen sehen. Mehrere andre Reisende hatten, ungefähr zu derselben Zeit, eine viel längere Fahrt.
Unser Gepäck und wir selbst waren bald auf Esel geladen und

gallopirten die Strafse entlang, die zwei englische Meilen weit, gerade auf das Thor von Kairo zu führt. Dies Thor liegt in der Mitte der Nordwestseite des grofsen Platzes oder Vierecks el-Esbekiyeh; nicht weit davon, an der Südseite, liegt das Fränkische Viertel. Hier fanden wir eine Wohnung in einem Hotel, das früher ein Italiener gehabt hatte und das jetzt, wenigstens dem Namen nach, in englischer Weise versehen wurde.

Nach Kairo waren wir, wenigstens für den Augenblick, zur unrechten Zeit gekommen. Herr G. R. Gliddon, der amerikanische Consul, war nach den Vereinigten Staaten gereist. Den englischen Vice-Consul, an den ich besonders empfohlen war, fanden wir anfangs auch abwesend; und bei seiner Rückkehr war er mit einer neuen Stelle beehrt oder vielmehr belastet worden, die ihn für den Augenblick mit einer noch ganz ungeordneten Masse von Geschäften überhäufte, so dafs er nicht wufste, was er zuerst angreifen sollte. Die Herren Lieder und Kruse, Missionare der englisch-kirchlichen Missionsgesellschaft, an die ich Briefe von der Gesellschaft in London hatte, und die uns nachher die wichtigsten Dienste leisteten, waren gerade durch Unwohlsein an's Haus gefesselt. Herr Gliddon der ältere hatte die Güte gehabt, den Janitscharen des amerikanischen Consulats uns zu überlassen, sowohl während unsers Aufenthalts in Kairo als auf unserer Weiterreise auf dem Nil; aber das war uns für den Augenblick von keinem Nutzen; denn Mustafa sprach nur Arabisch, und wir konnten daher mit ihm gewöhnlich nur durch unsern andern Bedienten sprechen. Er ging mit uns den Nil hinauf, und wir haben ihn allezeit ehrlich, getreu und gutmüthig gefunden.

Da wir uns als Fremde in dieser grofsen Stadt ganz selbst überlassen waren, so beschlossen wir so bald als möglich nach Oberägypten abzureisen, in der Hoffnung, es bei unsrer Rückkehr besser zu finden. Wir besuchten daher gegenwärtig nur die Basaars, den Sclavenmarkt mit seinen Gräueln, die Mamelukengräber, schöne Denkmäler der Saracenischen Baukunst, die aber jetzt verfallen, die Citadelle, und die reizenden Orangerieen, die mit dem Palast des Pascha zu Schubra in Verbindung stehen. Als wir eines Tages mit unserm Bedienten in der Citadelle herumgingen, besahen wir die Zimmer des Pascha, und indem wir die Audienz- und Geschäftssäle in Augenschein nahmen, kamen wir zufällig in das Zimmer, wo Habib Effendi, der Gouverneur von Kairo und Minister des Innern, seine täglichen Geschäfte abmachte. Er safs kauend nach seiner Gewohnheit in einer Ecke des Zimmers, und mehrere Personen waren um ihn; in andern Theilen des Saales befanden sich ähnliche Gruppen. Da fortwährend Leute ein- und ausgingen, so trugen wir kein Bedenken unsre Neugier zu befriedigen; und zogen uns eben zurück, als der Gouverneur den Dragoman des Englischen Consulats nach uns schickte, uns einzuladen, mit ihm Kaffee zu trinken. Da wir noch ganz fremd in Aegypten waren, und keinen Freund bei uns hatten, der hierin Bescheid wufste, so lehnten wir die Einladung so höflich als möglich ab, indem wir sagten, wir hätten gesehen, dafs Se. Excellenz sehr beschäftigt sei. Diese Begebenheit würde der Erwähnung nicht werth sein, wenn sie nicht die grofse Veränderung deutlich zeigte, die in der Gesinnung und dem Betragen der Muhammedaner gegen die fränkischen Christen statt gefunden hat.

Das Wetter war schön und die Luft balsamisch so lange wir in Kairo waren. Es hatte aber kurz zuvor einige Tage geregnet, und am heiligen Christtage war ein heftiger Sturm und Regen gewesen. Das Thermometer wechselte bei Sonnenaufgang zwischen 5° und 10° Réaumur.

Die Trägheit und das lässige Wesen der Aegypter und

Araber ist bekannt genug. Bei ihnen scheint die gute alte
Lebensregel ganz anders zu lauten, und sie verfahren als ob
es gerade umgekehrt hiefse: „Thue nie heut, was du bis morgen aufschieben kannst." In unsern Verhältnissen war es natürlich etwas Langsames und Langweiliges die nöthigen Vorbereitungen zu treffen, und wir konnten daher erst wieder am
19ten Januar Abends auf dem Nil sein. Von einem angenehmen
Nordwind begünstigt durchschnitten wir den Strom, während das
glänzende Licht eines afrikanischen Mondscheins uns leuchtete.

Eine Fahrt auf dem Nil in dieser Jahreszeit kann nur
höchst interessant sein. Das Wetter ist gewöhnlich sehr angenehm und der Reisende sieht sich umgeben von Gegenden und
Gegenständen, die an sich das Auge fesseln und in genauer Verbindung stehn mit Allem, was grofs und ehrwürdig in den Geschichtsbüchern der alten Zeit erscheint. Die schimmernden Wogen des gewaltigen Stroms; die Pyramiden, diese geheimnifsvollen Denkmäler des grauen Alterthums, die sich an dem westlichen Ufer von Gizeh hinauf bis über Sakkárah und Dashúr hin
erstrecken; die vielen Dörfer längs des Ufers, jedes unter dem
Schatten seines eignen Hains von hohen, schlanken Palmen;
das breite Thal üppig in Fruchtbarkeit und auf beiden Seiten von
nackten, öden Gebirgszügen eingefafst, innerhalb deren die Wüste
fortwährend sich weiter auszubreiten trachtet; alles dies sind Gegenstände, die nicht anders als mit lebhaften Gefühlen betrachtet
werden können. Auch ist dies nicht alles ein Stillleben. Die
vielen Böte mit grofsen dreieckigen Segeln, die auf und ab fahren; die vielen Wasserräder (Sâkieh), wodurch das Wasser aus
dem Strome getrieben wird, die Felder zu bewässern; die noch
viel häufigern Shadúfs, die mit grofser Mühe ihren kleinen
Brunnenschwengel und Eimer zu demselben Endzweck in Bewe-

gung setzen;[1]) die Feldarbeiter, die Rinder- und Büffelheerden;
hin und wieder Kameel- und Eselkaravanen; grofse Schwärme
von Tauben, Enten und wilden Gänsen; und wenn man weiter
kommt, hie und da ein Krokodil, das auf einer Sandbank schläft
oder sich eben ins Wasser stürzt; alles das breitet Leben und
Regsamkeit über die Gegenden aus, erhöht die Theilnahme und
steigert die Empfindung. Sobald jedoch der Reisende den Fufs
aufs Land setzt, so ist das Romantische seiner Wasserfahrt bald
zerstoben. Er findet, dafs der Boden sich unter seinen Füfsen
in den feinsten Staub auflöset, durch den er waden mufs, um
nach dem nächsten Dorfe zu kommen. Und auch in diesem Dorfe
erblickt er nur einen schmutzigen Aufenthalt der Unreinlichkeit
und des Elends, — Erdhütten, nicht hoch genug, um gerade
darin zu stehen, die auf Erhöhungen gebaut sind, welche im
Laufe der Jahrhunderte aus den Trümmern früherer Wohnstätten
entstanden.

Die Reise von Kairo nach Theben, ungefähr 500 englische
Meilen, dauert längere oder kürzere Zeit, je nachdem der Wind
ist; wird aber im Durchschnitt in zwanzig Tagen gemacht. Es
kostet drei bis sechs Tage mehr, 140 Meilen weiter bis zum ersten Nilfall bei Aswân (Syene) zu gehen. Wir verliefsen Kairo in
der Absicht nach Theben zu gehen, und, wenn unsre Zeit es
erlauben sollte, auch den Nilfall zu besuchen. Anfänglich war
uns der Wind sehr günstig. Wir fuhren Tag und Nacht und am
zwölften Tage hatten wir mehr als drei Viertel des Weges bis
nach Theben zurückgelegt. Jetzt drehte sich aber der Wind
nach Süden und die einzige Art weiter zu kommen war, das Fahr-
zeug zu ziehen. Auf diese langsame und langweilige Art, die nur
einige Male durch Segeln unterbrochen wurde, erreichten wir

1) S. Anmerkung II, am Ende dieses Bandes.

Theben am neunzehnten Tage nach unsrer Abreise von Kairo.
Ein halb Jahr früher war ich in achtzehn Tagen über das Atlan-
tische Meer von Neu-York nach Liverpool gekommen. Die
Hoffnung, den Wasserfall zu erreichen, mußste nun ganz aufgegeben werden, und wir ließen es uns angelegen sein, die wenigen Tage, die uns noch übrig waren, aufs Beste zum Besuch
der Ruinen von Theben anzuwenden.

Ich will hier keine Beschreibung dieser wunderbaren Trümmer des grauesten Alterthums liefern. Wilkinson hat ihnen
die Hälfte seines Werkes gewidmet, ohne den Gegenstand auch
nur einigermaßsen zu erschöpfen. Die vorzüglich interessanten
Punkte auf dem westlichen Ufer sind das Memnonium, der Tempel von Medinet Habû, die Bildsäule des Memnon und seines
Genossen, die Gräber der Könige und die Gräber in dem Hügel
des Sheikh 'Abd el-Kûrneh. Auf dem östlichen Ufer befinden
sich der Tempel von Luksor und der Tempel, oder vielmehr
die ungeheure Masse von Tempeln von Karnak.

Es ist unmöglich unter diesen Trümmern umherzugehen
und diese altersgrauen und doch erhabnen Ruinen anzuschauen,
ohne den feierlichsten Ernst und das tiefste Staunen zu empfinden. Alles umher bezeuget mafslose Größe und Zerstörung. Hier
stand einst jene mächtige Stadt, deren Gewalt und Glanz in der
ganzen alten Welt sprüchwörtlich geworden war. Der Prophet
Israels, der der grofsen Stadt Niniveh Bufse predigt, bricht in
bittern Hohn aus: „Meinest du, du seiest besser als No (Theben)
der Regenten, die da-lag an den Wassern und rings umher
Wasser hatte; welcher Mauern und Veste war das Meer?[1]“
Aber auch selbst Theben „hat müssen vertrieben werden und
gefangen wegziehn, und sind ihre Kinder auf allen Gassen er-

---

1) Nah. 3, 8. Siehe Anmerkung III, zu Ende des Bandes.

schlagen worden; und um ihre Edlen warf man das Loos; und
alle ihre Gewaltigen wurden in Ketten und Fesseln gelegt."
Späterhin wurde die Stadt von Kambyses wieder geplündert und
von Ptolemaeus Lathyrus zerstört. Ihre zahllosen Geschlechter
sind verschwunden, aber sie haben gewaltige Werke hinterlassen,
die dem Wanderer aus fernen und damals unbekannten Ländern
die Geschichte ihrer Gröfse und ihres Falles erzählen. Die ver-
lafsnen Hügel umher sind mit Leichen angefüllt, für welche sie
in ihrer Eitelkeit eine Ausnahme von dem furchtbaren Richter-
spruch zu erlangen trachteten: „Du bist Erde und sollst zu Erde
werden." Fünf und zwanzig Jahrhunderte haben sie sicher in
ihrer engen Behausung geschlafen, aus der sie jetzt täglich ge-
rissen werden, um in den Staub getreten und in die Winde zerstreut zu werden.

Das Eigenthümliche der ägyptischen Baukunst, wie es an
den Tempeln in Theben und an andern Orten hervortritt, ist
Schwerfälligkeit und ungeheure Gröfse; da ist nichts von jener
Leichtigkeit, Harmonie der Verhältnisse und schönen Einfachheit
zu bemerken, welche die Tempel in Athen auszeichnen. Dennoch macht eben diese ungeheure Gröfse, verbunden mit den Erinnerungen an den frühern Zustand des Orts einen tiefen Eindruck.
Alles ist düster, erhaben und grofsartig. Das Ausgezeichnetste
dieser riesenhaften Bauwerke ist der grofse Säulengang zu Luksor, den wir zuerst im Mondschein besuchten; und ganz besonders die grofse Halle zu Karnak, „einhundert und siebzig
Fufs breit und dreihundert und neun und zwanzig Fufs lang;
in der Mitte von einem Gange von zwölf massiven Säulen getragen, sechs und sechzig Fufs hoch (ohne den Sockel und Aba-
cus zu rechnen) und zwölf Fufs im Durchmesser; aufserdem noch
einhundert zwei und zwanzig kleinere, oder vielmehr weniger
riesenhafte, von ein und vierzig Fufs neun Zoll Höhe, und sieben

und zwanzig Fufs sechs Zoll im Umfange, die in sieben Reihen
zu jeder Seite der oben angeführten stehen."[1] Auch die Verzierungen dieser Tempel-Paläste waren nicht minder imposant.
Die zwei colossalen Statuen des Amenoph (gewöhnlich genannt Mem-
nons), die majestätisch in der Ebene dasitzen, bewachten einst
den Eingang zum tempelartigen Palast jenes Königs. Sie sind
mit Einschlufs des Fufsgestelles sechzig Fufs hoch.[2] Der Tempel ist schon längst verschwunden, Memnon begrüfst schon lange
nicht mehr die aufgehende Sonne; und die beiden Statuen sitzen
jetzt in einsamer Majestät, um zu verkündigen, was Theben
vor Alters gewesen. Die ungeheure Bildsäule Rameses II. in
dem Memnonium besteht aus einem einzigen Syenitblock, der
jetzt umgestürzt und zertrümmert daliegt; doch hat man ihn gemessen, zwölf Fufs zehn Zoll von der Schulter bis zum Ellenbogen, zwei und zwanzig Fufs vier Zoll quer über die Schultern,
und vierzehn Fufs vier Zoll vom Hals bis zum Ellenbogen.[3]
Diese ungeheure Masse ist fast drei Mal so grofs als der Gehalt
des gröfsten Obelisken. Wie man sie von Oberägypten hieher
bringen und hier aufrichten konnte, ist eine Aufgabe, die die
Wissenschaft in unserer Zeit zu lösen nicht im Stande ist; eben
so schwierig ist es, die Art und Weise, wie sie zerstört ist, zu
erklären.

Die Gräber der Könige liegen zwischen den öden Hügeln,
die Theben auf der Westseite begrenzen, in einem engen Thale,
wo wüste Oede ihren Thron aufgeschlagen hat. Kein Baum,
kein Strauch ist zu sehen, kein Grashalm oder Kräutchen, nicht
einmal ein Moosspitzchen wächst auf den Felsen. Alles liegt

---

1) Wilkinson's Thebes etc. S. 174.
2) Ebendas. S. 35.
3) Ebendas. S. 10.

3

nackt und zertrümmert da, als ob es seit der Schöpfung der
Spielball des Blitzes, des Donners und der Erdbeben gewesen
wäre. Man tritt in die Gräber durch enge Portale an der Seite
des Thals, von denen gewöhnlich ein schmaler Gang etwas ab-
schüssig in die Hallen und Gemächer auf beiden Seiten führt,
die alle mit Gemälden in sehr lebhaften Farben verziert sind,
welche Begebenheiten aus dem Leben des verstorbenen Königs,
aus der ägyptischen Mythologie und zuweilen Beschäftigungen
des gewöhnlichen Lebens darstellen. In dieser Beziehung geben
uns diese Gräber die beste Erklärung der Sitten und Gebräuche
der alten Aegypter. Im Hauptgemach steht gewöhnlich ein grofser
Sarkophag. Hier „liegen alle Könige der Heiden mit einander,
doch mit Ehren, ein Jeglicher in seinem Hause, aber sie sind
verworfen von ihrem Grabe, wie ein verachteter Zweig." [1])
Die Gräber der Priester und Privatpersonen findet man an der
Seite der Hügel nahe bei der Stadt. Diese sind viel kleiner,
aber oft mit eben so grofser Kunstfertigkeit und Schönheit ausgeführt; sie stellen Scenen aus dem gewöhnlichen Leben dar. [2])

Alle Tempelmauern in Theben sind mit Figuren oder Hieroglyphen bedeckt, die gewöhnlich die Thaten der Könige dar-

---

1) Jes. 14, 18. 19. Von solchen und ähnlichen Gräbern ist wahrscheinlich das Bild des Propheten in Israel hergenommen, wenn es
heifst Hesek. 8, 8—10: Und er sprach zu mir: Du Menschenkind,
grabe durch die Wand. Und da ich durch die Wand grub, sieh da war
eine Thür. Und er sprach zu mir: Gehe hinein und schaue die bösen
Gräuel, die sie allhier thun. Und da ich hinein kam und sahe, siehe
da waren allerlei Bildnisse der Würmer und Thiere, eitel Schenel, und
allerlei Götzen des Hauses Israels, allenthalben umher an der Wand gemacht." — Man hat indefs keinen direkten Beweis dafür, dafs die Aegyptischen Grabmäler Stätten des Götzendienstes und der Mysterien gewesen wären.

2) Siehe Anmerkung IV, am Ende.

stellen, welche diese Gebäude erbaut oder erweitert haben. Viele
derselben geben uns sehr gute Erläuterungen zur ägyptischen Geschichte. Mir war die Darstellung am merkwürdigsten, welche
die Thaten des Sheshonk, des Sisak der heiligen Schrift, zeigt,
der im fünften Jahre des Königs Rehabeam (971 vor Chr. G.)
einen glücklichen Feldzug gegen Jerusalem unternahm.[1]) Diese
Bilder befinden sich aufserhalb an der südwestlichen Mauer des
grofsen Tempels von Karnak. Sie zeigen eine colossale Figur dieses Herrschers in vorschreitender Stellung, in seiner Hand zehn
Seile haltend, die an eben so viele Reihen von Gefangenen geknüpft
sind, die eine über der andern hinter ihm, und sie der Gottheit
des Tempels übergebend. Die obersten Reihen hinter der Mitte
seines Rückens enthalten jede zwölf oder vierzehn Gefangene, die
unteren dehnen sich bis unter seine Füfse aus und enthalten mehr.
Die Köpfe und Schultern der Gefangenen sind vollständig da,
während die Leiber blos die Form einer Cartouche mit Hieroglyphen haben, die vielleicht den Namen und Stand der Person
ausdrücken [2]). Vorn vor der hohen Mütze des Königs befindet
sich eine Cartouche mit seinem Namen; und hinter ihm, über den
Reihen der Gefangenen, ist die Mauer mit Hieroglyphen bedeckt.

---

1) 1 König. 14, 25. 2 Chronik. 12.

2) Auf einer von diesen Cartouches wollen Champollion und Rosellini die Worte gelesen haben:. Yu da Hamelek, König von Juda,
und halten diesen Gefangenen für den Repräsentanten des eroberten Königreichs Juda. Aber Wilkinson bezweifelt dies. Es ist gewifs kaum
denkbar, dafs alle diese Gefangenen verschiedene Völker oder Stämme
repräsentiren sollten, wie diese Theorie annimmt. Es sind ihrer zu
viele. Mir schienen die meisten derselben jüdische Physiognomien mit
kurzen, spitzigen Bärten zu haben. Champollion glaubt auch die Namen Beth-horon und Mahanaim dort zu lesen. Vergl. Champollion's
Grammaire Egyptienne, S. 160. Rosellini Monumenti storici II. S. 79 ff.
Wilkinson Manners and Cust. of the ancient Egyptians, I. S. 136.

3 *

Die Periode, in welcher Theben den Gipfel seines Glanzes erreichte, war wahrscheinlich gleichzeitig der Regierung Davids und Salomos. Aus den oben angeführten Worten des Propheten Nahum, [1]) der dem Josephus zufolge [2]) unter dem Könige Jotham (um 750 v. Chr. Geb.) lebte, vielleicht noch etwas später, erfahren wir, dafs diese Stadt entweder zu seiner Zeit, oder schon vorher erobert worden ist, wie es scheint, von einem auswärtigen Eroberer. Diese Begebenheit kann wohl mit dem Feldzuge des Tharthan, worauf von dem gleichzeitigen Propheten Jesaia hingewiesen wird, [3]) in Verbindung stehen. Die Weltgeschichte schweigt darüber und benachrichtigt uns blos von der Eroberung der Stadt durch Kambyses (525 vor Chr. Geb.) und von der letzten Zerstörung derselben durch Ptolemäus Lathyrus nach einer dreijährigen Belagerung (81 v. Chr. Geb.). Seit dieser Zerstörung hat sie sich nie wieder erhoben, und zu Strabo's Zeit befanden sich, wie jetzt, einige Dörfer auf der Stelle der einstigen Stadt. [4]) Die Erhaltung dieser grofsartigen Ueberreste, — in sofern sie nicht von der Reinheit und Gleichmäfsigkeit der Atmosphäre abhängt, — ist keinesweges der Ehrfurcht und Achtung, die die jetzigen Einwohner des Landes davor haben, zuzuschreiben, sondern einzig dem Umstande, dafs keine andere Stadt in der Nähe sich erhoben hat, die zu ihren Häusern die Materialien der thebanischen Gebäude wegnehmen und verbrauchen konnte.

Während unsers Aufenthalts in Theben, so wie auf unsrer ganzen Reise den Nil auf und ab, war das Wetter ungemein schön und unveränderlich, mit einer Temperatur, wie sie der Juni

---

1) Siehe Seite 31.
2) Jos. Antiq. IX. 11, 3.
3) Jes. 20.
4) Strabo XVII. 1, 46.

in den wärmern Ländern Europas und Amerikas zu haben pflegt.
Das Thermometer zeigte beim Sonnenaufgang zwischen 4⁰ und 12⁰, und um 3 Uhr Nachmittags zwischen 16⁰ und 22⁰ R. Die Luft war zuweilen dick und der Himmel wolkig, aber wir haben keinen Frost erlebt, obwohl er zuweilen eintreten soll. Die allgemein verbreitete Sage, dass es in Oberägypten g a r n i c h t regnen soll, ist nicht gegründet. Eines Abends, als wir bei Kineh lagen, den 4ten Febr., kam ein leichter Strichregen, während das Thermometer auf 20⁰ R. stand, mit starkem Südwind. Die Thäler in den Bergen rings um Theben zeigen offenbar Spuren, dafs zuweilen sehr heftige Regengüsse fallen. [1])

Am 7ten Febr. Nachmittags waren wir in Theben angekommen und verliessen es wieder den 11ten Febr. Morgens. Die Fahrt Strom ab war langsam und langweilig, da unser Boot leider zu grofs war, um mit Rudern rasch vorwärts getrieben zu werden, oder selbst mit dem Strome gegen starke, widrige Winde zu treiben. Wir verweilten einen Tag beim Tempel von Dendera und besuchten die verfallnen Gräber in den Bergen hinter Siout, wo wir auch eine herrliche Aussicht von dem Berggipfel hatten. Noch einen Tag widmeten wir den merkwürdigen Gräbern von Beni Hasan, die zu den ältesten in Aegypten gehören. Wir langten endlich am 28sten Febr. Morgens in Kairo an, wo ich die Freude hatte, meinen künftigen Gefährten, Hrn. S m i t h zu treffen, der drei Tage früher angekommen war. Hier, unter dem gastfreundlichen Dache des Hrn. L i e d e r und in der angenehmen

---

2) Hierüber giebt es keinen bessern Gewährsmann als Wilkinson; er sagt: „Leichte Regengüsse finden in Theben alle Jahre statt, vielleicht vier oder fünf Mal des Jahrs; und alle acht oder zehn Jahre füllen starke Regengüsse die sonst trocknen Giefsbachbetten in den Bergen an, die nach den Ufern des Nils sich abdachen. Ein Ungewitter der Art that vor einigen Jahren grofsen Schaden an Belzonis Grabmal. " Thebes etc. S. 75.

Gesellschaft theurer Freunde, vergass ich sehr bald die Unannehmlichkeiten der Reise, und war im Stande, unter besserer Leitung als vorher, die Stadt und ihre interessanten Umgebungen zu besehen.

Kairo ist eine der best gebauten Städte des Orients; die Häuser sind von Werkstücken, grofs, hoch und fest. Die Strafsen sind eng und oft krumm, und die Häuser häufig nach oben zu hinaus gebaut, so dafs sie über die Strafse herüberhängen und oben fast zusammenstofsen, gerade wie man es in den ältern deutschen Städten sieht. Der frühere arabische Name der Stadt war el - Kâhirah, aber es wird jetzt ganz allgemein Musr, wie die frühern Hauptstädte Aegyptens, genannt. Die Bevölkerung schätzt man auf 250,000 Seelen. Im Jahre 1835 wüthete die Pest so furchtbar, dafs nicht weniger als 80,000 Einwohner davon hingerafft wurden; zur Zeit unsers Aufenthalts daselbst sollte die Bevölkerung wieder die gewöhnliche Zahl erreicht haben. Hier vertreten, eben so wie in Alexandrien, Esel mit arabischen Knaben die Stelle der Droschken und Miethswagen. Eine vollständige und sehr getreue Beschreibung der Stadt und der Einwohner hat Lane in seinem ausgezeichneten Werke geliefert.[1]

Während unsers diesmaligen zwölftägigen Aufenthalts in Kairo beschäftigten wir uns natürlich sehr mit den Vorbereitungen auf unsere bevorstehende Reise in die Wüste. Dennoch nahmen wir uns noch so viel Zeit, um einige Ausflüge nach nahegelegenen Ortschaften zu machen. Der eine galt der Insel Roda, gleich unterhalb Musr el - Atikeh oder Alt - Kairo, wo Ibrahim Pascha seine schönen Gärten theils im italiänischen, theils im englischen Geschmack hat anlegen lassen. An der Südspitze dieser Insel befindet sich der berühmte Nilmesser, jetzt halb zerstört, der we-

---

[1] Siehe Anmerkung V, am Ende.

nigstens bis ins Jahr 860 n. Chr. G. zurückweiset und schon in
dieser frühen Zeit Spitzbögen zeigt. Obgleich jetzt ganz unnütz,
bewacht man ihn doch sehr sorgfältig; und wir fanden Schwierigkeiten, hinein zu kommen, da wir die gewöhnliche Erlaubnifs
von Kairo nicht mitgebracht hatten. Zu Musr el-Atikeh sind die
Ruinen einer römischen Festung, die die Stelle des ägyptischen
Babylon bezeichnen, auf der später die Stadt Fostât erbaut wurde,
die frühere arabische Hauptstadt Aegyptens. [1]) Indem wir östlich
die Felder von Trümmern, wo einst Fostât stand, durchritten,
kamen wir zu dem Thale oder der wüsten Ebene, die an die
Westgränze von Jebel Mukattem anstöfst, südlich von Kairo. An
diesem wüsten Orte befindet sich einer der gröfsten Begräbnifsplätze der Stadt. Mitten unter den tausenden von gewöhnlichen
Grabmälern hat der Pascha ein herrliches Gebäude mit zwei Kuppeln errichtet, welches dereinst sein und seiner Familie Gräber in
sich schliefsen soll. Wir wurden ohne Weiteres eingelassen und
gingen ohne Umstände durch mit Fufsdecken versehene Hallen
und an den überaus geschmückten Grabmälern vorbei. Die von
des Paschas Gemahlinn und seinen zwei Söhnen Ismail und Tus-
sum zeichnen sich am meisten aus. In einer Ecke, fern von diesen, zeigte man uns die Stelle, die er als seine letzte Wohnung
sich vorbehalten hat. — Zwischen diesem Orte und der Stadt ist
der ganze Weg voll Gräber und eingehegter Grabstätten.

An einem andern Tage ritten wir nach der Stelle des alten
Heliopolis, etwa zwei Stunden Norduordost von Kairo. Der Weg
dahin geht dicht an dem Rande der Wüste entlang, die fortwährend sich ausbreitet, sobald keine gehörige Masse Wasser zur
Bewässerung der Oberfläche des Landes mehr da ist. Das Nil-

---

1) Wilkinson's Thebes etc S. 309. Edrisi sagt ausdrücklich, dafs
es von den Griechen Babylon genannt wurde. S. 302. ed. Jaubert.

wasser dringt eine ziemliche Strecke unter diesem sandigen Striche in die Erde ein, und man findet es überall, wenn man Brunnen achtzehn oder zwanzig Fuss tief gräbt. Solcher Brunnen giebt es in den Gegenden sehr viele, wohin die Ueberschwemmung nicht reicht. Das Wasser wird aus ihnen durch Räder, die von Ochsen getrieben werden, geschöpft, und zur Bewässerung der Felder verwendet. Wo dies geschieht, wird die Wüste sogleich in einen fruchtbaren Acker verwandelt. Auf dem Wege nach Heliopolis kamen wir an mehreren solcher Aecker vorbei, die auf verschiedenen Stufen der Cultur sich befanden, indem man sie der Wüste zu entreifsen trachtete; einige waren eben erst angelegt, andere schon recht fruchtbar. Bei der Rückkehr auf einem andern Wege, etwas mehr östlich, kamen wir durch eine Reihe von herrlichen Anlagen, die von dieser Art der Bewässerung ganz abhängen. Die Stelle von Heliopolis wird durch Erdwälle bezeichnet, die einen Raum von dreiviertel englischen Meilen lang und einer halben Meile breit, einschliefsen, der einst theils von Häusern, theils von dem berühmten Sonnentempel eingenommen wurde. Diese Fläche ist jetzt ein Acker, ein Krautgarten; und der einsame Obelisk, der noch immer in der Mitte sich erhebt, ist der einzige Ueberrest des frühern Glanzes dieser Stadt. Dies war das On der Aegypter, wo Josephs Schwiegervater Priester war. [1]) Die LXX übersetzten den Namen On durch Heliopolis, Sonnenstadt; und der Prophet Israels nennt es in demselben Sinne Bethschemesch [2]). Die Stadt litt sehr bei dem Kriegszuge des Kambyses; zu Strabo's Zeiten war es eine Masse herrlicher Ruinen. [3])

---

1) 1 Mos. 41, 45. Vergl. LXX ebend. und 2 Mos. 1, 11. Hesek. 30, 17. Herodot. II. 3, 59.

2) Jerem. 43, 13.

3) Strabo XVII. 1, 27.

In den Tagen des Edrisi und Abulfeda führte es den Namen 'Ain Shems [1]) und in dem nahegelegenen Dorfe Matariyeh zeigt man noch einen alten Brunnen, der denselben Namen hat. Nahe dabei befindet sich ein sehr alter Maulbeerfeigenbaum, ein getheilter knotiger Stamm, unter dem nach der Sage die heilige Familie einmal ausgeruht haben soll.

Weiter gegen Nordost, nach Belbeis zu, befinden sich mehrere zerstörte Städte oder hohe Schutthügel, welche die Sage Tell el-Yehûd, Judenhügel, nennt. Wenn dieser Name irgend einen historischen Grund haben sollte, was noch zweifelhaft ist, so können diese Schutthügel nur auf die Zeit der Ptolemäer zurückzeigen, in die letzten Jahrhunderte vor der christlichen Zeitrechnung, als eine grofse Anzahl von Juden ihre Zuflucht nach Aegypten nahmen und einen Tempel in Leontopolis erbauten. Es war zu eben dieser Zeit und für eben diese Juden, dafs die griechische Uebersetzung des alten Testaments angefertigt wurde. [2])

Unser wichtigster Ausflug war der nach den Pyramiden, die sich etwa sechs englische Meilen westlich von el-Gizeh befinden, auf der linken Seite des Nil, Alt-Kairo gegenüber. Wir setzten bei diesem Orte über und ritten gerades Wegs auf die Pyramiden zu, obgleich man in andern Jahreszeiten, wenn der Flufs ausgetreten ist, einen bedeutenden Umweg machen mufs, um den Bahr Yûsef zu passiren; so heifst der Kanal, der mit dem

---

1) Edrisi S. 306, 307. ed. Jaubert. Abdallatif Relation de l'Egypte par de Sacy S. 180 ff.

2) Wilkinson's Thebes etc. S. 323. Niebuhrs Reisebeschr. I. S. 213. Joseph. Antiq. XIII. 3, 1; 2, 3. c. Apion. 2, 5. Der Name Theodotus, Bischof von Leontopolis in Aegypten, findet sich bei den Unterschriften des zweiten Konstantinopolitanischen Concils (553 nach Chr. Geb.). Harduin Acta Concilior. III. S. 52. Vergl. le Quien Oriens Christ. II. S. 554.

Nile in gleicher Richtung fliefst. Auch jetzt war das Wasser noch
so tief, dafs wir nicht gut auf Eseln durchkommen konnten,
sondern auf den Schultern der Araber aus den benachbarten Dörfern hinüber getragen wurden. Die Pyramiden, vom Nil aus gegen den Horizont angesehen, scheinen ungeheuer grofs zu sein; je
näher wir kamen, um so mehr verminderte sich ihre Gröfse; und
sie erscheinen nirgend unbedeutender, als wenn man unten am
Fufs der Felsenterrasse, auf der sie stehen, sich befindet. Diese
Terrasse liegt etwa hundert und funfzig Fufs über der Ebene,
und man sieht da nichts hinter den Pyramiden, als den Himmel,
ohne irgend einen andern Gegenstand in der Nähe, nach welchem
das Auge die relative Höhe abschätzen könnte. Sie scheinen hier
von kleinen Steinen zusammengesetzt zu sein und keine besondere Höhe zu haben. Aber sobald wir uns ihrem Fufse näherten und die ganze Gröfse der Werkstücke sehen konnten, und an
ihren Felsenseiten entlang bis zum Gipfel hinaufblickten, da schienen die gewaltigen Massen ins Unermefsliche zu wachsen und der
Eindruck ihrer ungeheuren Gröfse war überwältigend. Sie sind
wahrscheinlich sowohl die ersten, als höchsten und ungeheuer-
sten von allen noch existirenden Menschenwerken auf dem Erdboden; und es unterliegt wohl jetzt wenig Zweifel mehr, dafs sie
vorzugsweise, wenn nicht ausschliefslich, als Grabmäler der Könige erbaut sind. Thörichte Eitelkeit menschlichen Glanzes und
menschlicher Macht! Ihre Denkmäler erregen noch bis auf den
heutigen Tag die Bewunderung aller Zeiten; sie selbst aber, ihre
Geschichte, ja selbst ihre Namen sind von dem dunklen Strom
der Vergessenheit weggespült worden.

Wir machten es, wie es die meisten Reisenden beim Besuch der Pyramiden zu thun pflegen. Wir untersuchten die dunklen Gänge im Innern, erstiegen den Gipfel der grofsen Pyramide, und bewunderten die sanften Züge des Riesen- Sphinx,

dessen Leib schon wieder vom Treibsande fast bedeckt ist. Wir besuchten auch einige der in der Nähe befindlichen Gräber, und besahen die, welche damals unter Leitung des Obersten Vyse eben erst vom Sande frei gemacht waren. — Das Besteigen der grofsen Pyramide ist weniger schwierig, als der Besuch des Innern. Die Spitze bildet jetzt eine Quadratfläche von ungefähr dreifsig Fufs auf jeder Seite, in einer Höhe von vier hundert vier und siebzig Fufs über dem Unterbau. [1]) Man hat eine sehr weite Aussicht von da; vorn liegt Kairo mit sehr vielen Dörfern sammt ihren Hainen von schlanken Palmen; hinten die unwegsame libysche Wüste; südlich eine Reihe kleiner Pyramiden, die sich längs der Gränze der Wüste weit hin erstrecken; und dann in ungemessener Ferne nach Norden und Süden, der gewaltige Strom, der sich einen Weg durch den langen Streif grüner Felder bahnt, welchen er durch sein Wasser den gierigen Eingriffen der Wüste auf beiden Seiten entrissen hat. Die Plattform ist mit Namen von Reisenden bedeckt, die in verschiedenen Zeitaltern, von verschiedenen und fernen Ländern hieher gekommen sind und hier als auf einem gemeinsamen Mittelpunkte der Weltgeschichte gestanden haben. Hier gab es auch eine amerikanische Ecke, mit den Namen lebender und verstorbener Freunde.

Wir verliefsen die grofsen Pyramiden noch an demselben Abend und gingen südlich an der Gränze der Wüste entlang nach Sakkâra, wo wir übernachteten. Am andern Tage besuchten wir die Gräber in den nahegelegenen Felsen und die grofse Necropolis rings um die Pyramiden. Die ganze Gegend hier war vor Alters ein Begräbnifsort. Senkrechte Gruben, die zu den Todtengemächern führen, sind nach allen Richtungen ausgegraben, und das Land ist überall mit Mumienbinden und Gebeinen be-

---

1) Wilkinson's Thebes etc. S. 323.

säet. Ein solches Beinfeld habe ich nirgends gesehen. Es kann wohl kaum bezweifelt werden, dafs dieser ganze Landstrich von den Pyramiden von Gizeh an bis zu denen von Darshûr [1]) einst die grofse Necropolis des alten Memphis war, das zwischen dieser und dem Nil lag.

Wir wandten uns nun nach Mitraheny, nahe am Flufs, wo grofse Schutthügel die Stelle von Memphis bezeichnen. [2]) Diese Schutthügel, eine colossale Statue, die tief in die Erde gesunken ist, und einige Granittrümmer, sind Alles, was noch von dem Dasein dieser berühmten Hauptstadt zeugt. Zu Strabo's Zeiten, obgleich schon theilweis zerstört, war es doch noch eine volkreiche Stadt, nur etwas kleiner als Alexandrien; in den Tagen Abdallatif's gab es noch weit ausgedehnte Ruinen. [3]) In diesem Falle haben die Behausungen der Todten länger bestanden, als die Wohnstätten der Lebendigen. Aber das gänzliche Verschwinden aller alten Gebäude von Memphis kann man sehr leicht dadurch erklären, dafs die Materialien zum Aufbau der benachbarten Städte verwendet wurden. Fostât erhob sich aus den Trümmern von Memphis; und als diese Stadt mit der Zeit verlassen wurde, wanderten diese Trümmer wiederum nach dem neuern Kairo. Wir setzten über den Flufs, und nachdem wir die alten Steinbrüche bei

---

1) Zwei von den Pyramiden von Darshûr sind aus Backsteinen erbaut. Wir hatten oft Gelegenheit, sowohl die alten wie die neuen Backsteine Aegyptens zu sehen. Sie werden nicht gebrannt, sondern von dem Schlamm des Nil, der mit klein gehaktem Stroh vermischt ist, gemacht; aus demselben Grunde, wie zuweilen Haar gebraucht wird, um Mörtel zu machen. 2 Mos. 5, 7 ff.

2) Im Arabischen Menf; im Hebräischen Moph (Hosea 9, 6), auch Noph Jes. 19, 13. Jerem. 2, 16. Hesek. 30, 13. 16.

3) Strabo XVII. 1, 32. Abdallatif Relation de l'Egypte par de Sacy S. 184 ff. — Abdallatif ist im Jahre 1161 geboren.

Túra besucht hatten, wo die Werkstücke zu den Pyramiden gehauen wurden, kehrten wir auf dem östlichen Ufer nach Kairo zurück.

Einige wenige Worte über den gegenwärtigen politischen und socialen Zustand Aegyptens unter seinem jetzigen Herrscher Muhammed Ali, sollen diese Einleitung beschliefsen. Dieser aufserordentliche Mann mit angebornem Talent, das ihn unter andern Umständen zum Napoleon seiner Zeit hätte erheben können, hat eine grofse Masse von Reichthum und Gewalt in Aegypten aufgehäuft; aber er hat nur sich selbst dabei im Auge gehabt, nicht das Land, nicht einmal seine Familie. Er hat ein Heer und eine Flotte zusammengebracht, nicht durch Ersparnisse oder durch Vermehrung der Hülfsquellen Aegyptens, sondern indem er sie fast bis zu gänzlicher Erschöpfung benutzte. Dies Heer besteht meist aus solchen, die mit Gewalt von ihren Familien und Häusern fortgeschleppt sind. Wir sahen viele Haufen solcher unglücklichen Rekruten auf dem Nil und in der Nähe von Kairo, die mit dem Halse an eine schwere Kette befestigt waren, die dann auf ihren Schultern ruhte. So grofs ist der Abscheu der Landleute gegen diesen Dienst und ihre Furcht vor diesem Wegschleppen, dafs Kinder oft an Fingern, Zähnen und Augen verstümmelt werden, um sie davor zu sichern. [1]) Aber das Land ist jetzt so sehr aller körperlich tüchtigen Leute beraubt, dafs auch diese Unglücklichen nicht mehr verschont werden. Unter den Rekruten, die täglich um den Ezbekîyeh exercirt wurden, bemerkten wir Viele, die einen Finger oder die Vorderzähne verloren hatten, so dafs

---

1) „Es giebt jetzt (1834) fast in keinem Dorfe einen gesunden und kräftigen Jüngling oder Mann, dem man nicht einen oder mehrere Zähne ausgezogen (damit er nicht im Stande sein möchte, eine Patrone abzubeifsen), oder einen Finger abgehauen, oder ein Auge ausgerissen oder geblendet hat, damit er nicht zum Rekruten genommen werde. " Lane's Modern Egyptians I, S. 246.

ein Engländer in bitterer Ironie vorschlug, dem Pascha zu empfehlen, seine Soldaten nur in Handschuhen erscheinen zu lassen. Es ist bekannt, dafs die Aushebungen für das Landheer und die Flotte die Bevölkerung so vermindert und erschöpft haben, dafs nicht einmal mehr Arbeiter genug übrig sind, um den Acker zu bestellen, so dafs in Folge dessen grofse Landstriche von fruchtbaren Aeckern wüst liegen.

Dieselbe Politik, oder vielmehr dies unpolitische Verfahren hat man auch bei Einführung von Manufacturen und wissenschaftlichen Anstalten beobachtet. Der einzige Zweck des Pascha ist dabei gewesen, nicht dem Volke etwas Gutes zu erzeigen, sondern nur seinen Reichthum zu vermehren und die Fähigkeiten der Werkzeuge seiner Macht auszubilden. Mit barbarischer Habsucht hat er das Ausstreuen des Samens vergessen, und langt nur gierig nach den reifen Früchten. Nicht das Geringste ist für die Bildung und Verbesserung der Masse des Volks geschehen; alle Schulen sind nur dazu angelegt, um junge Leute für seinen eignen Dienst zu erziehen. Die Arbeiter in den Manufacturen arbeiten ebenfalls nur aus Zwang, und werden auf dieselbe Art, wie die Soldaten, mit Gewalt angeworben. Wenn irgend eine Fabrik vom Pascha errichtet ist, so wird es ein völliges Monopol; und das Volk ist gezwungen, von ihm die Waare zu dem von ihm bestimmten Preis zu kaufen, oder sie zu entbehren. So darf keine Familie in Aegypten es wagen, die baumwollnen Zeuge, die sie auf ihrem Leibe tragen, selbst zu spinnen und zu weben.

Die Aegypter, die früher die Eigenthümer und Bebauer des Landes waren, scheinen jetzt der Regierung oder wenigstens den Unterbeamten nur Gegenstand besonderer und muthwilliger Unterdrückung zu sein. Wenn die Regierung eine Abgabe für's Volk ausschreibt, so erpressen die Unterbeamten fast das Doppelte. Durch ein einziges Decret hat sich der Pascha zum alleinigen

Eigenthümer aller liegenden Güter in Aegypten gemacht; und das
Volk ist mit einem Federstrich Pächter, oder vielmehr Sclav geworden. Es ist interessant, dies Verfahren mit einer ähnlichen
Begebenheit in der alten Geschichte der Pharaonen zu vergleichen. [1]) Auf Bitten des Volks selbst kaufte Joseph Land und
Leute für Pharao, so dafs „das Land Pharao eigen ward;" aber
er gab ihnen dafür Brot, um sie und ihre Familien zur Zeit der
Hungersnoth zu erhalten. „Ausgenommen der Priester Feld, das
kaufte er nicht;" aber der Pharao unsrer Tage machte keine
Ausnahme, sondern beraubte die Moscheen und andere religiöse
und Wohlthätigkeits-Anstalten ihres Grundbesitzes auf eine ebenso
unbarmherzige Weise, wie die andern. Joseph gab ihnen auch Samen, das Feld zu besäen, und forderte für Pharao nur den fünften Theil des Ertrages und liefs ihnen vier Fünftel als ihr Eigenthum; jetzt aber, obgleich auch Samen geliefert wird, mufs doch
jedes Dorf zwei Drittel der Aecker mit Baumwolle oder andern
Sachen, die ausschliefslich für den Pascha bestimmt sind, be-
bauen; und so müssen sie ihm denn auch noch unter dem Namen
von Abgaben und Naturallieferungen, einen grofsen Theil von dem
Ertrage des übrigen Drittels geben. Ferner ist jeder Einzelne
nicht blos verantwortlich für das, was ihm selbst auferlegt ist, sondern er mufs auch als Einwohner eines Dorfs, theilweis oder
ganz, wie es sich gerade trifft, die Zahlungsunterlassung oder
die Rückstände der andern Einwohner tragen. Zuweilen ist sogar ein Dorf, das alle seine Abgaben bezahlt hatte, gezwungen
worden, die Rückstände eines andern Dorfs zu bezahlen. Es findet, wie es unter solchen Umständen nicht anders erwartet werden
kann, unter dem Landvolk eine völlige Demoralisation und Entartung statt. [2])

---

1) 1 Mos. 47, 18—26.
2) Vergl. Lane's Account etc. I. S. 156 ff.

Von Muhammed Ali selbst wird es in Aegypten allgemein anerkannt, dafs, obwohl kräftig und streng, er doch von Natur weder grausam noch rachsüchtig ist. Das Volk legt im Allgemeinen seine Bedrückungen nicht sowohl dem Pascha, als seinen
Helfershelfern zur Last. Sie glauben, wenn die Klagen' der Landleute nur vor seine Ohren kämen, so würde den unmittelbaren
und drückendsten Uebelständen abgeholfen werden. [2]) In einer
Beziehung verdient die kräftige Regierung Muhammed Ali's alles
Lob, obgleich die Härte, welche sie begleitet, nicht immer zu
rechtfertigen sein mag. Er hat den Ländern, die unter seiner
Herrschaft stehen, Sicherheit gegeben, so dafs Reisende, ob
Orientalen oder Franken, in ihrer eignen Tracht durch Aegypten,
Syrien und selbst unter den Beduinen in den angränzenden Wüsten, eben so sicher reisen können, als in vielen Theilen des gebildeten Europa. — Wie ganz anders würde der Zustand Aegyptens sein, wenn er seine Maafsregeln mehr in Einklang mit der
wahren Sorge für's Land gebracht hätte; und statt nur danach
zu trachten, sich durch um sich greifende Raubsucht und Eroberungen zu vergröfsern, die Aegypter zu dem, was sie eigentlich
sein sollten, zu einem ackerbauenden Volke gemacht, und den
Segen persönlicher Freiheit und Erziehung unter dem Volke verbreitet hätte! Bei der Befolgung solcher Politik würde die aufserordentliche Fruchtbarkeit des Bodens, und die Fähigkeit, fast
alles, was als Nahrungsmittel und Handelsartikel gebraucht wird,
hervor zu bringen, die Hülfsquellen des Landes in unbegränztem
Mafse erweitert, und Aegypten noch einmal einen Namen und eine
hohe Stelle unter den Völkern der Erde erworben haben.

In einer Beziehung eröffnen die Neuerungen des jetzigen Be-
herrschers von Aegypten eine erfreuliche Aussicht. Diese ganze

---

2) Vergl. Wilkinson's Thebes etc. S. 282.

Politik ist offenbar aus einer innigen Ueberzeugung und stillen Anerkennung von der Ueberlegenheit europäischer Künste in Krieg
und Frieden hervorgegangen. Die Anordnung seines Heers, die
Organisation seiner Flotte, die Errichtung von Schulen und Fa-
briken sind alle aus diesem Grunde entsprungen, und sind ein
Versuch von seiner Seite, durch Gewaltmittel Vortheile zu errin-
gen, die nur aus einer allgemeinen und allmähligen Entwicklung
und Verbesserung hervorgehen können. Wahrlich, er könnte eben
so gut zu ernten im Stande sein, wo· er nicht gesäet hat, und
gebieten, dafs die reife Frucht gleich auf dem Baume hervor-
spriefse, ohne erst geblüht zu haben. Ein Gutes ist jedoch aus
diesen Maafsregeln hervorgegangen; dieselbe Ueberzeugung von
dem Vorzuge Europa's hat sich nämlich vom Herrscher auch auf's
Volk verbreitet, in Folge dessen die Bollwerke muhammedanischer
Vorurtheile und der Verachtung gegen die europäischen Christen mit
Macht niedersinken und verschwinden. Ebenso hat sich eine solche
Ueberzeugung nach dem Vorgange Aegyptens dem Herrscher des
türkischen Reichs aufgedrungen, und Aehnliches breitet sich schnell
über seine Länder aus. Jetzt schon können Franken in ihrer
Tracht allein durch die Strafsen von Kairo, Konstantinopel und
andern orientalischen Städten wandern, ebenso frei wie in London und Neu-York ohne Hindernisse und Beschwerden, wo sie
noch vor funfzehn Jahren mit Flüchen und vielleicht mit Stein-
würfen begrüfst wären. Wenn sie nach dem Innern reisen, so
werden sie mit Artigkeit, ja mit zuvorkommender Güte aufgenommen. Das war wenigstens das Resultat unserer Nachforschungen
und unserer Erfahrung. — Eine noch wichtigere Folge dieses
Zustandes ist, dafs die ägyptische, wie auch neuerdings die türkische Regierung ihre christlichen Unterthanen in Bezug auf bür-
gerliche Rechte und Gerechtigkeit den muhammedanischen gleich
gestellt, und damit die erblichen und muthwilligen Bedrückungen,

4

die sich die letztern erlaubten, abgeschafft, oder wenigstens verboten hat.

Dies Alles zeigt uns, dafs bedeutende Veränderungen in den
Gesinnungen und im Charakter der Morgenländer stattgefunden
haben, und täglich tritt Neues in Wirksamkeit, das diese Veränderungen nicht blos bleibend macht, sondern auch fördert. Die
Einführung der Dampfschiffahrt in der Levante, auf dem Nil und
dem schwarzen Meere bringt die Macht europäischer Bildung in
noch genauere Verbindung mit dem Osten, und mufs ihren Einflufs
tausendfach vermehren. Die morgenländischen Kirchen erwachen
schon theilweis aus ihrem Schlummer, und das ganze Gebäude der
muhammedanischen Vorurtheile und des Aberglaubens ist unter-
graben und wankt seinem Umsturze entgegen. Aller menschlichen Wahrscheinlichkeit nach wird das nächste Geschlecht Veränderungen und Umwälzungen im Morgenlande erleben, wovon sich
jetzt Wenige einen Begriff machen können. Dann werden die
Aegypter von den Bedrückungen, unter denen sie jetzt seufzen, —
eine Knechtschaft, die trauriger ist, als die, welche ihre Vorfahren den Israeliten einst auferlegt hatten, — befreit werden;
dann wird Aegypten aufhören, was es so lange gewesen ist,
„das elendeste unter den Reichen" zu sein. [1]

In Bezug auf unsere Weiterreise mufs ich noch bemerken,
dafs ich sie antrat, ohne die geringste Ahnung von den Resultaten zu haben, wozu wir durch Gottes Fügung geleitet wurden.
Mein nächster Zweck war nur die Befriedigung der eignen Nei-

---

1) Seit die obigen Worte geschrieben wurden, ist Sultan Mahmûd
zu Grabe gegangen, und die Schlacht bei Nizib und der Uebergang der
ürkischen Flotte haben die comparative Stärke und Schwachheit der ägyptischen und türkischen Regierungen dargethan. Indessen sehe ich keinen Grund, etwas in den oben ausgesprochenen Ansichten zu ändern. —
Die besten Bücher u. s. w. über Aegypten findet man erwähnt in Anm. VI.

gung des Herzens. Wie es bei den meisten meiner Landsleute
der Fall ist, besonders in Neu - England, hatten die Scenen der
Bibel von Jugend auf einen tiefen Eindruck auf mein Gemüth gemacht; und nachher in späteren Jahren waren diese Eindrücke
zu einem dringenden Verlangen herangereift, selbst die in der Geschichte des Menschengeschlechts so merkwürdigen Oerter zu besuchen. Kaum ist in irgend einem Lande der Erde dies Gefühl
so verbreitet, als in Neu-England; in keinem Lande ist die heilige Schrift bekannter und geschätzter. Von frühster Jugend an
liest das Kind die Bibel nicht blos für sich, sondern hört sie auch
in den häuslichen Morgen- und Abendandachten vorlesen, sowie in
der Alltagsschule im Dorfe, in der Sonntagsschule, in der Bibel-
klasse, und beim Gottesdienst in der Kirche. Sowie es nun gröfser
wird, sind die Namen Sinai, Jerusalem, Bethlehem, das Land der Verheifsung mit den frühsten Erinnerungen und ersten Gefühlen der Frömmigkeit verwoben. — Zu alle dem gesellte sich bei mir nachher
noch ein wissenschaftlicher Zweck. Ich hatte schon lange an die Vorbereitungen zu einem Werke über biblische Geographie gedacht, und
wünschte mich selbst durch eigne Anschauung über Vieles zu beleh-
ren, worüber ich in Reisebeschreibungen keinen Aufschlufs finden
konnte. Das wurde nun in der That der Hauptzweck meiner Reise, — der Kern, an den sich alle unsere Nachforschungen und Beobachtungen anschlossen. Ich dachte aber nie daran, zu den frühern Kenntnissen über diese Gegenstände noch etwas Neues hinzuzufügen; ich liefs mir nicht im Entferntesten von neuen Entdeckungen auf diesem Felde träumen. Palästina ist Jahrhunderte hindurch
von vielen Reisenden besucht worden; ich wufste, dafs S c h u -
b e r t uns eben vorangegangen war, um das Land nach seiner
physischen Beschaffenheit in Bezug auf Botanik und Geologie zu
erforschen, und wir konnten nicht erwarten, zu dem, was er und
Andere schon beobachtet hatten, noch etwas hinzuzufügen.

4 *

Bei solchen Ansichten hatten wir daher auch keine Instrumente weiter mitgenommen, als einen gewöhnlichen Feldmesser
und zwei Taschen - Compasse, ein Thermometer, Telescope und
Mefsschnüre, in der Erwartung, nur die Richtungen und Messungen solcher Gegenstände aufzunehmen, die wir auf dem Wege
finden würden, ohne von unserm Pfade abzuweichen, um darnach zu suchen. Als wir aber nach dem Sinai kamen und gewahr wurden, wie viel frühere Reisende zu beschreiben unterlassen hatten, und dann durch die grofse Wüste zogen, eine Gegend, die bis jetzt noch wenig bekannt ist, und da die Namen und
Stellen längst vergessener Städte fanden; so überzeugten wir uns,
,,dafs hier noch viel Land in Besitz zu nehmen war," und entschlossen uns, mit unsern geringen Hülfsmitteln alles Mögliche
zu thun, um die vorhandenen Lücken auszufüllen. Sowohl S m i t h,
als ich, führten jeder sein besonderes Tagebuch, wozu ein jeder
sich gleich an Ort und Stelle die nöthigen Bemerkungen mit
Bleistift notirte, und schrieben dann gewöhnlich an demselben
Abende Alles ausführlich nieder; aber wir haben unsere Notizen
nie mit einander verglichen. Beide so entstandene Tagebücher
sind jetzt in meiner Hand, und aus ihnen ist das folgende Werk
erwachsen. Indem ich aber beide jetzt zum ersten Male mit einander verglich, war ich überrascht und erfreut über die fast
ganz genaue Uebereinstimmung derselben. Meine eignen Bemerkungen waren im Allgemeinen genauer in Angabe der Zeit, der
Richtung, der äufsern Züge des Landes und persönlicher Vorfälle; während ich von denen meines Gefährten ganz abhängig
war in Bezug auf Arabische Namen, ihre Rechtschreibung und
meist auch in Bezug auf alle Auskunft, die wir mündlich von
den Arabern erhielten. Die Winkelmessungen wurden ebenfalls
hauptsächlich von S m i t h gemacht, da oft viel Kreuz- und Querfragen erforderlich war, um die nöthigen Notizen über entfernte

Ortschaften und deren Namen von den Arabern zu erhalten. Dies Amt fiel ihm natürlich ganz zu, während ich mich gewöhnlich damit begnügte, die Lage und die Richtungen solcher Orte aufzunehmen, die uns schon bekannt waren. Nur erst nach meiner Rückkehr habe ich den Werth der so gesammelten Materialien in geographischer Hinsicht nach dem Urtheil, welches ausgezeichnete Geographen darüber gefällt haben, kennen gelernt; und ich sehe mit schmerzlichem Gefühl auf die Umstände zurück, die mich hinderten, vollkommnere Instrumente mitzunehmen, und mir genauere Kenntnisse zu verschaffen von den Beobachtungen, die zum trigonometrischen Entwurf einer Karte nothwendig sind.

Mit Büchern waren wir besser versehen. Erstens hatten wir unsre Bibeln, sowohl englische, als in der Ursprache; sodann Reland's *Palaestina*, das nächst der Bibel das wichtigste Buch für einen Reisenden im gelobten Lande ist. So hatten wir auch von Raumers Palaestina, Burckhardts Reisen in Syrien und dem gelobten Lande, die englische Umarbeitung von Laborde's *Voyage en Arabie petrée*, und *The Modern Traveller in Arabia, Palestine and Syria*. Hätte ich die Reise noch einmal zu machen, so würde ich in Betracht der Schwierigkeiten, die der Transport von Büchern hat, zu dieser Liste kaum noch ein andres Buch hinzufügen; vielleicht ausgenommen eine kurz gefasste Geschichte der Kreuzzüge, und den Band von Ritters Erdkunde, der Palästina in der zweiten Ausgabe enthalten wird. In Jerusalem konnten wir die Werke des Josephus und die verschiedener Reisenden benützen. — Wir hatten Laborde's grosse Karte von Arabia Petraea und Berghaus's Karte von Syrien, unstreitig bis jetzt die beste, die uns aber in dem Theile des Landes, den wir besuchten, wenig nützte.

Zweiter Abschnitt.

Von Kairo nach Suez.

Die Vorbereitungen auf eine Reise von etlichen dreifsig Tagen durch die Wüste beschäftigten uns ziemlich lange. Es mufste ein Zelt gekauft und mit allem Nöthigen versehen werden; Wasserschläuche mufsten angeschafft, stets voll Wasser gehalten, und alle Tage wieder frisch gefüllt werden, um den strengen Ledergeschmack wegzubringen; Mundvorrath mufste auf einen ganzen Monat eingepackt werden, da wir nur wenig in Suez oder im Kloster zu bekommen hoffen durften; abgesehen von den vielen kleinern Sachen, die doch alle zur Erhaltung und zur Gesundheit des Reisenden nothwendig sind, selbst wenn er alle Ansprüche auf Bequemlichkeit und Annehmlichkeit fahren läfst. Beim Anschaffen aller dieser Bedürfnisse wurden wir durch die treuen Dienste unsers Janitscharen Mustafa unterstützt, dessen wir in herzlicher Dankbarkeit gedenken.

Wir suchten uns ein grofses Zelt mit einer einzelnen Stange in der Mitte aus; dies wurde in zwei Rollen aufgewickelt, die wir in Säcke steckten, so dafs es bald gepackt und geschnürt war und auf der Reise wenig Schaden leiden konnte. Wir hatten grofse Stücke Wachsleinwand, um sie auf dem Boden unter unsern Betten auszubreiten, und fanden dies zweckmäfsiger als Stangen und Bettstellen, da man die Matratzen während des Tages in dieselben einwickeln konnte und sie so vor Staub und Re-

gen schützte. Als wir später auf Pferden und Maulthieren in Pa-
lästina reisten, liefsen wir unsere Matratzen zurück und nahmen
blofs wollene und andere Decken mit, die man bei Tage über den
Sattel hängen konnte. Der Reisende kann, wenn er will, Bett
und Zelt ganz gut entbehren, vorausgesetzt er hat Mäntel und
Decken genug, um sich des Nachts vor der Kälte zu schützen.
Uns war es aber besonders darum zu thun, ein ziemlich genaues
Tagebuch über unsre Beobachtungen zu halten, und dazu war ein
Zelt und Licht durchaus unentbehrlich. Unser Mundvorrath bestand grofsentheils aus Reis und Zwieback; letzterer nimmt viel
Raum ein, und wir nahmen nachher statt dessen Mehl, wovon
unsere Bedienten ungesäuertes Brod in dünnen Scheiben auf einer
eisernen Platte bucken; wir fanden es ganz schmackhaft und un-
schädlich. Fleisch kann man von Zeit zu Zeit von den Arabern
unterwegs erhalten. Mit Kaffee, Thee, Zucker, Butter, getrockneten Aprikosen, Taback, Wachslichtern u. s. w. waren wir reichlich versehen. Wir fanden, dafs die getrockneten Aprikosen eigentlich ein Leckerbissen in der Wüste waren; und dann und
wann Taback und Kaffee unter den Arabern auszutheilen, ist die
leichteste Art, ihr Wohlwollen und Vertrauen zu gewinnen. Wir
hatten hölzerne Kisten, wie die der Mekka-Pilger, um viele unsrer Sachen einzupacken, tauschten sie aber nachher mit Beuteln
und grössern Mantelsäcken von Pferdehaaren um, ähnlich denen
der Bedawîn. Diese bewährten sich viel besser, verminderten den
grofsen Umfang des Gepäcks und ersparten uns manche Ausgabe
so wie auch das Brummen der Kamel- und Maulthiertreiber.
Wir nahmen auch einige Holzkohlen mit, die uns wesentliche
Dienste leisteten.

Wir mietheten zwei Aegyptische Bedienten, die uns auf der
ganzen Reise bis Beirût begleiteten. Der Aeltere, den wir nur
unter dem Namen Komeh kannten, (obgleich das nicht sein ei-

gentlicher Name zu sein schien), war ein netter, entschlossener
Mann, treu und ehrlich in Allem, was er übernahm, und bereit,
uns bis auf den letzten Blutstropfen beizustehn. Er sprach nur
Arabisch und war früher einmal mit einer Missionsfamilie nach
Abyssinien als Führer und Schaffner geschickt worden; er hatte
auch Mekka besucht, weshalb er zuweilen den Ehrentitel Hajji
Komeh erhielt. Der Jüngere, Ibrahim, sprach etwas Englisch und
entsprach unserm Zweck als ein Gehülfe des Andern ganz gut.

Wir überlegten nun, ob wir Waffen mitnehmen sollten. Wir
wufsten wohl, dafs das Land bis 'Akabah und Palästina ganz
sicher war; aber in Betreff der Wüste dazwischen waren wir dessen nicht so gewifs. Wir konnten sehr leicht mit den zügellosen
Horden, die in dieser Einöde umherstreifen, zusammentreffen und
dann konnte der blofse Anblick von Waffen uns vor Verdrufs und
Plackereien bewahren, die man uns zuzufügen hätte versuchen
können, wenn man uns unbewaffnet wufste. Deshalb kauften wir
zwei alte Gewehre und ein Paar alte Pistolen, mit denen unsre
Bedienten und Arabischen Führer gewöhnlich einherstolzierten; und
wir sahen nachher wohl ein, dafs wir ganz recht daran gethan
hatten. Wir hatten natürlich gar keinen Gedanken, diese Waffen wirklich zur Vertheidigung unsrer Person gegen die Araber
zu gebrauchen; denn wir wufsten wohl, dafs das die Rache derselben zehnfach auf unser Haupt gebracht haben würde. — Die Zeit
ist nun vorbei, dafs die Franken in irgend einem Theile von Aegypten oder Syrien orientalische Kleidung anlegen müssen. Es
kann zuweilen wohl gerathen sein, wenn Jemand sich lange im
Lande aufhält; aber blos Durchreisende macht es nur lächerlich
in den Augen der Eingebornen. Einen Menschen mit fränkischem
Kleide und langem Barte halten sie für einen Juden. Wir trugen gewöhnlich den Tarbûsh oder die rothe Mütze, die zur Lan-
destracht gehört, weil sie uns bequem war; in der Wüste ist je-

doch ein leichter Hut mit einer breiten Krempe besser. Wir hatten
jeder auch einen gewöhnlichen Arabischen Mantel bei uns, den wir,
sobald verdächtige Leute sich in der Ferne zeigen sollten, über
unsere fränkische Kleidung werfen konnten; wir waren aber nie
genöthigt, ihn dazu zu gebrauchen.

Durch die Verwendung des Herrn Gliddon sen. erhielten
wir vom Pascha einen Firmân, oder eigentlich einen Bûyuruldy
zu unserm Schutze; und der englische Vice-Consul, Dr. Walne,
hätte die Güte, uns einen Brief von Habib Effendi an den Gouverneur von 'Akabah und noch einen vom griechischen Kloster
in Kairo an das auf dem Berge Sinai zu verschaffen. Im englischen Consulate fanden wir auch Bedawin vom Berge Sinai, von
denen immer viele mit ihren Kamelen sich in Kairo aufhalten.
Man gebraucht sie, um Steinkohlen von da nach Suez für die
Dampfschiffe auf dem rothen Meere zu bringen. Wir wünschten
Tuweileb zum Führer zu nehmen, der in der letzten Zeit unter den Reisenden so bekannt geworden ist; aber er war damals
nicht in Kairo. Wir schlossen deshalb mit Hülfe des Englischen
Dragoman's einen Contract über Kamele und Treiber mit Beshârah ab, der früher Laborde begleitete und nun ein angesehener
Mann in seinem Stamm geworden war, obgleich noch kein wirk-
licher Sheikh. Nach vielem Reden und einigem Schreien, wurde
der Handel für drei Dromedare und fünf Kamele auf 190 Piaster [1])
für jedes von Kairo bis 'Akabah abgeschlossen, mit der Bedin-

----

1) Der spanische Säulen-Dollar oder Colonnato, stand damals in
Aegypten und Syrien 21 Piaster, während andre Dollars, Oesterreichische,
Italiänische oder Amerikanische, 20 Piaster galten. In Konstantinopel
schwankte der spanische Dollar zwischen 22 und 23 Piaster und die andern wurden gewöhnlich zu 21 Piaster ausgegeben. Die Araber haben
am liebsten die kleinen Goldstücke von neun Piaster, obgleich sie auch
gröfsere Goldmünzen ohne Umstände nahmen.

gung, dafs Tuweileb uns vom Kloster aus begleiten sollte. Der Contract wurde gleich von einem gewöhnlichen Schreiber auf dem Kniee niedergeschrieben und nach altherkömmlicher Weise unterschrieben und untersiegelt. Die meisten Araber in den Städten tragen einen Siegelring, entweder am Finger oder an einer Schnur um den Hals, dessen Siegel statt der Unterschrift gilt. Der arme Bedawy der Wüste hat gewöhnlich wenig damit zu thun und besitzt daher keinen Ring. Statt dessen hielt Beshârah dem Dragoman einen Finger hin, dessen Spitze derselbe mit Tinte beschmierte und ihn dann mit feierlichem Ernste auf das Papier abdruckte, was ihn damals gewifs ebenso fest band, als ob es mit Gold oder Edelstein besiegelt wäre. Er zeigte sich nachher als ein recht treuer und gefälliger Führer, der seinen Contract auf's gewissenhafteste erfüllte. Er war von den Auläd Sa'ïd oder Sa'ïdïyeh, einer der drei Abtheilungen der Tawarah - Araber, die das Recht haben, Reisende nach dem Kloster mitzunehmen, und als Ghafir's oder Beschützer desselben angesehen werden. Er sagte, Tuweileb sei sein Bruder, was wohl nur so viel bedeuten sollte, dafs er zu demselben Stamme gehöre.

Wir mietheten die Lastthiere bis 'Akabah um der Mühe, einen andern Contract im Kloster abzuschliefsen, überhoben zu sein, und konnten nachher ganz zufrieden damit sein. — Der einzige Unterschied zwischen dem Kamel und Dromedar ist, dafs letzteres zum Reiten, ersteres aber zum Lasttragen abgerichtet wird. Der Unterschied ist höchstens so wie zwischen einem Reitpferde und einem Packpferde; aber unter den Bedawin schien er, so viel wir erfahren haben, wenig mehr zu bedeuten, als dafs das eine einen Reitsattel, das andre einen Packsattel hatte.

Es giebt drei Hauptstrafsen von Kairo nach Suez, nämlich Derb el - Haj, Derb el - 'Ankebiyeh und Derb el - Besâtin. Die erste geht von Kairo nach Birket el - Haj, einem kleinen See,

nordöstlich von Heliopolis und vier Stunden von Kairo, wo die
Pilger der grofsen Mekka-Karavane, oder des Haj, sich versammeln; dann läuft sie südöstlich nach 'Ajrûd. Die zweite,
die gewöhnlich von den Tawarah-Arabern benutzt wird, geht
von Kairo geradezu östlich nach 'Ajrûd und trifft mit der Haj-
Strafse eine Tagereise von diesem Orte zusammen. Die dritte
geht von Kairo in südlicher Richtung über das Dorf Besâtin und
um die Spitze des Jebel el-Mukattem, streift südlich an diesem
Berge und dann nördlich am Jebel Gharbûn und Jebel 'Atâkah
vorbei und kommt ebenfalls mit der Haj-Strafse einige Stunden
westlich von 'Ajrûd zusammen. Eine Nebenstrafse derselben geht
südlich von diesen beiden Bergen durch Wady Tawârik nach der
Küste etwas unterhalb Suez. Eine vierte längere Strafse, nördlich von der Haj-Strafse, Derb el-Bân genannt, verläfst die Nilgegend bei Abu Za'bel, geht nach 'Ajrûd zu und vereinigt sich
mit der Hauptstrafse, ehe sie diese Festung erreicht.

Wir wünschten einen noch gröfseren Umweg von Kairo
nach Suez zu nehmen, indem wir den östlichen Arm oder Nilka-
nal jenseit Belbeis bis zur Provinz Shůrkîyeh hinabgehen und von
da das Thal des alten Kanals entlang bis zum äufsersten Ende
des Meerbusens von Suez reisen wollten. Unser Zweck bei der
Wahl dieses Weges würde der gewesen sein, in Betreff des Landes Gosen und des Auszuges der Israeliten selbst Nachforschungen anzustellen. Aber die Jahreszeit war schon zu weit vorge-
schritten und unsre Zeit zu beschränkt, so dafs wir den gewöhnlichen und kürzesten Weg, den Derb el-'Ankebîyeh einzuschlagen
gezwungen waren. Burckhardt machte diesen Weg 1816 und
seitdem hat ihn kein Reisender beschrieben.

Montag den 12ten März 1838. Dieser Tag war zu
unsrer Abreise von Kairo bestimmt. Wir hatten die Araber recht
früh bestellt, in der Hoffnung zeitig aufzubrechen und am dritten

Tage Suez zu erreichen. Demgemäfs waren die Kamele schon um 6 Uhr Morgens vor unsrer Thür und erfüllten die enge Strafse mit ihrem Geschrei oder vielmehr Gebrüll. Wir gebrauchten ziemlich viel Zeit zum Packen und Ordnen so vieler Sachen, und zum Anschaffen andrer, die uns noch fehlten, und zuletzt mufsten wir noch ein Kamel mehr herbeischaffen. Unsre Bedienten hatten fünf Kamele für sich und das Gepäck berechnet, wobei sie starke, kräftige, ägyptische Kamele im Sinne hatten, die eine Last von 600 Rutl, jedes von 24 Loth, tragen; während die Kamele der Bedawin schmächtiger sind und gewöhnlich nur zwei Drittel davon fortbringen. Durch diesen Aufenthalt und das Geschrei und Zanken der Araber beim Bepacken der Kamele, wurde es 1 Uhr Mittags, ehe wir unsern theuren Freunden Lebewohl sagen konnten und der Wüste uns zuwandten. Nachdem wir aus dem Shubra-Thore als dem nächsten gezogen, hielten wir uns an der Mauer nach dem Bâb en-Nŭsr oder Siegesthor, auf der Ostseite der Stadt, und machten endlich Halt bei Kâid Beg, nicht weit von den herrlichen, aber jetzt vernachlässigten Gräbern der Memlûk-Könige. Hier wurden die Kamele abgepackt, während die Leute nach der Stadt gingen, Mundvorrath und Futter zu holen. Bei ihrer Rückkehr ward das Gepäck wieder geordnet, und die Ladung der Kamele nun auf die ganze Reise eingerichtet, was in den engen Strafsen der Stadt nicht gut geschehn konnte. Das hielt uns mehrere Stunden auf. Unser trefflicher Freund Lieder, welcher uns bis hieher begleitet hatte, sagte uns Lebewohl, so wie auch der getreue Mustafa.

Um 5 Uhr setzten wir uns wieder auf und machten uns auf den Weg. Zur Linken befand sich eine wüste Ebene, die dem Ansehn nach früher bebaut gewesen, und zur Rechten der Rothe Berg und niedrige Hügelreihen, die mit dem Jebel el-Mukattem in Verbindung stehen. Nach fünf und dreifsig Minuten gingen

wir über Wady Libläbeh, das breite flache Bett eines Winter-
Baches und traten zwischen niedrige Sand- und Kieshügel, die
mit Feuersteinen, rohem Jaspis und Chalcedon und mit vielen Stücken versteinerten Holzes bestreut waren; letzteres ist wahrscheinlich auf irgend eine Weise von dem versteinerten Walde südsüdöst-
lich vom Rothen Berge hieher gekommen. [1]) An einem Orte sahen wir einen versteinerten Baumstamm acht oder zehn Fufs lang,
der in mehrere Stücke zerbrochen war. Der Weg war nur ein Ka-
melpfad. Wir ritten fort bis 7 Uhr 5 Min. und schlugen dann unser
Zelt für die Nacht in Wady en-Nehedein auf. Alle diese Wady's in der Wüste sind blofse Wasserbetten oder schwache Senkungen des Bodens, in denen das Wasser zur Regenzeit abfliefst,
während sie zu jeder andern Zeit trocken sind. Doch wird derselbe Name Wady in unebnen und bergigen Gegenden auch von
den tiefsten Schluchten und breitesten Thälern gebraucht. Hier
gehen die Wady's alle nach Norden oder Nordwest nach dem Nile
hinab; wahrscheinlich vereinigen sich viele derselben, ehe sie die
Wüste verlassen.

Unsre Araber gingen munter und singend neben uns her,
glücklich in dem Gedanken, wieder einmal der Stadt entronnen
zu sein und in ihrer heimischen Wüste zu wandern. Auch uns
war es ein neues und erhebendes Gefühl, uns so ganz allein mitten in der Wüste zu befinden, auf echt orientalische Reiseart,
unser Haus, unsern Mund- und Wasservorrath auf viele Tage
bei uns tragend, umgeben von Kamelen und den wilden Söhnen
der Wüste, in einer Gegend, wo das Auge nichts fand, darauf
zu ruhn, als Oede. Es war ein Zustand, wie ihn mir oft meine
jugendliche Phantasie vorgemalt hatte, die ich jedoch verwirklicht
zu sehn, nie zu hoffen gewagt. Nun war aber Alles wirklich

---

1) Wilkinson's Thebes etc. S. 319.

vor mir und die Reise, welche schon so lange der Gegenstand meiner Wünsche und meines Strebens gewesen, hatte nun in der That begonnen. Der Abend war schon angebrochen und der Mond schien hell, als wir Halt machten. Das Zelt war bald aufgeschlagen und ein Feuer angezündet; und da es zu spät war, die Kamele weiden zu lassen, so mufsten sie sich ums Zelt lagern und wurden mit etwas Bohnen in einem Sack, den man ihnen über den Kopf hing, gefüttert. Um sie für die Nacht zu sichern, werden sie zusammengekoppelt, oder ein Halfter wird um einen der zusammengeschlagenen Vorderfüfse geschlungen, um das Thier am Aufstehn zu hindern. Es war schon zu spät und unsre Lage zu neu, um in dieser ersten Nacht viel Bequemlichkeit unter einem Zelte zu erwarten; nachdem wir daher unsre Betten, so gut es sich thun liefs, zurecht gemacht hatten, legten wir uns zur Ruhe nieder.

Dienstag den 13ten März. Wir standen früh auf, und nachdem wir ein wenig gefrühstückt hatten, machten wir uns sogleich auf den Weg um 6 Uhr 45 Minuten. Wir kamen nach einander über Jurf el-Mukâwa, Wady Abu Hailezôn, Wady Ansûry, und um 12 Uhr 20 Minuten erreichten wir den Wady el-'Ankebiyeh er-Reiyâneh, d. h. den Nassen, wovon die Strafse den Namen hat.[1]) Der Weg blieb sich so ziemlich gleich wie gestern. Die Bergkette zur Rechten, die sich vom Jebel el-Mukattem nach Osten hin erstreckt, wurde nach und nach niedriger und verlor sich in kleine Hügel wie die zur Linken. Stücke von versteinertem Holze kamen sehr häufig vor; und unter den Kieselsteinen, womit der Boden bedeckt war, fanden wir noch oft Jaspis und Chalcedon. Einen weniger angenehmen Anblick gewährten die vielen Leichname und Gerippe von Kamelen, die auf

_____

1) Die verschiedenen Entfernungen aller dieser Punkte sind in unserm Itinerarium ganz genau angemerkt. Siehe den Anhang.

dem Wege niedergesunken und gestorben waren. Der Tag war heiter; es wehte ein kalter Wind von Nordnordost. Das Thermometer zeigte um 10 Uhr 12° R., so dafs wir gern den ganzen Tag unsre Mäntel umbehielten. In Wady el-'Ankebiyeh links vom Wege zeigten uns unsre Führer den Ort, wo man, wie sie sagten, vor einigen Jahren einen verunglückten Versuch nach Wasser zu bohren gemacht hatte. Sie erzählten, man habe nur sehr wenig Wasser gefunden, das auch sehr bald wieder verschwand. Rüppell erwähnt diesen oder einen ähnlichen Versuch, der im Wady Gandali auf der südlichen Strafse an einer Stelle, drei Stunden südlich vom graden Wege gemacht sei. [1])

Auf einer kleinen Erhöhung jenseit dieses Wady lag ein versteinerter Baumstamm, achtzehn Fufs lang in mehrere Stücke zerbrochen; aber weiter erstrecken sich die Stücke von versteinertem Holze nicht. Um 1 Uhr Mittags bekamen wir die Berge von 'Aweibid und 'Atàkah in einer weiten Entfernung vor uns zu Gesicht. Der Weg führt zwischen ihnen durch. Wir stiegen nun nach dem Wady el-'Ankebiyeh el-'Ateshàneh, oder „dem Trocknen" hinab, und gingen bald nachher vor einer Masse schwarzer Steine zur Linken vorbei, die von fern wie ein ausgebrannter Vulkan aussahen. Wady el-'Eshrah und Wady el-Furn folgten gleich nachher, und dann kamen wir auf eine ungeheure Ebne, die bei Burckhardt el-Mukrih heifst, die unsre Araber jedoch mit verschiednen Namen bezeichneten nach den Wady's, die dieselbe durchschneiden. Diese Ebne wird im Süden von einer niedern Bergreihe, die sich von West nach Ost hinzieht, Mukrih el-Weberah genannt, begrenzt; hinter derselben sieht man den höhern Berg Jebel Gharbûn. Um 4 Uhr 55 Minuten machten wir in der Nähe einiger Hügel zur Linken für die Nacht Halt, auf einem

---

1) Reise nach Abyssinien I. S. 101—102.

Landstriche, der el-Mawâlih genannt wird. Er heifst so nach einem Salzhügel, der ein wenig weiter östlich liegt, von wo uns unsre Araber einige Stücke gutes Salz brachten. Von dieser Stelle aus lag 'Aweibid O. 3^0 S., 'Atâkah O. 15^0 S., und Gharbûn O. 29^0 S.

Die Kamele wurden nun auf einige Zeit losgelassen, um sich an den wenigen Sträuchern und Gräsern, die sie finden konnten, zu weiden, und dann, wie früher, mit etwas Bohnen oder ein wenig Gerste gefüttert. Das war ihre ganze Nahrung einen Tag wie den andern, aufser einigen Bissen, die sie hie und da auf dem Wege erhaschten. Der eigenthümliche Gang des Kamels verursacht eine lang schaukelnde Bewegung, die für den Reuter einförmig und ermüdend ist. Sie legen sich nieder zum Aufsteigen; es gehört aber schon einige Uebung für einen Anfänger dazu, wenn er nicht über den Kopf des Thieres herabstürzen soll, sobald dasselbe, auf seine ungeschickte Weise, zuerst mit den Hinterfüfsen aufsteht. Während des Marsches ist es nicht gewöhnlich, sie niederknieen zu lassen, sondern dann bückt sich der Treiber und bietet seine Schulter dem Reuter zum Aufsteigen dar. Wir hatten nun Zeit genug, um Alles nach unsern Wünschen in unserm Zelte einzurichten, so dafs bei dem nachmaligen Zeltaufschlagen in ein Paar Augenblicken alles in Ordnung war. Es dauerte gewöhnlich eine oder zwei Stunden, um das Mittagsessen zu bereiten, während dessen wir, so wie nachher, Zeit hatten, Beobachtungen anzustellen und vollständig niederzuschreiben, was wir den Tag über nur mit Bleistift notirt hatten.

Die Wüste, durch welche wir jetzt zogen, ist nicht sandig, sondern die Oberfläche besteht grofsentheils aus Kies mit kleinen Rollsteinen überstreut. Zahlreiche Wady's oder seichte Wasserbetten durchschneiden die Fläche alle in der Richtung nach Norden und Nordwest. In allen diesen Wady's befinden sich gewöhn-

lich zerstreute Gruppen von Sträuchern und Kräutern, die die Kamele im Vorbeigehn abbeifsen, und die ihnen auch zur Weide
dienen, wenn sie des Abends losgelassen werden. In der Regenzeit so wie auch nach derselben, treiben die Einwohner von Belbeis und Shürkiyeh, wie wahrscheinlich die Israeliten vor Alters
auch thaten, ihre Herden von Schafen und Ziegen nach dieser
Gegend der Wüste auf die Weide. In diesem Jahre war noch
kein Regen gefallen, und das ganze Aussehn der Wüste und ihrer Wady's war trocken und verbrannt. Regen fällt hier gewöhnlich im December und Januar, und hält zuweilen auch bis in
den März, ja selbst bis in den April an. [1]

Wir fanden heut auf den Sträuchern ein Insekt, entweder
eine Art schwarzer Heuschrecke oder dem ähnlich, das unsre Bedawin Faras el-Jundy oder Soldatenpferde nannten. [2] Sie sagten, dafs diese Insekten auf dem Berge Sinai ganz gewöhnlich
wären, von grüner Farbe seien, und auf den Dattelbäumen gefunden würden, ohne ihnen jedoch Schaden zu thun.

Mittwoch den 14ten März. Um 6 Uhr 20 Minuten
brachen wir auf und zogen den gröfsten Theil des Tages über
die grofse Ebene, die wir gestern betreten hatten. Um 9 Uhr
kamen wir nach Wady Jendal, einem Punkt etwa 3 englische Meilen südlich von Dâr el-Hûmra, der ersten Station auf der Haj-
Strafse, die durch einen einzigen Akazienbaum bezeichnet wird.
Dieser steht einsam in der weit ausgebreiteten Wüste. Weiter hin
sahen wir das Grab eines Sheikh an jener Strafse, der auf seiner
Wallfahrt gestorben war, — eine blofse Pyramide von Steinen.

---

1) Brown hatte hier im März 4¼ Stunde lang Regen. Siehe seine
Reisen, Kap. XIV. S. 175. — In der Mitte April 1831 fiel zwei Tage
lang starker Regen in und um Suez; Rüppell's Reise in Abyssinien
I. S. 104.

2) Vergl. Offenb. Joh. 9, 7.

5

Nachdem wir den Wady Athileh durchschritten, befanden wir uns
um 10 Uhr 35 Minuten grade südlich von Bir el-Bütr, das durch
einen röthlichen Erdhügel bezeichnet wird, den man beim Graben
eines Brunnens aufgeworfen hat. Nach Burckhardt wurde dieser Brunnen vor etwa siebzig Jahren auf Befehl des Ali Beg angefangen; als man indefs achtzig Fufs tief gekommen war, ohne
Wasser zu finden, gab man ihn auf. [1])   Um 12 Uhr 55 Minuten erreichten wir Wady Hufeiry, eine breite flache Senkung des
Bodens, die nach Aussage unsrer Führer bis Belbeis geht. Es
ist der letzte in dieser Richtung laufende Wady, durch welchen wir
giugen; wahrscheinlich nimmt er unterwegs viele von denen auf,
über die wir schon gekommen waren. In demselben traf unser
Weg mit der Haj-Strafse zusammen und die Ebene ist mit Steigen, die in gleicher Richtung laufen, bedeckt. Die Kamele der
beladnen Karavanen werden gewöhnlich eins hinter dem andern
befestigt in einer Reihe, und machen so einen tiefen Fufssteig;
aber bei der Pilgerkaravane, so wie bei einer kleinen Anzahl, wie
es bei uns der Fall war, können sie sich ihren Weg nach Belieben wählen und gehen dann selten hintereinander in einer Reihe,
so dafs dadurch mehrere gleichlaufende Steige hervorgebracht werden. In allen Wadys gestern und heut fanden wir viele Büsche
des starkriechenden Krauts 'Abeithirân, dem Ansehn nach *Santo-
lina fragrantissima* bei Forskål. [2])   Es ist sowohl dem Aeussern
wie dem Geruch nach dem Wermuth ähnlich; die Kamele frafsen
es mit grofser Begier oben ab.

Wir nahten uns nun dem Jebel 'Aweibid und fingen allmählig an, den sanft sich erhebenden Abhang, der sich nach West

---

1) Le Père von der französischen Expedition sagt, diesen Brunnen hätte man im Jahr 1676 angefangen. Descript. de l'Egypte, Et.
Mod. I. S. 33.

2) Flora Aegyptiaco-Arabica. S. 147. Vergl. S. LXXIV.

und Südwest hin erstreckt, hinaufzusteigen. Zur Linken befinden sich hier viele Steinhaufen und Zeichen von Gräbern, die
wir um 2 Uhr 10 Minut. erreichten. Man nennt sie Rejâm esh -
Shawâghiriyeh und sie bezeichnen den Ort, wo vor wenigen Jahren eine Karavane von Arabern dieses Namens, die Kaffee von
Suez nach Kairo brachten, beraubt wurde; die meisten davon wurden ermordet. Die Shawâghiriyeh sind ein Bedawin - Stamm, die
ihren Wohnplatz zu Kâid Beg aufgeschlagen haben und eine grofse
Anzahl von Kamelen besitzen. Es ist dies wahrscheinlich dieselbe Begebenheit, auf welche sich Burckhardt bezieht, und die
im Jahr 1815 vorgefallen sein soll.¹) Um 3 Uhr 20 Minuten
kamen wir an die Vereinigung mit der südlichen oder Besâtîn -
Strafse. Nahe dabei befindet sich die Wasserscheide zwischen
dem Nil und dem Meerbusen von Suez. Der Weg geht hier durch
ein breites Thal zwischen dem Jebel 'Aweibid gegen Norden und
den westlichen Höhen des Jebel 'Atâkah gegen Süden. Wir machten um 4 Uhr 5 Minuten im Wady Seil Abu - Zeid Halt, der
nach dem rothen Meer zu geht. Hier fanden die Kamele besseres
Futter. Der Tag war kalt und hell gewesen und ihm folgte ein
schöner, sternheller Abend. Der Polarstern stand in vollem Glanze
über der Ostspitze des 'Aweibid, von wo aus eine niedrigere Hügelreihe sich östlich nach 'Ajrûd erstreckt.

In den letzten zwei Tagen hatten wir mehrere Male die Erscheinung der Luftspiegelung (Arabisch Seräb), so dafs wir rings
um uns her Seen-mit Inseln und Ufern ganz deutlich sahen. Besonders einmal war sie heut so überaus natürlich zwischen den
Hügeln zur Rechten, und der Umrifs des Berges schien sich so
ganz in dem Wasser abzuspiegeln, dafs wir kaum widerstehn konnten, das Trugbild, das unsern Sinnen vorschwebte, für Wirklichkeit zu halten.

---

1) Travels in Syria and the Holy Land, (S. 462. 761.)

5 *

Mit unsern Arabern standen wir jetzt sehr gut. Beshârah, unser Hauptführer, zeigte sich thätig, gutmüthig und freundlich; er hatte blendend weiſse Zähne und sprach mit groſser Schnelligkeit und Wärme, fast leidenschaftlich. Er hatte mit uns den Contract für alle unsre Kamele abgeschlossen, obgleich er selbst nur eins besaſs. Bei unsrer Abreise hatten wir auſser ihm sechs Männer und zwei Knaben, aber einer oder zwei der erstern verschwanden auf dem Wege. Die meisten derselben waren Eigenthümer von einem oder zwei Kamelen. Einer der ältesten, Ahmed, war sein Lebtage Reisender gewesen, und erzählte gern seine Abenteuer und Geschichten aus alter Zeit. Er war mit dem Lande, das von der Straſse ein wenig entfernt lag, besser bekannt als Beshârah. Es war ihnen etwas ganz Neues, einen Franken zu treffen, der ihre Muttersprache flieſsend redete. Mein Reisegefährte suchte diese gute Meinung zu erhalten und stieg deshalb oft ab, ging nebenher und sprach mit ihnen. Nachts legten sie sich immer um ein Feuer, das sie von Gesträuch oder trocknem Kamelmist gemacht hatten; sie schliefen aber unter ihren Kamelen, ohne irgend eine andre Decke, als die sie auch oft bei Tage als Mäntel trugen. Das Thermometer fiel gewöhnlich des Nachts im Durchschnitt von 12° auf 5° Réaumur. Unsre Bedienung schlief auch unter freiem Himmel, war aber mit wollenen Decken versehen.

Donnerstag den 15ten März. Als wir uns eben zur Abreise fertig machten, kam eine kleine Karavane von Kamelen auf ihrem Wege nach Kairo bei uns vorbei, und nicht weit von unserm Zelte bemerkten wir die Spur von Gazellen im Boden. Dies waren fast die einzigen Lebenszeichen, denen wir bisher in der Wüste begegnet waren. Um 6 Uhr 5 Minuten machten wir uns auf und gingen eine Zeit lang den Wady Seil Abu Zeid entlang und trafen bald das Bett eines Gieſsbachs, der rechts herab-

kam, und in welchem mehrere krüpplichte Akazien standen, die
ersten, die wir auf dem Wege gefunden hatten. Ein todtes Pferd
lag am Wege, und im Laufe des Tages sahen wir noch zwei, die
den Mughâribeh-Pilgern von der letzten Haj-Karavane, die
Kairo ungefähr den zwanzigsten Januar verlassen, gehört haben
sollten. Der Wady wendet sich nun mehr nach Nordost unter einem Zuge von niedrigen Sandhügeln, die sich östlich vom Jebel
'Aweibid hinziehn, während der Pfad grade aus über niedrige Hügel geht, welche mit dem Fufs des Jebel 'Atâkah im Süden in
Verbindung stehn. Die ganze Gegend, Berge und Hügel, besteht aus Kalkstein und ist ganz ohne Pflanzenwuchs. Allmählig
bekamen wir eine andre, noch höhere Bergspitze des Jebel 'Atâkah
im Südost zu Gesicht: eine Masse von dunkeln Kalksteinfelsen,
ohne allen Pflanzenwuchs, mit vielen Feuersteinen besäet. Da
wir vor einem Steinhaufen vorbei kamen, vernahmen wir, dafs
er einen Namen habe, obgleich er kein Grab bezeichnete. Die
Bedawin benennen jeden Gegenstand und fast jede Stelle in der
Wüste, wenigstens auf den besuchteren Strafsen, mit Namen, damit sie auf ihren Reisen den Ort irgend eines Ereignisses oder
die Stelle, wo sie zu einer bestimmten Zeit sich befanden, angeben können. Um 8 Uhr gingen wir durch den Wady Emshâsh,
das breite Bett eines Giefsbachs, der rechts herab kommt und sich
rasch östlich wendet, um in den Wady Abu Zeid sich zu ergiefsen, wonach er dem Ganzen den Namen giebt; dann geht er an
der Nordseite von 'Ajrûd nach dem Meere, und enthält eine Quelle
mit ziemlich gutem Wasser, Bir Emshâsh, etwa zwei englische
Meilen westlich von der Festung entfernt. [1])

Bald nachher sahen wir drei Araber unter einer sehr alten
Akazie sitzen, während ihre Dromedare in ihrer Nähe weideten.

---

1) Burckhardts Travels in Syria etc. S. 464. (765.)

Unser Führer hielt sie für die Post des Pascha. Muhammed Ali
hat nämlich wenigstens drei verschiedene Dromedar-Posten eingerichtet, die Briefe und Depeschen für die Regierung hin und
her besorgen, wie es sich grade trifft. Auch die fremden Consuln dürfen sich derselben bedienen. Zwischen Kairo und Alexandrien besteht regelmäfsig eine tägliche Verbindung. Zwischen
Kairo und Damaskus, und Kairo und Mekka sind die Verbindun-
gen häufig, aber nicht regelmäfsig.

Unsre bisherige Richtung den ganzen Weg über von Kairo
war ungefähr östlich gewesen, aber um 9 Uhr 15 Minuten wandten
wir uns Ostsüdost um einen kleinen Hügel el-Muntüla' genannt.
Hier trifft der Weg, welcher den Nil bei Abu Za'bel verläfst, mit
diesem zusammen. Dieser Hügel war früher eine sehr passende
Warte für die räuberischen Araber. Auf der Spitze desselben befinden sich viele Steinhaufen, zum Andenken von Räubereien und
Mordthaten, die hier in der Nachbarschaft verübt wurden. Selbst
im Jahre 1816 mufste Burckhardt drei Tage in der Festung
'Ajrůd warten, um nicht von einem Haufen der 'Amrån, die nicht
weit davon im Hinterhalt lagen, ausgeplündert zu werden. [1]) Jetzt
hat indefs die Uebermacht des Pascha dergleichen ungebetne Gäste
ganz vertrieben, und der ganze Weg ist vollkommen sicher. Die
Strafse fängt hier an, sich durch einen ungebahnten, felsigen,
engen Pafs, der auch Muntüla' [2]) genannt wird, stark bergab zu
neigen. Diesen Ort hielt man früher für sehr gefährlich, wie der

---

1) Travels in Syria etc. S. 627. (988.)

2) Pococke nennt ihn „Haraminteleh" und äufsert die sonder-
bare Meinung, dafs der alte Kanal hierdurch gegangen sein möchte.
Descr. of the East. I. S. 131. Dies hat zu der nicht weniger sonder-
baren Meinung Rennell's Veranlassung gegeben, dafs dies grade der
Ort sei, wo man Heroum oder Heroopolis zu suchen habe. Geogr.
Syst. of Herodot. II. S. 64.

Name el-Mukhâfeh (Furcht) zeigt, den er auch führt. Der Engpass erweitert sich nach und nach, und wir hatten einen flüchtigen Blick auf 'Ajrûd. Wir glaubten auch schon das rothe Meer vor uns zu sehen, aber es war nur die Luftspiegelung. Am Ende des Passes begegneten wir mehreren Kamelen und einem Esel, und weiter hin einem Mann auf einem Esel mit einem Kamele für sein Gepäck und zwei junge Gazellen in den Packkörben, aus denen blos ihre kleinen Köpfe und schmachtenden Augen hervorguckten. Nicht lange nachher begegneten wir auch einer grofsen Karavane ägyptischer Kamele eins hinter dem andern in einer Reihe, die mit Kaffee und kurzen Waaren beladen, nach Kairo zogen. Ihr grofser, starker Bau contrastirte sehr mit dem dünnen, magern Aussehn unsrer armen Thiere. Wir stiegen nun ab und gingen rechts auf einen Hügel, von wo aus wir eine weite Aussicht über die Ebene hatten, in die das Thal sich verliert; die Festung 'Ajrûd zur Linken, und Suez zur Rechten nach Südost, mit dem rothen Meere hinter demselben. Die Atmosphäre schien heut ganz besonders zur Luftspiegelung geeignet zu sein; denn als wir nach Suez hinblickten, schien es ganz mit Wasser umgeben zu sein, indem Seen und Teiche, ganz vom Meere abgeschnitten, weit entfernt vom Ufer auf der öden Ebene erschienen. Diese Ebene, die wir jetzt überschauten, ist beinahe zehn englische Meilen lang und eben so breit, dehnt sich in allmähliger Senkung von 'Ajrûd nac dem Meere westlich von Suez aus, und von den Hügeln am Fufse des 'Atâkah bis zu dem Meeresarm nördlich von Suez. Sie hat indefs im Allgemeinen denselben Character wie die Wüste, die wir schon durchzogen hatten. Hügel und Berge und der lange, schmale Strich Salzwasser waren vor und um uns, aber keinen Baum, kaum einen Strauch, kein Grün konnte man ringsum erblicken.

'Ajrûd ist die nächste Station auf der Haj-Strafse nach

Dâr el-Hümra. Es ist eine Festung mit einem Bitterwasser-
brunnen zweihundert und funfzig Fufs tief[1]), die zur Bequemlichkeit und zum Schutz der Pilger auf ihrer Reise von und
nach Mekka angelegt ist. Nahe dabei steht eine Moschee mit
dem Grabe eines Heiligen, ebenfalls von Mauern umgeben. Die
Festung liegt südlich vom Wady Emshâsh, an welchen sich im
Norden ein niedriger Hügelzug von West nach Ost hinzieht. Die
Haj-Strafse geht südlich am Kastell vorbei und grade auf die
Berge zu, die an der östlichen Seite des Meerbusens liegen und
die Steigung zu der Hochebne der östlichen Wüste ausmachen.
Man bezeichnete uns zwei Spitzen, zwischen denen die Strafse
nach 'Akabah durchgeht, die nördliche Mukhsheib und die südliche er-Râhah genannt, weil sie zu der mehr südlich gelegnen
Kette dieses Namens gehört. — Ehe wir nach 'Ajrûd kamen,
trennte sich unser Weg von der Haj-Strafse, indem wir uns
mehr nach Südost wandten. Um 11 Uhr 40 Minuten kamen
wir bei der Festung vorbei und liefsen sie etwa zwanzig Minuten
entfernt links liegen. Von 'Ajrûd bis Suez rechnet man ungefähr
vier Stunden. Indem wir in der Ebne, die überall von Wasserbetten durchschnitten wird, weiter zogen, erreichten wir um 2 Uhr
50 Minuten Bîr Suez, eine Stunde von der Stadt. Hier befinden
sich zwei tiefe Brunnen, die von einem viereckigen massiven Gebäude umgeben sind, an dessen Ecken sich Thürme erheben, die,
wie aus einer Inschrift erhellt, im siebzehnten Jahrhundert aufgeführt sind. Das Wasser ist salzig und wird auf Eseln und
Kamelen nach Suez gebracht. Doch gebraucht man es nur zum

---

1) Burckhardt, Travels in Syria etc. S. 628. (990.) — Edrisi
erwähnt 'Ajrûd etwa um die Mitte des 12ten Jahrhunderts. Rüppell
schreibt den Namen sonderbar genug Hadgi-Routh. Reise in Abyssinien I. S. 135. Die Arabische Rechtschreibung ist wenigstens seit
Edrisi fest bestimmt.

Kochen und Waschen, da es zu viel Salztheile enthält, um zum
Getränk zu dienen. Selbst da, wo es rings um das Gebäude auf
der Erde fliefst, bringt es keinen Pflanzenwuchs hervor, sondern
erzeugt nur einen blumigten Salzansatz. Zu Niebuhrs Zeit wurde
das Wasser mit der Hand herauf gewunden [1]); aber jetzt wird es
durch Räder, die von Ochsen gedreht werden, geschöpft, und läuft
in einen langen steinernen Trog aufserhalb des Gebäudes, wo man
die Thiere tränkt und die Wasserschläuche füllt. Hier wurden
auch unsre Kamele zum ersten Male getränkt. In Kairo waren
sie mit grünem Klee gefüttert worden und hatten, wie wir hörten, zwölf Tage vor unserer Abreise kein Wasser bekommen.
Auch jetzt tranken sie nur wenig, und einige gar nicht.

Um 3 Uhr 50 Minuten erreichten wir Suez (arabisch Suweis)
und schlugen nördlich von der Stadt, aufserhalb der Mauer, nahe am
Ufer unser Zelt auf, nachdem wir zuerst im Innern der Stadt recog-
noscirt und keine Stelle auf irgend einem öffentlichen Platze so rein
und passend gefunden hatten wie diese, nicht zu erwähnen der Placke-
rei und Gefahr, der wir von Seiten der Müssiggänger ausgesetzt gewesen wären. — Vom Thore Kairo's bis nach Suez rechneten wir
$32\frac{1}{4}$ Stunden, die wir wirklich auf dem Marsch waren, gleich $64\frac{1}{2}$
geogr. Meilen oder etwas weniger als 75 englische Meilen. [2]) Die
ganze Zeit, die wir darauf zubrachten, betrug, mit Einschlufs des Ruhens während der Nacht, $71\frac{1}{3}$ Stunden, oder beinahe drei Tage.
Die Briefpost von Indien ward kurz zuvor in zwei und zwanzig Stunden hinübergebracht; und man sagt, dafs der Pascha ein Mal zu
Pferde in dreizehn Stunden den Weg gemacht habe, doch so, dass er
frische Pferde an verschiednen Orten auf dem Wege aufgestellt hatte.

---

1) Reisebeschreibung I. S. 217. Dies scheinen die Brunnen zu
sein, die Edrisi unter dem Namen el-'Ajûz, zwischen 'Ajrûd und Kolzum erwähnt. S. 329. ed. Jaubert.

2) Siehe Anmerkung VII, am Ende des Bandes.

Wir statteten dem Englischen Vice - Consul Herrn F i t c h unsern Besuch ab, an den wir Empfehlungsbriefe hatten und an
dessen Güte wir uns stets dankbar erinnern. [1]) Er war nur erst
seit 5 Wochen hier, und sein Hauptgeschäft war die Agentur der
Dampfschiffe von Bombay, die monatlich ein Mal ankommen und
abgehen sollten. Auf seine Einladung besuchten wir seine Soirée, wo wir jedoch nur noch drei Andre trafen und zwar solche,
die in seinen Diensten standen. Es waren drei Brüder Manueli,
Eingeborne daselbst, die der griechischen Kirche angehören. Der
eine derselben, Nicola, ist viele Jahre lang Englischer Agent in
Suez gewesen, bis er in neuerer Zeit durch den Vice-Consul
überflüssig wurde, jedoch ist er jetzt sein Dragoman und Fac-
totum. Wir lernten in ihm einen recht verständigen und gut un-
terrichteten Mann kennen, und erhielten von ihm vollständige Auskunft über Vieles in dieser Gegend, wonach wir ihn fragten.
Auf den Rath des Vice - Consuls besorgte er uns einen Brief
von dem Gouverneur von Suez an den Gouverneur von 'Akabah,
der uns indefs von wenig Nutzen war.

Suez liegt auf der Landspitze zwischen dem breiten Theile
des Meerbusens, dessen Ufer hier fast von Ost nach West geht,
und dem schmalen Arm, der sich nördlich von dem östlichen Winkel des Meerbusens hinzieht. Es ist nur auf drei Seiten mit
schwachen Mauern versehen, und nach dem Wasser zu gegen
Ost oder vielmehr Nordost offen, wo sich der Hafen mit einem
guten Quai befindet. Hier liegt eine Anzahl von Fahrzeugen des
rothen Meeres, bedeutend grofse Schiffe mit nettem, weissem Boden, aber nur mit einem Mast und Segel und ohne Verdeck, ausgenommen über der Kajüte. Das Schiffsbauholz und alle Materialien zu den Schiffen, die hier gebaut werden, sind gewöhnlich

---

1) Derselbe ist ein Jahr später in Alexandria gestorben.

auf Kamelen vom Nil hergebracht worden.[1] Innerhalb der Mauern
befinden sich viele öffentliche Plätze und mehrere Khâns, die um
grofse Höfe erbaut sind. In dem grofsen Hofe, der an das Englische Consulat anstöfst, lief eine allerliebste zahme Gazelle herum,
die dem Gouverneur gehörte, dessen Haus an denselben Hof an-
stiefs. Die Häuser sind im Allgemeinen schlecht gebaut. Es befindet sich daselbst ein Bazar, d. h. eine Strafse voll Läden, die
ziemlich gut mit Mundvorrath und Zeugen, meist von Kairo versehen sind. Die Einwohner bestehen ungefähr aus zwölfhundert
Muhammedanern und einhundert und fünfzig Christen von der
griechischen Kirche. Die geographische Lage von Suez ist 29°
57′ 30″ nördlicher Breite und 30° 11′ 19″ östlicher Länge von
Paris.[2]

Die Spedition der Erzeugnisse und Waaren des Orients vom
rothen Meere nach dem Nil hat diesen Punkt von jeher zu einer
wichtigen Stelle gemacht und längst hier eine Stadt ins Dasein
gerufen, obgleich Suez selbst erst eine Stadt neueren Ursprungs
ist [3], die aber durch den Zuflufs von Pilgern, welche sich all-
jährlich hier nach Mekka einschiffen, sehr gehoben wird. Der
gegenwärtige Plan, es durch die Dampfschiffahrt auf dem rothen
Meere zum Verbindungsorte zwischen Europa und Ostindien zu
machen, kann dieser Stadt wohl einen neuen Aufschwung geben
und die Bevölkerung vermehren; aber sie wird immer nur ein
Durchgangsort bleiben, den sowohl der Reisende als der Eingeborne sobald als möglich zu verlassen bemüht ist. Schon der
Anblick im Innern wie von aufsen ist zu öde und traurig. Kein

---

1) Niebuhr's Reisebeschreibung I. S. 218. Vergl. Wilken's Geschichte der Kreuzzüge III, 2. S. 223.

2) So bestimmt Berghaus die Lage als Mitte von vielen Beobachtungen. Siehe das Memoir zu seiner Karte von Syrien, S. 28 und 29.

3) Siehe Anmerkung VIII, am Ende des Bandes.

Garten, kein Baum, keine Spur von Grün, kein Tropfen frisches Wasser! Alles Wasser, das zum Gebrauch für Menschen bestimmt ist, wird von dem Brunnen Nâba', drei Stunden weit jenseit des Meerbusens hergeholt und ist so salzig, dafs man es kaum trinken kann.

Ungefähr zehn Minuten oder 500 bis 600 Schritt nördlich von der Stadt befindet sich ein hoher Schutthügel, auf welchem einige Unterbaue und viele Bruchstücke von Töpferwaaren sichtbar sind. Er wird Tell Kolzum genannt. Dies ist gewifs die Stelle, wo früher die Stadt Kolzum lag, die von Arabischen Schriftstellern so oft erwähnt wird als der Hafen, wo die Flotten auf dem rothen Meere erbaut worden. Es nahm die Stelle des Griechischen Klysma ein, denn Kolzum ist blos die Arabische Form desselben Namens. [1]) Die ältere Stadt Arsinoe oder Cleopatris, soll hier in der Nähe gewesen sein, und kann vielleicht dieselbe Stelle eingenommen haben.

Der Meerbusen von Suez sieht, wenn man ihn von den nahegelegenen Hügeln erblickt, wie ein langer Streif Wasser aus, der wie ein beträchtlicher Flufs, durch ein ödes Thal zwanzig oder dreifsig englische Meilen breit sich hinzieht. Das Ufer ist zuweilen von flachen Gegenden begrenzt, zuweilen von nackten Felsen und Vorgebirgen auf beiden Seiten unterbrochen. Die ganze Ansicht erinnerte mich sehr an das Nilthal in gröfserm Maasstabe, nur dafs der herrliche Strom Fruchtbarkeit in sich trägt und sie

---

1) Klysma (Κλύσμα) wird an dieser Stelle von Cosmas Indicopleustes etwa um's Jahr 530 erwähnt. Siehe Montfaucon's Collectio nova Patrum T. II. S. 194. Auf dem Concil zu Konstantinopel, im Jahre 553, findet sich der Name Stephanus, Bischof von Klysma, unter den Unterschriften; Harduin Acta Concilior. III. S. 52. Ueber Kolzum siehe Edrisi Geograph. I. S. 331, 333. ed. Jaubert. Abulfeda in Büschings Magazin IV. S. 196. Vergl. auch Bocharts Phaleg II. c. 18.

in verschwenderischer Fülle ausstreut, während hier überall voll-
kommene Oede herrscht. Der Meerbusen wird nach Suez zu enger und endigt in einen Küstenstrich, der sich westlich von der
Stadt bis beinahe an den Jebel 'Atâkah erstreckt, eine Entfernung von sechs oder acht englischen Meilen. Weiter südlich tritt
dieser Berg bis dicht an's Meer und bildet dort ein Vorgebirge
mit Namen Râs-'Atâkah; auf der andern Seite desselben öffnet
sich die breite Mündung oder Ebene des Wady Tawârik, und
dann folgt Jebel Deraj oder Kulâlah und die lange afrikanische
Gebirgskette. Auf der Ostseite des Meerbusens ist die gleichlaufende Bergkette er-Râhah, hier zwölf oder fünfzehn Meilen
von der Küste entfernt. In dem Winkel des Meerbusens dehnen
sich grofse Untiefen aus, die sich südlich weit ins Meer hinein
erstrecken und zur Ebbezeit sichtbar werden, mit Ausnahme eines
schmalen, sich schlängelnden Kanals, der einem unbedeutenden
Flusse gleicht, auf welchem leicht beladne Schiffe bis ganz an
die Stadt herankommen. Wir sahen diese Untiefen zwei Mal zur
Zeit der Ebbe. Sie erstrecken sich anderthalb oder zwei engl. Meilen weit unterhalb Suez, sind ganz eben und fest, dünn mit Seegras
bedeckt und bestehn dem Ansehn nach aus Sand, vielleicht mit
Korallen vermischt. Wir sahen ganz nah an der südlichsten Spitze
derselben Leute darauf gehn. Gröfsere Schiffe und die Dampfböte liegen auf der Rhede unterhalb. der Untiefen, über zwei englische Meilen von der Stadt.

Die oben erwähnte wüste Ebne hinter Suez, die sich westlich
bis zum 'Atâkah und nördlich bis 'Ajrûd ausdehnt, besteht meist
aus hartem Kies und ist offenbar nicht neuerer Formation, sondern ebenso alt als die nahgelegenen Hügel und Berge. Von
Suez geht ein schmaler Arm noch nördlich hinauf bis zu einer
ziemlichen Entfernung vom nordöstlichen Winkel des Meerbusens,
in welchem das Wasser, als wir es sahen, sich noch etwa zwei

englische Meilen hinaufzog; aber die Senkung oder das Bett desselben geht noch über die Erddämme des alten Kanals, so weit
als das Auge nur reicht, hinaus. Suez gegenüber ist dieser Arm
nach Niebuhr etwa drei tausend vierhundert fnnfzig Fufs breit [1]);
indefs weiter hinauf und Tell Kolzum gegenüber ist er breiter
und enthält mehrere niedrige Inseln oder Sandbänke, die zur Zeit
der Fluth meist bedeckt sind. Hier und rings um den nördlichen
Theil dieses Arms finden sich deutliche Spuren, dass dieser Theil
des rothen Meeres sich nach und nach ausfüllt. Ich kenne keinen
Umstand, der es darthun möchte, dafs die Meereshöhe selbst sich verändert habe; sondern, wenn hier irgend eine Veränderung statt gefunden hat, so ist sie nur dem Umstande zuzuschreiben, dafs von dem
nördlichen Theil der wüsten Ebne, die sich hier bis zu den östlich gelegenen Bergen erstreckt, der Sand hineingetrieben worden. Diese Ebne ist zehn englische Meilen oder darüber breit.
Burckhardt reiste im Jahr 1812 in sechs Stunden über dieselbe
vom Brunnen zu Mabúk am Fufs des Gebirges bis zu den Erd-
dämmen des Kanals, und sagt: ,,sie war voll Treibsand, der die
Ebne, so weit ich sehn konnte, bedeckte, und der an einigen
Stellen zu Hügeln dreifsig oder vierzig Fufs hoch zusammenge-
trieben war." [2]) So war es auch nachher, als wir sie zu unsrer
Linken liegen sahen, da wir um das obere Ende der Bay herumgingen; und dieser Sand wird von einem starken Nordost-Winde,
der hier oft herrscht, immer mehr nach dem Wasser hin und in
dasselbe geführt, und das Ausfüllen wird noch immer fortgesetzt.
Es unterliegt kaum einem Zweifel, dafs die Inseln oberhalb Suez
auf diese Art entstanden sind, und dafs früher die Schiffe wahrscheinlich bei Kolzum anlegten, wohin sie jetzt nicht mehr ge-

---

1) Reisebeschreibung I. S. 253.
2) Travels in Syria etc. S. 454. (749.)

langen können. Rings um die Spitze des Meerbusens giebt es
ganz deutliche Spuren, dafs das Wasser einst viel weiter nach
Norden ging und sich wahrscheinlich auch über eine weite Strecke
nach Osten hin ausdehnte. Der Boden hat alle Anzeichen, dass
er noch immer von Zeit zu Zeit überfluthet wird; auch erzählten
unsre Araber, dass er oft vom Meere überschwemmt werde, besonders im Winter, wenn der Südwind herrscht. Der Boden besteht hier aus feinem Sande, wie in der angrenzenden Wüste, nur
dafs er durch den Wellenschlag fester wird. An einigen Stellen
war er mit einer Salzkruste überzogen und hie und da fanden
sich Muschellagen. Ob die Untiefen südlich von Suez ebenso entstanden sind, ist schwieriger zu bestimmen, obgleich sie jetzt von
festerer Masse zu sein scheinen.

Man sagte uns, dafs die Fluth bei Suez und über diesen
Untiefen ungefähr sieben englische Fufs steigt. Nach den französischen Messungen war zu jener Zeit das Steigen der Fluth im
Durchschnitt fünf und einen halben Pariser Fufs, obwohl sie zuweilen über sechs Fufs ging. Niebuhr fand sie nur drei und einen halben Fufs. [1]) Sie mufs offenbar je nach der Richtung des
Windes sich verändern; ein starker Nordwind mufs die Ebbe ver-
stärken, die Rückkehr der Fluth verhindern, ein Südwind aber
grade das Gegentheil davon bewirken. Suez gegenüber befindet
sich eine Fähre, und weiter hinauf bei Tell Kolzum eine Furth,
die zur Ebbezeit zuweilen benutzt wird und über zwei von den
Sandinseln weggeht. Niebuhr's Führer gingen zu Fufs über diese
Furth, und das Wasser reichte kaum bis zum Knie. [2]) Eine Insel ganz dicht unterhalb der Furth heifst Jezìrat el-Yehùdìyeh
oder Judeninsel; aber obgleich wir besonders darnach forschten,

---

1) Le Père in Descr. de l'Egypte, Et. Mod. I. S. 90. Niebuhr,
Beschr. von Arab. S. 421. ff.

2) Reisebeschr. I. S. 252.

konnten wir doch nicht erfahren, dafs die Furth selbst Derb el-
Yehûd oder Judenweg genannt werde, wie dies sich bei Ehrenberg
findet. [1] Es giebt noch eine zweite Furth südlich von Suez nahe
an der Spitze der Untiefen, wo sich eine lange schmale Sandbank vom östlichen Ufer aus hinzieht. Hier durchwaten die Araber zur Zeit der Ebbe das Wasserbett, indem dann das Wasser
nur fünf Fufs tief ist oder, wie man uns sagte, bis an's Kinn reicht.

Die Strafse, welche wir von Kairo nach Suez einschlugen,
ist die kürzeste und gradeste von allen, die sich zwischen diesen
Orten befinden; sie ist wie alle andern (mit Ausnahme der südlichen) bis nach 'Ajrûd ganz ohne Wasser. Auf der Besâtîn-
Strafse westlich vom Jebel Gharbûn findet man die seichten Brunnen von Gandali (oder Gandelhy), in welchen sich wenig, aber
ziemlich gutes Wasser sammelt. Auf der südlichern und weitern
Abzweigung dieses Weges, durch den Wady Tawârik, befindet
sich der Brunnen 'Ödheib (süss Wasser) nahe am Ufer südlich
von Râs 'Atâkah, etwa acht Stunden von Suez. Ebendort liegt
ein kleiner Schutthügel mit vielen Scherben, die auf eine frühere
Ortslage hindeuten. [2] Aber der kürzeste Weg von allen zwischen
Suez und den Ufern des Nil liegt nördlich von den genannten
Strafsen und kommt dem Thale des alten Kanals näher. Karavanen, die von Suez aus in dieser Richtung gehen, machen in
der ersten Nacht bei Rejûm el-Khail Halt, einer blofsen Station
in der Wüste ohne Wasser, und erreichen am andern Tage Râs
el-Wâdy, ein bedeutendes Dorf nahe am Wady Tûmilât, ein we-

---

1) Siehe seine Karte in d. Naturgesch. Reisen, Abth. I. Berlin 1828.

2) Le Père in Descr. de l'Egypte, Et. Mod. I. S. 46. Dieser Weg
dient auch als Verbindungsstrafse zwischen Suez und Oberägypten; ein
Nebenweg geht grade von Wady Tawârik durch ein Nebenthal nach dem
Nil bei Tebbîn, ein wenig oberhalb Kairo. — In Betreff der andern
Namen dieses Thals, siehe Anmerkung IX, am Ende dieses Bandes.

nig nordöstlich von Belbeis. Dieser Wady ist der westliche Theil von dem breiten Thale des Kanals, das etwas mehr nach Osten zu Wady Seb'a Biyàr (sieben Brunnen) genannt wird. Das Nilwasser fließt während der jährlichen Ueberschwemmung in dasselbe zuweilen bis zu den Salzseen Temseh (Krokodil-Seen), wie sie auf den Karten bezeichnet sind. Auf der großen französischen Karte ist bemerkt, daß sie nur zu diesen Zeiten Wasser haben. Dadurch wird das Thal natürlich ein fruchtbarer Landstrich, auf welchem viele Dörfer und Spuren alter Ortschaften hie und da anzutreffen sind. Wenn man sich von Rejûm el-Khail aus mehr rechts wendet, so führt eine Tagereise den Wanderer nach dem Brunnen Abu Suweirah, der sich in dem nördlichen Theile desselben großen Wady's befindet, ein wenig nordwestlich von den Krokodilseen. [1]) Einen noch gradern Weg von Suez nach dem letztgenannten Orte zu nehmen, wird man durch Salzsümpfe verhindert, in welche die Kamele einsinken. Unsre Araber, die selbst den Weg gemacht hatten und uns diese Nachrichten mittheilten, sagten, diese Sümpfe seien dadurch entstanden, daß man einen Kanal vom rothen Meere aus so weit gegraben und dann hätte liegen lassen, obgleich, wie sie sagten, jetzt ein Hügel sie vom Meere trennt. Dies sind ohne Zweifel die wohlbekannten Sümpfe oder Bitterseen der Alten, welche die Franzosen vierzig bis fünfzig Fuß (12 bis 15 mètres) niedriger fanden, als die gewöhnliche Höhe des Meerbusens von Suez; während der breite, sandige Strich Landes, der sie jetzt vom Meerbusen trennt, sich nur etwa drei Fuß über den Wasserspiegel erhebt. Ein höherer Strich anschwellenden Landes am westlichen Ende trennt sie auf dieselbe Weise von den Kroko-

---

1) Siehe Anmerkung X, am Ende des Bandes.

6

dilseen und macht die äufserste Grenze der Nilüberschwemmun-
gen aus. [1])

_____

· Die Beziehung der bisherigen Mittheilungen auf eine der
merkwürdigsten Begebenheiten der biblischen Geschichte wird in
die Augen fallen, — ich meine den Auszug der Israeliten und ihren
Durchgang durch's rothe Meer. Ich werde Alles, was ich darüber zu sagen habe, hier zusammenfassen, indem ich dasjenige,
was wir über das Land Gosen und den wahrscheinlichen Weg
der Israeliten bei ihrem Auszuge aus Aegypten ermitteln konnten, voranschicke.

Wir hatten uns durch eigne Anschauung davon überzeugt,
dafs sie von keinem Punkte nahe bei Heliopolis oder Kairo in
drei Tagen, dem längsten Zeitraum, den die biblische Erzählung
gestattet, nach dem rothen Meere gelangen konnten. Sowohl die
Entfernung als auch der gänzliche Wassermangel auf allen Strafsen brechen den Stab über eine solche Hypothese. Wir lesen, dafs sechs hundert tausend Mann von den Israeliten über
zwanzig Jahr alt Aegypten zu Fufs verliefsen. [2]) Dabei müssen denn natürlich eben so viele Frauen über zwanzig Jahr alt
gewesen sein, und wenigstens eine gleiche Anzahl männlichen
und weiblichen Geschlechts unter diesem Alter; aufserdem „das

_____

1) Rozière in Descr. de l'Egypte, Antiq. Mem. I. S. 137. Le
Père und du Bois-Aymé ebend. Et. Mod. I. S. 21 ff. 187 ff. Vergl. Ritter's Erdkunde Th. II, S. 232 ff. 1818. Einen schätzbaren Auszug von
den Resultaten, die in dem grofsen französischen Werke enthalten sind,
hat Maclarin im Edinburgh Philosophical Journal 1825, Vol. XIII,
S. 274. geliefert. — Siehe mehr in Anmerkung XI, am Ende des
Bandes.

2) 2 Mos. 12, 37. 38. Vergl. 4 Mos. 1, 2. 3. 45. 46, wo ein
Jahr später die Zahl auf 603,550 angegeben wird.

viele Pöbelvolk", was erwähnt wird und sehr viel Vieh. Die
ganze Anzahl mochte daher wohl zwei und eine halbe Million betragen, und gewifs nicht weniger als zwei Millionen. Nun wird
aber ein gewöhnlicher Tagesmarsch des best ausgerüsteten Heeres, sowohl in alten wie in neuern Zeiten, nicht höher als vierzehn englische Meilen, oder zwölf solcher geogr. Meilen [1]) geschätzt; und man kann wohl nicht annehmen, dafs die Israeliten
mit Weibern, Kindern und Heerden mehr zu machen im Stande
gewesen wären. Auf allen diesen Strafsen beträgt aber die Entfernung nicht weniger als sechzig geographische Meilen, die sie
auf keinen Fall in weniger als fünf Tagen hätten machen können.

Der Schwierigkeit wegen des Wassers hätten die Israeliten
wohl dadurch vorbeugen können, dafs sie einen Wasservorrath
vom Nil aus mitnahmen, wie das von den Karavanen in neuerer
Zeit geschieht. Pharao scheint ihnen jedoch auf derselben Strafse
mit allen seinen Pferden, Wagen und Reitern gefolgt zu sein,
und das hätte auf keiner von den Strafsen zwischen Kairo und
dem rothen Meere statt finden können. Pferde nimmt man in unsern Tagen wohl oft mit hinüber, aber dann mufs man auch mit
einem Wasservorrath, nämlich mit etwa zwei Wasserschläuchen
für jedes Pferd, versehen sein. Sechs solcher Wasserschläuche
machen eine Kamellast aus, so dafs für je drei Pferde eine Kamellast Wasser erforderlich gewesen wäre. Dennoch sterben sie
nicht selten, und wir sahen die Leichname von mehreren, die
erst bei dem letzten Zuge des Haj gefallen waren. Schaf- und

---

1) Rennell's Compar. Geogr. of Western Asia I. S. liv. Preu-
fsische Stabsofficiere sagten mir, dafs der gewöhnliche Tagesmarsch ihrer Heere drei deutsche Meilen beträgt, die so viel als zwölf engl.
geogr. Meilen, deren sechzig auf einen Grad gehn. Auf forcirte Mär-
sche rechnet man fünf deutsche Meilen täglich. In jedem Falle aber mufs
die ganze Armee den je vierten Tag ausruhen.

6 *

Ziegenheerden könnten wohl hinüber kommen, aber für Rindvieh würde es ohne einen eben solchen Wasservorrath unmöglich sein.

D a s   L a n d   G o s e n. Die bisherigen Betrachtungen gehn dahin, die gewöhnliche Ansicht der Gelehrten unsrer Tage zu bestätigen, dafs das Land Gosen an dem Pelusischen Arm des Nil entlang, an der Ostseite des Delta lag, und somit ein Theil von Aegypten nahe an der Grenze Palästina's war. [1]) Dieser Landstrich wird unter der jetzigen Provinz esh-Shürkiyeh mit begriffen. Diese erstreckt sich von der Nachbarschaft von Abu Za'bel bis zum Meere, und von der Wüste bis zu dem frühern Tanaitischen Nilarm; sie schliefst also auch das Thal des alten Kanals ein. Wäre der Pelusische Arm in alten Zeiten für Schiffe fahrbar gewesen, so waren die Israeliten wahrscheinlich auf das östliche Ufer beschränkt; sobald wir aber annehmen dürfen, dafs dieser Strom nie viel bedeutender gewesen als jetzt, dann können sie sich auch wohl über das Delta nach der andern Seite hin ausgebreitet haben, bis dahin, wo die breitern Arme des Nil ihnen ein Ziel setzten [2]). Dafs das Land Gosen am Wasser des Nil lag, erhellt daraus, dafs die Israeliten das Land bewässerten, dafs es ein Land war, wo man säen konnte, wo Feigen, Weinstöcke und Granatäpfel waren, und das Volk Fische im Ueberflufs afs; und die Aufzählung aller der Gegenstände, wonach sie in der Wüste sich sehnten, stimmt auf eine merkwürdige

---

1) Die gewöhnlichen Beweise aus der Bibel und den ältern Schriftstellern, worauf diese Ansicht sich gründet, findet man in Rosenmüller's Handbuch der bibl. Alterthumskunde III. S. 246 ff., Gesenius Thesaurus linguae Hebr. I. S. 307., Bibl. Repository, Octob. 1832. S. 744. Eine Uebersicht der verschiedenen ältern Theorien in Bezug auf die Lage von Gosen findet sich in Bellermanns Handbuch der biblischen Literat. IV. S. 191 ff. und bei Gesenius a. a. O.

2) Siehe Anmerkung XII, am Ende dieses Bandes.

Weise mit dem Verzeichnisse überein, welches Lane von den Nahrungsmitteln der neuern Fellah's giebt. [1] Das Alles läuft darauf hinaus, zu zeigen, dafs die Israeliten während ihres Aufenthalts in Aegypten, ziemlich so lebten, wie die Aegypter jetzt, und dafs sich Gosen wahrscheinlich viel westlicher ausdehnte und mehr nach dem Delta hinein sich erstreckte, als man gewöhnlich angenommen hat. Sie scheinen unter den Aegyptern jener Gegend zerstreut, doch vielleicht in besondern Dörfern gelebt zu haben, ähnlich wie die heutigen Kopten mit den Muhammedanern vermischt sind. Es geht dies auch daraus hervor, dafs sie von ihren Aegyptischen Nachbarn und Hausgenossen silberne und goldne Gefäfse borgten, so wie daraus, dafs ihre Häuser mit Blut bezeichnet wurden, damit sie bei der letzten furchtbaren Plage der Aegypter verschont bleiben möchten. [2]

Die unmittelbaren Nachkommen Jakob's waren ohne Zweifel Nomaden und Hirten, wie ihre Vorfahren, die unter Zelten wohnten und ihre Heerden wahrscheinlich weit in die Wady's der Wüste hinein auf die Weide trieben, ähnlich den jetzigen Bewohnern derselben Gegend [3]. Aber mit der Zeit wurden sie auch Ackerbauer und vertauschten ihre Zelte mit festern Wohnsitzen. Auch jetzt giebt es noch eine Kolonie der Tawarah-Araber von ungefähr funfzig Familien, die nahe bei Abu Za'bel ihren Sitz

---

1) 5 Mos. 11, 10. 4 Mos. 20, 5. 11, 5: „Wir gedenken der Fische, die wir in Aegypten umsonst afsen und der Kürbis, Pfeben, Lauch, Zwiebeln und Knoblauch." Lane Manners and Cust. of the Mod. Egypt. I. S. 242: „Ihre Nahrung besteht aus Brot, das von Hirse oder Mais gebacken ist, Milch, frischem Käse, Eiern, kleinen Salzfischen, Gurken, Pfeben oder Melonen und Kürbissen von sehr verschiedner Art, Zwiebeln, Lauch, Bohnen, Kichererbsen, Feigbohnen u. s. w.

2) 2 Mos. 11, 2. 12, 12. 13. 22. 23. u. s. w.

3) Siehe Seite 65.

haben, den Acker bauen und dabei doch unter Zelten wohnen.
Sie kamen etwa vier Jahre vor der französischen Invasion vom
Berge Sinai herab. Letzteres Ereignifs trieb sie auf einige Zeit
wieder zurück in die Berge der Terábin, östlich von Suez; aber
sie hatten das Gute Aegyptens so lieb gewonnen, dafs sie, wie
die Israeliten, nicht mehr in der Wüste leben mochten, und bald
nach dem Abzuge der Franzosen zurückkehrten. „Jetzt, sagten
unsre Araber, obgleich wir sie als Vettern anerkennen, haben
sie doch kein Recht mehr, unter uns zu wohnen; auch würden
sie es in den öden Bergen nicht mehr aushalten, nachdem sie so
lange das üppige Leben Aegyptens genossen haben."

Das Land Gosen war „der beste Ort des Landes" [1]); ebenso
ist es auch die Provinz Shürkiyeh bis auf die neueste Zeit herab
gewesen. In der merkwürdigen arabischen Urkunde, die von
de Sacy übersetzt ist [2]), und eine Abschätzung aller Provinzen
und Ortschaften Aegyptens im Jahr 1376 enthält, umfafst die Provinz Shürkiyeh 383 Städte und Dörfer und wird auf 1,411,875
Dinars geschätzt, — eine gröfsere Summe als, mit Ausnahme
einer einzigen, irgend einer Provinz auferlegt ist. Während mei-
des Aufenthalts in Kairo zog ich viele Erkundigungen über diese
Gegenden ein, die alle darauf hinaus liefen, dafs man sie für
die beste Provinz Aegyptens hielt. Da ich eine noch genauere
Auskunft zu haben wünschte, so ersuchte ich den Lord Prudhoe,
mit dem der Pascha auf sehr gutem Fufse stehn sollte, wenn's
irgend möglich wäre, mir eine Uebersicht der Abschätzung der
ägyptischen Provinzen zu verschaffen. Dies war, wie er mich
nachher benachrichtigte, nicht gut thunlich; aber er hatte mit
Bestimmtheit erfahren, dafs die Provinz Shürkiyeh am höchsten

---

1) Mos. 47, 6.
2) Abdallatifs Relation de l'Egypte par de Sacy S. 583 ff.

abgeschätzt ist und das meiste einbringt. Er war selbst eben erst von einem Ausfluge nach den Niederungen dieser Provinz zurückgekehrt und bestätigte als Augenzeuge die Berichte von der Fruchtbarkeit derselben. Diese hat ihren Grund darin, daſs das Land von Kanälen durchschnitten wird, während die Oberfläche des Bodens sich viel weniger über den Spiegel des Nil erhebt, als in andern Gegenden Aegyptens, und deshalb viel leichter bewässert werden kann. Es giebt hier viel mehr kleines und groſses Vieh als irgend wo anders in Aegypten, und ebenso auch mehr Fischer. Die Bevölkerung ist zur Hälfte wandernd und besteht theils aus Fellahs und theils aus Arabern aus der angrenzenden Wüste und selbst aus Syrien, die zum Theil ihre nomadische Lebensweise beibehalten und oft von einem Dorfe zum andern ziehn. Dabei sind viele Dörfer ganz verlassen, wo etliche funfzig tausend Menschen sogleich eine Wohnstätte finden könnten. Selbst jetzt könnte wenigstens eine Million mehr sich in diesem Distrikte ernähren; der Boden ist einer unendlich höhern Cultur fähig. Ebenso könnte die angrenzende Wüste, so weit das Wasser zur Bewässerung geleitet werden kann, fruchtbar gemacht werden; denn wo Wasser ist, da ist auch Fruchtbarkeit.

Der Weg der Israeliten nach dem rothen Meere. Der grade und einzige Weg von dem so bezeichneten Lande Gosen nach dem rothen Meere geht das Thal des alten Kanals entlang. Die Israeliten brachen von ihrem Sammelplatze bei Raemses „am funfzehnten Tage des ersten Monden, des andern Tages der Ostern" [1]) auf, und zogen über Suchoth und Etham nach dem Meere. Ohne uns weiter mit der Untersuchung aufzuhalten, ob Raemses identisch mit Heroopolis sei, oder wo dieser Ort genau gelegen, so ist es für unsern Zweck ausreichend, was

---

1) 2 Mos. 12, 37. 4 Mos. 33, 3.

allgemein zugegeben wird, dafs die erstgenannte Stadt wahrscheinlich am Thale des Kanals lag, etwa in der Mitte, nicht
weit von dem westlichen Ende des Wasserbeckens der Bitterseen.
Auch ist es nicht nöthig zu untersuchen, ob dieses Wasserbecken
früher die Verlängerung eines Arms des rothen Meers ausmachte,
wie einige meinen; oder ob es, was wahrscheinlicher ist, mit
Salzwasser gefüllt, vom rothen Meere durch einen erhöhten Landstrich getrennt war, wie noch jetzt. Wir bedürfen hier weiter
für unsern gegenwärtigen Zweck nichts, als (selbst zugegeben,
dafs eine Verbindung mit dem Meere vorhanden war) die Annahme, dafs der Einschnitt des Meers, wenn er wirklich existirte, schon zu klein war, um dem Vorrücken der Israeliten ein
bedeutendes Hindernifs in den Weg zu legen. [1]

Von Raemses nach der Spitze des Meerbusens würde nach
dem, was ich vorhin angegeben habe, eine Entfernung von etwa
fünf und dreifsig englischen Meilen ausmachen, die von den Israeliten ganz gut in drei Tagen zurückgelegt werden konnten.
Ein grofser Theil des Volks war gewifs schon bei Raemses versammelt und wartete auf die Erlaubnifs auszuwandern, als die
letzte grofse Plage statt fand. Von da an, als Pharao den Mose
und Aaron in der Nacht des vierzehnten Tages des Monden (nach
jüdischer Art zu zählen) entliefs, bis zum Morgen des funfzehnten Tages, als das Volk aufbrach, war ein Zwischenraum von
einigen dreifsig Stunden, während dessen diese Anführer leicht
vom Hofe Pharao's nach Raemses gelangen konnten, mochte derselbe nun zu Memphis oder, was wahrscheinlicher ist, zu Zoan
oder Tanis sich befinden. [2]

---

1) Siehe Anmerkung XIII, am Ende dieses Bandes.

2) Der Psalmist setzt den Ort, wo die Wunder Mose's geschahen,
in die Gegend von Zoan. Ps. 78, 12. 43.

Der erste Tagemarsch brachte sie bis nach Suchoth (welches Hütten bedeutet), ein Name, der jedem Ruhepunkte oder jeder Lagerstätte gegeben werden konnte. Ob sich hier Wasser befand, wird nicht erwähnt, und die genaue Lage des Orts kann daher nicht bestimmt werden. Am zweiten Tage erreichten sie Etham, „vorn an der Wüste."[1]) Welcher Wüste? Im zweiten Buche Mose's heifst es, dafs die Israeliten, nachdem sie durch das rothe Meer gegangen waren, drei Tagereisen durch die Wüste Sur wanderten; aber im vierten Buche Mose's wird derselbe Landstrich die Wüste Etham genannt. [2]) Hieraus folgt, dafs Etham wahrscheinlich an der Grenze dieser östlichen Wüste lag, vielleicht nicht weit von der jetzigen Spitze des Meerbusens und zwar östlich von der Stelle des alten Kanals. Könnte es sich nicht auf oder nahe an dem Streifen Landes zwischen dem Meerbusen und dem Wasserbecken der Bitterseen befunden haben [3])? Auf jeden Fall scheint es der Punkt gewesen zu sein, von wo aus der grade Weg nach dem Sinai die Israeliten um die jetzige Spitze des Meerbusens und an dessen östlicher Seite entlang geführt haben würde. Von Etham „lenkten" sie sich mehr rechts, und statt an der östlichen Küste entlang zu ziehn, zogen sie die Westseite des Armes von dem Meerbusen hinab bis in die Nähe von Suez. Diese Wendung, offenbar so ganz von dem Wege ab, konnte dem Pharao zu den Worten Veranlassung geben: „Sie sind verirrt im Lande, die Wüste hat sie beschlossen"; und ihn dazu verleiten, dafs er ihnen mit seinen Reitern und Wagen nachjagte,

---

1) 2 Mos. 13, 20. 4 Mos. 33, 6.

2) 2 Mos. 15, 22. 4 Mos. 33, 8.

3) Diese Ansicht wird von der ägyptischen Ableitung des Namens Etham unterstützt, die Jablonsky angiebt, nämlich ATIOM Grenze des Meers.

in der Hoffnung, sie schnell einholen und zur Rückkehr zwingen zu können. [1])

Die Lage von Migdol, Pi-hahiroth und Baal-Zephon kann nicht genau angegeben werden, ausgenommen, dafs sie wahrscheinlich auf oder nahe bei der grofsen Ebne hinter Suez gelegen haben. Wenn die Brunnen von 'Ajrůd und Bîr Suez damals schon existirten, so würden sie am natürlichsten die Stellen früherer Städte bezeichnen; aber die Beweise für oder gegen eine solche Hypothese fehlen. Dafs dieser für die Schifffahrt auf dem rothen Meere so wichtige Punkt schon mit einer Stadt, vielleicht Baal-Zephon, besetzt war, ist nicht unwahrscheinlich. Wenige Jahrhunderte später lagen verschiedene Städte in der Nähe, und die müssen Brunnen gehabt haben, oder es mufs damals mehr Quellen gegeben haben als jetzt. In dieser Ebne fanden die Israeliten überflüssig Raum zum Lager.

Der Durchzug durch's rothe Meer. Es handelt sich hier um die Gegend des Meers, wo der Durchzug statt fand. Viele Schriftsteller und Reisende haben dafür den Punkt an der Mündung des Wady Tawârik, südlich von Râs 'Atâkah angenommen, besonders deshalb, weil man voraussetzte, dafs die Israeliten dies Thal entlang gezogen wären. Aber nach den oben ausgesprochenen Ansichten war dies nicht gut möglich. Wenn sie daher an jenem Orte hinübergingen, so mufsten sie zuerst hinab und um Râs 'Atâkah herumgezogen sein, und sich an der Ebne an der Mündung des Thals gelagert haben.

Die Erörterung dieser Frage ist oft dadurch verwirrt worden, dafs man die Umstände, die von den heiligen Geschichtschreibern angeführt werden, nicht mit gehöriger Aufmerksamkeit erwogen hat, wovon folgende die vorzüglichsten sind. Die Is-

---

1) 2 Mos. 14, 2 ff.

raeliten von allen Seiten eingeengt, — vorn und zu ihrer Linken das Meer, rechts den Jebel 'Atákah und hinter sich die Aegypter — begannen an ihrer Errettung zu verzweifeln und gegen Mose zu murren. Der Herr befahl nun dem Mose, seinen Stab über das Meer zu recken; und der Herr liefs das Meer hinwegfahren (im hebr. Text: gehen) durch einen starken Ostwind die ganze Nacht und machte das Meer trocken, und die Wasser theilten sich von einander. Und die Kinder Israels giogen hinein, mitten ins Meer auf dem Trocknen; und das Wasser war ihnen für Mauern zur Rechten und zur Linken. Die Aegypter folgten und gingen hinein ihnen nach, und um die Morgenwache machte der Herr ein Schrecken in ihrem Heer. Und Mose reckte seine Hand aus über das Meer und das Meer kam wieder vor Morgens in seinen Strom, und die Aegypter flohen ihm entgegen, und das Wasser kam wieder und bedeckte alle Macht des Pharao. [1])

In dieser Erzählung sind zwei Hauptpunkte enthalten, um die sich, so zu sagen, die ganze Begebenheit dreht. Erstens das Mittel, wodurch das Wunder bewirkt wurde. Es heifst, der Herr liefs das Meer durch einen starken Ostwind hinwegfahren (oder abfliefsen). Das Wunder wird daher als ein mittelbares dargestellt, nicht als eine unmittelbare Aufhebung der Naturgesetze, sondern als eine wunderbare Anwendung dieser Gesetze, um den nöthigen Erfolg hervorzubringen. Es wurde durch natürliche Mittel, die auf eine übernatürliche Art angewandt wurden, bewirkt. Deshalb sind wir hierbei nur berechtigt, auf die natürlichen Wirkungen, die durch eine solche Ursache entstehen, zu blicken. Der etwas unbestimmte Ausdruck im Hebräischen: „ein Ostwind“, kann jeden Wind, der von der östlichen Seite herkommt, bedeuten, und würde den Nordost-Wind, der in dieser

---

1) 2 Mos. 14, 11. 12. 21—28.

Gegend oft herrscht, mit einschliefsen. Nun lehrt ein einfacher
Blick auf eine gute Karte des Meerbusens [1]), dafs ein starker
Nordost-Wind, der hier auf die Ebbe wirkt, nothwendig den Erfolg haben mufs, dafs er das Wasser aus dem kleinen Meeresarm, der sich bei Suez vorbei hinaufzieht, so wie von dem Ende
des Meerbusens selbst hinaus drängt, wodurch die Untiefen trocken gelegt werden, während der nördlichere Theil des Arms,
der früher breiter und tiefer war, als er jetzt ist, noch mit Wasser bedeckt bleiben würde. So würde das Wasser getheilt sein
und eine Mauer (oder Schutzwehr) den Israeliten zur Rechten
und zur Linken ausmachen. Ein Blick auf die Karte wird es
ebenfalls deutlich zeigen, dafs ein Nordost-Wind in keinem andern Theile des ganzen Meerbusens auf solche Weise das Hin-
austreiben des Wassers bewirken könnte. Aus diesem Grunde
würde daher die Hypothese eines Durchzugs durch das Meer dem
Wady Tawârik gegenüber, unhaltbar sein.

Der andre Hauptpunkt bezieht sich auf den Zeitraum,
in welchem der Durchzug geschah. Es war Nacht; denn der Herr
liefs das Meer hinwegfahren die ganze Nacht; und als der
Morgen anbrach, war es schon in seiner ganzen Stärke wieder-
gekehrt, denn die Aegypter wurden um die Morgenwache vom Wasser verschlungen. Wenn nun, wie es sehr wahrscheinlich ist,
dieser durch ein Wunder veranlafste Wind auf die Ebbe so wirkte,
dafs dadurch in der Nacht das Wasser viel mehr, als sonst gewöhnlich war, hinausgedrängt wurde, so können wir doch nicht
annehmen, dafs diese aufserordentliche Ebbe, die so durch natürliche Mittel hervorgerufen war, länger als drei oder aufs Höchste
vier Stunden gedauert habe. Die Israeliten mochten sich beeilen

---

1) Besonders Niebuhr's Taf. XXIV, in seiner Beschreibung von
Arabien.

und den Durchzug beginnen, sobald nur der Weg gangbar war; da aber dieser Wind einige Zeit zuvor thätig gewesen sein mufs, ehe die erforderliche Wirkung hervorgebracht werden konnte, so kann man nicht gut annehmen, dafs sie früher als gegen Mitternacht aufgebrochen wären. Vor der Morgenwache, oder um 2 Uhr, hatten sie wahrscheinlich den Durchzug schon vollendet; denn die Aegypter waren nach ihnen hineingegangen und wurden vernichtet, ehe der Morgen anbrach. Da nun die Israeliten mehr als zwei Millionen Menschen waren, aufser den Heerden von grofsem und kleinem Vieh, so konnten sie natürlicher Weise nur langsam durchziehn. Wenn das Trockne breit genug war, dafs tausend Mann nebeneinander zugleich hinüber gehn konnten, was etwa einen Raum von mehr als einer halben englischen Meile erfordern würde (und dies ist vielleicht das Höchste, das man annehmen kann), so würde dennoch der Zug mehr als zwei tausend Mann hoch gewesen sein und aller Wahrscheinlichkeit nach einen Raum von nicht weniger als zwei englischen Meilen eingenommen haben. Es würde dann wenigstens eine Stunde gedauert haben, ehe die Hintersten bis zum Meeresufer gekommen wären. Wenn man nun dies von der längsten Zwischenzeit, die da verflossen sein mufste, ehe die Aegypter ebenfalls den Meeresgrund betraten, abzieht, so wird nur eben so viel Zeit übrig bleiben, dafs unter den gegebnen Umständen das Heer der Israeliten höchstens über einen Flächenraum von drei bis vier englischen Meilen gehn konnte. Dieser Umstand wirft die Hypothese, dafs die Begebenheit am Wady Tawârik stattgefunden habe, ganz über den Haufen, da die Meeresbreite an dieser Stelle, nach Niebuhr's Messung, drei deutsche oder zwölf geographische Meilen beträgt, die einer ganzen Tagereise gleich kommen. [1])

1) Niebuhrs Reisebeschreibung I. S. 251.

Dies Alles führt uns zu dem bestimmten Schluſs, daſs der
Ort des Durchzugs auf die Nähe von Suez beschränkt werden
müsse. Der trocken gelegte Theil kann zu dem Arme gehört
haben, der sich von dem Meerbusen hinaufzieht, und an seiner
schmalsten Stelle zwei Drittel einer englischen Meile breit ist,
früher aber wahrscheinlich breiter war; oder er könnte südlich
von diesem Arm gewesen sein, wo jetzt noch die breiten Untiefen zur Zeit der Ebbe trocken liegen und das Wasserbett zuweilen durchwatet werden kann. Wenn man annehmen darf, daſs
vor Alters ähnliche Untiefen sich hier befanden, so möchte die
letztere Annahme noch wahrscheinlicher werden. Die Israeliten
würden dann natürlicher Weise von dem Ufer, westlich von Suez
in schräger Richtung hinübergegangen sein, eine Entfernung von
drei oder vier engl. Meilen von Ufer zu Ufer. Auf diese Weise
wird allen Bedingungen, unter denen dies Wunder statt fand, völlig Genüge geleistet.

Gegen die obige Annahme, daſs der Durchzug über den Arm
des Meerbusens oberhalb Suez stattfand, hat man zuweilen ein-
gewandt, daſs jener Theil nicht Raum und hinlängliche Wasser-
tiefe darbietet, um den Untergang der Aegypter, in der Art, wie
er erzählt wird, zu verursachen. Man muſs aber hierbei bedenken, daſs dieser Arm vor Alters breiter und tiefer war, und daſs
das Meer bei seiner Rückkehr nicht blos mit der gewöhnlichen
Kraft der Fluth, sondern mit einer viel grössern Macht und Tiefe
herankam, weil es durch den Nordost-Wind auf eine so auſser-
ordentliche Weise hinausgetrieben war. Ueberdies scheint das
Siegeslied Mose's bei dieser Gelegenheit darauf hinzudeuten, daſs
bei der Rückkehr des Meers der Wind sich gleichfalls drehte und
die Fluth über die Aegypter zu bringen mit thätig war. [1]) Selbst

----

1) 2 Mos. 15, 10. vergl. mit V. 8.

jetzt gehn die Karavanen nie durch die Furth oberhalb Suez, und
man hält es immer für gefährlich, ausgenommen bei ganz niedrigem Wasserstande. [1])

Unsre eignen Beobachtungen an Ort und Stelle haben sowohl meinen Gefährten als mich zur andern Annahme geneigt
gemacht, dafs der Durchzug über die Untiefen nahe bei Suez
auf der Südseite stattfand. Aber bei den vielen Veränderungen,
die im Laufe der Zeit sich hier ereignet haben, ist es natürlich
unmöglich, mit Gewifsheit genau den Ort anzugeben; auch bedarf es dessen nicht. Beide eben angeführte Annahmen genügen
allen Bedingungen dieses Vorganges; bei beiden ist die Errettung
der Israeliten gleich grofs und der Arm Jehova's auf eine gleich
herrliche Weise geoffenbart.

---

1) Im Jahre 1799 versuchte General Buonaparte bei seiner Rückkehr von 'Ayûn Mûsa über die Furth zu gehen. Es wurde schon
spät und finster, die Fluth stieg und strömte mit gröfsrer Gewalt, als
man erwartet hatte, so dafs der General und sein Gefolge der gröfse-
sten Gefahr ausgesetzt waren, obwohl er Führer hatte, die mit dem
Boden dort sehr genau bekannt waren. Siehe die Anmerkung von du
Bois-Aymé in Descr. de l'Egypte Antiq. Mem. I. S. 127 ff.

Dritter Abschnitt.

Von Suez nach dem Berge Sinai.

Freitag den 16ten März 1838. Da wir Alles, was für den Reisenden in Suez merkwürdig ist, gesehn hatten, freuten wir uns, es heut zu verlassen. Wir schlugen den weitern Weg um die Spitze des Arms oder Einschnitts des Meeres ein, um die Beschaffenheit des Landes zu untersuchen, obgleich die Meisten blos ihre Kamele herumschicken und selbst auf der Fähre übersetzen. Um 1 Uhr Mittags reisten wir ab und gingen links an Tell Kolzum vorüber. Wir nahmen eine Richtung N. $\frac{1}{2}$ O. und erreichten um 2 Uhr 35 Min. die Erdwälle des alten Kanals. Dieser ganze Strich ist eine Ebne von hartem Kies, die sich nur unbedeutend über den Wasserspiegel erhebt und sich sanft dahin abdacht. Die Ufer des alten Kanals sind ganz genau zu erkennen, hier etwa fünf oder sechs Fufs hoch und etwa hundert Fufs von einander entfernt, parallel neben einander in nördlicher Richtung hinlaufend so weit das Auge reicht. [1] Die Haj-Strafse durchschneidet ihn noch mehr nach Norden zu. Wir wandten uns nun Ost-Süd-Ost nach der Niederung oder dem Bett des Meereinschnitts, wo der Boden bald anfing, alle Spuren zu zeigen, dafs er dann und wann überschwemmt ist; die Fluth geht offenbar zu manchen Zeiten weit nach Norden hinauf. Der Grund bestand aus feinem Sande, wie der Treibsand der Wüste, der durch die Wirkung des Wassers fest geworden und an eini-

---

1) Siehe Anmerkung XI, am Ende des Bandes.

gen Stellen mit einer Salzkruste (Salzausschwitzung) bedeckt ist.
Hier gingen wir unvermerkt aus Afrika nach Asien hinüber, ohne
die Scheidelinie genau zu erkennen. Um drei Uhr veränderten
wir unsre Richtung wieder nach Süd gen Ost, wobei wir dann
den Tag über blieben. Eine halbe Stunde später kamen wir an
niedrige Sand- und Kieshügel, die mit der Wüste zu unsrer Linken in Verbindung standen. Zwischen diesen Hügeln ziehn sich
niedrig gelegne Landstriche von der eben beschriebenen Beschaffenheit nach Nordost und Ost zu in weiten Strecken hinauf, was
deutlich zeigt, dafs der obere Theil dieses Meerarms einst in einen breiten Meerbusen sich ausdehnte, in welchem diese Hügel
Inseln bildeten, wenn sie damals schon existirten. Ein solcher
Einschnitt nach Nord-Ost war ziemlich breit und scharf markirt.
Wir konnten nirgends das Wasser zu unsrer Rechten sehen, und
waren daher auch nicht im Stande zu bestimmen, wie weit es
sich damals grade hinauf erstreckte. Dies hatte seinen Grund
theils in der Niedrigkeit des Bodens, theils in der Luftspiegelung,
die dem ganzen Landstriche nach der Seite hin das Ansehn eines See's gab. Um 3 Uhr 55 Min. verliefsen wir die Niederung
ganz und kamen wieder auf eine Kiesebne, von wo aus wir
eine halbe Stunde später die Stadt etwa eine Stunde weit gerade
nach Westen sahen. Um 5 Uhr 10 Min. lagerten wir uns auf
dieser wüsten Ebne, indem uns Suez Nord-Nord-West lag.

Die Beschaffenheit des Landstrichs, über den wir gekommen
waren, zeigt deutlich, dafs der Arm des Meerbusens, der sich
jetzt nördlich von Suez hinauf erstreckt, vor Alters an seinem
Eingange nicht viel breiter war, als er gegenwärtig ist; während er sich weiter nördlich zu einer breitern und tiefern Bay
ausdehnte. Im Osten, parallel laufend mit dem Meerbusen, befindet sich die Bergkette er-Râhah genannt, die weiter nichts
als ein Aufsteigen zu dem hohen Plateau der innern Wüste zu

7

sein scheint. Die Berge sind vier oder fünf Stunden vom Ufer
des Meerbusens entfernt, und der Landstrich dazwischen besteht
aus einer wüsten Kiesebne, zuweilen von niedrigen Bergrücken
und Hügeln, die in verschiedenen Richtungen laufen, unterbrochen.

Der Ort, wo wir uns lagerten, war etwa anderthalb Stunden von Suez und es war wahrscheinlich in dieser Gegend, wo
die Kinder Israel auf das östliche Ufer heraufkamen. Bei unserer Abendandacht lasen wir hier dicht bei dem Orte, wo es ge-
dichtet und zuerst gesungen worden, das herrliche Triumphlied
Mose's und fühlten ganz seine Macht: „Der Herr hat eine herrliche That gethan, Rofs und Wagen hat er in's Meer gestürzt."
Dann legten wir uns in Frieden nieder und schliefen; denn der
Herr liefs uns auch hier sicher wohnen.

Sonnabend den 17ten März. Um 6 Uhr 20 Min.
safsen wir wieder auf unsern Kamelen, erquickt und gestärkt von
der balsamischen Morgenluft. Das Wetter war am vorigen Tage
schön gewesen, und es blieb so an diesem wie noch an vielen
folgenden Tagen. Diesen ganzen Tag über verfolgten wir die
Richtung von Süd gen Ost und Süd-Süd-Ost fast parallel mit
dem Ufer, meist aber in einiger Entfernung davon. Um 7 Uhr
gingen wir über den Pfad, der von der Fähre bei Suez nach der
Quelle Nâba', oder wie sie von unsern Arabern genannt wurde,
el-Ghürküdeh führt, wodurch diese Stadt mit Trinkwasser versehen wird. Von dieser Stelle aus war die Quelle etwa drei engl.
Meilen weit. Einige von unsern Arabern gingen mit einem Kamele dahin, um Wasser zu holen, während wir weiter zogen;
jedoch schickten wir einen unsrer Diener mit, um nachzusehen,
dafs auch die Schläuche gut ausgespült würden. Seiner Aussage
nach ist die Quelle nur eine Höhlung in der Ebne am Fufs einer
Reihe von Sandhügelchen, ein Becken acht oder zehn Fufs im
Durchmesser und sechs oder acht Fufs tief mit steinernen Stufen,

um da hinabzusteigen. In diesem Becken kocht das Wasser, das
ganz salzig ist, stets auf und ist zwei oder drei Fufs tief, ohne
irgend einen Abflufs zu haben; es reicht hin, um zweihundert Ka-
mellasten mit einem Male zu versorgen. Damals waren ungefähr zwanzig Kamele da, die Wasser nach Suez aufluden.

Eine halbe Stunde später fingen wir an ganz allmälig zu
steigen, bis es um 8 Uhr wieder steil hinunterging. Von dem
Rande des Abhanges hatten wir eine weite Aussicht über das
Meer und die niedrige Ebne vor uns, in der einige verkrüppelte
Palmbäume die Stelle von 'Ayûn Mûsa, d. i. Quellen Mose's bezeichneten. Auf der Westseite des Meers erhoben sich die dürren Bergspitzen 'Atâkah und Deraj hoch und dunkel; und zwischen ihnen dehnte sich die breite Ebne des Wady Tawârik aus.
Zu unsrer Linken, etwas weiter südlich, macht eine einzelne
Spitze in dem Gebirge er-Râhah eine Art Landmerkmal aus,
das wir schon von Suez aus gesehn hatten; sie heifst Tâset Sûdr
und liegt am obern Ende des Wady gleichen Namens. Wir erreichten 'Ayûn Mûsa um 8 Uhr 30 Min., wo ich sieben Quellen
zählte, wovon einige erst kürzlich durch Graben im Sande entstanden waren, in denen ein wenig salziges Wasser stand. Andre
waren älter und wasserreicher; aber das Wasser ist dunkel, salzig, und setzt, so wie es steigt, eine harte Masse ab, so dafs
sich Hügel um die gröfsern Quellen gebildet haben, auf deren
Höhe das Wasser hervorquillt und einige Ellen weit hinabfliefst,
his es sich im Sande verliert. Wir bemerkten nicht, dafs das
Wasser warm war, wie Monconys und Andre berichten. Die Araber nennen die nördlichste Quelle süfs, wir konnten aber keinen
grofsen Unterschied von den andern wahrnehmen. Eine derselben hat eine kleine, kunstlose Rinne von Steinen, einige Schritte
lang, welche die Franzosen mit dem Namen einer venetianischen

7 *

Wasserleitung beehrten. [1]) Ungefähr zwanzig verkrüppelte, un-
gepflegte Palmbäume oder vielmehr Palmsträucher, wachsen umher im dürren Sande. Ein kleiner Fleck Gerste, ein Paar
Ruthen ins Geviert, wurde von zwei der südlichen Quellen bewässert. Die Gerste hatte grade Aehren angesetzt und wir
zählten sechs Leute, die damit beschäftigt waren, die kleinen
Vögel, Semmâueh genannt, zu verscheuchen, und sahen daraus,
welchen Werth sie auf das einzige Stückchen urbares Land in
der Nähe von Suez, wohin sie gehörten, legten. Auch einige
Kohlpflanzen gab es dort. Dicht bei den Quellen befindet sich
ein niedriger Schutthügel mit Scherben und zerbrochnen Ziegelstei-
nen und einigen Fundamenten, die oben sichtbar sind, was wahrscheinlich die Stelle eines früher hier befindlichen Dorfs bezeichnet.[2])

Gleich südlich von diesen Quellen erhebt sich der Pfad über
Sandhügel. Um 9 Uhr 35 Min. durchschnitten wir den Wady
er - Reiyâneh, der sich nach dem Meere hinzieht, wie denn auch
alle die folgenden Wady's diesen Weg nehmen. Eine Stunde
weiter ging ein Pfad links ab nach den Bergen am obern Ende
des Wady Südr, wo die Terâbin - Araber ihr Hauptlager haben.
Um 11 Uhr 35 Min. kamen wir nach dem Wady Kürdhiyeh,
keine Ebne wie Burckhardt sagt [3]); denn die Bedawin geben ge-

---

1) Siehe Monge in Descr. de l'Egypt. Et. Mod. I. S. 409 ff. Laborde's Karte. — Monge spricht von dieser Wasserleitung, als ob
sie bis zum Meere hinabginge und so eine Stelle, die Schiffe mit Wasser zu versehn, bildete. Wir kannten damals diese Hypothese nicht und
haben daher die Küste nicht untersucht. Aber es befindet sich nichts
rings um die Quellen, was darauf hindeutete. S. auch Marmonts Voyage
etc. Tom. IV. S. 153. Brux. 1837.

2) Monge sieht dies als die Stelle einer früher dort befindlichen Töpferei an, wo irdne Geschirre gemacht wurden, um das Wasser zu transportiren. Descr. de l'Egypte a. a. O.

3) Travels in Syria etc. S. 470. (774.)

wöhnlich nur den Wadys und nicht den Ebnen, die dazwischen liegen, Namen. Der Weg geht mehrere Stunden lang über einen kiesigen Landstrich. Um 12 Uhr 15 Min. ging ein Steig etwas rechts ab, der nach dem Ufer zur Quelle Abu Suweirah nahe an der Mündung des Wady Wardân und so zu den warmen Quellen des Jebel Hümmâm führt. Bald nach 1 Uhr durchschnitten wir den Wady el-Ahtha, welcher durch die Ebne herabkam. Alle diese Wady's sind blofse Senkungen in der Wüste, wo nur hie und da einige Kräuter und Sträucher sich befanden, die jetzt verdorrt und von der Dürre verbrannt waren. Diese Ebnen entlang bemerkten wir zuerst hie und da Felsen von Korallen-Formation, die wir nachher auch bei den nahegelegenen Hügeln fanden. Um 4 Uhr 10 Min. lagerten wir uns etwa in der Mitte des Wady Südr; ein breiter Landstrich, in gleicher Höhe mit der Ebne, über den die Giefsbäche von den Bergen herab sich nach dem Meere stürzen. Er ist mit Treibsand bedeckt, der sich um die Sträucher und niedrigen Bäume zu kleinen Hügeln aufhäuft. Hier befanden sich ein Paar verkrüppelte Tamarisken, so wie viele Sträucher und Kräuter, so dafs unsre Kamele bessre Weide fanden als je zuvor. Die Spitze des Tâset Südr lag fast östlich am Anfang des Wady. Die Nordspitze des 'Atâkah lag Nord-West gen Norden, und Kulâlah westlich.

Jener Berg wird Tâset Südr, (Tafse von Südr) genannt von einer Quelle in der Nähe, die nach dem Wady Südr läuft. Hier befindet sich das Hauptquartier der Terâbin, die vorzüglich in den Bergen er-Râhah wohnen, aber auch die Quelle Abu Suweirah besuchen, und das ganze Land von dem Punkt gegenüber Suez bis zum Wady Ghüründel in Anspruch nehmen. Sie sind arm und nicht zahlreich, denn sie bestehen in Allem aus nicht mehr als fünf und zwanzig Zelten oder einigen vierzig Familien. Die Tawarah sehen diese Terâbin hier als Fremdlinge an; sie sind eine Colonie von dem Hauptstamme dieses Namens, der das Land südlich von Gaza inne hat und sehr reich an Heerden ist. Ihr Gebiet, wie oben beschrieben, enthält aufser den oben erwähnten zwei Quellen auch die von Mab'úk, Nâba' und 'Ayûn Mûsa im Norden, und die von Hawârah und Wády Ghürûndel im Süden.

Wir konnten mit unsern Tawarah-Führern ganz zufrieden sein. Sie waren gutmüthige, höfliche Leute, die bereit und willig waren, alles Mögliche, was wir nur wünschten, für uns zu thun. Besbârah commandirte und hatte für das Nöthige beim Lagern des Abends und beim Aufbruch des Morgens zu sorgen; doch schienen in andern Beziehungen Alle ziemlich auf gleichem Fufse zu stehn. Sie gingen fröhlich und wohlgemuth neben uns her, liefen oft eine Zeit lang den Kamelen voraus und trödelten eben so oft hinter her; dabei schienen sie des Abends nie ermüdet zu sein. Sie trugen wie alle die Tawarah Turbans und nicht die Kefîyeh der nördlichen und östlichen Wüste. Schuhe und Strümpfe sind Luxusartikel, von denen sie wegen ihrer Armuth sowohl als wegen ihrer Sitten keinen Gebrauch machen dürfen. Ihre Sandalen sind von der rohsten urväterlichen Sorte, und werden aus der dicken Haut eines Fisches, den man im rothen Meere fängt, gemacht. Einige hatten alte Gewehre mit Luntenschlössern; die Läufe waren meistentheils sehr lang und dem Ansehn nach türkische oder westliche Arbeit, während Schaft und Schlösser roher und gewifs von ihnen selbst verfertigt waren. Einige von unsern Arabern, so wie auch andre, die wir sahen, führten einen kleinen Stab, etwa drei Fufs lang, oben mit einer Krümmung, und einem parallel mit dem Stabe stehenden länglichen Kopfe von eigenthümlicher Form. Dies ist nur deshalb der Erwähnung werth, da es ein merkwürdiges Beispiel von der Unveränderlichkeit der morgenländischen Sitten darbie-

tet; denn denselben Stock, ganz in derselben Form, sieht man
in den Händen von Figuren, die auf den Mauern der thebanischen Tempel dargestellt sind. [1]) Laborde erzählt, dafs es in
Damaskus eine Fabrik dieser Stäbe gebe. Wir hatten in Kairo
einhundert Piaster Vorschufs auf jedes Kamel gegeben, und es
dabei ausdrücklich ausgemacht, dafs bis zum Ende der Reise
nichts mehr gefordert werden dürfe. Doch bei unsrer Ankunft in
Suez kam Beshârah mit sehr demüthiger Geberde zu uns und
sagte, dafs sie alles Geld, das sie in Kairo erhalten hätten, für
Bedürfnisse und frühere Schulden ausgegeben, und dafs sie jetzt
nichts hätten, wovon sie Mundvorrath und Futter kaufen könnten.
Uns war es ganz gleich, ob wir ihnen das Geld jetzt oder später
auszahlten, wenn wir uns nur vorsahen, ihnen nicht die ganze
Summe vorzuschiefsen, und wir erfüllten daher ihre Bitten in dieser Beziehung. Es war natürlich unser Wunsch und Bestreben,
in allen Stücken mit ihnen freundlich umzugehn und sie als Menschen zu behandeln. Auf diese Weise haben wir ihr Vertrauen
gewonnen, und sie haben uns die Freundlichkeit wieder vergolten.
Reisende beklagen sich oft über die Hartnäckigkeit der Bedawin
und die Betrügereien, die sie versuchten, und wahrscheinlich nicht
ohne Grund; aber der Fehler ist, wie ich fürchte, meistentheils
auf Seiten des Reisenden selbst. Er kann gewöhnlich nicht selbst
mit seinen Führern sprechen, aufser durch einen Dolmetscher,
der ihnen immer verdächtig oder verächtlich ist. So wird ihnen
der Reisende selbst verdächtig und hat sie wiederum in Verdacht,
bis sogar ihre unschuldigsten Bewegungen übel ausgelegt und
feindseligen Beweggründen zugeschrieben werden. Nicht selten
versucht es auch der Fremde, mit Drohungen und Gewalt zu sie-
gen, und es gelingt ihm auch für den Augenblick; aber er wird

---

1) Siehe Rosellini Monumenti Storici, Taf. XLII, CXXI, CXXII,
CXXXIV, und öfter.

es zuletzt erfahren, dafs er sich statt Freunde, Feinde gemacht
hat; und er wird keinen guten Namen weder für sich, noch für
seine Landsleute, die ihm später etwa folgen, zurücklassen.
Freundliche Worte und zur rechten Zeit eine Appellation an ihre
Gaumen und Magen sind wohlfeilere und wirksamere Mittel, die
Bedawîn zu gewinnen, als harte Worte und drohende Geberden.
Hätten wir das letztere bei unsern Führern angewandt, so zweifle
ich nicht, wir hätten sie eben so eigensinnig und trotzig gefunden, wie man sie zuweilen dargestellt hat.

Sonntag den 18ten März. Wir blieben den ganzen
Tag auf unsrer Lagerstätte im Wady Südr. Wir waren bei
unsrer Abreise von Kairo entschieden, wenn es möglich, immer
am Sabbath der Christen zu ruhen; und während unsrer ganzen
Reise durch das gelobte Land waren wir nur ein einziges Mal
genöthigt, diese unsre Ordnung zu brechen. So sonderbar es
auch Anfangs scheinen kann, so haben diese Sabbathe in der
Wüste doch einen eignen Reiz, und machten auf das Gemüth einen Eindruck, der nie verlöschen wird.

Wir hatten darüber mit unsern Arabern nichts ausgemacht,
und überliefsen es der Zeit und den Umständen, den Weg zu einer solchen Anordnung zu bahnen. Da wir ihnen gestern unsern
Wunsch eröffneten, heute liegen zu bleiben, hatten sie nichts dagegen einzuwenden und waren ganz bereit, uns zu Willen zu sein.
Die Armen! sie legen keinen Werth auf die Zeit, und sobald einmal ein Handel abgeschlossen, ist es ihnen ganz gleichgültig, ob
sie zehn oder funfzehn Tage auf dem Wege zubringen. Wir gaben ihnen Reis zum Mittagessen und bereiteten ihnen dadurch
ein ordentliches Festmahl. Einer von ihnen hatte schlimme Augen, und wir freuten uns um seinet- und unsertwillen, dafs wir
etwas Augenwasser bei uns hatten.

Um Mittag kamen drei Leute auf Kamelen heran und mach-

ten den ganzen Tag und die Nacht in unsrer Nähe Halt. Der
eine war ein junger Mönch, eine Art von Novize im Kloster vom
Berge Sinai; der andere war ein griechischer Priester aus Philippo-
polis, und der dritte ein Wallachischer.Pilger; alle auf der Reise
nach dem Kloster. Sie hielten sich noch mehrere Tage nachher
in unsrer Nähe.

Montag den 19ten März. Wir standen früh auf und
machten uns mit Sonnenaufgang auf den Weg. Die Sonne warf
ihre sanften Strahlen über den Meerbusen herüber und liefs uns
das düstre Antlitz des 'Atâkah deutlich erkennen, so wie auch
den mehr südlich gelegenen Kulâlah, wie unsre Araber ihn nannten, mit seinem langen Bergrücken, und den breiten Wady Tawârik zwischen diesen beiden Bergen. Da wir unsern Weg über
dieselbe grofse Ebne fortsetzten, erreichten wir um 9 Uhr 15
Min. die Nordseite von Wady Wardân. Dies ist ein breiter Strich
wie Wady Südr, mit Betten von Giefsbächen und Treibsand. In
demselben befindet sich gegen das Meeresufer zu die Quelle Abu
Suweirah, die gewöhnlich ein wenig Süfswasser giebt, aber vertrocknet, wenn der Regen eine Zeitlang ausbleibt. Hier fand
eine interessante Begebenheit der arabischen Kriegführung statt,
die Burckhardt erzählt. [1] Die Berge gegen Osten führten noch
immer den allgemeinen Namen er-Râhah; doch werden jetzt verschiedne Theile davon nach den Wadys benannt, die dort herabkommen, wie Tâset Südr, Jebel Wardân und dergleichen. Nahe
am obern Ende von Wady Wardân geht eine Hügelkette von diesen
Bergen in südwestlicher Richtung ab, während nahe am Ausgange
dieses Wady eine niedrige Kette von Sandhügeln auf der rechten
Seite anfängt und nach Südost hinläuft. Diese vereinigen sich

---

1) S. 471. (775.) Ich werde auf diese Geschichte wieder zurückkommen, wenn ich von dem Charakter der Tawarah spreche.

etwa vier Stunden vom Wady Wardân und begrenzen die grofse Ebne.
Um 12 Uhr kamen wir zwischen die Berge. Der Weg windet sich
zuerst eine Zeit lang an der Ostseite von zwei hohen Hügeln
von Sand und Kieselstein hin; dann überstiegen wir um 12
Uhr 25 Min. einen Rücken, wo wir die erste Aussicht nach dem
Jebel Hümmâm gegen Süden zu hatten. Der Weg ging fortwährend zwischen Hügeln von Kalkstein-Formation, alle ganz ohne
Pflanzenwuchs; einige davon hatten eine Menge von krystallisir-
tem Kalkspath. Um 12 Uhr 45 Min. durchschnitten wir den kleinen Wady el-'Amârah, in welchem sich nur hie und da einige
Sträucher befanden. Um 2 Uhr 30 Min. kamen wir bei einem
grofsen Felsblock vorbei, der nahe am Fufs des Hügels zu unsrer
Rechten lag. Er führt den Namen Hajr er-Rukkâb (Stein des
Reiters), und wird von Niebuhr erwähnt. Funfzehn Minuten weiter kamen wir zu der Quelle Hawârah, auf einer Erhöhung zur
Linken des Weges. Diese bestand aus einer weifslichen Felsmasse
und hatte sich offenbar aus dem Niederschlag der Quelle im Lauf
der Zeit gebildet. Jetzt flofs kein Wasserstrom herab, obgleich
Spuren vom fliefsenden Wasser sich ringsumher zeigen. Das
Becken hat sechs oder acht Fufs im Durchmesser und das Wasser
ist etwa zwei Fufs tief. Der Geschmack desselben ist unangenehm, salzig und etwas bitter, wir konnten es jedoch nicht viel
schlechter finden als das von 'Ayûn Músa; vielleicht waren wir
noch nicht rechte Kenner des schlechten Wassers. Die Araber
nennen es indefs bitter und sehen es als das schlechteste Wasser
in der ganzen Umgegend an. In der Noth trinken sie es, auch
unsre Kamele tranken reichlich davon. Dicht bei der Oeffnung
stehen zwei verkrüppelte Palmbäume und rings um dieselbe viele
Büsche von dem Gesträuch Ghürküd [1]), die eben in Blüthe stan-

---

1) Peganum retusum Forsk. Flor. Aeg. S. LXVI., genauer

den. Es ist dies ein niedriger, buschiger Dornenstrauch, der eine kleine Frucht hervorbringt, die im Juni reif wird. Diese ist den Berberitzen nicht unähnlich, sehr saftig und etwas säuerlich. Der Ghürküd scheint in einem salzhaltigen Boden besonders zu gedeihen; denn wir fanden, dafs er um alle salzigen Quellen wuchs, die wir nachher auf unsern Reisen in und um Palästina trafen. Mitten in den versengten Wüsten, wie in dem Ghôr südlich vom todten Meere, wo die Hitze drückend und die Quellen salzig waren, haben uns oft die rothen Beeren dieser Pflanze eine willkommne Erquickung geboten.

Die Quelle Hawârah wird zuerst ausdrücklich von Burckhardt erwähnt. Pococke sah sie vielleicht, obgleich seine Worte ziemlich unbestimmt sind. [1]) Niebuhr ist diesen Weg gereist, aber seine Führer haben ihn nicht darauf aufmerksam gemacht, vielleicht deshalb weil die Araber sie nicht als eine Tränkstätte ansehn. Seit Burckhardts Zeit wird sie allgemein für das Bitterwasser Marah gehalten, welches die Israeliten nach einem dreitägigen Marsch ohne Wasser durch die Wüste Sur erreichten. [2]) Die Lage der Quelle und die Beschaffenheit der Gegend pafst genau zu dieser Annahme. Nachdem die Israeliten durchs rothe Meer gezogen, haben sie sich natürlich an den Quellen Nâba' und 'Ayûn Mûsa mit Wasser versehen; und von der letztern bis nach Hawârah ist eine Strecke von etwa $16\frac{1}{2}$ Stunden, oder 33 engl. geographische Meilen, was, wie wir oben gesehn haben, für sie drei Tagereisen waren. Auf dem Wege giebt es weiter kein Wasser; aber dicht am Meere befindet sich jetzt die kleine Quelle Abu

die Nitraria tridentata von Desfontaines, Flora Atlant. I. 372. Vergl. Gesenius Anmerkungen zu Burckhardt S. 1082.

1) Travels I. p. 139. fol.
2) 2 Mos. 15, 23 ff. 4 Mos. 33, 8.

Suweirah, die damals entweder trocken gewesen, oder gar noch
nicht existirt haben mag; und in den Bergen zur Linken befindet sich „die Tasse von Südr," einige Meilen vom Wege ab
und wahrscheinlich den Israeliten unbekannt. Ich sehe daher keinen triftigen Einwand gegen die obige Hypothese. Die Quelle
liegt in der angegebenen Entfernung und gerade auf ihrem Wege; denn es ist gar nicht wahrscheinlich, dafs sie den weitern
Weg durch die Niederung an der Meeresküste gegangen sind.
Wir forschten besonders danach, mit Gewifsheit zu erfahren, ob
der Name Marah noch existirt, wie Shaw [1]) und Andere angeben; aber weder die Tawarah-Araber, noch die Einwohner von
Suez, noch die Mönche im Kloster hatten, so viel wir erfahren
konnten, je davon gehört. Wahrscheinlich sind Reisende durch
den Namen Wady el-'Amârah oder auch el-Mürkhâh, eine Quelle
fast zwei Tagereisen weiter südlich auf dem untern Wege nach
dem Berge Sinai und nach Tûr, verleitet worden.

Burckhardt meint, dafs die Israeliten das Wasser Marah
wohl dadurch möchten schmackhaft gemacht haben, dafs sie den
Saft der Ghürküd-Beeren damit vermischten. [2]) Es würde das
auf eine sehr einfache und gewifs erfolgreiche Weise haben geschehn können, und da dieser Strauch um alle salzigen Quellen
wächst, so wäre auch das Mittel überall bei der Hand gewesen.
Aber da die Israeliten in Aegypten am Ostermorgen aufbrachen,
und Marah wahrscheinlich nur zwei oder drei Wochen später erreichten, so konnte kaum die Zeit der Reife dieser Beeren schon gekommen sein. Wir haben oft und fleifsig nachgeforscht, ob jetzt
noch unter den Bedawîn irgend ein Verfahren, schlechtes Wasser
in süfses zu verwandeln, bekannt sei, sei es nun durch den Saft

---

1) Travels in 4to p. 314. (271.)
2) Travels in Syria etc. p. 474. (780.)

von Beeren oder die Rinde und die Blätter von irgend einem Baume oder einer Pflanze; aber wir hörten überall die Antwort:
Nein. [1])

Indem wir unsere Reise fortsetzten, fanden wir nach einer
halben Stunde zur Linken eine kleine Ebne oder eine Niederung, Nukeia' el-Fúl genannt, worin sich nach starken Regen-
güssen Wasser sammelt, so dafs sich dort ein fetter Lehm-
boden gebildet hat, der einen üppigen Pflanzenwuchs hervortreibt.
Dies bezeugten die hohen Stiele von einer Masse von wildem
Gewächs, die jetzt verdorrt da standen. Auf einigen Stellen derselben säen die Terábín-Araber Weizen und Gerste nach dem
Regen und sammeln eine gute Erndte ein. Es war der einzige
Fleck Ackerland, den unsre Araber in dieser Gegend kannten.
Einige Ziegen weideten auf den Hügeln umher und wurden von
Frauenzimmern gehütet. Wir erhielten von ihnen etwas Milch,
die wir ihnen mit Brot statt des Geldes bezahlten, da dies ihnen
viel angenehmer war. Dies waren die ersten Viehheerden, die
wir seit unsrer Abreise von Kairo sahen, und wir bemerkten nachher die wenigen Zelte der Eigenthümer, Terábín-Araber,
die weiter oben im Wady Ghüründel aufgeschlagen waren. Um
4 Uhr 15 Min. erreichten wir den letztgenannten Wady, der sich
als ein breites Thal von den Bergen zur Linken herabzieht und
von Nordost nach Südwest, südlich von Rás Hümmám, dem Meere
zugeht. Der Berg am obern Ende desselben heifst Rás Wady
Ghüründel, eine Fortsetzung des Gebirges er-Ráhah, das sich
hier nach Südost und Osten wendet, wo es den Namen et-Tíh

---

1) Es st wohl kaum nöthig zu bemerken, dafs im hebräischen
Grundtext, wie in der deutschen Uebersetzung, hier nur das allgemeine
Wort für Baum steht; es können daher alle Vermuthungen, welche Pflan-
ze damit gemeint sei, nur in der Luft schweben. Siehe Lord Lindsay's
Letters etc. I. p. 263 sq.

bekommt und sich quer über die Halbinsel nach dem Meerbusen von 'Akabah hinzieht. Bis hieher war unsre Richtung den ganzen Tag über Südsüdost gewesen; wir gingen nun aber den Wâdy eine halbe Stunde lang nach Südwest hinab, und lagerten uns um 4 Uhr 45 Min. in einer tiefen und schmalen Gegend desselben. Dieser Wâdy liegt tiefer und ist besser mit Gebüsch und Sträuchern bewachsen, als irgend einer von denen, die wir früher gesehn hatten; und gleich Sudr und Wardân zeigte er Spuren, dafs noch in diesem Jahre Wasser darin geflossen war. Der Ghürküd ist hier sehr häufig. Man findet hie und da ververschiedne Arten von Bäumen darin; der gewöhnlichste ist der Türfa, eine Art von Tamarisken, Tamarix Gallica mannifera bei Ehrenberg, woran sich unsre Kamele weideten; so wie auch Mimosen, die von den Arabern Tülh und Seyâl genannt werden. Einige wenige kleine Palmbäume stehen im Thale zerstreut. Wir sahen auch viele Holzböcke, eine Art Insekt, das Burckhardt erwähnt; aber sie belästigten uns nicht. Etwa eine halbe Stunde unterhalb unsrer Lagerstätte fanden die Araber Wasser, wie sie sagten, aus Quellen mit einem fliefsenden Bache. Es war etwas salzig und im Allgemeinen ganz ebenso, wie das von den frühern Quellen, obgleich etwas weniger unangenehm als das von Hawârah. Wir liefsen es über Nacht in unsern ledernen Flaschen stehen; es veränderte aber seinen Geschmack nicht, obgleich die Araber behaupteten, es würde sich verschlechtern, was auch Burckhardt bestätigt. Wenn es zwei oder drei Jahre lang nicht regnet, so hört der Bach auf zu fliefsen; aber man kann doch immer Wasser finden, wenn man nur ein wenig tiefer gräbt.

Diesen Wady hält man allgemein für das Elim in der Bibel, wohin die Israeliten kamen, nachdem sie Marah verlassen hatten, „und daselbst fanden sie zwölf Wasserbrunnen und sieben-

zig Palmbäume." [1]) Wenn wir zugeben, dafs 'Ain Hawàrah das
alte Marah ist, so liegt auch in dieser Annahme nichts Unwahr-
scheinliches. Die Quellen des Wady Ghüründel sind zwei und
eine halbe Stunde oder für die Israeliten beinah eine halbe Tagereise von Hawàrah, und machen noch immer einen Haupt-
wasserplatz für die Araber aus. Der Haupteinwurf, den man
hier machen möchte, ist die Entfernung von diesem Punkte bis
zur nächsten Station, wo die Israeliten sich am „Schilfmeer lagerten" [2]), ein sehr genau bestimmter Ort, wie wir in der
Folge sehn werden. Doch läfst sich dieser Einwurf wohl be-
seitigen.

Hinter Wady Ghüründel fängt das Gebirge, oder wenigstens ein bergiger Landstrich an. Zur Rechten, in Südwest,
der Küste entlang liegt der hohe Berg Jebel Hümmàm, so von
den heifsen Schwefelquellen an seiner Nordseite genannt. Zur
Linken erscheint die Fortsetzung des Ràhah mit mehrern Aus-
läufern, die sich südwestlich davon, südlich von Ghüründel hin-
abziehen und sich beinah bis zum Jebel Hümmàm erstrecken.
Die ganze Gegend besteht aus Kalkstein-Bildungen. Der Wady
Ghüründel zieht sich nicht durch die Berge hinauf zur Linken
nach Gaza zu, wie man Burckhardt berichtet hat, sondern nahe
am obern Ende desselben läuft ein andres Thal, Wady Wütàh
genannt, von Osten her damit zusammen, wo das letztere sich
zwischen dem Tih und einem Berge grade davor, der auch Wütàh heifst, hinaufzieht. Hier befindet sich ein ganz einsames
Thal von Bergen eingeschlossen, von dessen obern Ende ein

---

1) 2 Mos. 15, 27. 4 Mos. 33, 9. — Wir fanden nirgends eine
Spur eines Thals oder Orts mit dem Namen 'Alim oder Ghàlìm, wie
Ehrenberg berichtet; s. Gesenius Lex. Heb. in אֵלִם. Auch würde diese
arabische Form mit dem hebräischen Namen nicht übereinstimmen.

2) 4 Mos. 33, 10.

Engpafs nach der Ebne er-Ramleh hinüberführt; das Ganze bildet eine kürzere, aber unwegsamere Strafse von Ghüründel nach
dem Berge Sinai.

Dienstag den 20ten März. Niebuhr reiste den Wady
Ghüründel nach dem Meere hinab, etwa zwei und eine halbe
Stunde von unsrer Lagerstätte aus, und dann anderthalb Stunden
am Ufer der Bay oder Birket Hümmâm Far'ôn entlang nach den
heifsen Quellen, die er, wie viele Reisende, beschrieben hat [1]).
Von da geht der Weg den Wady Useit hinauf. Doch die grade
Strafse von unsrer Lagerstätte im Ghüründel führt über das Hoch-
land zwischen diesem Wady und Useit. Wir schlugen diesen
Weg ein, bestiegen unsre Kamele um 6 Uhr 10 Min., wendeten
uns bald aus dem Wady Ghüründel, und fingen an, den niedrigen
Rücken vor uns zu ersteigen. Zur Rechten dehnte sich der Jebel Hümmâm längs der Küste nach Süden zu aus, schwarz,
wüst und malerisch. Um 6 Uhr 45 Min. gelangten wir auf den
höhern Landstrich oder die Ebne, und hatten bald eine Aussicht
auf den Jebel Serbâl, der von hier aus wie eine hohe, runde
Kuppe erscheint, in der Richtung Südost gen Süd. Um 7 Uhr
5 Min. kamen wir an einen Haufen Steine, Hüsân Abu Zenneh genannt, auf den einer unsrer Araber mit dem Fufse etwas Erde
schleuderte und dabei schrie, was, wie er sagte, bei ihnen Sitte

---

1) Folgendes ist der letzte Bericht über diese Quellen, von Russegger, der einige Monate nach uns diesen Weg machte: ,,Diese heifsen
Schwefelquellen brechen aus den Bergen der untern Kreide beinah im
Horizonte des Meeres hervor. Die bedeutendste dieser Quellen zeigte
bei einer Lufttemperatur = 26° 3 Réaum. dicht am Ausflufs aus der
Felsenkluft, eine Temperatur von 55° 7 R. Die Quellen setzen sehr
viel durch Schwefel verunreinigtes Kochsalz ab; und erstern findet man
auch als Anflug an den Wänden der vielen Höhlen, welche die Quellen
umgeben, mit ihnen in Verbindung stehn, und von ihren heifsen Däm-
pfen durchdrungen werden." Berghaus Annalen, März 1839, S. 422.

sei: „Füttre das Pferd des Abu Zenneh." Es bezeichnet die
Stelle, wo einst ein Pferd fiel, das einem Manne dieses Namens
gehörte. Eine Viertelstunde weiter passirten wir den kleinen
Wady Um Suweilih, woselbst ein Zweig des untern Weges von
'Abu Suweirah sich mit unsrem Wege vereinigte. Hier stand
ein einzelner Akazien - oder Tülh - Baum. Um 7 Uhr 55 Min. stiefsen wir auf einen kleinen Neben - Wady und gingen denselben
hinab eine halbe Stunde weit bis zum Wady Useit oder Wuseit.
Dies Thal ist dem von Ghüründel ähnlich, indessen nicht so
grofs. Es enthält einige kleine Palmbäume und ein wenig salziges Wasser, das in Pfützen steht. Der Boden ist an vielen
Stellen mit einer weifsen Kruste überzogen, offenbar salpetrig.
Dieser Wady geht von Ostsüdost nach Westnordwest; er zieht
sich an dem nördlichen Ende des Jebel Hümmâm vorbei und erreicht das Meer bei der Bai Hümmâm Far'ôn. Hier läuft der
Hauptzweig der untern Strafse über Abu Suweirah und die heifsen
Quellen in die unsrige hinein.

Bis hieher war unsre Richtung ungefähr Südost; indem wir
uns nun aber nach Südost gen Ost wandten, durchschnitten wir
eine Ebne von einiger Ausdehnung, die ihren Namen von dem
kleinen Wady el - Kuweisch hat, den wir um 10 Uhr erreichten.
Auf der Ebne zeigten uns unsre Araber die frischen Spuren einer
Hyäne. Bei unsrer Weiterreise hatten wir zur Rechten den Jebel
Hümmâm und zur Linken andre kleinere Bergrücken, Ausläufer
des Tih. Der erstere ist hoch und steil; er zieht sich mit mehrern hohen Spitzen dem Meeresufer entlang. Er besteht aus kreidi-
gem Kalkstein, fast überall mit Feuersteinen bedeckt, die dem
ganzen Berge ein düsteres Ansehn geben, mit Ausnahme solcher
Stellen wo die Kreide zu Tage liegt. Die steilen Felswände
ziehn sich bis zum Meere hinab und schneiden alle Verbindung
längs der Meeresküste ab, von den heifsen Quellen bis nach der

8

Mündung des Wady et-Taiyibeh, mit Ausnahme eines Fufsstei-
ges für Menschen hoch oben auf dem Berge. Dieser Umstand
macht es gewifs, dafs die Israeliten nothwendig innerhalb dieses
Berges, auf dem Wege, den wir eben verfolgten, nach dem obern
Ende des Wady Taiyibeh müssen gegangen sein; denn in, dieser
Richtung giebt es und kann es keinen andern Weg geben.

Der Wady Thâl oder Athâl folgte nun um 10 Uhr 45 Min.
Er läuft von Ost nach West, ist mit Gesträuch und Akazien, so
wie mit einigen Palmbäumen versehen; auch ein paar Löcher mit
salzigem Wasser giebt es darin wie in Wady Useit; der Boden
ist ebenfalls mit einer Salpeter-Kruste überzogen. Der Berg am
Ende des Thals führt den Namen Râs Wady Thâl und gehört
eigentlich nicht zum Jebel et-Tih, da er durch den oben erwähnten Wady Wütâh davon getrennt ist. Der Wady Thâl bricht
seinen Weg durch Jebel Hümmâm bis zum Meere durch, eine
tiefe, enge Schlucht; aber jenseits desselben giebt es dennoch
keinen Weg dem Ufer entlang. Indem wir nun fast südlich
weiter gingen und uns um das Ende einer Anhöhe wendeten,
die vom Jebel Hümmâm aus nach Südost ausläuft, kamen wir
nach einigen funfzig Schritten vor einem kleinen Steinhaufen
vorbei, dicht an der steil erhöhten Wegseite. Etliche Lumpen lagen zerstreut umher. Diefs halten die Araber für das
Grabmal einer heiligen 'Öreis Themmân, oder Braut Themmân's.
Burckhardt sagt, dafs die Araber hier ein kurzes Gebet zu sprechen pflegen; aber die unsrigen thaten's nicht. Nachdem wir
einen niedrigen Hügel überstiegen hatten, kamen wir um 11 Uhr
45 Min. nach dem Wady Shubeikeh, der hier fast südlich läuft,
und den wir hinabgingen. Dies Thal besteht aus mehreren Zweigen, die sich weiter unten vereinigen, und von der Verbindung
der vielen zusammenlaufenden Verzweigungen schreibt sich der
Name Shubeikeh oder „Netz" her. Indem wir durch diesen Wady

gingen, entdeckten unsre scharfsichtigen Araber zwei Gazellen
auf dem hohen Rücken zur Rechten; und es war lustig mit anzusehn, mit welcher Begierde sowohl Alt als Jung sich sogleich
aufmachte, sie zu verfolgen. Sie suchen dem Wilde immer durch
einen Umweg auf der dem Winde entgegengesetzten Seite sich zu
nähern; und da sie nur Luntenflinten haben, so müssen sie auf
Schussweite herankommen, ohne das Thier zu stören. Dies Mal
kamen sie unverrichteter Sache wieder. Die lieblichen Thiere
hatten sie schon bemerkt, ehe sie ausliefen, und indem sie an-
muthig über die Hügel setzten, liefsen sie die Jäger nicht nahe
kommen. Aber es war eine Art Intermezzo in dem gewöhnlichen
Einerlei des Weges; und hierbei, wie bei vielen andern Gelegenheiten, waren wir überrascht durch die Aehnlichkeit der Bedawin
mit den amerikanischen Indianern in vielen ihrer Eigenthümlichkeiten. Besonders aber zeigt sich diese in dem untrüglichen Scharf-
blick, mit dem jene die leisesten Fufstapfen von Menschen und
selbst von Kamelen auf der Oberfläche der Wüste erkennen und
verfolgen.

Nachdem wir die Vereinigung der Nebenthäler des Wady
Shubeikeh hinter uns hatten, erreichten wir bald einen freien
Platz um 12 Uhr 15 Min., wo der Wady Humr von Ostsüdost
herabkommt und sich mit dem Shubeikeh vereinigt; so dafs beide
hierauf den Wady et-Taiyibeh bilden, der dann südwestlich durch
die Berge nach dem Meeresufer zu läuft, zwei Stunden von diesem
Punkt. [1]) Hier scheiden sich die beiden Strafsen nach dem Berge
Sinai. Die obere und kürzere, die wir einschlugen, wendet sich
links Wady Humr hinauf, während die untre, weniger beschwer-
liche den Wady Taiyibeh hinab nach dem Meere zu geht. Dieser letztere Wady wird als ein schönes Thal beschrieben, das

1) Burckhardt S. 625. (985.)

8 *

von steilen Felsen eingeschlossen ist, mit vielen Bäumen und ein
wenig salzigem Wasser wie die frühern Wady's. Wo er das
Meer erreicht, befindet sich gegen Norden ein hohes Vorgebirge,
während die Berge südlich zurücktreten und einer sandigen Ebne
mit vielem Gesträuch Platz machen, die sich anderthalb Stunden
längs dem Ufer ausdehnt. Dann treten die Berge wieder auf
eine eben so lange Strecke an's Meer heran, so dafs nur zur Ebbezeit ein Weg herumführt, während die Reisenden zu andern Zeiten über dieselben steigen müssen, wie es bei Burckhardt der
Fall war. Nachher folgt eine ausgedehntere Ebne am Ufer, in der
man nach einer Stunde auf die bittre Quelle el-Mürkhâh trifft.
Burckhardt beschreibt sie als einen kleinen Teich im Sandsteinfelsen dicht am Fufs des Gebirges. Der Geschmack des Wassers
ist schlecht, theils wegen des Unkrauts, Mooses und Schmutzes,
wovon der Teich voll ist, besonders aber wegen der salzigen
Beschaffenheit des Bodens umher. Unsre Araber behaupteten
indefs, dafs es besser sei als das Wasser Hawârah. Nach
Ghüründel ist es der vorzüglichste Wasserplatz der Araber auf
dieser Strafse. Burckhardt erwähnt auch eines Behälters von Regenwasser im Wady el-Dhafary eine halbe Stunde Südost gen
Süd von el-Mürkhâh [1]. Eine Stunde oder noch weiter südlich
von der Quelle el-Mürkhâh trennt sich die Strafse nach dem
Sinai von der nach Tûr; die letztere geht an der Küste weiter
fort, während die erstere zwischen die Berge durch Wady Shellâl
und so durch Wady Mukatteb nach dem Wady Feirân sich wendet, wo sich Wasser und Feldbau findet.

Es ist schon bemerkt worden, dafs die Israeliten von Ghüründel innerhalb des Jebel Hümmâm nach dem obern Ende des
Wady Taiyibeh gehn mufsten; und ebenso mufs es auch auf der

---

1) Siehe überhaupt Burckhardt's Travels in Syria etc. **S. 623 ff.**
(982 ff.)

Ebne an der Mündung dieses Thals gewesen sein, wo sie sich „am Schilfmeere" lagerten.[1]) Die Beschaffenheit des Landes zeigt ganz deutlich, dafs, wenn sie überhaupt durch diese Gegend gekommen sind, sie nothwendigerweise diesen Weg genommen und ihre Lagerstätte an dieser Stelle gehabt haben müssen. Von Ghüründel bis zum obern Ende von Taiyibeh fanden wir eine Entfernung von sechs Stunden, also acht Stunden bis zur Mündung oder 16 engl. geograph. Meilen; eine lange Tagereise für eine solche Menge. Dies ist der Einwurf, den man dagegen aufstellen könnte, dafs Ghüründel das alte Elim sei, und ebendiefs könnte uns dazu verleiten, Elim vielleicht in den Wady Useit zu versetzen. Indefs da Ghüründel einer der bekanntesten arabischen Wasserplätze ist, und da die Israeliten höchst wahrscheinlich mehrere Ruhetage gehabt haben werden, so würde es ihnen eben nicht so schwer geworden sein, einmal einen stärkern Marsch zu machen, um so die Ebne am Meere zu erreichen. Ueberdies kann man bei einem Heereszuge, wie der der Israeliten, welcher aus mehr als zwei Millionen Menschen nebst vielen Heerden bestand, wohl kaum annehmen, dafs sie alle in Masse zusammen marschirten. Wahrscheinlich beziehn sich die Stationen, wie sie aufgezählt werden, mehr auf das Hauptquartier Mose's und der Aeltesten mit einem Theile des Volks, das sich zu ihnen hielt, während die andern Abtheilungen ihnen in verschiednen Zwischenräumen vorangingen oder folgten, wie die Gelegenheit von Wasser und Weide es fordern mochte. Wasser, schlecht wie es ist, konnten sie in kleinen Quantitäten auf diesem ganzen Striche finden, und sie fuhren wahrscheinlich fort, das Wasser auf eben die Weise süfs zu machen, wie sie zu Marah unterwiesen waren; denn wir hören keine Klage mehr über

---

2) 4 Mos. 33, 10.

schlechtes Wasser. Wie sie aber Wasser genug während ihres
langen Aufenthaltes auf der Halbinsel und ihrer nachherigen Wanderungen in der Wüste, selbst da wo kein Wassermangel erwähnt
wird, bekommen haben, ist ein Geheimnifs, das ich nicht aufzuklären
im Stande bin, es sei denn, dafs wir annehmen, dafs sich vor Alters
viel mehr Wasser in dieser Gegend vorfand als jetzt. Wie wir
die Halbinsel kennen gelernt haben, so könnte eine Masse von
zwei Millionen Menschen dort nicht eine Woche lang leben, ohne
sowohl Wasser- als Mundvorrath aus weiter Ferne herzuholen.

Von ihrer Lagerstätte an der Mündung des Wady et-Taiyibeh mufsten die Israeliten nothwendigerweise nach der grofsen
Ebne vorschreiten, die dicht bei el-Mürkhäh anfängt und in gröfserer oder geringerer Breite sich beinah bis an das äufserste
Ende der Halbinsel hinzieht. An der breitesten Stelle nördlich
von Tür heifst sie el-Kâ'a. Diese wüste Ebne, die sie nothwendig betreten mufsten, halte ich für die Wüste Sin, die nächste
Station, die angeführt wird [1]). Von dieser Ebne aus konnten
sie an verschiednen Punkten in das Gebirge einrücken, entweder
auf der jetzigen nähern Strafse durch die Wady's Shellâl und
Mukatteb oder vielleicht durch die Mündung des Wady Feirân
selbst. Sie näherten sich wahrscheinlich dem Berge Sinai durch
den obern Theil des letztgenannten Thals und Wady esh-Sheikh.
Aber die nächsten Stationen Daphka und Alus werden so unbestimmt angegeben, dafs man die Hoffnung ganz aufgeben mufs, sie
wieder aufzufinden. [2]) Dasselbe ist vielleicht auch bei Raphidim
der Fall, worauf wir in der Folge zurückkommen werden.

Eine Zeit lang waren wir ganz unschlüssig, welche Strafse
wir vom Wady et-Taiyibeh nach dem Sinai einschlagen sollten;

1) 2 Mos. 16, 1.   4 Mos. 33, 11.
2) 4 Mos. 33, 12. 13.

wir wünschten sehr die berühmten Inschriften im Wady Mukatteb auf der untern Strafse zu sehen, aber wir wünschten ebenso
sehr, die geheimnifsvollen Denkmäler von Sŭrâbit el-Khâdim
nahe an der obern zu besuchen. Da wir jedoch wufsten, dafs
ähnliche Inschriften auch auf der letztern Strafse vorhanden sind,
obgleich nicht in so grofser Menge, so entschieden wir uns für
diese, und indem wir um 12 Uhr 15 Min. unsern Weg in den
Wady Humr einschlugen, gingen wir in der Richtung Ostsüdost
jenes Thal hinauf.[1]) Die Berge rings um das obere Ende des Wady
Taiyibeh, wo wir uns jetzt befanden, sind reich an Steinsalz.
Unsre Araber brachten uns mehrere schöne weifse Stücke davon.
Wady Humr ist breit, mit steilen Wänden von Kalkstein von
hundert bis hundert und funfzig Fufs Höhe. Wir fanden hier die
Hitze sehr drückend, was in dem Zurückprallen der Sonnenstrahlen von den Kreidefelsen seinen Grund hatte, obgleich das Ther-
mometer im Schatten nur $21\frac{1}{3}^0$ R. stieg. Wasser war hier of-
fenbar vor nicht langer Zeit geflossen, und die Kräuter und
Sträucher waren frischer als gewöhnlich.

Nach zwei Stunden öffnet sich das Thal in eine weite Ebne;
ein andrer breiter Wady, Ibn Sükr genannt, läuft schräg von
Osten hinein, während fast grade vor uns sich die hohe, dunkle,
kegelförmige Spitze des Sarbût el-Jemel erhob, die wir seit der

---

1) Burckhardt giebt unserm Wady Shubeikeh den Namen Taiyibeh und dem untern Theile des Wady Humr den Namen Shubeikeh. Wir
hatten sein Buch bei uns und bemerkten diese Differenz auf der Stelle,
aber alle unsre Führer kannten keinen andern Gebrauch dieser Namen,
als wie er im Texte angegeben ist. — Ich kann indefs nicht unterlassen, hier wie andern Orten im Allgemeinen die aufserordentliche Genauigkeit dieses ausgezeichneten Reisenden in seinen topographischen Bestimmungen und Beschreibungen zu bezeugen. In der Rechtschreibung
der arabischen Namen ist er nicht immer so genau.

Zeit, dafs wir den Wady Ghüründel verliefsen, dann und wann
gesehen hatten. Auch dieser Berg besteht aus Kalkstein und
steht durch niedrige Rücken mit dem Tih oder vielmehr mit
dem Jebel Wûtâh in Verbindung, der grade vor dem Tih und
mit ihm parallel läuft. Dem Ansehn nach läuft auch ein Bergrücken von Sarbût el-Jemel aus nach Südwest und begrenzt die
Ebne nach dieser Seite zu. Wir strichen quer über die Ebne
nach der südöstlichen Ecke des Berges, die sich nackt und wüst
vor uns erhob und jeden weitern Fortschritt abzuschneiden schien.
Nur erst als wir beinah bis an den Fufs desselben gekommen
waren, bemerkten wir die Oeffnung eines Wady, der rechts durch
den Rücken herabkommt; wir betraten denselben und wandten uns
um die scharfe südöstliche Ecke des Berges um 3 Uhr 25 Min. Wir
gingen durch diesen Engpafs zwischen Felsenwänden zwei bis drei
hundert Fufs hoch; er ist die Fortsetzung von Wady Humr. Der
südliche Berg wird von einem Steinhaufen am Wege Um ez-Zu-
weibîn genannt. Hier betraten wir zuerst die Sandsteingegend.
Die Felsenwand zur Rechten war Sandstein, während die zur Linken noch anscheinend dem gröfsern Theile nach aus Kalkstein
bestand. Um 4 Uhr 30 Min. kamen wir an eine scharfe recht-
winkliche Ecke im Thale, das sich nachher wieder dreht und in
derselben Richtung wie vorher fortläuft. An der letzten Ecke
zur Rechten bemerkten wir einige sehr rohe Zeichnungen an den
Felsen, so wie auch einige der berühmten sinaitischen Inschriften, ähnlich denen im Thal Mukatteb. Ein grofser Felsblock,
der von der Felswand oben herabgestürzt ist, war damit ganz
bedeckt; sie sind meist kurz und haben den gewöhnlichen Anfangsbuchstaben, wie die, welche von Burckhardt und Andern copirt sind. Auf einem andern kleinern Steine befanden sich rohe
Zeichnungen von Kamelen und Pferden — denn man konnte kaum
sagen, was es sein sollte. Ein Reiter ist mit einem Speere be-

waffnet und vor ihm steht ein Mann mit Schwert und Schild.
Ist der erstere vielleicht ein Ritter? Auf einem Steine waren
zwei Kreuze; aber hier waren sie offenbar spätern Ursprungs
als die nahestehenden Inschriften. Der Ort ist von der Beschaffenheit, dafs sich Reisende hier wohl während der Hitze der Mit-
tagssonne niederlassen möchten. Burckhardt erwähnt die Zeichnungen, aber nicht die Inschriften. [1]

Ein wenig hinter dieser Stelle hofften unsre Araber Regenwasser zwischen den Felsen anzutreffen, und zerstreuten sich, indem sie durch die verschiedenen Eingänge in das Gebirge hinein-
liefen, um darnach zu suchen. Sie waren nicht sehr glücklich,
denn sie fanden nur wenig und das war noch dazu durch Kamels-
mist sehr verunreinigt. Dennoch schienen unsre Araber Wohl-
geschmack daran zu finden. Wir hatten jetzt nur noch einen
kärglichen Vorrath von Wasser. Was wir von der Quelle Nâba' dicht bei Suez mitgenommen hatten, war viel schlechter
als es Anfangs gewesen, und seitdem hatten wir kein gutes gefunden, um unsre Schläuche damit zu füllen. Wir hatten uns
an einen Leder-Geschmack bei dem Wasser, das wir bei uns
führten, schon so ziemlich gewöhnt; aber so weit waren wir noch
nicht gekommen, dafs wir an salzigem und bitterm oder nach Ka-
melsmist schmeckendem Wohlgefallen hätten finden können. Das
war das einzige Mal, wo wir solchen Mangel hatten; auch war
derselbe noch keineswegs drückend für uns. Wir lagerten uns
um 5 Uhr 10 Min. im Wady Humr; nach einer langen Tagereise von eilf Stunden, dicht bei der Stelle, wo die hohen Felsen
auf beiden Seiten aufhören. Das Thal hat einige Bäume und
viel Gesträuch, so dafs unsre Kamele gute Weide fanden. Die
einzigen Bäume in dieser ganzen Gegend sind der Tûrfa, eigent-

---

1) Travels p. 476. (783.)

lich eine Tamariske mit langen, dicht zusammenstehenden Blättern ohne Stacheln, dieselbe auf denen das Manna (Arab. Mann) an andern Orten gefunden wird; und der Tülh oder Seyâl, die die Araber für einerlei halten, eine Art sehr stachlicher Akazie, die ein wenig Gummi arabicum von geringerer Güte hervorbringt, welches die Araber zuweilen sammeln und verkaufen, wenn sie nicht zu faul dazu sind. Aber alle diese Bäume sind hier klein und verkrüppelt, sowohl aus Mangel an Erdreich als an Wasser.

Mittwoch den 21ten März. Wir brachen um 6 Uhr 20 Min. auf und verfolgten noch immer den Wady Humr Ostsüdost hinauf. Die Felsen zur Rechten wurden niedriger, während zur Linken der hohe Berg Jebel Wütâh fast von der Seite des Wady aus sich erhob. Dies ist eigentlich ein Vorsprung des Jebel et-Tih, der mit demselben an seinem östlichen Ende verbunden ist und dann westlich parallel mit ihm läuft, wozwischen der abgelegene Wady Wütâh sich befindet. In weniger als einer Stunde hörten die Felsen zur Rechten ganz auf; und um 7 Uhr 25 Min. ging ein Weg an dieser Seite ab nach dem Wady en-Nüsb über eine unebene sandige Strecke mit Namen Debbet en-Nüsb. Dieser Weg wird oft von den Arabern und Reisenden wegen des schönen Quellwassers in jenem Thale gewählt; aber er ist ein Umweg und kommt nach einigen Stunden wieder in die grade Strafse hinein. Einer oder zwei von unsern Leuten wurden auf diesem Wege mit einem Kamel herumgeschickt, um unsere Wasserschläuche zu füllen; und so bekamen wir eine Ladung bessern Wassers, als wir, seit wir den Nil verlassen hatten, gefunden. Wady Humr erweitert sich nun in eine breite Ebne, die dünn mit Kräutern überstreut ist und sich um das Ostende des Jebel Wütâh bis ganz nach dem Tih hin ausdehnt. Um 8 Uhr wurde das Thal enger, etwa eine halbe Stunde lang zwischen Sandhügeln; dann erweitert es sich wieder ebenso wie vor-

her. Um 9 Uhr erreichten wir das Ende des Wady oder der
Ebne, wo wir etwa zwanzig Minuten lang einen felsigen Abhang,
der mit Sand bedeckt ist, hinaufstiegen.

Von hier aus hatten wir eine weite Aussicht über die ganze
Umgegend. Zur Linken lag Jebel et-Tîh, ein langer, hoher,
ebner, fortlaufender Bergrücken, die Fortsetzung von er-Râhah,
der sich nach Osten hinzog, soweit das Auge reichte, dem Ansehn nach ganz von Kalkstein. Zur Rechten und vor uns längs
dem Fuße des Tih lag eine sandige Ebne, voll von niedrigen,
abgerissenen Erhöhungen und Wasserbetten, etliche englische
Meilen breit. Wie wir später fanden, zieht sich diese Ebne durch
das ganze Innere der Halbinsel beinah bis an die östliche Küste
hin; sie liegt zwischen dem Tih und dem eigentlichen Gebirge
der Halbinsel, das sich zu unsrer Rechten in seltsamen Umrissen
und wild untereinander geworfen erhob. Die der Ebne naheli-
genden Berge sind von Sandstein, von tiefen Thälern und Gründen durchschnitten, in welche die flachen Wady's, die vom Tih
herab queer über die Ebne laufen, hineingehn und sich so den
Weg zum Meere bahnen. Etwas südlicher befindet sich eine
Einfassung von Grünstein und Porphyr; jenseits derselben jedoch
wird der Mittelpunkt der Halbinsel von ungeheuren Granitmassen
eingenommen, welche das eigentliche Gebirge Sinai ausmachen.
Wir konnten hier den Paß sehen, der zwischen dem Tih und
dem Jebel Wutâh in den Wady Wutâh hinüberführt und so hinunter nach Wady Ghüründel. Er lag von uns N. 20° W. Ueber
den langen Bergrücken et-Tih selbst, der, wie unsre Araber
versicherten, diesen allgemeinen Namen von der Wüste an seiner
nördlichen Seite hat, zeigten sie uns zwei Pässe, durch welche
die Karawanen-Straßen vom Sinai nach Gaza und Hebron führen. Der westlichste, jedoch von unserm Standpunkte aus etliche
Stunden östlich, heißt er-Râkineh und der andre el-Mureikhy

Zwischen diesen beiden ist ein dritter, el - Würsah mit Namen,
der nur von Arabern benutzt wird, da er zu steil und beschwerlich für beladne Karawanen ist. Von da aus zieht sich ein
Wady gleiches Namens quer über die Ebne hinab nach Wady
Nüsb, wahrscheinlich das von Niebuhr sogenannte Warsan.[1]
Weiter nach Osten theilt sich Jebel et - Tih in zwei Bergrücken,
die dann einige Stunden von einander entfernt fast parallel mit
einander nach dem Meerbusen von 'Akabah laufen. So viel wir
erfahren konnten, wird der südliche Zweig zuerst edh - Dhülül
und der nördliche nach seiner westlichen Seite zu el - Öjmeh genannt. Eine Strafse führt vom Sinai durch einen Pafs über den
südlichen Rücken nach dem Anfang des Wady ez - Zülakah und
'Ain,[2] und von da durch einen andern Pafs über den nördlichen
nach Gaza und Hebron.

Wir setzten nun unsre Reise über diese Ebne in der Richtung Ostsüdost fort. Ehe wir nach dem Sande kamen, durchschnitten wir mehrere flache Wady's, mit vielem Gesträuch bewachsen, die alle dem Wady Nüsb zugingen. Der eine, durch
den wir um 10 Uhr kamen, hiefs Wady Beda'. Hinter demselben rechts befinden sich drei Quellen salzigen Wassers, el - Mà-
lih genannt. Um 10 Uhr 45 Min. auf einer niedern Erhöhung
kamen uns zuerst die Granitspitzen um den Sinai zu Gesicht,
noch immer nicht bestimmt und ohne Namen, in der Richtung von
Südsüdost. Serbàl lag zugleich Süd gen Ost. Hier gelangten

---

1) Reisebeschr. I. S. 231.

2) Dieser Pafs wird von Laborde erwähnt. Derselbe behauptet,
dafs es der einzige Pafs oder Weg sei, der über den Tih führt. Voy.
de l'Arab. Pétr. p. 63. Sir F. Henniker und wahrscheinlich auch
Seetzen reisten durch er - Râkineh, so wie auch Breidenbach und J.
Fabri im Jahr 1483. Einen besondren Reisebericht über alle diese Strafsen findet man in Anmerkung XXII, am Ende dieses Bandes.

wir auf den grofsen sandigen Strich, den wir vorher gesehn hatten, und der von den Arabern Debbet er-Ramleh und nach Burckhardt auch Raml el-Mûrâk genannt, wird; er dehnt sich nach Osten hin, weiter als man ihn mit dem Auge verfolgen kann. Unter dem Sandstein-Gebirge zu unsrer Rechten war uns die Stelle des Sûrâbit el-Khâdim schon bezeichnet worden; und um 11 Uhr 15 Min. wandten wir uns rechts fast in südlicher Richtung, um denselben zu besuchen. Unsre Leute und Lastthiere liefsen wir die grade Strafse nach dem obern Ende des Wady el-Khûmileh verfolgen, um sich in jenem Thale nicht weit vom Eingang zu lagern. Ungefähr nach einer halben Stunde stiegen wir in ein breites, sandiges Thal hinab mit Namen Seih en-Nüsb, das sich südwestlich längs den Bergen hinzieht und dann schräg hineingeht. Dasselbe hat verschiedne Nebenthäler, die von Ost und Südost hereinkommen. In einem derselben durchschnitten wir, etwa um Mittag, die andre Strafse, die von der Quelle im Wady Nüsb heraufkommt, von welchem Thale das Seih der Haupttheil ist. Dieser Steig geht östlich einen sandigen Hügel, el-Mûrâk genannt, hinauf, und vereinigt sich mit der graden Strafse, die durch die Ebne geht. Unser Weg führte uns über denselben Sandhügel, aber etwas mehr rechts, und wir fanden das Hinaufsteigen sehr mühsam, da der Sand so tief und so lose war, ohne die Spur von einem Pfade. Nachdem wir wieder hinabgestiegen waren, erreichten wir ein breites, sandiges Thal mit Namen Wady Süwuk, das von Südost nach Nordwest innerhalb des Gebirges in den Wady Nüsb läuft. Auf der entgegengesetzten Seite dieses Thales verliefsen wir unsre Kamele um 1 Uhr 30 Min. und gingen zu Fufs über einen Rücken von tiefem Sande nach Westen zu in einen Felsengrund; dann fingen wir das schwierige Besteigen des Berges an der Südostseite desselben an. Er kann wohl sechs bis siebenhundert Fufs hoch sein, und

besteht ganz aus steilen Sandsteinfelsen, meist roth, aber hie
und da abwechselnd mit Lagen von verschiedenen Schattierun-
gen. Ein Pfad am Ende des Grundes, nur mit kleinen Steinhaufen bezeichnet, leitet die mühsame und etwas gefährliche Höhe
hinauf, grade die steile Felsenwand hinan. Wir erkletterten langsam und mit Mühe den Gipfel und befanden uns nach dreiviertel
Stunden auf einem ebnen Bergrücken, der mit einer Strecke
hohen Tafellandes von Sandstein-Formation in Verbindung steht,
sehr ähnlich der sächsischen Schweiz, auch ebenso wie diese
nach allen Richtungen zu mit tiefen und steilen Gründen durchschnitten, während höhere Spitzen von unregelmäfsiger und phan-
tastischer Form um uns her lagen. Ein wenig westlich auf diesem Bergrücken, mit einem tiefen Abgrunde auf beiden Seiten
liegen die sonderbaren und geheimnifsvollen Denkmäler von Sûrâbit el - Khâdim.

Diese befinden sich grofsentheils innerhalb einer kleinen
Einfassung, hundert und sechzig Fufs lang von West nach Ost,
und siebenzig Fufs breit, mit Steinhaufen bezeichnet, die zusammengeworfen oder gefallen sind, vielleicht die Ueberbleibsel früherer Mauern oder Reihen niedriger Gebäude. Innerhalb dieses
Raums sieht man etwa funfzehn aufgerichtete Steine, wie Grabsteine, und mehrere umgefallne, alle mit ägyptischen Hieroglyphen bedeckt; desgleichen die Ueberreste eines kleinen Tempels,
dessen Säulen mit dem Haupt der Isis als Kapitäl verziert sind.
Auf der östlichen Seite befindet sich ein unterirdisches Gemach
in den massiven Felsen ausgehauen, ähnlich einem ägyptischen
Grabmale. Es ist viereckig, und in der Mitte wird die Decke
von einer viereckigen Säule, die man vom Felsen hat stehn lassen, getragen. Sowohl die Wände des Gemachs als auch die
Säule sind mit Hieroglyphen bedeckt, und auf jeder Seite befindet
sich eine kleine Niesche. Die ganze Fläche, so eingehegt, ist

von umgestürzten Säulen, Bruchstücken von Bildhauerarbeit, und
behauenen Steinen nach allen Richtungen hin bedeckt, so dafs
der Wanderer nur mit Mühe darüber hinweggehn kann. Andre
ähnliche aufgerichtete Steine stehn noch aufserhalb der Einfassung
nach verschiednen Richtungen und selbst in einiger Entfernung,
jede von einem Haufen Steinen umgeben, die wohl von den Arabern zusammengeworfen sein mögen. Diese Steine sowohl innerhalb als aufserhalb der Einfassung sind der Länge nach verschieden von sieben bis zehn Fufs, und dabei achtzehn Zoll bis zwei Fufs
breit und vierzehn bis sechszehn Zoll dick. Sie sind oben abge-
rundet und bilden einen Bogen über die Breite hin. An einer
dieser breiten Seiten sieht man gewöhnlich das allgemeine ägyptische Symbol der geflügelten Kugel mit zwei Schlangen und einen oder mehrere Priester, die den Göttern Opfer darbringen,
während mancherlei Gestalten und Cartouches die übrigen Seiten
bedecken. Man sagt, dafs sie die Namen von verschiednen ägyptischen Königen haben, aber nicht zwei davon tragen den Namen desselben Monarchen. Nach Major Felix hat einer den Namen Osirtisen I, den Wilkinson für den Protector Joseph's hält.
Nicht minder merkwürdig bei diesen Denkmälern ist die wunderbare Erhaltung dieser Inschriften auf diesem weichen Sandstein,
die im Laufe so vieler Jahrhunderte der Luft und dem Wetter
ausgesetzt gewesen. An einigen Steinen sind sie noch ganz erhalten; an andern sind sowohl die Inschriften als der Stein
selbst vom Zahn der Zeit zerstört worden.

Diese Stelle wurde zuerst von Niebuhr 1761 entdeckt, den
seine Führer, da er nach den Inschriften des Wady el-Mukatteb
fragte, hierher brachten, als an einen noch interessantern und wun-
dersamern Ort, oder, wie es vielmehr scheint, aus Unwissenheit von
ihrer Seite über den wahren Gegenstand seiner Fragen. [1]) Der

1) Reisebeschr. I. S. 235.

nächste fränkische Besucher scheint der französische Reisende
Boutin 1811 gewesen zu sein, der nachher in Syrien ermordet
wurde. ¹) Ihm folgte Rüppell 1817. Viele andre Reisende sind
seitdem auf ihrem Wege nach dem Sinai hier gewesen, wie Lord
Prudhoe und Major Felix und nach ihnen Laborde und Linant, welche, letztere Zeichnungen und Ansichten von diesem Orte und von
mehreren Denkmälern gegeben haben. ²) Alle diese Reisende, mit
Ausnahme der beiden Engländer, haben dies für einen alten ägyptischen Begräbnifsplatz ausgegeben, und diese Denkmäler für
Grabsteine, die mit einer vorausgesetzten Colonie dicht bei den
Kupferminen im Wady en-Nüsb in Verbindung standen. Dafs
diese aufrechtstehenden Steine der Gestalt nach den Grabsteinen
im Westen gleichen, ist wahr; und das möchte der vorzüglichste
Umstand sein, welchem diese Hypothese ihr Dasein verdankt.
Aber nichts der Art findet sich in Aegypten; auch können es nicht
gut Grabdenkmäler sein, wenn nicht ausgehöhlte Gräber sich
darunter befinden, was aus guten Gründen wohl nicht anzunehmen
ist. Was konnte dann der Zweck dieser Tempel und dieser Ge-
dächtnifssteine sein mitten in der Einsamkeit und Oede? in dieser
entlegenen Wüste, mit der sie in gar keiner Verbindung gestanden zu haben scheinen? Das ist in das Dunkel der Zeit gehüllt,
und die Hand neuerer Wissenschaft hat es noch nicht entschleiert.

Eine sinnreiche Hypothese wurde mir von dem obengenannten
englischen Lord mitgetheilt, nämlich dafs dies vielleicht ein heiliger Wallfahrtsort der alten Aegypter war, ebenso wie es der
Berg bei Mecca den jetzigen Muhammedanern noch ist; dahin
machte jeder der ägyptischen Könige seine Wallfahrt und errich-

---

¹) Burckhardt's Travels in Syria etc. p. 573. (916.) Rüppells
Reisen in Nubien u. s. w. S. 267.

²) Die genaueste Beschreibung davon findet sich bei Rüppell, an
der so eben angeführten Stelle.

tete eine Säule mit seinem Namen. Einen leisen geschichtlichen
Grund für eine solche Hypothese kann man vielleicht in dem Umstande finden, dafs Moses für die Israeliten die Erlaubnifs erbat,
drei Tagereisen weit in die Wüste zu gehn, um zu opfern, [1] — eine
Bitte, die die Aegypter gar nicht überrascht zu haben scheint, als ob
es etwas gewesen, woran sie selbst schon gewöhnt waren. Doch
kann dies alles nur als Conjectur angesehen werden. Aber dessenungeachtet ist dieser einsame Ort, obgleich unerklärlich, sehr interessant; er führt den Beschauer in die grauen Nebel des höchsten Alterthums zurück; und es erfüllt ihn mit Staunen und Ehrfurcht, wenn
er hier, fern von den Wohnungen der Lebendigen, die Arbeiten unbekannter Menschen zu einem eben so unbekannten Zweck ansieht.

　　Von dieser Hochebne um Surábit el-Khádim hat man eine
weite Aussicht über die Umgegend. Der Pafs des Wútáh war
N. 30⁰ W., er-Rákineh N. 20⁰ O., der Berg Serbál S. 16⁰
O. und Mudha'in, eine Spitze in der Berggruppe des Sinai, S.
33⁰ O. Wir bemerkten keine Spuren von Bergwerken ringsumher, wie Laborde anführt. Unsre Araber aber sagten, dafs
man gegen Westen im Wady Sühau, einem Nebenthal des Wady
en-Nüsb, den Stein findet, wovon el-Kuhul gemacht und zu
Markte gebracht wird. Wir vermuthen, dafs dies Spiefsglanz
sey, obwohl wir nichts davon gesehen haben.

　　Nachdem wir uns fünfviertel Stunden unter diesen Denkmälern aufgehalten hatten, stiegen wir wieder auf demselben rauhen
Pfade hinab und kehrten zu unsern Kamelen nach Wady Súwuk
zurück. Von dieser Stelle bis zur Quelle Nüsb ist eine Entfernung von etwa drittehalb Stunden; und der Wady en-Nüsb, nachdem er die zahlreichen Nebenthäler aufgenommen, zieht sich durch

---

1) 2 Mos. 8, 27. 28. (Hebr. V. 23. 24.) Der Zweck dieser Reise
sollte ein Fest (חַג), entsprechend dem heutigen Haj sein. 2 Mos. 10, 9.

9

das Gebirge nach dem westlichen Meerbusen, oder vielmehr nach
der grossen Ebne an der Küste. Im Thale weidete eine Heerde
von Schafen und Ziegen, die von zwei jungen Mädchen gehütet
warden, deren Zelte sich nicht weit davon befanden. Der Eigenthümer der Heerde zeigte sich bald und nach einigem Feilschen
kauften wir ein Böcklein, in der Absicht, unsern Arabern ein gutes Abendessen zu geben. Um 4 Uhr 45 Min. bestiegen wir
wieder unsre Kamele und zogen südöstlich den Wady Sûwuk
hinauf bis zum Ende. Einer von unsern Arabern führte das Böcklein am Strick, und wie das arme Thierchen munter an ihrer Seite
trabte, waren sie schon entzückt bei dem Gedanken an das wohl-
schmeckende Fleisch desselben, das ihrer wartete. Indem wir
so das Thal entlang zogen, entdeckten unsre scharfsichtigen Führer eine Beden oder Bergziege (verwandt mit dem Alpen-Stein-
bock) zwischen den Felsen zur Linken. Einer von ihnen setzte
sogleich nach demselben hin, aber da er nur von der Wind-
seite ankommen konnte, so witterte sie ihn, flog leicht an
der Bergseite die steile Felswand hinauf, und gewährte einen
anmuthigen Anblick gegen den blauen Himmel mit ihren langen
nach hinten zurückgebogenen Hörnern und hurtigen Sprüngen.
Der Araber fing an, ihr mit grofser Geschwindigkeit nachzustei-
gen, aber er wurde von seinen Gefährten zurückgerufen. Am
obern Ende des Thals ist ein steiler und rauher Pafs, den unsre Kamele nur mit Mühe erstiegen, und hier sahen wir die erste Lage von Grünstein. Da wir die Höhe erreicht hatten, befanden wir uns auf dem westlichen Rücken des Wady el-Khümileh, eines breiten sandigen Striches, der, bis dahin nur ein
Zweig der grofsen Ebne, sich nach Südost nach den Bergen hinein erstreckt. Unser Zelt stand unten im Thale, und indem
wir einen nicht steilen Abhang allmälig hinabstiegen, gelangten
wir um 5 Uhr 45 Min. daselbst an. Die griechischen Priester,

die sich seit Sonntag zu uns gehalten hatten, waren etwas weiter
gegangen, und wir sahen sie nicht eher wieder, als bis wir das
Kloster erreichten.

Das arme Böcklein wurde nun losgelassen und lief meckernd
in unser Zelt, als ob es sein Schicksal schon ahnete. Alles war
thätig und geschäftig, das Festmahl zu bereiten. Das Böcklein
wurde geschlachtet und mit viel Geschicklichkeit und Geschwindigkeit zubereitet, und die noch zuckenden Glieder wurden auf's
Feuer gelegt und fingen an einen lieblichen Geruch, besonders
angenehm für arabische Nasen, zu verbreiten. Jetzt trat aber
plötzlich eine Veränderung in dieser muntern Scene ein. Die Araber, von denen wir das Böcklein gekauft, hatten auf irgend eine
Weise erfahren, dafs wir in der Nähe uns lagern würden, und
natürlich den Schlufs daraus gezogen, dafs das Böcklein zum
Essen gekauft worden: weshalb sie es für angemessen hielten,
unsre Araber mit einem Besuche von fünf oder sechs an der Zahl
zu bechren. Nun ist es das strenge Gesetz Bedawinischer Gast-
freundschaft, dafs, sobald ein Gast bei einer Mahlzeit ist, ob es
viel oder wenig giebt, das erste und beste Stück dem Fremden
vorgelegt werden mufs. Diesmal kamen die fünf oder sechs Gast-
freunde zu ihrem Zweck, dafs sie nicht nur das Böcklein verkauf-
ten, sondern es auch verzehrten, während unsre armen Araber,
denen der Mund schon längst darnach gewässert hatte, mit den
Ueberresten sich begnügen mufsten. Beshârah'n, der den Wirth
machte, ging es schlechter als allen Andern, so dafs er nachher
zu uns kam und sich einen Zwieback ausbat, indem er sagte,
dafs er seines ganzen Essens verlustig gegangen sei.

Donnerstag den 22ten März. Um 6 Uhr 30 Min.
brachen wir auf und gingen den Wady Khümileh in südöstlicher
Richtung hinab. Er ist breit, voll Gesträuch, mit Sandsteinfelsen auf beiden Seiten. In funfzehn Minuten kamen wir an einen

9 *

Felsen zur Rechten mit Sinaitischen Inschriften, Figuren von
Kamelen, Bergziegen u. dergl. Fünf Minuten weiter liegt ein
andrer grofser Fels auf derselben Seite mit Inschriften und
mehrern Kreuzen, anscheinend aus derselben Zeit. Hier findet
man auch die Namen mehrerer Reisenden aufgezeichnet; der eine
Palerne 1582, noch ganz frisch. Der Wady wird allmälig enger
und tiefer; um 8 Uhr kamen wir an die Stelle, wo er in einem
scharfen Winkel sich nach Westnordwest wendet durch einen
engen Grund und allein nach dem Meere zu geht, wie unsre Araber sagten (wahrscheinlich unter einem andern Namen), indem
er unterwegs noch den Wady Mukatteb aufnimmt. Wir gingen
ohne Unterbrechung in derselben Richtung fort, stiegen zwanzig
Minuten einen Neben-Wady hinauf nach einer kleinen Ebne, die
die Wasserscheide zwischen diesem und einem ähnlichen kurzen
Wady bildet, der südöstlich nach dem Wady es-Seih zu läuft. Auf
dieser kleinen Ebne befindet sich ein einsamer arabischer Begräbnifsplatz, Mükberat esh-Sheikh Ahmed genannt, wo alle
Bedawin, die in der Nähe sterben, begraben werden. Einige
wenige Steine ganz kunstlos aufeinander geschichtet oder einzeln
aufgerichtet, dienen dazu, die Gräber zu bezeichnen; es war
auch ein frisches Grab dabei. Rings umher herrschte Stille, nichts
drohte hier die wilde Einsamkeit dieses Wohnortes der Todten
zu stören. Nach einer halben Stunde kamen wir zum Wady es-
Seih, der hier von Südost herabkommt, sich etwas mehr nach
Westen zu dreht und dann sich weiter hinzieht, um sich mit dem
Wady Khümileh weiter unten zu vereinigen. Die Sandsteinfelsen
fingen hier schon an dem Grünstein und Porphyr Platz zu machen. Da wir den Wady Seih hinaufgingen, kamen wir um 9
Uhr auf einen freien Platz zwischen steilen Porphyr- und Granit-
Höhen, ganz zerbröckelt und zersplittert, wo mehrere Wady's sich
vereinigen und durch Wady Seih auslaufen. Hier bekommt das

Gebirge schon das Ansehn grofsartigerer und wilderer Zerstörung.
Wir gingen über diesen Platz und betraten nun den Wady el - Bürk
in der Richtung Süd gen West; nach einer halben Stunde wandte
er sich Südsüdost. Hier befinden sich an der Ecke einige kurze
Inschriften, ganz dicht am Boden. Das Thal ist eng; und sein
Bett mit Trümmern von den benachbarten Bergen bedeckt;
lose Steine und Felsstücke sind über die Oberfläche ausgebreitet
und machen den Weg für die Kamele schwierig und schmerzlich. Die Felsen bestehn meist aus Granit und Porphyr mit
Grünstein vermischt. Dies Thal, so wie der freie Platz, über
den wir gekommen waren, enthielten eine ungewöhnliche Anzahl
von Seyál - Bäumen, den gröfsten, die wir bisher gesehn hatten.
Die Araber nennen sie auch Tülh; sie sagten, dafs sie Gummi
Arabicum erzeugen.

In diesem Thale konnte das Kamel meines Reisegefährten
nicht weiter und er mufste ein andres besteigen, nachdem dessen
Last unter die übrigen vertheilt worden war. Das Kamel gehörte Besháralı, der vor einem Jahre eilf spanische Thaler dafür
bezahlt hatte — ein geringer Preis, da das Thier wahrscheinlich
schon übermäfsig angestrengt war. Wir hörten, dafs in diesem
Jahre viele Kamele auf der Halbinsel gefallen seien, vorzüglich
wegen der aufserordentlichen Dürre, da nur wenig (oder nach
der arabischen Ausdrucksweise k e i n) Regen zwei Jahre hindurch
gefallen war. Es war natürlich grofse Noth bei allen Bedawîn,
wie wir nachher selbst zu erfahren Gelegenheit genug hatten.
Das ermattete Kamel wurde einem Knaben übergeben, der damit
langsam nachkommen sollte, und wir reiseten unsres Weges weiter. Dieser Vorfall hielt uns beinah eine halbe Stunde auf.

Ein Nebenthal mit Namen Ibn Sükr mündete um 10 Uhr
45 Min. zur Linken ein; hier befand sich in einer kleinen Entfernung gutes Wasser. Um 11 Uhr 15 Min. kamen wir an

eine rohe steinerne Mauer oder Brustwehr, die quer durchs Thal
ging, welche den Ort einer der merkwürdigsten Begebenheiten
in der Geschichte der Tawarah bezeichnet. Beshârah erzählte
uns die Geschichte mit grofser Lebendigkeit, da er selbst damals
zugegen gewesen. Früher hatten nur die Tawarah das Recht
Güter zwischen Kairo und Suez zu transportiren, oder in abend-
ländischer Redeweise, sie hatten das Monopol davon. Aber vor
mehrern Jahren fingen die Kaufleute an auch die Ma'âzeh und
Haweität dazu zu gebrauchen, zum grofsen Aerger der Tawarah, indem ihnen dadurch eine Erwerbsquelle genommen und
sie dem Elende preisgegeben wurden. Um sich für diese Beleidigung selbst schadlos zu halten, vereinigten sich alle Stämme, plünderten eine grofse Karavane von mehrern Hundert Kamelen, mit Kaffee und andern Waaren beladen, zwischen Suez
und Kairo, und brachten eine gute Beute von Kaffee, Waaren
und Kamelen in ihre Berge heim. Der Pascha liefs die Beute
zurückfordern. Sie hatten unterdefs von ihrem Raube geschmau-
set und alles verzehrt oder verkauft, so dafs ihre lakonische
Antwort war: „Wir waren hungrig und haben gegessen." Der
Pascha sandte sogleich eine Truppenabtheilung von zwei oder
dreitausend Mann gegen sie aus. Die Araber sammelten sich
auf dieser Stelle und bauten eine Mauer in der Erwartung, die
Soldaten würden das Thal heraufkommen. Diese aber theilten
sich und kletterten auf beiden Seiten den Bergrücken entlang, um
die Araber zu umgehen, die nun natürlich gezwungen waren, ihnen auf diesen Höhen entgegen zu gehen. Sie zeigten uns jetzt
die Stellen auf den Gipfeln dieser rauhen Berge, wo die Schlacht
geliefert worden. Es war etwas ganz Natürliches, dafs die Tawarah mit wenig Blutverlust in die Flucht geschlagen wurden.
Die Truppen marschirten nach dem Kloster, der Haupt-Sheikh
kam und ergab sich, und der Friede wurde unter der Bedingung

geschlossen, dafs sie die Kriegskosten bezahlen mufsten. Seitdem haben sich die Tawarah dem Pascha ruhig unterworfen. [1])
Wir erreichten den Gipfel des Passes am obern Ende des
Wady Bürk um 12 Uhr 15 Min. und stiegen sogleich fünf und
zwanzig Minuten lang in einem kleinen Wasserbette hinab, bis
wir den Wady 'Âkir erreichten, der grade vor uns herunter kam,
sich hier rechts zwischen den Bergen durchzieht und in den grofsen
Wady Feirân mündet. Dieses Thal gingen wir nun in der Richtung Südost gen Süd hinauf. Hier fanden wir die Koloquinten-
pflauze [2]) mit ihrer schönen gelben Frucht, die schon reif war. Anfangs ist der Wady schmal, wird aber allmälig breiter. Um 1
Uhr 15 Min. zeigte man uns die Mündung des Wady Kineh, der
von Südost durch einen Bergrücken zur Linken hereinkam. Oberhalb dieser Stelle verliert der Wady, in dem wir uns befanden,
den Namen 'Âkir und nimmt den el-Lebweh an, von einem Pafs
vor uns am Anfang desselben. Die beiden Wady's Lebweh und
Kineh laufen parallel mit einander, und gehn in breite Ebnen
aus; der Bergrücken zwischen ihnen verschwindet beinah an einigen Stellen, so dafs sie an verschiedenen Orten in einander laufen und eine grofse sich senkende Ebne, zwei bis drei
Stunden breit, ausmachen. Diese ist zwar ohne Bäume, aber mit
Kräuterbüschen, besonders 'Abeithirân bedeckt, und bietet gute
Weide in der Regenzeit. In dem obern Theile, im Wady Kineh,
findet sich Wasser, und Sheikh Salih, der Haupt-Sheikh der Tawarah, hatte mit einem Theile seines Stammes nicht weit davon,
so dafs man es vom Wege aus sehen konnte, sein Lager aufge-

---

1) Laborde erzählt dieselbe Geschichte, als mehrere Jahre vor
seiner Reise, 1828, vorgefallen. Er bringt sie in Verbindung mit der
Haj-Karavane auf ihrer Rückkehr von Mecca. Das ist wahrscheinlich
ein Irrthum. Voyage en Arab. Petr. p. 72.

2) Cucumis colocynthus Linné. Arab. Handhal.

schlagen. Die beiden Thäler scheiden sich wieder, und nahe an
dem Pafs am Ursprung des el-Lebweh sieht man eine einzeln
stehende Bergspitze zur Linken, Zub el-Bahry genannt. Der
Pafs selbst ist eine blofse Fortsetzung der Ebne, eine breite Wasserscheide, die sich auf der einen Seite ganz allmälig erhebt und
auf der andern sich ebenso allmälig senkt. Burckhardt hat dies
als eine besondre Eigenthümlichkeit der Gebirgsketten auf der Halbinsel angegeben: „Die Thäler erstrecken sich bis auf die Höhen
selbst, wo sie eine Ebne bilden und gehn ebenso auf der andern
Seite wieder hinab." [1] Aber derselbe allgemeine Charackter
findet sich in dem grofsen Wady el-'Arabah und in verschiedenen Gegenden Palästina's. Wir erreichten die Ebne oben auf der
Anhöhe um 3 Uhr 15 Min. wo sich ein kleiner arabischer Begräbnifsplatz befindet. Die Oberfläche senkt sich bald nach dem Süden
zu und läuft in eine ausgedehnte Ebne mit vielem Gesträuch
aus. Diese Ebne bildet den Anfang des Wady Beráh, und ist
von Bergspitzen von mäfsiger Höhe umgeben. Man zeigte uns
einen langen, hohen, dunkel aussehenden Berg mit Namen ez-Ze-
bir, der etwa zwei Stunden weit südlich liegt, auf dessen Gipfel
flaches Land und Kamelweide sein soll. Da wir die Ebne in derselben Richtung wie vorher (Südost gen Süd) hinabgingen, kamen
wir um 4 Uhr an die Südost-Seite derselben, wo sie zwischen
herrlichen Granitfelsen enger wird. Dann gingen wir in dem
Wady Beráh eine kleine Strecke fort bis um 4 Uhr 15 Min., und
lagerten uns an der westlichen Seite desselben.

Die Felsen an beiden Seiten dieses Thales bieten überall

---

1) Travels in Syria etc. S. 483, 484. (792.) Burckhardt giebt
dem Pafs am obern Ende des Wady Bürk den Namen el-Lebweh; aber
unsre Araber, darüber befragt, versicherten bestimmt, dies sei nicht so:
der Name Lebweh gehöre drei Pässen am obern Ende der Wady's Lebweh und Kineh.

so schöne Flächen zu Inschriften dar, dafs, während ich meine
Gefährten allein auf der rechten Seite hinunter gehn liefs, ich
mich nach der Linken wandte, um dergleichen zu suchen. Ich
fand wirklich auf einem grofsen Felsen vier kurze Inschriften in
den gewöhnlichen unbekannten Zügen. Ueber der längsten war ein
Kreuz, offenbar aus derselben Zeit, wie die Inschrift selbst. Dicht
bei unserm Zelte lag auch ein ungeheurer, abgesonderter Fels
voller Sinaitischer Inschriften, die aber sehr verwischt waren.
Dabei waren auch zwei Kreuze, anscheinend aus späterer Zeit,
oder vielleicht wieder aufgefrischt.

Heut Abend brachten uns unsre Araber wieder gutes Wasser von einer Quelle in dem kleinen Wady Retâmeh, der unsrer
Lagerstätte gegenüber in Wady Berâh einmündet. Sie waren von
Tag zu Tag immer gefälliger geworden, und fafsten gewöhnlich
mit an beim Aufschlagen des Zeltes und Zurechtlegen unsers Gepäcks für die Nacht, wie unsre Dienstleute. Bei dem Allen war
unser rüstiger Komeh Meister und Anführer und liefs die Araber
seine Anordnungen ausführen. Er fand hierbei wenig Schwierigkeit; da er Koch und Proviantmeister war, so verstand er es
sehr gut, die Ueberbleibsel in seinem Kreise mit grofser Genauigkeit und Unterscheidung zu vertheilen, so dafs es für einen hung-
rigen Bedâwy etwas sehr Wichtiges war, mit ihm in gutem Vernehmen zu stehn.

Unter den vielen Pflanzen, die wir heut und die Tage vorher bemerkt hatten, gehörten aufser dem 'Abeithirân, zu den gewöhnlichsten *Retem*, eine Art Ginsterpflanze, *Genista raetem*
bei Forskâl [1]), mit kleinen, weifsbunten Blüthen, die in den
Wasserbetten der Wady's wächst; *Kirdhy*, eine grüne stachliche
Pflanze mit kleinen gelben Blümchen, die unsre Kamele mit gro-

---

1) Flora Aegypt. Arab. p. 214.

íser Begier abfrafsen; *Sillch*, wahrscheinlich die *Zilla miagri-
oides* bei Forskål [1]); *Shîh* oder *Artemisia Judaica* bei Sprengel; und *'Ajram*, wovon die Araber eine Art Seife gewinnen,
indem sie es im trocknen Zustande zwischen Steinen stofsen und
mit Wasser vermischen, worin sie ihre Wäsche waschen.

Freitag, den 23ten März. Wir brachen um 6 Uhr
25 Min. wieder auf, den Wady Beråh hinab in der Richtung
S. S. O. $\frac{1}{2}$ O. Wir hatten immer gewünscht, des Morgens
früher aufzubrechen, aber es war bisher unmöglich gewesen. Die
Araber übereilten sich nie beim Aufbruch; heut früh insbesondere
waren sie mit Beshårah's Kamel beschäftigt, das sehr spät am
Abend nachgekommen war und nun in ihr Lager heim geschickt
wurde. Da wir jetzt dem Sinai nahe und der Nothwendigkeit
eine Ladung Wasser mit zu nehmen überhoben waren, so verur-
sachte uns das wenig Unbequemlichkeit. Wir mochten indefs
so früh aufstehn wie wir wollten, so war es doch immer schwer,
unter anderthalb bis zwei Stunden wegzukommen. Es war freilich ein entschiedener Zeitgewinn im Ganzen, dafs wir lieber erst
frühstückten, als dafs wir auf der Reise wieder zu diesem Zweck
anhielten. Aber dies, so wie das Zusammenpacken der Geräth-
schaften, des Zeltes und das Laden der Kamele, verzögerte immer
unsre Abreise.

Indem wir so das Thal hinabzogen, zeigten die Felsen
zur Rechten mehrere Inschriften in denselben unbekannten Zügen. Wir fanden solche in der That fast überall, wo herüber-
ragende oder hervorstehende Felsen einen bequemen Ruheplatz
anzuzeigen schienen. Die Berge auf beiden Seiten waren ebenso, wie die, an welchen wir gestern vorübergegangen, hauptsächlich Porphyr, rother Granit und hie und da eine Ader grauen

---

2) Ebend. p. 121.

Granits. Die Felsen waren meist von grobem Korne, sehr zerbröckelt und oft verwittert wie Sandstein. Nicht selten kamen
feine, senkrechtlaufende Adern anscheinend von Grünstein oder
Porphyr zum Vorschein, traten über dem Granit hervor und zogen sich in einer graden Linie durch die Felsen über Berge und
Thäler Meilen weit fort, dafs sie wie niedrige Mauern aussahen.
Sie erinnerten mich lebhaft an die steinernen Feldmauern in Neu-
England. — Um 7 Uhr 15 Min. erweiterte sich der Wady in
eine Ebne, wo die Spitze des Jebel Mûsa uns zum ersten Male
im Südost gezeigt wurde, während die linke Spitze des Serbâl
nach Südwest zu lag. Um 7 Uhr 25 Min. mündete Wady 'Ösh,
ein Nebenthal, von der Linken in das Thal Berâh, in welchem
man in einiger Entfernung süfses Wasser findet. Der Mündung desselben gegenüber zur Rechten liegt ein alter Begräbnifsplatz, der wohl von den Arabern nicht mehr benutzt wird.
Die Steinhaufen, welche die Gräber bezeichnen, waren gröfser
als gewöhnlich; und unsre Führer datirten sie zurück in die Zeiten der Franken, wie die Bedawin bei Allem zu thun pflegen,
wovon sie selbst nichts wissen. Sie scheinen eine allgemeine
Ahnung, vielleicht keine bestimmte Ueberlieferung zu haben, dafs
das Land einst im Besitz christlicher Franken gewesen. Um 7
Uhr 45 Min. mündete sich von Nordost Wady el-Akhdar ein;
dieses Thal soll nahe am Jebel et-Tîh anfangen, wo es eine
Quelle desselben Namens giebt, 'Ain el-Akhdar; nach seiner
Vereinigung mit den Berâh geht es südwestlich in den Wady
esh-Sheikh. Das vereinigte Thal nimmt nach dieser Verbindung
den Namen Wady Feirân an. Die Stelle, wo Berâh und Akhdar
sich vereinigen, ist ein breiter freier Platz mit Kräutern bedeckt
und von niedrigen Hügeln umgeben. Hier hat man eine schöne Aussicht auf den Berg Serbâl, der in seiner ganzen Majestät etwa fünf bis sechs Stunden entfernt sich erhob, und nur

durch einen niedrigen Bergrücken oder Zug, hinter dem der Wady
Feirân liegt, von uns getrennt war. Von dieser Seite betrachtet
erscheint er als ein langer, schmaler, hoher Bergrücken von Granit mit mehreren Spitzen, von denen fünf als Hauptspitzen angesehn werden; das Ganze ist eigentlich was die Deutschen einen
Gebirgs-Kamm nennen. Wir sahen ihn jetzt in den hellen Strahlen der Morgensonne, ein grofsartiger und herrlicher Anblick,
als die zackigen Spitzen aus dem dunkelblauen Hintergrund heraustraten.

So weit hatten wir denselben Weg verfolgt, den Burckhardt
1816 machte; aber von hier wandte er sich in das Thal Akhdar
und dann ging er höher hinauf nach dem Wady Sheikh hinüber,
dem er dann bis zum Berge Sinai folgte. Wir nahmen die ge-
radere und gewöhnlichere Strafse, durchschnitten Akhdar, gingen in südsüdöstlicher Richtung allmälig den Wady Soleif bis
zur Höhe oder Wasserscheide hinauf, wo wir uns um 8 Uhr
15 Min. befanden, und stiegen dann einen Wady hinab, der auch
noch Soleif genannt wird, nach dem Wady esh-Sheikh zu. Hier
begegneten wir dem Sheikh Tuweileb, der späterhin unser Führer
wurde; er war auf der Rückkehr zu seiner Familie. Um 8
Uhr 45 Min. erreichten wir den Wady esh-Sheikh, eins der gröfsten und berühmtesten Thäler der Halbinsel. Er fängt im eigentlichen Herzen des Sinai an, von wo er als ein breites Thal zuerst in östlicher Richtung ausgeht, wendet sich aber nachher herum nach dem Norden und Westen, und geht nach dem Serbâl zu
hinab. Wir fanden ihn hier in der Richtung von Nordost nach
Südwest. Nachdem er den Akhdar aufgenommen, führt er den
Namen Feirân; letzterer ist mit Wasser wohl versehen, enthält
Gärten von Obst und Palmbäumen, nimmt viele Nebenthäler auf
und zieht sich nördlich vom Serbâl bis ganz nach dem Meere
hin. Die untere und gangbarere Strafse von Wady et-Taiyibeh

nach dem Sinai tritt in das Feirân am obern Ende des Wady
Mukatteb und folgt diesem hinauf durch Wady esh-Sheikh bis
nach dem Kloster. Von der Stelle aus, wo wir uns befanden,
ist dieser Weg lang und um, während ein kürzerer gerade nach
dem Kloster hinführt, der theilweis durch einen engen und schwierigen Pafs geht. Wir schlugen den letztern ein, durchschnitten
Wady esh-Sheikh und gingen in der Richtung Südost gen Süden
den breiten Wady oder vielmehr die abschüssige Ebne es-Scheb
hinauf, die voller Gesträuch, aber ohne Bäume war. Hier und
rings um Wady Sheikh giebt es nur niedrige Hügel, die
zwischen dem Felsengebirge hinter uns und den Felsklippen des
Sinai lagen und, so zu sagen, einen niedrigen Gürtel rings um
das hohe Granitgebirge in der Mitte bildeten. Ueber diese Hügel
ziehn sich niedrige Mauern von Porphyr oder Grünstein, ähnlich
den oben angeführten, in verschiedenen Richtungen und grofser
Ausdehnung.

Auf dieser Ebne Scheb war es, wo voriges Jahr beinahe
ein Krieg ausgebrochen wäre unter den verschiedenen Stämmen
der Tawarah, die sich über das Recht stritten, Reisende von
und nach dem Kloster zu führen. Die Geschichte bezog sich einigermafsen auf Lord Lindsay und seine Reisegesellschaft, und ich
werde sie so, wie ich sie gehört, am Ende dieses Abschnitts erzählen, wo ich von den Abtheilungen und dem Charakter der
Tawarah spreche.

Wir kamen auf dem höchsten Punkte der Ebne um 10 Uhr
45 Min. an, wo sich ein kurzer aber rauher Pafs befindet, voll
von Trümmern, mit einem scharf zugespitzten Berge, el-'Örf
genannt, zur Rechten. Von dieser Stelle aus bis zum Fufse der
Felsklippen des Sinai, zieht sich eine Art Gürtel oder Landstrich
von Kies und Sand, voll von niedrigen Hügeln und Rücken, die
gegen den Fufs der Felsklippen sich hinabsenken in den Wady

Soláf. Dieser läuft westlich längs dem Fuſse der Klippen, um sich mit Wady esh-Sheikh zu vereinigen. Die düstern, drohenden Berge vor uns, gleichsam die Aufsenwerke des Sinai, erscheinen aufs Beste von dieser Seite; sie steigen steil und wild vom Fuſse aus achthundert bis tausend Fuſs in die Höhe, als ob sie jeden Zutritt zu dem Heiligthume innerhalb verhindern wollten. Im Westen des Paſses, den man hier kaum bemerken kann, heifsen die Felsklippen Jebel el-Haweit. Wir stiegen Südsüdost quer über den Gürtel hinab und gelangten um 12 Uhr 15 Min. nach dem Wady Soláf, dessen Ursprung nicht weit zur Linken lag, dicht bei einer Quelle mit Namen Ghürbeh, wo man einige Tamarisken und andre Bäume bemerkt. Hier läuft die Strafse von Tûr von Südwesten her in die unsrige. Sie zieht sich durch Wady Hibrân herauf und kommt quer über den Bergrücken, der die Gewässer, welche nach diesem Thale zu fliefsen, von denen des Wady Sheikh trennt. [1]) Letzterer Wady läuft im Norden, jener im Süden des Serbâl. Derselbe Rücken bildet auch das verbindende Glied zwischen dem Serbâl und dem mehr im Mittelpunkte gelegnen Sinai. Diese Strafse kommt anderthalb Stunden unterhalb in den Wady Soláf.

Wir wandten uns nun den Wady Soláf etwas hinauf längs dem Fuſse des Gebirges in südöstlicher Richtung, kamen in funfzehn Minuten an die Mündung einer Schlucht oder eines sehr engen Thals, Wady Rüdhwâh, das von Südsüdwest durch die Felsklippen herabkommt, von wo ein steiler Pafs südwestlich über das Gebirge führen soll nach einem Orte mit Namen Büghâbigh, der mit Wasser und Gärten versehen ist, an oder nahe bei dem

---

1) Wenn ich hier und an andern Stellen von fliefsenden Gewässern spreche, so meine ich natürlich damit das in der Regenzeit abfliefsende Wasser. Gegenwärtig gab es wenig oder gar kein fliefsendes Wasser auf der ganzen Halbinsel. Wir haben wenigstens keins gesehn.

obern Ende des Wady Hibrân. Um 12 Uhr 45 Min. verliefsen
wir das Soláf und fingen allmälig an gegen den Fufs des Passes vor uns, den unsre Araber Nükb Hâwy oder Wind-Pafs nannten, zu steigen; bei Burckhardt heifst er Nükb er-Râhah von dem
Striche Landes oberhalb desselben.[1]) Wir gelangten zu seinem
Fufse um 1 Uhr 15 Min., und indem wir von unsern Kamelen
abstiegen, fingen wir an langsam und mühsam das enge Defilé
hinaufzusteigen, ungefähr Süd gen Ost, zwischen geschwärzten und
zerrissenen Granitklippen etliche achthundert Fufs hoch und nicht
weiter als drei bis vier hundert Ellen von einander entfernt, die
jeden Augenblick ihre Trümmer auf unser Haupt herabzustürzen
drohten. Auch sind dies nicht immer leere Drohungen, denn der
ganze Pafs liegt voll von grofsen Steinen und Felsstücken, die
von diesen Klippen herabgestürzt sind. Der Grund ist ein tiefes
und enges Wasserbett, wo im Winter der Giefsbach mit furchtbarer Gewalt hinabstürzt. Einen Pfad für Kamele hat man längs
der steilen Felsenhaufen gemacht, theils dadurch dafs man die
obersten Blöcke hinwegnahm, theils so, dafs man grofse Steine
dicht neben einander legte nach Art einer Schweizer Bergstrafse.
Aber obgleich ich über die rauhsten Pässe der Alpen gegangen
war, und von Chamonny aus die ganze Runde um den Montblanc
gemacht hatte, so war mir doch nirgend ein so rauher und schwieriger Pfad vorgekommen, als der, welchen wir jetzt hinaufstiegen.[2])
Die Kamele arbeiteten sich langsam und mühsam fort und hielten
oft still; obgleich sie zwei und eine Viertelstunde darauf zubrachten, ehe sie die Höhe des Passes erreichten, so kann man die
Entfernung doch nicht weiter als eine Stunde rechnen. Von einer

---

1) S. 596. (949.)

2) Pococke spricht von diesem Pafs als von „ einem engen Thale,
das nur allmälig sich erhebt (!) und worin sich Wasser und Palmbäume
befinden." Travels I. p. 142 fol.

Stelle, etwa halbwegs hinauf, lag die Ostspitze des Jebel ez-Ze-
bir gegen N. 42⁰ W. und zwei Spitzen an seinem westlichen
Ende mit Namen el-Benât N. 60⁰ W. Weiter hinauf geht der
Pfad eigentlich im Bette des Giefsbachs und wird weniger steil.
Im Weitergehn bemerkten wir, dafs der Sand hie und da feucht
war, und beim Hineingraben mit der Hand füllte sich die Höhlung
schnell mit gutem, süfsen Wasser. Wir machten dies Experiment
an verschiedenen Stellen. Hier befanden sich auch einige kleine
Palmbäume und etliche Büschel Gras, das erste, das wir sahen,
seit wir die Ufer des Nil verlassen. Burckhardt erwähnt einen
Quell mit Namen Kaneitar in dieser Gegend des Passes, [1]) aber
er war jetzt trocken; wir wenigstens haben weder einen gesehn,
noch davon gehört. In dem Pafs bemerkten wir an dem Felsen
zwei Sinaitische Inschriften; über einer derselben war die Figur
eines Kreuzes aus der nemlichen Zeit, wie die Inschrift selbst.

Es war halb 4 Uhr, als wir die Höhe erreichten, von wo
das Kloster eine Stunde entfernt sein soll; aber wir fanden es
zwei Stunden weit, ebenso wie Burckhardt. [2]) Wir stiegen nun
ein wenig in einen kleinen Wady hinab, der seinen Anfang hier
hat und durch eine Felsspalte in das westlich gelegne Gebirge
nach dem Wady Rüdhwâh zu gehen scheint, und fingen dann an
aufs Neue allmälig in der Richtung Südost gen Osten hinaufzusteigen. Wir kamen bei einem kleinen Quell mit gutem Wasser
vorbei, hinter welchem sich das Thal allmälig erweitert, wie auch
der Boden minder uneben wird. Hier zeigten sich uns zuerst die
innern und höhern Spitzen des grofsen Kreises vom Sinai,
schwarze, wilde, öde Gipfel; und beim Weitergehn trat die dunkle,
drohende Vorderseite des Sinai selbst (der jetzige Horeb der Chri-

---

1) S. 597. (950.)
2) S. 596. (949.)

sten) uns entgegen. Wir gingen noch immer allmälig bergan, und das Thal erweiterte sich mehr; aber noch war alles
eine nackte Wüste. Später waren einige Sträucher umher zu
sehn, und ein kleines Lager von schwarzen Zelten zeigte sich
uns zur Rechten, mit weidenden Kamelen, Ziegen und einigen
Eseln, die zum Kloster gehörten. Die Gegend, die wir jetzt
durchwandert hatten, erinnerte mich sehr stark an die Berge um
das Eismeer in der Schweiz. Ich hatte nie einen wildern und
ödern Fleck gesehn.

Beim Fortschreiten erweiterte sich das Thal immer mehr,
stieg allmälig und war voll von Gesträuch und Kräuterbüscheln,
auf beiden Seiten von hohen Granitgebirgen mit wilden zersplit-
terten Spitzen, tausend Fufs hoch, eingeschlossen, während die
breite Felswand des Horeb sich grade vor uns erhob. So wohl
mein Gefährte als ich brachen unwillkührlich in die Worte aus:
„Hier ist Platz genug für ein grofses Lager!" Sobald wir oben
auf der Höhe oder der Wasserscheide waren, lag eine schöne,
breite Ebne vor uns, die sich allmälig nach Südsüdost abdachte
und von rauhen, ehrwürdigen Bergen von dunklem Granit eingeschlossen war: wilde, nackte, gespaltne Spitzen und Kämme von
unbeschreiblicher Erhabenheit. Etwa eine halbe Stunde weit nach
hinten schlofs die kühne, hehre Wand des Horeb, die senkrecht
in drohender Majestät sich zu einer Höhe von 1200 bis 1500
Fufs erhebt, das Ganze. Es war eine herrlich erhabne Umgebung, ganz unerwartet und wie wir ähnliches nie vorher gesehn;
die Gedanken, die in dem Augenblick sich in unsre Seele drängten, waren fast überwältigend. So wie wir weiter gingen, stellten sich neue, interessante Punkte unsern Blicken dar. Zur Linken des Sinai zieht sich ein tiefes, enges Thal Südsüdost zwischen hohen Felsenmauern fort, als ob es die Fortsetzung des
südöstlichen Winkels der Ebne wäre. In diesem Thale, etwa

10

eine halbe Stunde tief hineinwärts steht das Kloster. Das dun-
kele Grün seiner Fruchtbäume und Cypressen lächelt dem Wan-
drer schon aus der Ferne entgegen: — eine schöne Oase mitten
in der schaurigen Oede! An dem südwestlichen Winkel der Ebne
treten die Felsklippen zurück und bilden einen Einbug oder freien
Platz, der sich von der Ebne nach Westen hin noch etwas weiter erstreckt. Von diesem Einbug aus zieht sich fast ein eben
solches Thal auf der Westseite des Sinai hin. Dieses Thal heifst
el-Leja und läuft parallel mit dem, in welchem sich das Kloster
befindet. Hier steht das verlafsne Kloster el-Arba'in mit seinem
Garten von Oliven und andern Fruchtbäumen; es ist von der
Ebne aus nicht zu sehn. Ein dritter Garten liegt am Auslauf
von el-Leja, und ein vierter noch weiter westlich in dem so eben
erwähnten Einbug. Die ganze Ebne heifst Wady er-Râhah,
und das Thal des Klosters kennen die Araber unter dem Namen
Wady Shu'eib, d. i. Thal des Jethro. — Als wir weiter gingen, erhob sich der Horeb wie eine Mauer vor uns. Man
kann ganz nahe an den Fufs desselben herantreten und den
Berg anrühren. Dicht vor seinem Fufse ist das tiefe Bett eines
Giefsbachs, durch welchen zur Regenzeit das Wasser von el-Leja
und von den Bergen rings um den Einbug, quer über die Ebne
nach Osten geht. Dies ist der Anfang des Wady esh-Sheikh,
welcher dann durch eine Öffnung in den Felsklippen des östlichen Gebirges ausläuft, ein schönes, breites Thal, das den einzigen bequemen Zugang zur Ebne und zum Kloster bietet. —
Indem wir so über die Ebne schritten, wurden wir davon sehr ergriffen, dafs wir hier so unerwarteter Weise einen Fleck fanden,
der so ganz zu der biblischen Erzählung von der Gesetzgebung
pafst. Kein Reisender hat diese Ebne beschrieben, keiner sie
anders als in flüchtigen und allgemeinen Ausdrücken erwähnt;
vielleicht weil die Meisten auf einem andern Wege das Kloster

erreichten, ohne über dieselbe zu gehn; und vielleicht auch deshalb, weil weder der höchste Gipfel des Sinai (jetzt Jebel Mûsa
genannt) noch die noch höhere Spitze St. Katharina von irgend
einer Stelle derselben sichtbar sind. [1])

Als wir uns dem Berge näherten, wurde unser Hauptführer
Beshârah sichtbar ganz bewegt. Er betete, dafs unsre Pilgerfahrt angenehm sein und Regen bringen möchte, und bat uns mit
grofsem Ernste, dafs, sobald wir den Berg erstiegen hätten, wir
ein bestimmtes Fenster in der Kapelle nach Süden zu aufmachen
möchten, was seiner Meinung nach gewifs Regen bringen würde.
Er flehte uns auch fast mit Thränen an, dafs wir doch die Mönche
dazu bewegen möchten, mit dem Volke Mitleid zu haben und für
dasselbe auf die rechte Weise um Regen zu beten. Als wir ihm
sagten, dafs Gott allein es regnen lassen könne, und dafs sie
zu ihm darum aufblicken müfsten, erwiederte er: „Ja, aber die
Mönche haben dazu das Gebetbuch; redet ihnen zu, dafs sie es gebrauchen, wie sie sollten." [2]) Es war ein Ernst in seinem Wesen,
der rührend war, aber unbeschreiblich ist. Gleich nachdem wir

---

1) Monconys scheint im Jahr 1647 von derselben Seite gekommen
zu sein : „par un chemin très rude, où les chameaux travailloient beau-
coup." Er sagt, das Kloster sehe man von der Höhe des Passes „dans
le fond d'une grande campagne verte, qui commence en cet endroit.
Elle a une lieue et demy de long et un grand quart de lieue de large."
Tom. I. p. 214. Morison beschreibt die Ebne als „d'une lieue de lon-
gueur, mais d'une largeur peu considerable ;" Relation historique etc. p.
91. Diese obgleich übertriebenen Notizen sind die ausführlichste Erwähnung der Ebne, die ich habe auffinden können. Aus Shaw's Beschreibung
kann ich nicht recht klug werden ; p. 314. 4to.

2) „Sie glauben, dafs die Priester des Klosters das Taurat besitzen, ein Buch, das Mose vom Himmel erhalten hat, von dessen Oeffnen
und Zumachen der Regen auf der Halbinsel abhängt." Burckhardt S.
576. (909).

10 *

über den Wady esh-Sheikh gekommen, sahen wir an dem Auslauf des Wady Shu'eib einen Begräbnifsplatz, der von den Arabern sehr verehrt wird. Hier sagte Beshárah einige Worte des Gebets her, das erste Mal, dafs wir ihn oder einen unsrer Araber beten sahen seit unsrer Abreise von Kairo.

Von dem Wady esh-Sheikh bis zum Kloster ist eine Entfernung von fünf und zwanzig Minuten, auf einem beschwerlichen Pfade, dem felsigen Bette des engen Thales entlang. Wir waren den beladenen Kamelen vorangeeilt und erreichten das Kloster um 5 Uhr 30 Min. Unter dem Eingange fanden wir viele Araber, die grofses Geschrei machten, Leibeigne des Klosters, unter welche so eben eine Spende von Mundvorrath von oben her vertheilt wurde; wir erfuhren nicht, worin er bestand. Der einzige gewöhnliche Eingang ist jetzt durch eine Thür, beinah dreifsig Fufs (genauer 28 Fufs 9 Zoll) über der Erde, da die grofse Thür schon seit länger als einem Jahrhundert vermauert ist. Sobald wir unsre Ankunft gemeldet hatten, wurde eine Schnur herabgelassen mit der Frage nach unsern Briefen; wir schickten den einen, den wir von dem Filial-Kloster in Kairo erhalten hatten, hinauf. Da dieser genügend befunden wurde, so wurde ein Seil mit einer Schlinge für uns herabgelassen, und wie wir uns hineinsetzten, wurden wir einer nach dem andern durch eine Winde in gleiche Höhe mit der Thür hinaufgezogen und dann mit den Händen hereingeholt. Der Prior selbst, ein alter Mann mit weifsem Bart und sanften Mienen, nahm uns mit einer Umarmung und einem Kufs auf, und führte uns nach den Fremdenzimmern. Während diese für uns zurecht gemacht wurden, setzten wir uns auf dem Pfeilergang daneben auf antiken Stühlen von verschiednen Formen nieder, die gewifs viele Jahrhunderte alt sind, und hatten einige Augenblicke Ruhe für uns, um unsre Gedanken zu sammeln. Ich war durch die Neuheit und überwältigende Hoheit der Umgebung ergriffen; und es währte einige Zeit, ehe ich mich überzeugen konnte, dafs ich nun in der That innerhalb des Gebietes desselben Sinai sei, über den ich von frühster Kindheit an so viel gedacht und mit solchem Staunen gelesen hatte. Doch als endlich der Gedanke mit seiner ganzen Gewalt sich meines Gemüthes bemächtigte, obgleich ich eben nicht zu den Weichlichen gehöre, konnte ich dem Ausbruch der Thränen nicht wehren.

Wir wurden bald nach unsern Zimmern gebracht und mit Freundlichkeit von den Mönchen und Dienern begrüfst. Die Priester und der Pilger, die bei uns unterwegs vorbeigezogen, waren einige Stunden vor uns angekommen. Nun wurden Mandeln mit Kaffee und Dattelbrantwein gebracht, und die guten Mönche wunderten sich, als wir den letztern ablehnten. Unsre Bedienung und unser Gepäck kam erst später an, und nachdem dieselben ebenso hinaufgewunden waren, wurden die erstern in die Küche nahe an unsern Zimmern unter der Obhut eines fast neunzig Jahre alten Mannes, der hauptsächlich zu unsrer Aufwartung bestimmt war, eingeführt. Das Abendessen wurde in einem Nebenzimmer angerichtet, und bestand grofsentheils aus Eiern und Reis mit Oliven und grobem Brot. Der Prior entschuldigte sich sehr, dafs er uns nichts Besseres vorsetzen könne, da es Fastenzeit vor Ostern und immer sehr schwierig sei, Kamele zu bekommen, um Korn und Mundvorräthe von Tûr und andern Orten zu bringen. So grofs ist der Mangel an Regen seit einigen Jahren, besonders in diesem Jahre gewesen, dafs alles Futter und alle Weide verdorrt war und die Kamele in grofser Anzahl vor Hunger starben. Beshârah hörte unterwegs von dem Tode eines seiner Dromedare daheim, und das andre, das wir unterwegs zurücklassen mufsten, starb ein paar Tage nachher. Es war sehr gut, dafs wir einige Tage im Kloster verweilten, denn unsre Kamele waren fast erschöpft, und unfähig so weiter zu gehn. Doch war es zuerst

zweifelhaft, ob wir an deren Stelle andre würden bekommen
können.

Die Zimmer, die wir bewohnten, waren klein und ziemlich nett; der Fufsboden war mit Teppichen bedeckt, die einmal
schön gewesen, aber nun ziemlich abgenutzt waren. Ein niedriger Divan befand sich längs dreier Seiten des Zimmers; bei
Tage diente er zum Sitzen, und des Nachts unsre Betten darauf
zu legen. Hier haben alle Reisende gewohnt, die seit Jahrhunderten das Kloster besuchten; aber sie haben, aufser in den letztern Jahren, kein Andenken hinterlassen. Die Inschriften an den
Wänden, die Burckhardt im Jahr 1816 erwähnt, [1]) zum Andenken an die Besuche von Rozières, Seetzen und Andern, sind nicht
mehr da; denn die Wände sind seitdem gemalt oder geweifst und
alle Spuren davon verwischt. Statt dessen wird jetzt ein Frem-
denbuch gehalten, das aber keineswegs rühmlich für einige von
denen ist, deren Namen in demselben besonders hervorstechen.
Pater Neophytus, der Prior, besuchte uns noch einmal nach dem
Abendessen, und da mein Gefährte Neugriechisch mit einiger
Geläufigkeit sprechen konnte, so fanden wir vorzügliche Gnade
vor den Augen des guten alten Mannes, dem das Arabische beinah zu den unbekannten Zungen gehörte. Wir waren mit einem
Empfehlungsschreiben in arabischer Sprache von dem Agenten
des Klosters in Suez, einem der Brüder Manneli versehn und
überreichten es jetzt, aber sie mufsten nach dem Ikonomos schicken, der mit den Arabern zu thun hat, um es zu lesen. Als
er kam, sagte er nur, dafs, da wir Griechisch sprächen, es unnütz sei, einen arabischen Brief zu lesen.

Die geographische Lage des Klosters, wie sie von Rüppell
im Jahre 1826 festgesetzt wurde, ist 28^0 32′ 55″ N.B. und 31^0

---

1) S. 552. (888.)

37' 54" O.L. von Paris. [1]) Die Höhe über der Meeresfläche beträgt nach Schuberts Messungen 4725.6 Pariser Fufs; und nach Russegger 5115 Pariser Fufs [2]). Die den anderweitigen Messungen Rüppells correspondirende Zahl würde ungefähr 4966 Pariser Fufs sein.

Sonnabend den 24ten März. Es war uns, als ob wir auf kurze Zeit eine Ruhestätte gefunden hätten. Unsre Araber hatten sich mit ihren Kamelen zerstreut und waren nach Hause gegangen. Beshârah sollte nach drei Tagen wiederkommen und hören, wann wir nach 'Akabah abreisen wollten. Wir hatten heute genug zu thun, unsre Tagebücher in Ordnung zu bringen, und die Umgegend des Klosters zu besuchen.

Das Thal Shu'eib läuft von der Ebne herauf Südost gen Süd und bildet eine Sackgasse, indem es nicht weit hinter dem Kloster von einem weniger hohen und steilen Berg, als die an den Seiten sind, geschlossen wird; über denselben führt ein Pafs nach Shürm an der Küste des östlichen Meerbusens. Das Thal ist unten am Boden so eng, dafs, während die östliche Mauer des Klosters dicht an dem Wasserbett hinläuft, die übrigen Gebäude auf dem Abhange des westlichen Berges liegen, so dafs die westliche Mauer bedeutend höher ist als die östliche. Die Berge an beiden Seiten erheben sich zu der Höhe von wenigstens tausend Fufs über dem Thal. Das Kloster ist ein unregelmäfsiges Viereck, 245 französische Fufs lang und 204 Fufs breit, [3]) von hohen Mauern

---

1). Rüppell's Reisen in Nubien etc. S. 292. Berghaus Memoir zu seiner Karte von Syrien S. 28, 30.

2) Die Schubert'schen Messungen, so weit sie nicht in seinem Werke stehen, verdanke ich einer Abschrift. Die von Russegger stehen in den Annalen für Erdkunde etc. von Berghaus, Feb. und März 1839. S. 425 ff.

3) Tagebuch des Generals der Franziskaner im Jahr 1722.

aus Granitblöcken eingeschlossen, woran hier kein Mangel ist, und an verschiedenen Stellen durch kleine Thürme befestigt. In einigen von diesen stehen kleine Kanonen. Ein Theil der östlichen Mauer drohte jetzt den Einsturz, und die Arbeiter machten schon die Materialien zurecht, sie wieder aufzubauen. Ein andrer Theil war mit grofser Festigkeit von den Franzosen bei ihrem Aufenthalt in Aegypten wieder aufgebaut worden. General Kleber hatte dazu Arbeiter von Kairo geschickt, und dem zu Folge haben die Mönche noch immer eine besondre Dankbarkeit gegen diese Nation. Der eingeschlossne Raum innerhalb der Mauern wird durch verschiedne Reihen von Gebäuden, die in allen Richtungen gehn, in eine Anzahl kleiner Höfe getheilt, die ein völliges Labyrinth von engen, krummen Gängen auf und niedersteigend ausmachen. Einige von den kleinen Höfen sind mit Cypressen oder andern kleinen Bäumen, Blumen- und Gemüsebeeten geziert, während an den Mauern der Gebäude sich viele Weinreben hinziehn. Alles ist unregelmäfsig, aber nett; und Alles trägt die Spuren eines hohen Alters an sich, indem es offenbar das Flickwerk verschiedener entschwundener Jahrhunderte ist. In dem Hofe, nicht weit von den Fremdenzimmern, befindet sich ein grofser Brunnen; aber das Trinkwasser wird gewöhnlich von der Quelle Mose's, nahe bei der Kirche, geholt und ist sehr rein und gut. Der Garten stöfst nördlich an das Kloster, geht eine ziemliche Strecke das Thal hinab, und ist auf gleiche Weise mit hohen Mauern umgeben, die zu ersteigen jedoch nicht sehr schwer sein möchte. Im Laufe des Morgens lud uns der Prior ein, denselben zu besehen, indem er selbst uns den Weg durch einen dunklen und zum Theil unterirdischen Gang unter der nördlichen Mauer des Klosters zeigte. Dieser wird mit einer eisernen Thür verschlossen, die jedoch jetzt den ganzen Tag offen bleibt zum freien Aus- und Eingang der Bewohner und der Fremden.

Der Garten liegt wie das Kloster unten am Abhange des westlichen Berges und bildet mehrere Terrassen, die mit Obstbäumen bepflanzt sind. An der südöstlichen Ecke, nahe an dem hohen Eingange des Klosters, ist die Mauer inwendig mit einer Stiege versehen, und einer Leiter, die nach aufsen zu herabgelassen werden kann, wodurch ein Eingang in den Garten und ins Kloster gebildet wird. So werden Damen hineingebracht, wenn sie etwa als Reisende in diese einsame Gegend sich verirren sollten. Es giebt noch einen andern ähnlichen Eingang durch ein kleines Gebäude an dem nordwestlichen Theil der Mauer, der leichter und häufiger benutzt wird, indem die Mauer hier sich etwas neigt und mit Hülfe eines Taues bestiegen werden kann. Jetzt werden diese Eingänge den Tag über für alle Ankommenden offen gelassen, Nachts aber fest geschlossen. Der Garten litt jetzt von der Dürre; aber er sah doch herrlich grün aus im Gegensatz gegen die schaurige Oede überall umher. Aufser den hohen dunklen Cypressen, die man schon von fern sieht, enthält er meist Obstbäume; wenig Gemüse wird jetzt darin gebaut. Die grofse Anzahl und Mannichfaltigkeit der Obstbäume ist überraschend, und giebt ein Zeugnifs von dem schönen und lebensfrischen Klima, vorausgesetzt, dafs es hinreichend Wasser giebt. Die Mandelbäume sind sehr grofs, und hatten schon längst abgeblüht. Die Aprikosenbäume sind auch grofs und waren, wie die Apfelbäume, grade in voller Blüthe, oder vielmehr schon im Verblühn. Es giebt auch Birnen, Granatäpfel, Feigen, Quitten, Maulbeeren, Oliven und viele Weinstöcke, aufser mehreren andern Bäumen und Sträuchern in grofser Mannigfaltigkeit. Das Obst, das hier gewonnen wird, soll ausgezeichnet sein. Die Araber stehn jetzt recht gut mit den Mönchen und plündern ihre Gärten nicht; aber die anhaltende Dürre hat sie weniger einträglich gemacht. Dieser Garten, obgleich unter der unmittelbaren Aufsicht

der Mönche, wird nicht ordentlich gehalten und hat nichts zur
Verschönerung; auch ist er nicht gut bewässert. Dennoch ist er
ein Kleinod in der Wüste.

Als wir im Garten auf- und abgingen, begegnete uns Sheikh
Husein, der frühere Führer Laborde's und andrer Reisenden, der
jetzt Haupt-Sheikh seines Stammes, der Aulâd Sa'id ist und in
Geschäften nach dem Kloster gekommen war. Er ist ein hüb-
scher, verständiger Mann, von mittleren Jahren, und geniefst grofses Ansehn und Einflufs unter den Tawarah und im Kloster.
Wir freuten uns, ihn zu treffen und seine Fragen, so weit es
uns möglich war, über die vielen fränkischen Reisenden, die
er kennen gelernt hatte, zu beantworten; er schien sich aller
auf das freundlichste zu erinnern. Auch war er nicht minder
aufgelegt, unsre vielen Fragen in Bezug auf die Gegenden der
Halbinsel, die er am besten kannte, zu beantworten. Wir erfuhren bei dieser Gelegenheit, dafs die Araber jetzt nicht, mehr
wie früher ganz vom Kloster und seinem Gebiete ausgeschlossen
sind, sondern die Sheikhs und sonstigen Vornehmen werden un-
gehindert im Garten zugelassen, wo oft Geschäfte mit ihnen abgemacht werden, zuweilen auch in's Kloster selbst. Eine Anzahl der Leibeignen wohnen ebenfalls innerhalb der Gartenmauern.
Aber die gewöhnliche Art der Unterhaltung mit den gemeinen
Arabern ist von der hohen Thür herab, oder durch ein kleines
Loch in der Mauer etwas weiter unten.

Am Nachmittage gingen wir aus durch den Garten, um die
Ebne, über die wir gestern gekommen waren, nôch genauer zu
untersuchen. Indem wir uns auf den höchsten Punkt der Ebne
oder der Wasserscheide stellten mit dem Gesicht nach dem Kloster, fanden wir, dafs die Richtung der Ebne und des Kloster-
thales im Allgemeinen Südost halb Süd, oder genauer S. 41° O.
ist. Der Berg zur Linken oder nordöstlich von der Ebne, mit

Namen Jebel el-Fürei'a, ist lang und hoch, mit flachem Lande auf dem Gipfel, worauf Weide für Kamele. Er erstreckt sich
nördlich längs des Passes, durch den wir heraufstiegen und südlich nach dem Wady esh-Sheikh an der südöstlichen Ecke der
Ebne. Im Süden dieses Wady heifst der Berg, der über das
Kloster von der Ostseite hereinragt, Jebel ed-Deir oder auch der
Kreutzberg. [1] Der Berg auf der Westseite des Passes heifst Jebel es-Seru, oder es-Surey; aber südlich von der Felsspalte, die
nach dem Wady Rüdhwâh hinabführt, nimmt er eine Zeit lang
den Namen Sülsül-Zeit an, und dann an dem südlichen Ende
nahe an dem Einbug den el-Ghübsheh. Längs der Ebne ist
dieser Berg etwas niedriger als der gegenüberliegende, und der
Gipfel desselben mehr in wilde Spitzen gespalten; während über
demselben und durch die Lücken seines Kammes ein viel höherer Gebirgsrücken weiter nach Westen, Jebel Tinia genannt, zu
sehn ist. Diese Seite der Ebne ist ganz unregelmäfsig wegen
der Vorsprünge und Spitzen des Berges, die von demselben
hineinlaufen. Im Westen des oben erwähnten Einbugs liegt
Jebel el-Humr, der durch einen Rücken oder *Col* mit dem el-
Ghübsheh verbunden ist, über den ein Pafs nach dem Wady Tü-
lâh und so nach dem Anfang des Wady Hibrân führt. Jebel Humr
geht an der westlichen Seite von el-Leja eine Strecke entlang,
und dann liegt etwas südlicher und weiter zurück der hohe Gipfel
des Jebel-Kâtherîn oder St. Katharina.

Der Name S i n a i wird jetzt von den Christen ganz allgemein dieser ganzen Berggruppe gegeben, aber im engern Sinne
heifst nur der Bergrücken so, der zwischen den beiden parallel
laufenden Thälern Shu'eib und el-Leja liegt. Es ist das nörd-

---

1) Dies ist der Berg, der von Pococke und Andern Episteme genannt wird. Es steht jetzt ein Kreuz darauf, und es soll früher daselbst ein Kloster gewesen sein, woher denn auch sein jetziger Name.

liche Ende dieses hohen Rückens, der so kühn und majestätisch sich
von dem südlichen Rande der Ebne erhebt; und dieser nördliche
Theil wird jetzt von den Christen Horeb genannt. Die Bedawin
jedoch scheinen diesen Namen nicht zu kennen. Von dieser Vor-
derwand aus geht der hohe Bergrücken, ungefähr Südost gen
Süd, beinah oder ganz anderthalb Stunden zurück, wo er in die
höhere Spitze des Jebel Musa ausläuft, der gewöhnlich für den
Gipfel des Sinai gehalten worden ist, die Stelle, wo das Gesetz
gegeben wurde.

Die heutigen Araber haben keinen andern Namen für die
ganze Gruppe der Berge auf der Halbinsel als Jebel et-Tûr. Es
ist möglich, dafs sie zuweilen das Wort Sinai (Tûr Sina) zur
besondern Bezeichnung hinzusetzen, aber es ist durchaus ungewöhnlich. [1])

Wir mafsen quer über die Ebne, wo wir auf der Wasserscheide standen, und fanden, dafs die Breite an jener Stelle 2700
englische Fufs, oder 900 Yards betrug, obgleich sie an andern Stellen breiter ist. Die Entfernung bis zum Fufse des Horeb, ebenso gemessen, betrug 7000 Fufs oder 2333 Yards.
Den nördlichen Abfall der Ebne (nördlich von unserm Standpunkte aus) schätzten wir etwas weniger als eine englische Meile
lang und eine Drittel-Meile breit. Wir können daher die ganze
Ebne recht gut zwei engl. geograph. Meilen lang und ein bis
zwei Drittel Meile breit schätzen, oder so viel als die Fläche von
wenigstens einer solchen Quadrat-Meile. Dieser Raum wird fast
verdoppelt, sowohl durch den ofterwähnten Einbug im Westen, als

---

1) Der angebliche Ibn Haukal im zehnten Jahrhundert schreibt
Tûr Sina; s. Ouseley's Ebn Haukal p. 29. — Edrisi und Abulfeda ha-
ben nur Jebel Tûr und et-Tûr. Siehe Edrisi ed. Jaubert p. 332.
Abulfedae Arabia, in Geogr. Script. Minor. ed. Hudson, Oxoniae 1712.
Tom. III. p. 74.

durch die breite, ebne Fläche des Wady esh-Sheikh im Osten, der
rechtwinklig aus der Ebne ausläuft und auf gleiche Weise von
der Vorderseite und dem Gipfel des jetzigen Horeb gesehn werden kann.

Die Untersuchung dieses Nachmittags überzeugte uns, dafs
hier Raum genug war, um allen Erfordernissen der biblischen
Erzählung zu genügen, nach welcher die Israeliten hier versammelt waren, um das Gesetz zu empfangen. Auch kann man das
Passende jenes Befehls, ein Gehege um den Berg her zu machen,
recht wohl einsehen, damit nämlich weder Mensch noch Thier
ihm zu nahe käme. [1]) Das Lager „gegen dem Berge" möchte,
wie schon vorhin angedeutet, nicht unwahrscheinlich blos aus dem
Hauptquartier des Mose, der Aeltesten und eines Theils des Volks
bestanden haben, während die Uebrigen mit ihren Heerden in den
nahe gelegenen Thälern zerstreut waren.

Der Leser wird hoffentlich diese topographisch genaue Beschreibung einer so interessanten Gegend nicht ungehörig finden.
Sie wird ihm behülflich sein, die Karte, welche diesem Bande
beigefügt ist, besser zu verstehen, und wird die Nothwendigkeit
mancher Wiederholungen verhüten. — Es war schon spät, als
wir nach dem Kloster zurückkehrten; wir fanden die Eingänge
in den Garten geschlossen und mufsten uns wieder durch die hohe
Thür in der Mauer hinanfwinden lassen.

Sonntag den 25ten März. Da wir den Wunsch geäufsert hatten, in der grofsen Kirche dem Morgen-Gottesdienste
beizuwohnen, so wurde dies mit dem Bemerken freundlichst angenommen, dafs dies bei Reisenden etwas Ungewöhnliches sei. Wir
waren schon früher eingeladen worden, mit der Brüderschaft nachher im Refectorium zu frühstücken. Der Gottesdienst in der Kirche

---

[1]) 2 Mos. 19, 12. 13.

fing um 7 Uhr an und dauerte anderthalb Stunden. Er war einfach, würdevoll und feierlich, und bestand grofsentheils im Lesen der Evangelien mit den rührenden Responsorien und dem feier-
lichen Absingen des griechischen Ritus. Die Empfindungen, welche die Oertlichkeit in uns anregte, unterstützten den ruhigen und
heiligen Eindruck des Gottesdienstes, und Alles war geeignet,
Andacht und Ehrfurcht in dem Herzen zu erwecken. Die alter-
thümliche, doch einfache Würde der Kirche war nicht minder er-
hebend. Die Mönche schienen jeder seinen besondern Sitz oder
Chorstuhl zu haben, und zwei sehr alte Leute von ihnen fielen
mir ganz besonders auf, die, die Responsorien und das Kyrie-
Eleison mit grofser Einfachheit und sichtbarer Inbrunst absan-
gen. Der Gottesdienst schlofs auch das Hochamt oder die Ein-
weihung der Hostie ein; aber die Mönche communicirten nicht;
nur ein Fremder, ein Grieche von Tür, nahm daran Theil.
Gleich nach Beendigung der Kirche rief uns Pater Neophytus, der Prior, zum Zeichen ganz besonderer Gewogenheit, in
die Sakristei, um uns die Reliquien der heiligen Katharina
zu zeigen, deren Leiche, wie die Mönche sagen, durch En-
gel von Alexandrien nach dem Gipfel des Berges, der jetzt ihren Namen führt, getragen sein soll. Die Reliquien bestehn
in einem Schädel und einer Hand, beide in Gold gefafst und mit
Edelsteinen verziert.

Wir begaben uns nun nach dem Refectorium und erhielten
unsre Plätze an der langen Tafel gleich unter den Priestern; die
Laienbrüder und Pilger hatten ihre Plätze noch weiter unten. Der
Tisch war reinlich und ohne Tischtuch; einige der gröfsern Ge-
schirre bestanden aus verzinntem Kupfer; aber die Teller, Löf-
fel, Näpfe, Becher und Trinkschalen waren alle von Zinn. Eine
Apfelsine und eine halbe Citrone lagen bei jedem Teller mit einem
Stückchen groben Brotes. Nach dem Tischgebete wurde eine

grofse Schüssel mit Suppe oder Brei von Kräutern und einer Art
von grofsem Schellfisch aufgetragen, woron sich ein jeder nach
Belieben selbst nahm. Dies und ein paar Teller voll Oliven
und rohe bis zum Keimen in Wasser eingeweichte Bohnen machten die ganze Mahlzeit aus. Die guten Mönche schienen es sich
wohlschmecken zu lassen, und einige der ältesten setzten ihre
Teller mit den Ueberresten dieser Leckerbissen in die Schubka-
sten unter dem Tische. Während des Essens las der junge Mönch
oder Diakonus, den wir unterwegs begegnet waren, von einer
kleinen Kanzel herab, eine Predigt oder Homilie in neu-griechi-
scher Sprache, eine Lobrede auf den Chrysostomus. Sobald wir
vom Tische aufgestanden waren, wurde eine Kerze auf einem
kleinen Tisch am Ende des Zimmers angezündet, um die sich
Alle stellten, und man sprach ein Gebet über einem Stückchen
Brot und einem sehr kleinen Kelch mit Wein. Diese wurden
dann an Alle, die da standen, herumgegeben, und alle Anwe-
sende brachen einen Bissen Brot ab und kosteten den Wein.
Dies warde uns als eine Art Liebesmahl gedeutet, ein blofses
Symbol von dem Genusse des Weins, den die Mönche nach ihrer Ordensregel nicht trinken dürfen. Diese Ceremonie hat jedoch keine Beziehung auf das Abendmahl des Herrn, wie einige
Reisende sie irrthümlich genommen haben. [1])

Darnach erhielt Jeder, indem er den Saal verliefs, einzeln
den Segen des Prior, und wir giogen Alle nach dem alten Pfei-
lergange dicht dabei, wo Kaffee herumgereicht wurde; der Diakonus folgte und fuhr die ganze Zeit hindurch fort zu lesen. Es
trat eine Einfachheit und ein Ernst während der ganzen Mahlzeit
und dem, was damit verbunden war, hervor, die einen angenehmen Eindruck machten.

---

1) Siehe Incidents of Travels in Arabia Petraea etc. by I. L.
Stephens.

Nach einer oder zwei Stunden kam der Prior, um uns die
verschiedenen Theile im Innern des Klosters zu zeigen. Wir besahen nun die grofse Kirche aufmerksamer. Sie ist massiv und
fest, aus der Zeit des Kaiser Justinian etwa um die Mitte des
sechsten Jahrhunderts, obgleich sie seitdem viele Anbaue und Re-
paraturen erfahren hat. Die Nische über dem Altar enthält ein
grofses Mosaikstück, die Verklärung darstellend, der Sage nach
aus derselben Zeit, wie die Kirche selbst; desgleichen die Portraits Justinians und seiner Gemahlin. Diese sind von Laborde
copirt. Auch viele Gemälde von Heiligen hangen in der Kirche, grofs und klein, und sie ist reichlich mit silbernen Lampen versehn, die nur den Altar und in verschiedenen Theilen der
Kirche aufgehängt sind. Der Fufsboden ist recht nett mit verschiedenfarbigem zu Figuren zusammengesetzten Marmor gepflastert, und soll erst vor etlichen sechzig oder siebenzig Jahren gelegt sein. [1]) Die Decke ist erst vor Kurzem ausgebessert. Hinter dem Altare zeigte man uns die Stelle, wo der brennende Busch
gestanden haben soll, die jetzt als der heiligste Ort auf der Halbinsel angesehn wird; und wie Mose seine Schuhe auszog, um
herzuzutreten, so müssen auch jetzt Alle, die ihn besuchen, dasselbe thun. Die Stelle ist mit Silber bedeckt und die ganze Kapelle mit reichen Teppichen versehen. Nahe dabei zeigt man auch
den Brunnen, aus welchem, wie man sagt, Mose Jethro's Heerde
getränkt hat. Aufser der grofsen Kirche giebt es vier und zwanzig Kapellen [2]) in verschiedenen Theilen des Klosters; einige davon gehörten früher den Lateinern [3]) und andere noch früher den

---

1) Pococke hörte dasselbe im Jahr 1738. Travels I. p. 150 fol.

2) Burckhardt sagt sieben und zwanzig, der General der Franziskaner siebzehn.

3) Als Monconys im Jahr 1647 hier war, gab es noch eine rö-
misch-katholische Kapelle dicht bei den Fremdenzimmern, in der einer

Syrern, Armeniern und Kopten. Jetzt sind sie alle in den Händen der Griechen. Einige wurden uns geöffnet; aber sie enthalten nichts Merkwürdiges; und die täglichen Messen, die sonst hier gelesen wurden, unterbleiben jetzt. Wir hörten, dafs zur Zeit nur in den gröfsern dann und wann Messe gelesen wird. Nicht weit von der grofsen Kirche steht auch eine muhammedanische Moschee, grofs genug für zweihundert Verehrer, ein merkwürdiges Denkmal der Toleranz oder Politik der frühern Bewohner des Klosters. Sie ist nun aufser Gebrauch gekommen, da das Kloster nur selten von muhammedanischen Pilgern besucht wird [1].

Wir wurden nun hinauf und herunter geführt durch verschiedene kleine Höfe und viele krumme Gänge; das ganze Kloster ist ein Labyrinth von dunklen Gängen. Die Zellen der Mönche liegen in verschiedenen Theilen an diesen Gängen. Sie sind klein, schlecht und ohne alle Bequemlichkeiten, blofs mit einer Matte und einer wollenen Decke versehn, die auf einem etwas erhöhten Theile des Fufsbodens als Bett ausgebreitet sind, und vielleicht einem hölzernen Stuhl, aber keinem Tisch. Werkstätten oder vielmehr Arbeitsplätze unter freiem Himmel bemerkten wir an mehreren Orten, mit Werkzeugen, kunstlos und älter als die Arme, die sie jetzt handhaben. Sie gebrauchen Handmühlen, aber sie haben auch eine grofse Mühle, die von einem Esel getrieben wird. — Das Zimmer für den Erzbischof, wie man es nennt, ist gröfser und schöner als die übrigen, da

---

seiner Gefährten lateinische Messe hielt. Voyages I. p. 227. Sicard sah sie 1715 mit einem Gemälde Ludwig des XIV; siehe Nouv. Mémoires des Miss. dans le Levant, I. p. 8. Pococke spricht auch davon im Jahr 1738. Travels I. S. 154 fol.

1) Nach einigen alten arabischen Urkunden, die im Kloster aufbewahrt werden, und die Burckhardt gelesen hatte, scheint diese Moschee schon vor 783 der Hedschra oder 1381 n. Chr., existirt zu haben. Travels in Syria etc. p. 543. (876.)

11

es einmal ziemlich gut meublirt gewesen ist. Es ist mit einigen
Portraits verziert; eins davon ist das Bildnifs des jetzigen Erz-
bischofs, der bis vor Kurzem auch Patriarch von Konstantinopel
war. In diesem Zimmer bewahrt man eine schöne Handschrift
der vier Evangelien auf, die auf Velin in zwei Columnen mit
goldenen Buchstaben geschrieben sind; die Gestalt der Buchstaben stimmt mit denen in den Alexandrinischen Handschriften überein. Das Evangelium St. Johannis macht den Anfang. Der Codex
scheint keine Jahreszahl zu enthalten. Man sagt, dafs dieses Manuscript dem Kloster von einem Kaiser Theodosius geschenkt worden sei, vielleicht dem dritten dieses Namens im achten Jahrhundert. Man zeigte uns auch ein Exemplar des griechischen Psal-
ters, das auf zwölf Seiten Duodez von einem Frauenzimmer geschrieben ist. Die Handschrift ist niedlich, aber man braucht
ein Vergröfserungsglas, um sie zu lesen. — Nahe bei diesem
Zimmer liegt die kleine Kirche, die wie so viele andre von der
Helena gebaut sein soll.

Die Bibliothek ist auf einer andern Seite, in einem Zimmer
mit Fensterläden, die ebenso wie die Thür sehr selten aufgemacht
werden. Die gedruckten Bücher sind meistentheils griechisch
und sehr alt. Die Bibliothek ist reich an Incunabeln, enthält
aber wenig neuere Bücher, ausgenommen einige Exemplare der
heiligen Schrift von der Britischen und Ausländischen Bibelge-
sellschaft, die ein Missionar geschenkt hat. Diese liegen hier in
derselben ungestörten Ruhe, deren die Aldina der Septuaginta
Jahrhunderte hindurch genofs. Ich machte einen Ueberschlag über
die ganze Anzahl von Büchern, indem ich die Bretter der Repo-
sitorien und die Bände auf zweien oder dreien zählte, und konnte
sie auf diese Weise auf funfzehnhundert Bände schätzen. Burckhardt giebt funfzehnhundert griechische Bücher und siebenhundert
arabische Handschriften an; letztere untersuchte er, aber ohne

etwas von hohem Werthe darunter zu finden [1]). Die Bibliothek
wird ganz vernachlässigt. Für sich selbst etwas zu lesen, steht
weder unter den Pflichten noch unter den Erholungen dieser würdigen Väter verzeichnet.

Sichtlich ungern führte uns der Prior zu der Grabstätte oder
vielmehr dem Beinhause des Klosters, das beinah in der Mitte
des Gartens liegt. Wir schlossen aus seinen Reden, dafs Reisende,
die es besuchten, zuweilen durch ihre Bemerkungen das Gefühl
der Mönche verletzt, oder einen Widerwillen und Schauder bei
dem graulichen Anblick geäufsert haben. Das Gebäude ist halb
unterirdisch und besteht aus zwei Gemächern oder Gewölben; das
eine enthält die Gebeine der Priester, das andre die der Laienbrüder. Die Leichname werden zuerst zwei oder drei Jahre lang
auf einen eisernen Rost in einem andern Gewölbe gelegt, dann
die Gerippe auseinandergenommen, und in diese Gemächer gebracht. Hier werden die Knochen in regelmäfsige Reihen aufgehäuft, die Arme in einer, die Beine in einer zweiten, die Rippen in
einer dritten u. s. w. Die Knochen der Priester und der Laien
werden von einander abgesondert in den verschiedenen Gewölben
aufgeschichtet, mit Ausnahme der Schädel, die ohne Unterschied
hingeworfen werden. Die Gebeine der Erzbischöfe, deren Leichen
jedes Mal mit ihrer Kleidung und ihrem Eigenthum hieher gebracht werden, bewahrt man in kleinen hölzernen Kasten auf.
Das Gerippe eines Heiligen wurde uns ebenfalls gezeigt, so wie
auch die von zwei Asceten, die in den benachbarten Bergen ein
Einsiedlerleben geführt und Panzerhemden auf blofsem Leibe getragen und sich an den Füfsen mit einer Kette zusammengebunden haben, wovon noch Einzelnes hier aufbewahrt wird [2]). Dies

---

1) Burckhardt S. 551. (886.)

2) Als Burckhardt es hörte, waren es zwei „indische Prinzen," S.
564. (905.) Monconys im Jahr 1647 hat „zwei Söhne eines äthiopischen

11 *

ist im eigentlichen Sinne ein Haus des Todes, wo er nun schon
seit Jahrhunderten seinen Thron aufgeschlagen und mit jedem
Jahre neue Opfer empfangen hat, bis die Gemächer beinah angefüllt sind mit dieser Versammlung der Todten. Man sollte
denken, dafs die Mönche nur mit den feierlichsten Empfindungen
diesen Ort, betreten könnten, auf diese sterblichen Ueberreste ihrer
Vorgänger, ihrer Brüder, ihrer täglichen Gefährten hinzusehn, die
jetzt alle hier in ihrer letzten irdischen Trauergestalt sich befinden;
mit denen sich ihre eignen Gebeine bald ebenso einzeln vermischen, und vielleicht ebenso wie diese von Fremden aus fernen
Ländern beschaut werden. Ich kenne keinen Ort, wo die Lebendigen und die Todten in näherer Berührung mit einander kämen,
oder wo die furchtbare Mahnung, sich auf den Tod vorzuberei-
ten, mit gröfserer Gewalt ins Herz dränge. Dennoch schienen
die Mönche das Ganze als etwas Alltägliches anzusehn, das aus
langer Gewohnheit, wenn nicht aus Leichtsinn, ihnen gleichgültig geworden ist. Es war wohl etwas Stilles, aber nichts Feier-
liches in ihrem Wesen.

Den Nachmittag über liefs man uns ungestört, um unsern
eignen Gedanken nachzuhängen und unsern Gottesdienst für uns
zu üben. So brachten wir den christlichen Sabbath mitten in
dieser wilden und erhabnen Natur hin, wo einst der jüdische
Sabbath Israel verkündigt wurde. Wir waren hier mitten in
einer der ältesten Klosterverbindungen auf Erden, wo jedoch Alles, was wir sahn und hörten, uns nur die traurige Wahrheit zu
bestätigen schien, dafs bei der menschlichen Schwachheit selbst
die heiligsten nnd den Geist am meisten anregenden Umgebungen

---

Königs" (I. S. 235) und Neitzschitz 1634 „zwei Brüder, Söhne eines
Kaisers von Konstantinopel" (Weltbeschauung S. 168). Ebenso Van Egmond und Heymann etwa um 1720; Reize II. S. 174.

durch die Gewohnheit bald ihre Kraft, die Seele zu erheben und
zu beruhigen, verlieren.

Der Prior kam am Abend wieder zu uns, als wir eben beim
Thee waren, und nahm eine Tasse, die wir ihm anboten, unter
der Bedingung an, dafs er sie ohne Milch trinken könnte, weil
es grade Fastenzeit war, wo der Genufs alles dessen, was von
Thieren kommt, aufs Strengste vermieden wird. Ein Theelöffel,
der in Milch getaucht worden war, wurde zum Abwaschen hin-
ausgeschickt, damit er ihn gebrauchen könne; aber um ganz sicher zu sein, zog er es auch dann noch vor, seinen Thee mit dem
Löffelstiele umzurühren.

Montag den 26ten März. Unser Plan war gewesen,
diesen und den folgenden Tag anzuwenden, um den Sinai und
den Katharinenberg zu besteigen; und der Prior hatte uns so ins
Herz geschlossen, dafs er uns seine Absicht, uns wenigstens am
ersten Tage zu begleiten, zu erkennen gab. Dies, sagte er,
sei eine Ehre, die er keinem Reisenden, aufser einem fran-
zösischem Erzbischofe erzeigt habe, dessen Namen und Titel wir
jedoch in dem Fremdenbuche als den eines römisch-katholischen
Bischofs in partibus von Syrien fanden [1]). Auch war diese Zu-
vorkommenheit von Seiten des Prior vielleicht nicht so ganz frei
von Eigennutz, wie er sie darzustellen wünschte; denn es kam
nachher heraus, dafs er zwei jüngere Mönche, neue Ankömm-
linge, mitnehmen wollte, um sie mit den heiligen Oertern bekannt
zu machen, so dafs sie nachher Reisende und Pilger als Führer
begleiten könnten; denn es war gegenwärtig nur ein Mönch aufser
dem Prior da, der sie alle kannte, und der war alt und schwach.
Es wurde verabredet, dafs wir heute den Jebel Mùsa und die

---

1) Der Prior vergafs, wie es scheint, dafs er das Jahr vorher
Schubert und seine Gesellschaft nach dem Gipfel begleitet hatte. S.
Schubert's Reise II. S. 312.

nördlichere Höhe des Horeb besuchen, im Kloster el - Arba'ïn
schlafen, und von da aus morgen den St. Katharinen - Berg besteigen sollten. Demgemäfs wurden die Mundvorräthe und das
für die Nacht Erforderliche durch das Thal nach el - Arba'ïn
herumgeschickt, während wir nur das, was wir am Tage brauchten, mit uns über den Berg nahmen. Wir machten zusammen eine
gröfsere Gesellschaft aus, als wünschenswerth war; wir selbst, unsre Bedienung, der Prior mit den beiden Novizen und dem Pilger,
die auf dem Wege an uns vorübergezogen waren, (die beiden
vorgenannten schienen die als künftige Führer einzuweihenden zu
sein,) und zwei Araber von den Jebeliyeh, Leibeigene des Klosters,
welche die Sachen trugen, die wir mit uns nahmen. Das Kloster
hat das Monopol, Führer und Träger für Alle, welche die heiligen Oerter besuchen, zu besorgen und gebraucht dazu seine
Leibeignen, indem diese nur eine unbedeutende Vergütigung an
Korn oder Brot erhalten, während man den Reisenden viel
mehr abnimmt. Es giebt dort zwei regelmäfsige Ghafîrs oder
allgemeine Führer für Reisende; der eine, ein alter Mann, 'Aid,
der uns nur heut begleitete; der andre Muhammed, ein ganz junger Mensch. Mehrere Kinder der Araber folgten uns auch den
Berg hinauf, in keiner andern Absicht, als ein Stückchen Brot
für ihre Mühe zu bekommen.

Wir waren früh aufgestanden, um uns bei guter Zeit auf
den Weg zu machen, aber die vielen Vorbereitungen und einige
Verzögerungen von Seiten des Prior hielten uns sehr lange auf.
Um 7 Uhr 15 Min. gingen wir endlich aus dem nordwestlichen
Eingange des Gartens hinaus und wandten uns links, indem wir
oberhalb hinter dem Kloster weg gingen. Der Weg geht durch eine
Schlucht südlich vom Kloster hinauf, die sich schräge durch die
senkrechte Felsenmauer des Berges zieht; die Richtung vom Kloster
bis beinah an's obere Ende dieses Grundes ist grade nach Süden.

Der Pfad geht eine Zeit lang schräg fort über Trümmer, und wo er steil wird, ist er theilweis mit grofsen Steinen lose ausgelegt, wie die Schweizer Bergstrafsen; diese Steine vertreten auch die Stelle von Stufen. An einzelnen Stellen giebt es noch regelmä- fsige Treppen, aber blos von unbehauenen Steinen ganz in ihrem natürlichen Zustande. Man hat gewöhnlich erzählt, dafs einst ganz regelmäfsige Treppen bis auf den Gipfel hinaufführten; das möchte aber, wie so viele andere Geschichten, eine blofse Ueber- treibung der Reisenden sein; wenigstens beweiset jetzt der Augen- schein grade das Gegentheil. An vielen Stellen würden Stufen ganz unnütz sein, wie denn auch keine Spur davon sich findet. An andern Stellen, wo sie fortlaufen, sind einige sechs Zoll, andre beinah oder voll zwei Fufs hoch. Daher ist jeder Versuch, die Berghöhe aus der angeblichen Stufenzahl zu bestimmen, wie Shaw und Andre gethan haben, ganz nutzlos. Um 7 Uhr 40 Min. ruhten wir an einer schönen, kalten Quelle unter einem herüber- ragenden Felsen; das Wasser derselben soll durch eine Wasser- leitung nach dem Kloster gebracht werden. Sie heifst: Ma'yan el-Jebel oder Bergquelle. Um 8 Uhr 25 Min. erreichten wir eine kleine, kunstlose Kapelle, noch immer in der Schlucht, der Jungfrau des Ikonomos geweiht. Hier zündeten die Mönche Ker- zen an und räucherten, wie sie in allen Kapellen, die wir nach- her sahen, thaten. Der Prior, fünf und sechzig Jahr alt und etwas schwerfällig, mufste oft ausruhen; daher kamen wir nur langsam vorwärts. Hier, so wie an allen andern heiligen Plätzen, erzählte er die Legende, die sich auf den Ort bezog.

Die auf diese Kapelle bezügliche Geschichte war folgende: In früherer Zeit, sagte er, wurden die Mönche von Flöhen sehr gequält, und es kamen so wenig Pilger zu ihnen, dafs sie sich entschlossen, das Kloster zu verlassen. Sie gingen alle in Pro- cession, um zum letzten Male die heiligen Oerter des Berges zu

besuchen, und als sie nahe an dem Gipfel waren, erschien ihnen
plötzlich die Jungfrau und gebot ihnen, nicht wegzugehn, denn
an Pilgern würde es nie fehlen, die Flöhe würden verschwinden
und die Pest sollte nie zu ihnen kommen. Zu derselben Zeit, als
sie die Jungfrau hoch oben auf dem Berge sahn, erschien sie
auch dem Ikonomos an dieser Stelle. Als die Mönche nach Hause
kamen, war wirklich eine Karavane mit Pilgern angekommen;
die Pest ist seitdem nie hier gewesen; und ihrer Rede nach giebt
es keine Flöhe im Kloster; obgleich unsere Erfahrung in dem
letzten Punkte ein so unbedingtes Lob der Jungfrau nicht ganz
rechtfertigte. [1])

Der Pfad wendet sich nun beinah westlich und geht aus
der Schlucht steil in die Höhe. Oben steht ein Portal, das
wir um 8 Uhr 45 Minuten erreichten; und zehn Minuten nachher noch eins, durch welches man in die Ebne oder das Becken tritt, das hier die Höhe des Bergrückens vom Sinai zwischen dem Klosterthale und el-Leja einnimmt. In der Blüthe-
zeit der Pilgerfahrten standen Priester an diesen Portalen, um
die Beichte der Pilger auf ihrem Wege den Berg hinauf zu hören;
und alle alten Reisenden erzählen, dafs kein Jude dadurch gehn
könnte. Hier erblickten wir zuerst die Spitze des Sinai oder Jebel

---

1) Die alten Reisenden des funfzehnten und sechzehnten Jahrhunderts, Tucher, Breydenbach, Fabri, Wormbser, und Andre erzählen dieselbe Geschichte, fast als ob sie von einander abgeschrieben hätten, und
beziehn sie auf Schlangen, Kröten, und andre giftige Würmer und Un-
geziefer. Aber Rud. de Suchem im Jahr 1336 — 50 hörte es von Mücken,
Wespen und Flöhen, obgleich ohne Procession und Erscheinung; und so
mächtig war der Schutz, den man damals erfuhr, dafs, obgleich diese
Insecten aufserhalb des Klosters sehr lästig waren, sie jedoch sogleich
starben, sobald man sie hineinbrachte. Wilhelm von Baldensel im Jahr
1336 behauptet mit eigenen Augen sie sterben gesehen zu haben, als sie
so hineingebracht waren.

Mûsa zur Linken und die höhere Spitze St. Katharina südwestlich jenseits des tiefen Thales el-Leja. Um 9 Uhr kamen wir
zum Brunnen und zur hohen Cypresse in derselben Ebne, wo
wir uns etwas ausruhten, während der Prior Allen ein Stückchen Brot gab. Nach dieser Austheilung kehrten die arabischen
Kinder um, die so lange uns nachgekommen waren. Burckhardt
spricht von diesem Brunnen als von einem steinernen Wasserbehälter, der den Winterregen auffängt. Wir nahmen ihn für einen Brunnen mit Quellwasser; wenigstens hat er das Ansehn davon; er ist bedeutend tief und auf die gewöhnliche Weise wie ein
tiefer Brunnen regelmäfsig mit Steinen ausgelegt. Dicht dabei liegt ein Fels mit vielen arabischen Inschriften, die den Besuch von Pilgern verewigen. Die einsame Cypresse mit ihrem
dunklen Laube macht diese wilde Stelle noch interessanter. [1])

Die kleine Ebne liegt etwa zwölf bis dreizehn hundert Fufs
über dem Thale darunter, und dehnt sich über den ganzen Berg
rücken aus; von da geht ein Pfad westlich nach dem Kloster el-
Arba'in und dem Wâdy el-Leja hinab. Rechts breiten sich Gruppen von Felsen und Spitzen, von zwei bis vierhundert Fufs
über diese kleine Ebne, beinah eine Stunde weit nach Nordnordwest aus, und enden in der kühnen Felswand, die über die Ebne
er-Râhah nördlich vom Kloster hereinragt. Das ist der jetzige

---

. 1) Zu Niebuhr's Zeit waren hier zwei grofse Bäume; und der
Franziskaner - General erwähnt hier im Jahr 1722 zwei Cypressen
und zwei Olivenbäume. Letzterer spricht auch von dem Brunnen, al
von Wasser, das vom Winterschnee und Regen zusammenläuft. Das
Tagebuch dieses Generals, zuerst von Pococke (I. S. 147. fol.) erwähnt,
ist nachher in's Englische übersetzt und von Clayton, Bischof von Clogher, in einem Brief an die Alterthumsgesellschaft herausgegeben (Lond.
1753); es wird jetzt bisweilen an die englischen Ausgaben von Maundrell's Reise angehängt.

Horeb der Christen. Links, grade südlich vom Brunnen, erhebt
sich die höhere Spitze des Sinai oder Jebel Mûsa, etwa siebenhundert Fufs über dem Becken, und fast eine halbe Stunde entfernt. Einige Schritte weit vom Brunnen, wo die Höhe des Sinai
anfängt, steht ein niedriges, kunstloses Gebäude, das die Kapellen des Elias und Elisa enthält. Hier stand gewifs einst ein
kleines Kloster; und die ältern Reisebeschreiber sprechen auch
von einer Kapelle der Jungfrau. In der des Elias zeigen die
Mönche nahe am Altare ein Loch, eben grofs genug für einen
Menschen, welches die Höhle sein soll, wo der Prophet auf dem
Horeb blieb. [1] Die Kerzen wurden angezündet und es wurde
auch in beiden Kapellen geräuchert. Von hier aus geht es steil
hinauf, obwohl nicht schwierig. Den gröfsten Theil des Weges
findet man Stufen, blos unbehauene zusammengelegte Steine,
und nirgend auf dem Aufgang des ganzen Berges sind sie behauen oder in den Fels gearbeitet, wie Burckhardt behauptet. [2]

Um 9 Uhr 30 Min. verliefsen wir die Kapellen und stiegen
langsam bergan, ohne zu unterlassen unterwegs die Spur von
Muhammeds Kamel im Felsen zu besehen. Um 10 Uhr 20 Min.
erreichten wir den Gipfel des Jebel Mûsa. Dieser besteht aus
einer kleinen Fläche von ungeheuren Felsen, etliche achtzig Fufs
im Durchmesser, die gegen Osten zu am höchsten ist. Hier
steht eine kleine fast verfallne Kapelle, die früher zwischen den
Griechen und Lateinern getheilt war; während gegen Südwest
etwa vierzig Fufs davon eine kleine verfallne Moschee liegt. Der
Gipfel und auch die ganze Masse von diesem Theile des Berges
besteht aus grobem grauen Granit. [3] An den Felsen befinden

---

1) 1 Kön. 19, 8. 9. — Die Höhe dieser Gebäude über dem
Kloster im Thale ist von Schubert zu 1400 Pariser Fufs angegeben.

2) S. 565. (906).

3) Pococke bemerkt ganz richtig, dafs der nördliche Theil des Sinai

sich viele Inschriften, arabische, griechische und armenische, das
Werk von Pilgern. In der Kapelle stehen die Namen vieler
Reisenden; und ich fand hier eine Beobachtung Rüppell s mit Bleistift notirt: 7 Mai 1831; mit Angabe der Zeit: 12 Uhr 15 Min.
Barom. 21′ 7″ 6‴; Thermomet. 13¼ R. Um 10 Uhr 30 Min.
stand mein Thermometer auf 12½ R. Die Höhe dieser Spitze über dem Meere beträgt nach Rüppell's Beobachtung, verglichen
mit der gleichzeitig zu Tûr angestellten, 7035 Pariser Fufs; und
etwa 1670 Fufs über dem Kloster el-Arba'in. [1]) Von hier liegt
die Spitze St. Katharina S. 44⁰ W. tausend Fufs höher; und
Rås es-Sufsåfeh, die höchste unter den Spitzen nahe an der
Vorderseite des Horeb N. 22⁰ W. [2])

Mein erstes und vorherrschendes Gefühl auf diesem Gipfel
war das der Täuschung. Obgleich wir von unsrer Untersuchung
der Ebne er-Råhah und deren Uebereinstimmung mit der Erzählung der Bibel zu der Ueberzeugung im Allgemeinen gekommen
waren, dafs das Volk Israel da versammelt gewesen sein mufste,
um das Gesetz zu empfangen, so hegten wir doch noch eine entfernte Hoffnung, dafs zuletzt noch ein Grund für die lange Reihe

---

(Jebel Mûsa) über den halben Weg hinauf aus rothem Granit, das Uebrige aber aus Granit besteht, der auf gelblichem Grunde kleine schwarze
Pünktchen hat, und so erscheint der Berg von fern zweifarbig; I. p. 147
fol. Diese verschiedenen Farben fallen besonders in die Augen, wenn
man ihn vom Thale el-Leja aus ansieht.

1) Rüppell's Reise in Abyssinien I. S. 118. 124. Ich folge hier
und überal den Messungen von Rüppel, da diese die einzigen sind, die
sich auf correspondirende Beobachtungen an der Küste bei Tûr gründen.
Nach Schubert's Angaben ist die Höhe des Sinai 6796.4 Pariser Fufs,
oder 2071 Fufs über dem Kloster im Thale Shu'eib. Nach Russegger
ist die Höhe 7097 Pariser Fufs, oder 1982 Fufs über demselben Kloster.

2) Ueber die andern Ortsbestimmungen siehe das Itinerarium im
Anhang.

klösterlicher Ueberlieferungen sein möchte, die wenigstens funfzehn Jahrhunderte hindurch den Gipfel, auf welchem wir standen,
als den Ort bezeichnet haben, wo die zehn Gebote auf eine so
eindringliche Weise verkündigt worden. Aber der Bericht der
Bibel und klösterliche Ueberlieferung sind gar sehr verschiedene
Dinge; und während der erstere so bestimmt und genau ist, dafs
auf unsrer ganzen Reise die Bibel uns zum besten Wegweiser
diente, erschien uns die letztere nicht nur gewöhnlich, sondern
fast regelmäfsig als ein grundloses Machwerk. In dem vorliegenden Falle ist nicht der geringste Grund vorhanden, anzunehmen,
dafs Mose irgend etwas mit dem Gipfel zu thun gehabt habe, der
jetzt seinen Namen trägt. Er ist anderthalb Stunden weit von
der Ebne, auf der die Israeliten gestanden haben müssen, und
durch die dazwischen liegenden Spitzen des neueren Horeb gedeckt.
Kein Theil der Ebne ist vom Gipfel aus zu sehn, noch auch
der Boden der angrenzenden Thäler, noch giebt es irgend einen
Platz da herum, wo das Volk sich hätte versammeln können. Der
einzige Fleck, wo er nicht unmittelbar von hohen Bergen umgeben ist, liegt südöstlich, wo er sich fast senkrecht auf nackte
Kieshügel hinabsenkt. Grade hier an seinem Fufse ist der Anfang eines kleinen Thals, Wady es-Sebâ'iyeh, das nordöstlich
jenseit des Kreuzberges nach dem Wady Sheikh sich hinzieht;
und ein andres nicht gröfseres, Namens el-Wa'rah, geht südöstlich nach dem Wady Nusb des Meerbusens 'Akabah; aber
beide zusammen gewähren kaum den zehnten Theil des Raumes,
den er-Râhah und Wady Sheikh enthalten. In derselben Richtung hin sieht man die Strafse nach Shürm und darüber hinaus
einen Theil des Meerbusens von 'Akabah und die kleine Insel
Tirân; während mehr rechts dicht unter uns zwischen den Hügeln
das Thal el-Leja beginnt. Der nördliche Theil des Meerbusens von
'Akabah ist nirgends sichtbar, obgleich man das Gebirge jenseits

sehn kann [1]). Gegen Südwest und West erheben sich die Bergrücken von St. Katharina und Tinia, die die Aussicht auf die
ganze westliche Gegend abschneiden, so dafs weder der Serbâl
rechts, noch der höhere Um Shaumer links von der Spitze des
Sinai sichtbar sind [2]). Die Aussicht von diesem Punkte ist fast
nach allen Richtungen hin beschränkt, sie ist weit weniger ausgedehnt und grofsartig, als vom Gipfel des St. Katharinenberges.
Nur das flache Land auf dem Kreuzberge sieht man hier näher
und besser über das schmale Thal Shu'eib hinweg. Weder das
Kloster, woher wir gekommen, noch das Kloster el-Arba'in,
die beide in den tiefen Thälern unten liegen, waren sichtbar.
Unsre fehlgeschlagnen Hoffnungen ganz zu vollenden, zeigte der
alte 'Aid, der Hauptführer, der besonders deshalb gewählt worden war, um uns die Namen der Berge und Gegenstände in der
Umgegend zu nennen, dafs er sehr wenig davon wufste, und oft
nur auf's Gerathewohl hin antwortete. Kurz, unser Besuch der
Spitze des Jebel Mùsa war mir eine der am wenigsten genügenden Begebenheiten während unsers ganzen Aufenthalts am Sinai.

Um 12 Uhr 45 Min. verliefsen wir den Gipfel und kehrten

---

1) Brown behauptet die ganze Länge des Meerbusens von 'Akabah vom Sinai aus gesehn zu haben; das ist aber unmöglich. Travels
Cap. XIV. p. 179.

2) Dennoch behauptet Laborde, von da aus den Serbâl, Um Shaumer und das Gebirge Afrika's jenseits gesehn zu haben! Es kann das
nur mit dem Geistesauge gewesen sein. Voyage de l'Arab. Pét. p. 68.
Einen ähnlichen übertriebenen Bericht giebt Russegger; s. Berghaus Annalen, März 1839, S. 420 ff. Rüppell bemerkt richtig: „Die Aussicht
von der Bergspitze des Sinai wird im Osten, Süden und Westen durch
höhere Gebirge beschränkt; nur nach Norden übersieht man weithin eine
ausgedehnte Landschaft. Reise in Abyssinien I. S. 118. Burckhardt
wurde durch einen dicken Nebel verhindert, auch selbst die nächsten
Berge zu sehn. Travels etc. p. 566. (907).

nach der Cypresse und dem Brunnen dicht bei der, Kapelle des
Elias zurück. Von dieser Stelle aus führt ein Pfad nach Westen zu über die kleine Ebne, und geht theils in Stufen hinab
nach dem Kloster el-Arba'in im Wady el-Leja. Wir entschlossen uns jedoch, den nördlichen Theil des Horeb zu besuchen, von
wo man die Ebne er-Râhah übersehn kann, und schlugen einen
Weg nach Nord-Nord-West ein, um dahin zu gelangen. Wir
verließen den Brunnen um 1 Uhr 15 Min. und in diesem Augenblicke drohten einige Wolken, die sich schon seit einiger Zeit
zusammengezogen hatten, uns mit einem Platzregen zu durchnäs-
sen. Die Tropfen fingen an vereinzelt aber schwer herabzufallen,
und wir hofften schon, dafs Beshârah's Bitte um Regen erfüllt
werden möchte, selbst auf die Gefahr hin, von den Arabern für
Propheten gehalten und dabei bis auf die Haut durchnäfst zu
werden. Aber die Wolken verzogen sich bald wieder, und die
Wüste blieb dürr und durstig wie vorher. Der Pfad war rauh
und wild über Felsen und durch Gründe zwischen den niedrigen
Bergspitzen. In funfzehn Minuten gelangten wir zu einem schmalen runden Becken zwischen den Hügeln mit einem Bett von Erde
voller Gesträuch; auch eine Rosenpappel und ein Hagedorn, so
wie deutliche Spuren von einem künstlichen Wasserbehälter, der
früher das Kloster unten versorgt haben soll. Hier steht eine
kleine Kapelle Johannis des Täufers. Nicht weit davon befinden
sich in den Felsen gehauen mehrere Einsiedlerzellen. Noch zwanzig Minuten weiter findet man ein noch gröfseres Becken von
zwölf Bergspitzen umgeben; das Land wird von einer niedrigen
Mauer eingeschlossen, ein Beweis, dafs es früher als Garten benutzt wurde. Um 2 Uhr erreichten wir ein drittes Becken, noch
tiefer und malerischer, von einer gleichen Anzahl noch höherer
Bergspitzen umgeben, von welchen die eine, Râs es-Süfsâfeh
genannt, die höchste in diesem Theile des Gebirges ist. Von

diesem Becken läuft eine enge Spalte gegen die Ebne hin, durch
welche der Berg allenfalls bestiegen werden kann.   Hier wächst
eine Weide und zwei Hagedorn-Bäume mit noch vielem Gesträuch, und überall in dieser Gegend des Gebirges wächst die
duftende Pflanze Ja'dch, welche die Mönche Ysop nennen.   Hier
befindet sich eine kleine Kapelle, die der Jungfrau vom Gürtel
geweiht ist.   Dicht dabei fanden wir ein Paar Hörner der Beden
oder Ibex, die vielleicht von einem Jäger hier gelassen wurden.

Während die Mönche hier beschäftigt waren, Kerzen und
Räucherwerk anzuzünden, beschlossen wir, die fast unzugängliche
Spitze des Sûfsâfeh vor uns zu erklimmen, um nach der Ebne
hinzusehn und aus eigner Anschauung darüber zu entscheiden, ob
dieser Theil des Berges zu den in der biblischen Geschichte angegebnen Umständen passe.   Diese Felsklippe erhebt sich etliche
und fünfhundert Fuss über das Becken, und die Entfernung bis zum
Gipfel beträgt mehr als eine halbe englische Meile.   Wir versuchten zuerst an der Seite grade hinauf zu klimmen, fanden
aber den Fels so glatt und steil, dafs wir nach mehrmaligem
Hinfallen und gröfserer Gefahr gezwungen waren, es aufzugeben.
Wir kletterten nun durch eine steile Schlucht auf einem gröfsern
Umwege hinauf.   Von dem obern Ausgange dieser Schlucht
konnten wir um die nördliche Felsenwand herum klimmen und
längs der tiefen Höhlungen, die im Laufe von Jahrhunderten vom
Wetter in den Granit gemacht waren, den Gipfel erreichen.   Von
unten gesehen, haben diese Höhlungen das Ansehn architektoni-
scher Verzierungen.   Die grofse Schwierigkeit und selbst Gefahr
beim Hinaufsteigen wurde aber auch durch die Aussicht, die sich
uns nun eröffnete, herrlich belohnt.   Die ganze Ebne er-Râhah
mit den benachbarten Wady's und Bergen lag vor unsern Füfsen
ausgebreitet, während rechts Wady esh-Sheikh und links der
Einbug, beide aber mit der Ebne verbunden und breit von der-

selben auslaufend, die Fläche fast um das Doppelte ausdehnten.
Unsre Ueberzeugung befestigte sich, dafs hier oder auf einer der
benachbarten Felsklippen der Ort sei, wo „der Herr herabfuhr
mit Feuer" und sein Gesetz verkündigte. Hier lag die Ebne,
wo das ganze Volk sich versammeln konnte; hier stand der Berg,
dem man nahe kommen, den man anrühren konnte, wenn es nicht
verboten wurde; hier auch der Berggipfel, wo allein Blitze und
die dicke Wolke sichtbar und der Donner wie der Posaunen-
Ton gehört werden konnte, als „der Herr vor allem Volk herabfuhr auf den Berg Sinai." Wir gaben uns dem Eindrucke
des ehrfurchtgebietenden Ereignisses hin, und lasen mit einem
Gefühle, das sich nie verwischen wird, die erhabne Darstellung
des Vorgangs und die Gebote, die dort gegeben wurden, im Grundtext, wie sie vom grofsen hebräischen Gesetzgeber selbst niedergeschrieben sind [1]).

   Zwischen Râs es - Sûfsâfeh und der Ebne ragen noch
einige niedrigere Bergspitzen über die letztere hinein, die wir
auch gern besucht hätten; aber die Zeit gestattete es nicht.
Wir stiegen daher zu unsern Gefährten hinab, die eben nicht
grofse Eile hatten, kehrten nach dem zweiten oben erwähnten
Becken zurück, und schlugen von da um 3 Uhr 45 Min. einen
mehr rechts gelegenen Pfad ein. Nach einer Viertelstunde gelangten wir zu einer kleinen Kirche an dem westlichen Rande
des Bergrückens, die dem St. Panteleemon geweiht ist. Die St.
Annen-Kapelle, die von Pococke und den ältern Reisenden erwähnt wird, haben wir nicht gesehn. Von hier führte uns ein
langer und zuweilen steiler Weg, ungefähr südwestlich, um 5
Uhr 15 Min. nach dem Kloster el - Arba'in hinab, wo wir ein-
kehrten.

---

1) 2 Mos. 19, 9—25. 20, 1—21.

Dies Kloster soll seinen Namen el-Arba'în, „die Vierzig,"
daher bekommen haben, dafs die Araber es einst durch einen
Ueberfall erobert und die vierzig Mönche, die darin waren, getödtet haben. Daher wird es von den ältern Reisenden das Kloster der vierzig Heiligen oder Märtyrer genannt [1]. Die Ueberlieferung hat die Zeit vergessen, wann das Ereignifs Statt fand;
aber wahrscheinlich bezieht sich die Erzählung auf die Ermor-
dung von vierzig Einsiedlern um den Sinai herum am Schlufs des
vierten Jahrhunderts [2]. Eine grofse Oelbaumpflanzung dehnt sich
zu beiden Seiten des Klosters im Thal aus. Dieses ist eng, gleich
dem Wady Shu'eib, aber länger und weniger wüst. Dicht um
das Gebäude befindet sich auch ein Garten mit andern Fruchtbäumen; die Aepfel- und Aprikosen-Bäume blüthen eben. Nicht
weit davon ist ein kleiner Hain von hohen Pappeln, die man hier
als Bauholz zieht. In diesem Garten flofs ein Bächlein, das aber
schon nach einem Laufe von einigen wenigen Schritten verschwand.
Das Kloster ist als solches seit einigen Jahrhunderten schon verlassen; doch wohnen gewöhnlich zwei oder drei Mönche jeden Sommer
eine Zeit lang hier, obgleich auch dies die letzten drei Jahre unter-
blieben ist. Eine Familie der Jebeliyeh oder Leibeignen wohnt hier,
um den Garten abzuwarten. Als wir eintraten, drang die liebliche
Stimme eines arabischen Kindes in mein Ohr, und das Herz schlug
mir, indem ich an die Heimath dachte. — Die Höhe dieses Orts
über dem Meere wird von Rüppell auf 5366 Pariser Fufs angegeben. [3]

---

1) Tucher von Nürnberg erzählt diese Geschichte 1480. Ebenso
Baumgarten 1507; lib. I. cap. 24. Diese Reisenden fanden es verlassen,
wie jetzt, ausgenommen von zwei oder drei Mönchen.

2) Siehe weiter unten, unter der Ueberschrift „Der Sinai der frühern christlichen Zeit."

3) Reise in Abyssinien I. S. 124. Aus dem Vergleich mit Schu-

12

Ein grofses Zimmer, das beste im Hause, obgleich das
Licht nur durch die Thür hereinkam, wurde uns angewiesen, wo
man unsre Betten schon auf einer Unterlage von duftenden Kräutern gemacht hatte. Ein Feuer wurde in einer Ecke angezündet und wir fanden es sehr behaglich, obgleich das Thermometer $14^2/_3$ R. stand. Ein Araber hat gar keine Idee davon, eine
Nacht zu irgend einer Jahreszeit ohne Feuer zuzubringen. Der
Prior und seine Mönche hatten ein Zimmer in einem andern Theile
des Gebäudes. Der gute Vater brachte den Abend in unserm Zimmer zu und war sehr gesellig und mittheilend. Der heutige Spaziergang war ihm so gut bekommen, dafs er sich entschlofs, uns
auch morgen auf den Gipfel des Katharinenberges zu begleiten.
Wir sahen hier ein merkwürdiges Beispiel der Ehrfurcht, mit
welcher er von seinen arabischen Untergebnen betrachtet wird.
Er hatte seine Schuhe ausgezogen und safs baarfufs da, (denn
er trug wie die übrigen Mönche keine Strümpfe,) als der alte
Führer 'Aid hereinkam, um gute Nacht zu sagen; da er nun das
bemerkte, kniete er sogleich nieder und küfste seine Zehe. Es
schien in der That diesen Arabern eine Festlichkeit zu sein, den
alten Patriarchen so fern aufserhalb der Klostermauern anzutreffen.

Dienstag den 27ten März. Wir erhoben uns in der
ersten Morgendämmerung von unserm duftenden Lager, um bei
guter Zeit nach dem Berge aufzubrechen. Aber hier, wie in so
vielen andern Fällen, wo etwas von Arabern abhing, war es uns
unmöglich, unsrem Vorsatze pünktlich zu entsprechen. Der alte
Führer 'Aid zog sich beim Aufbruch zurück, und seine Stelle
mufste durch einen Jüngling Sâlim ersetzt werden, der uns unterwegs einholte, und sich als ein bessrer Führer bewährte als der

---

bert's Messungen erhellt, dafs el - Arba'in ungefähr 400 Pariser Fufs höher liegt, als das andre Kloster. Dies scheint mir aber doch zu viel.

Alte. Wir glaubten auch einige leise Anzeichen von der Verminderung des Eifers des guten Priors für das schwerere Werk, das unsrer heut wartete, zu bemerken; und auf unser Zureden entschlofs er sich auch, da zu bleiben und bis zu unsrer Rückkehr zu warten. Endlich kamen wir um 6 Uhr 10 Min. aus dem Garten heraus, und gingen Südwest gen Süd eine Schlucht hinauf, die von der Seite des St. Katharinenberges herabkommt und von einem tiefen Rifs oben im Berge Shûk Mûsa, oder die Spalte Mose's heifst. Zehn Minuten vom Kloster, ehe wir zu steigen anfingen, ging der Pfad zwischen zwei grofsen Felsen durch, beide mit Sinaitischen Inschriften, und einer davon ganz damit bedeckt. Diese hat Burckhardt nicht gesehen; denn er sagt ausdrücklich: in el-Leja gebe es keine oberhalb dem Felsen Mosis. Dieser liegt etwas unterhalb el-Arba'în. Nachher fanden wir keine mehr. Die Schlucht wird bald eng und steil und der Weg sehr beschwerlich; der Pfad geht über Steine und Felsen in ihrem natürlichen Zustande, die nie bei Seite geschafft oder ebener gelegt worden. Den ganzen Tag lang konnten wir auch nicht die geringste Spur entdecken, dafs hier je ein Pfad mit Stufen oder zusammengelegten Steinen existirt habe; ähnlich dem, der nach dem Jebel Mûsa hinaufführt. Um 7 Uhr 25 Min. kamen wir zu einer schönen kühlen Quelle mit Namen Ma'yan esh-Shunnâr oder Rebhuhu-Quelle; sie soll durch das Flattern eines dieser Vögel entdeckt worden sein, als die Mönche die Gebeine der heiligen Katharina vom Berge herabbrachten. Sie ist auf einer Felsenbank unter der linken Felswand, etwa einen Fufs im Durchmesser und in der Tiefe, mit schönem, kühlen Wasser, das nie ab- oder zunimmt. Das Wasser zieht sich durch irgend eine Ritze in dem Felsen nach einem natürlichen Wasserbehälter unten, wo man es in ziemlicher Masse findet. Einige Hagedornbäume (arab. Za'rûr) wachsen nahe dabei. Von hier wendet sich

12 *

der Pfad Südwest gen West, geht eine Zeit lang sehr steil hinauf
und dann über lose Trümmer nach der Höhe des Rückens, der
sich nach der höchsten Spitze zu hinzieht. Diese liegt von hier aus
in der Richtung Südsüdwest. Jenen Rücken erreichten wir um
8 Uhr 30 Min. und hier öffnet sich die Aussicht nach Westen
über die tiefen Thäler unten weg.

Wir hielten uns nun an der westlichen Seite des Bergrückens, unterhalb der äufsersten Höhe, wo der Abhang des Berges
steil in die Tiefe hinabgeht. Wie die Wady's ist er mit Büscheln
von Kräntern und Gesträuch bedeckt, und bietet den Heerden der
Bedawin und den Rudeln Gazellen und Bergziegen (Beden), die
in dieser wilden Einöde leben, reichliche Weide dar. Der Ja'deh
oder Ysop wuchs hier in grofser Fülle, und besonders das wohl-
riechende Za'ter, eine Art von Thymian, *Thymus serpillum* bei
Forskål [1]). Dieser Pflanzenwuchs erstreckt sich ganz hinauf bis
zum Fufs der höchsten Kuppe, ein Haufen von ungeheuren, grob-
körnigen, rothen Granitblöcken, die wild durch einander zusammengeworfen sind. Wir kletterten diese Masse von Felsen
an der Südseite mit vieler Mühe hinauf, und erreichten den Gipfel
um 9 Uhr 15 Min. Dieser besteht aus zwei kleinen Höckern oder
Erhöhungen der Felsen; die eine östlich, wo eine kleine Kapelle
darauf steht; die andre westlich, einige Fufs höher. Nach den Beobachtungen von Rüppell, auf gleiche Weise wie die auf dem Sinai
angestellt, beträgt die Höhe dieses Berges 8063 Pariser Fufs über
dem Meere, oder ungefähr 2700 Fufs über dem Kloster el-Arba'ïn [2]).
Er ist daher 1030 Fufs höher als Jebel Músa. Der Himmel
war ganz klar und die Luft kühl. Ein kalter Nordwest-Wind fegte
stofsweise über den Gipfel hin. Das Thermometer stand im Schat-

---

1) Flora Aeg. Arab. p. 107.
2) Reise in Abyssinien, I. S. 121, 124. Nach Russegger beträgt
die Höhe des Katharinenberges 8168 Pariser Fufs.

ten auf 5° R.; in der Sonne stieg es zuerst auf 9°; aber sobald der Windstofs stärker wurde, fiel es wieder auf 7° R.

Während des Hinaufsteigens befand ich mich nicht recht wohl und erreichte den Gipfel ganz erschöpft. In der Zeit dafs mein Gefährte beschäftigt war, die Führer auszufragen in Betreff der Berge und Oerter, die man sehn konnte, suchte ich mir ein sonniges aber geschütztes Fleckchen zwischen den Felsen aus, wo ich mich niederlegte und eine halbe Stunde sanft schlief, und sehr erquickt erwachte.

Der Hauptbeweggrund, der uns veranlafste, den Jebel Kâtherin zu besteigen, war die Hoffnung, eine deutlichere und weitere Aussicht über die Gegend des Sinai und der Halbinsel zu geniefsen. Der Berg gewährt wenig geschichtlich Merkwürdiges, da auch nicht die allerentfernteste Wahrscheinlichkeit da ist, dafs er mit der Gesetzgebung Israels in Verbindung gestanden habe. Unsre Hoffnung wurde nicht getäuscht. Die Aussicht ist weit und herrlich, und umfafst beinah die ganze Halbinsel. Die gröfste Unterbrechung der Aussicht geschieht durch den Um Shaumer, in der Richtung S. 20° W., einen scharf zugespitzten Granitgipfel, den Burckhardt für unzugänglich und vielleicht für die höchste Spitze der Halbinsel hält. Jebel Mûsa lag nordöstlich tief unter uns, und schien nur eine der unbedeutendern Spitzen zu sein. Gegen Südost konnte man den breiten Wady Nûsb sehen (S. 62° O.) der nach dem östlichen Meerbusen zu läuft. Von diesem war ebenfalls, um Shürm herum, viel mehr zu sehn, als vom Sinai aus, namentlich auch die Insel Tirân in der Richtung S. 35° O. Den nördlichen Theil dieses Meerbusens konnten wir nicht herausfinden, obgleich das arabische Gebirge jenseits ganz klar zu sehen war. Ein Berg, den unsre Führer Râs Mohammed nannten, lag S. 9° O. im Allgemeinen in der Richtung des Vorgebirges dieses Namens. Um dieses herum und rechts vom Um

Shaumer war beinah der ganze Lauf des Meerbusens von Suez
mit dem afrikanischen Gebirge auf der andern Seite desselben
sichtbar, wie ein silberner Faden Wasser, durch die nackte Wüste gezogen. Zwei von diesen afrikanischen Bergen waren ganz
deutlich zu sehen; der eine ez-Zeit, in der Richtung S. 56⁰ W.,
und der andre der Kegel des Jebel Ghareb S. 77⁰ W., den unsre Führer den Berg der 'Abâbideh nannten. Zwischen dem westlichen Meerbusen und dem Gebirge Sinai breitete sich die grofse Ebne el-Kâ'a aus, die sich bis jenseits Tûr erstreckt. Nördlich von diesem Orte längs der Küste sahen wir die niedrige
Kette von Kalksteinbergen, zu welcher der tönende Berg Nâkûs
gehört. Uns näher standen viele dunkle Spitzen, unter denen
die des Madsûs gleich hinter den Gärten von Bûghâbigh in der
Richtung N. 78⁰ W. und eine Spitze des Jebel Haweit N.
45⁰ W. Dicht bei dem letztern beginnt das Thal Wady Ki-
brîn, welches nach dem Wady Hibrân hingeht. Weiterhin erhoben sich die wilden Felsklippen des Serbâl in der Richtung N. 57 — 70⁰ W., und weiter rechts Sarbût el-Jemel, el-
Benât, und ez-Zebîr. Im Norden war die grofse Sandebne
er-Ramleh sichtbar, die sich weit längs dem Fufse des Jebel et-
Tih ausdehnt; auch zeigte man uns die Stelle, wo dieser Berg
sich in zwei parallel laufende Rücken theilt, von uns gerade in
nördlicher Richtung. Gegen Osten, zwischen uns und dem Meerbusen von 'Akabah in seiner ganzen Länge, streifte das Auge
über ein Meer von Bergen, schwarze, schroffe, nackte, verwit-
terte Spitzen — ein passender Ort für den Geist der Verwüstung,
seinen furchtbaren Thron darin aufzurichten. Unter uns, dicht
an dem westlichen Fufse des St. Katharinenberges, sahen wir ein
Thal mit Namen Um Kürâf, das nördlich läuft, während ein anderes, ez-Zuweitîn, mit einer Reihe von Gärten, von rechts her
dicht am Fufs des Berges el-Humr herkommt und sich mit dem-

selben vereinigt. Der so entstehende Wady heifst Tüläh und
geht zwischen den Bergen Seru N. 15⁰ W. und Tinia N. 26⁰ W.
hinab, vereinigt sich mit dem Rüdhwâh und läuft so in den Wady
Soläf aus. Jebel el-Hamr lag unter uns in der Richtung N. 3⁰ O.
Jebel Tinia wurde von unsern Führern auch Sümr et-Tinia genannt ¹).

Wir fanden, dafs unsre Führer heut und gestern, sowohl
der Alte wie die Jungen, sehr wenig von den entfernten Bergen
und Gegenständen wufsten, während sie mit den nahgelegenen
sehr genau bekannt waren. Nur nach langem und wiederholten
Kreuz- und Querfragen konnte mein Gefährte mit einiger Genauigkeit über etwas entfernte Gegenstände gewifs werden; da sie
zuerst oft so aufs Gerathewohl antworteten, was sie nachher mo-
dificirten oder widerriefen. Der junge Mann Sâlim war der ver-
ständigste unter ihnen. Nach allen Bemühungen der Art sind doch
viele Namen, die wir erfuhren, von denen verschieden, die Burckhardt hörte, obgleich seine Führer von demselben Stamme gewesen zu sein scheinen. — Eine ziemlich sichre Methode, irgend
einen bestimmten Ort aufzufinden, ist, einen Araber zu fragen,
ob der Name existirt. Er antwortet gewifs: Ja! und zeigt irgend
eine nahgelegne Stelle als solchen an. Auf diese Weise hätten
wir ohne Zweifel Raphidim oder Marah oder irgend einen andern
beliebigen Ort auffinden können; und das ist wahrscheinlich die
Art, wie viele alte Namen und Oerter von Reisenden scheinbar
entdeckt worden sind, die niemand nach ihnen mehr hat finden
können ²).

Das Besteigen des St. Katharinenberges ist dem des Jebel
Mûsa oder Sinai bei weitem vorzuziehn. Die Ausssicht ist weiter,
ja fast unbegrenzt, und gewährt dem Beschauer einen guten all-

---

1) Ueber die andern Ortsbestimmungen s. das Itinerarium im Anhang.
2) So z. B.: Marah, Kapernaum, Bethsaida, Chorazin, Modin etc.

gemeinen Ueberblick über die ganze Halbinsel, wovon er wenig
oder gar nichts auf dem Sinai erfährt. Das Hinaufsteigen dauert
länger und ist mühsamer, aber die Mühe wird auch reichlicher
belohnt. Unser heutiger Besuch hier gewährte uns Freude und
Genugthuung; nicht, wie der gestrige auf dem Sinai, Täuschung.
Die Zeit, welche man im Allgemeinen nöthig hat, um den Sinai
zu ersteigen, schätzt man auf $1\frac{1}{2}$ Stunde, und den St. Katharinenberg $2\frac{1}{2}$ bis 3 Stunden. Wir waren länger unterwegs.

Wir verliefsen den Gipfel um 11 Uhr 45 Min. und erreichten das Kloster der Vierzig Märtyrer wieder um 1 Uhr 15 Min.
Hier harrte der Prior unsrer, um uns durch Wady el-Leja herum
nach dem Kloster zu führen, und uns die heiligen Oerter unterwegs zu zeigen. Man schätzt die Entfernung anderthalb Stunden,
die man so eintheilen kann: Vierzig Minuten bis zur Mündung
von el-Leja; fünf und zwanzig Minuten die Vorderseite des
Horeb entlang nach Wady Shu'eib; und fünf und zwanzig
bis zum Kloster in jenem Thal. Dies ist eine Art Familienweg
für die Mönche. Sie sind ihn Jahrhunderte lang gegangen, und
haben der Bequemlichkeit halber alle heiligen Oerter drauf zusammengebracht, von denen sie wußten, dafs sie mit dem Sinai
in irgend einer Verbindung standen. — Nach einer halben Stunde
Ruhens in el-Arba'in gingen wir langsam das Thal hinab, ohne
die Kapelle und Grotte des heiligen Onuphrius zu sehen, die nach
Pococke sich an dem Nordende der Oliven-Pflanzung befinden
sollen. Ungefähr in zwanzig Minuten gelangten wir zu dem Felsen, den Mose geschlagen haben soll, so dafs Wasser heraus-
strömte. In Betreff dieses Felsens ist man in Verlegenheit, ob
man sich mehr über die Leichtgläubigkeit der Mönche oder die
legendenartigen, widersprechenden Berichte der Reisenden verwundern soll. Es ist kaum nöthig zu bemerken, dafs nicht der geringste Grund vorhanden ist, anzunehmen, dafs zwischen diesem

engen Thale und Raphidim irgend eine Verbindung bestehe, sondern
im Gegentheil spricht Alles dawider. Der Fels selbst ist ein grofser
einzeln stehender Würfel von grobkörnigem rothen Granit, der
von dem östlichen Berge heruntergefallen ist. An der Vorderseite
geht schräg, von oben bis unten, eine Ader feinern Korns, zwölf
bis funfzehn Zoll breit, mit verschiedenen, unregelmäfsigen, wa-
gerechten Spalten, die einigermafsen einem menschlichen Munde
gleichen, eine über der andern. Es sollen ihrer zwölf sein; ich
konnte aber nur zehn herausbringen. Diese Ader zieht sich ganz
durch den Felsen und wird an der entgegengesetzten oder Rück-
seite sichtbar, wo auch dergleichen Oeffnungen sind, obgleich nicht
so grofs. Die Löcher schienen uns nicht künstlich gemacht zu
sein, wie man gewöhnlich sagt, obgleich wir sie besonders untersuchten. Sie gehören vielmehr der natürlichen Beschaffenheit
der Ader an. Doch ist es wohl möglich, dafs einige davon durch
künstliche Mittel vergröfsert worden sind. Der Fels ist merkwürdig, und ohne Zweifel wegen dieser seiner Merkwürdigkeit
als der Ort jenes Wunders erwählt worden.

Unterhalb dieser Stelle befinden sich viele Sinaitische Inschriften auf den Felsen längs des Thales. Da wir Burckhardts
Reisen bei uns hatten, so verglichen wir einige von seinen Copien mit den Originalen und fanden sie ziemlich treu [1]). Wo der
Wady el-Leja in den Einbug westlich von der Ebne er-Râhah ausläuft, da sieht man links einen Garten und weiterhin
rechts noch einen, der sehr viele und sehr verschiedene Obstbäume
enthält. Dieser soll nach Burckhardt vorzugsweise el-Bostàn,
„der Garten,“ beifsen, ein Name, den wir nicht gehört haben. Diese Gärten bezeichnen die Stellen, wo früher Klö-

---

1) Nicht so Pococke's Copien, bei denen man kaum eine Spur von
Aehnlichkeit findet; auch die von Niebuhr sind nicht viel besser.

ster gestanden haben, die nun in Trümmer zerfallen sind; das
westlich gelegne hiefs einst St. Peter und St. Paul, und das andre St. Maria Davids. Hinter dem Berge gegen Westen, zwischen den Gärten, die wir von St. Katharina herab im Wady
Zuweitin oder Tüláh sahen, stand früher auch ein kleines Kloster St. Cosmas und Damian, das Pococke besuchte[1]), wovon
wir jedoch nichts erfahren haben. Der Mündung von el-Leja
gegenüber, an der nördlichen Seite dieses Einbugs zeigte man uns,
wie allen Reisenden, die Stelle, wo die Erde sich aufthat und
Korah, Dathan und Abiram sammt ihrer Rotte verschlang. Die
guten Väter im Kloster haben der Bequemlichkeit wegen den
Ort dieser Begebenheit von der Nachbarschaft von Kades hieher versetzt[2]). Weiter östlich an der Vorderseite des Horeb
zeigte man ein Loch in einem mit dem Boden gleichen Granitfelsen als die Form, in welcher Aaron das goldne Kalb gegossen
haben soll. Burckhardt hat diese Geschichte auf Kosten der
Mönche ein wenig übertrieben, indem er sie den Kopf des goldnen Kalbes selbst, in Stein verwandelt, zeigen läfst. Eine kleine Erhöhung im Winkel zwischen den Wasserbetten der Wady's
Sheikh und Shu'eib bezeichnen sie auch als die Stelle, wo Aaron
stand, während das Volk um's goldne Kalb in der Ebne tanz-
te, und Mose hinter ihm vom Berge herabstieg. Dicht am Fufse der nahgelegnen Ecke des Horeb liegt ein Fels, der den
Fleck bezeichnet, wo Mose die Gesetztafeln hinwarf und zerbrach.

---

*1) Travels I. p. 149, 153 fol. — In einer Klause oder vielleicht
in einem Kloster in diesem Thale lebte der Abt Johannes Climacus, bekannt als Schriftsteller, vierzig Jahre gegen das Ende des sechsten
Jahrhunderts. Der Name des Thales war damals griechisch Θωλά (Tho-
la). Siehe in Max. Biblioth. vet Patrum, Tom. X. p. 386 sq. Acta Sanctor., Jan. Tom. I. p. 963. col. I.

2) 4 Mos. 16, vergl. mit 4 Mos. 13, 26.

Sowohl die Mönche als die Araber glauben, dafs die Tafeln bis heutiges Tages noch daselbst begraben liegen; und die Araber graben oft um die Stelle herum, in der Hoffnung, sie zu finden [1].

Als wir das Thal nach dem Kloster weiter hinaufgingen, folgte uns ein ganzer Haufe arabischer Weiber und Kinder, die den Prior um verschiedne Sachen baten und ihm die Hände und den Saum seines Kleides küfsten, aus übergrofser Freude, dafs sie ihn aufserhalb der Klostermauern begegneten. Der gute Alte behandelte sie freundlich und theilte seine kleinen Gaben mit patriarchalischer Würde und Anstand aus. Wir erreichten das Kloster um 4 Uhr 45 Min. sehr ermüdet und erfreut, ein ruhiges Stübchen zu finden. Der Ikonomos übernahm es, unsre arabische Bedienung in Gerste zu bezahlen, und rechnete uns sieben Piaster täglich für jeden einzelnen Führer an. Da wir voraussetzen konnten, dafs die armen Leute wahrscheinlich viel weniger als das an Gerste bekommen würden, schickten wir ihnen ein kleines Bakhshish oder Geschenk in Geld, womit sie hocherfreut weggingen.

Mittwoch den 28ten März. Wir hatten den Donnerstag zu unsrer Abreise festgesetzt, und waren natürlich heut sehr beschäftigt mit unsern Tagebüchern und Briefen. Beshârah kam Nachmittags an und sagte, dafs die Kamele heut Abend oder morgen früh eintreffen würden, und dafs Tuweileb dem Contracte gemäfs uns nach 'Akabah begleiten werde.

Der gute Prior, Pater Neophytus, bewies uns fortwährend dieselbe Aufmerksamkeit, obgleich er heute von Klosterpflichten besonders in Anspruch genommen wurde. Den ganzen Morgen

---

1) Burckhardt hat diese Legende auf den Gipfel des Sinai verlegt. S. 567. (909).

über bis 12 Uhr waren die Mönche im Gebete, und dasselbe
sollte von 10 Uhr Abends bis zwei Uhr geschehn; es ist dies eine
besondere Klosterregel an gewissen Tagen in den Fasten. Nach
Mittag wurden wir eingeladen, den Prior in seinem Zimmer zu
besuchen. Wir fanden ihn mitten in seiner kleinen Wirthschaft
allein, — ein kleiner Hof, eine Hobelbank mit einigen Tischler-
Werkzeugen, eine Wohnstube, Küche und zwei oder drei Kammern. Seine Wohnstube war, wie die unsrige, mit niedrigem
Divan und etwas alten und abgenutzten Teppichen versehen; in
einer Nische stand ein niedriges Pult und ein Koffer; und gegenüber war ein Kabinet und Wandspinden. Mehrere griechische
Bücher, meist Erbauungsbücher, lagen auf einem Rück und auf
dem Fensterbrette herum. Das Zimmer war sehr klein. Aegyptische Apfelsinen, in Scheiben geschnitten und mit Zucker bestreut, wurden uns vorgesetzt, so wie auch Kaffee, den der junge
Diakonus kochte.

Da dies der letzte Tag unsres Aufenthalts im Kloster sein
sollte, so machte uns der Prior mehrere Geschenke zum Andenken an unsern Besuch auf dem Berge Sinai, mehr deshalb merkwürdig, weil er selbst einen sehr hohen Werth darauf legte, als wegen ihres innern Werthes. Ein Kupferstich vom Kloster und vom
Berge war ein merkwürdiges Exemplar der Perspectiv- oder vielmehr der Nicht-Perspectiv-Zeichnung vor hundert Jahren; dies
und einige schöne weiße Korallen von Tûr, und Eingemachtes
in eine Haut eingeschlagen für unsre Reise, waren das Vorzüglichste. Das Letztere, ein Gemisch von Datteln und Mandeln,
wird sehr hoch geschätzt und gewöhnlich nur, wie er sagte, bereitet, um Paschas und vornehmen Personen ein Geschenk damit
zu machen.

Einem frühern Versprechen gemäß übergab uns der Alte
auch etwas Manna von der Halbinsel, das wenigstens als der

Nachfolger des israelitischen Manna's etwas merkwürdiges hat, obwohl es nicht als dasselbe betrachtet werden kann. Seinem Bericht nach kommt es nicht alle Jahre vor, zuweilen nur nach fünf oder sechs Jahren, und die Masse hat im Allgemeinen sehr abgenommen. Man findet es in der Gestalt durchsichtiger Tropfen an den Ruthen und Zweigen (nicht an den Blättern) des Türfa, *Tamarix Gallica mannifera* bei Ehrenberg, wo es in Folge eines Stichs von einem Insect des Coccus-Geschlechts, *Coccus manniparus* bei demselben, ausschwitzt[1]). Was in den Sand fällt, soll nicht aufgelesen werden. Es hat das Ansehn von Gummi, hat einen süfslichen Geschmack, und schmilzt sobald es der Sonne und dem Feuer ausgesetzt ist. Die Araber halten es für eine grofse Delicatesse, und die Pilger schätzen es sehr hoch, besonders die aus Rufsland, die es sehr theuer bezahlen. Der Prior hatte jetzt nur wenig, was er bis zu dem erwarteten Besuch des russischen General-Consuls in Aegypten aufbewahrte. Es ist in den letztern Jahren so selten geworden, dafs das Pfund mit zwanzig bis fünf und zwanzig Piastern bezahlt wird.

Von dem Manna im alten Testamente heifst es: „Als der Thau weg war, siehe da lag es in der Wüste rund und klein wie der Reif auf dem Lande; — und es war wie Coriandersamen und weifs, und hatte einen Geschmack wie Semmel mit Honig"[2]). „Und das Volk sammelte und stiefs es mit Mühlen und zerrieb es in Mörsern, und kochte es in Töpfen, und machte ihnen Aschenkuchen daraus, und es hatte einen Geschmack wie Oelkuchen. Und wenn des Nachts der Thau über die Lager fiel, so fiel das Man mit darauf"[3]). Von all diesen charakteristischen Merkmalen pafst nicht eins auf das heutige Manna. Selbst wenn man

---

1) Siehe Anmerkung XIV, am Ende des Bandes.
2) 2 Mos. 16, 14. 31.
3) 4 Mos. 11, 8. 9.

beweisen könnte, dafs es dasselbe wäre, so würde immer die Versorgung mit einer hinreichenden Masse zur täglichen Nahrung für zwei Millionen Menschen ein nicht geringeres Wunder gewesen sein.

Der Prior besorgte mir auch ein Paar Sandalen, wie sie gewöhnlich von den Bedawiu auf der Halbinsel getragen werden, von der dicken Haut eines Fisches, der im rothen Meere gefangen wird. Die Araber in der Nähe des Klosters nannten ihn Tûn, wufsten aber weiter nichts davon zu sagen als dafs es ein grofser Fisch sei, den man ifst. Er gehört zur Gattung der Halicora, von Ehrenberg *Halicora Hemprichii* genannt [1]). Die Haut ist dick und grob und pafste sehr gut zur äufsern Bedeckung der Stiftshütte, die am Sinai errichtet wurde [2]), möchte aber schwerlich zu den Putzsandalen zu gebrauchen gewesen sein, die zu dem kostbaren Anzuge der vornehmen Frauen in Palästina gehörten, wie ihn der Prophet Ezechiel beschreibt [3]).

Man mufs sich nicht denken, dafs uns das Alles ohne die Hoffnung einer Erwiederung geschenkt wurde. Ja Einiges davon, wie das Manna und die Sandalen, kauften wir geradezu; und in Betreff des Uebrigen wufsten wir sehr wohl, dafs man ein Geldgeschenk von uns erwartete, das den Werth dieser Gegenstände überstiege.

Donnerstag den 29ten März, Vormittag. Da wir diesen Tag zu unsrer Abreise festgesetzt hatten, so machten wir

---

1) Siehe Ehrenberg's Symbolae Phys., Mammalia, Decas II. Text fol. K. Ebend. Zootomia, Dec. I. Tab. 3. 4. 5. Nach diesem Gelehrten nennen die Araber an der Küste diesen Fisch **Naka** und **Lottûm**.

2) 2 Mos. 25, 5. 26, 14. u. a. Das Hebräische heifst תַּחַשׁ, was man gewöhnlich **Dachs** übersetzt.

3) Ezech. 16, 10.

uns schon früh fertig, aber es wurde beinah eilf Uhr, ehe Tuweileb mit den Kamelen kam. Nach einer langen Unterredung
im Garten in Gegenwart des Prior, machten wir mit einander
aus, dafs, da Beshârah kein Kamel mehr hatte, Tuweileb an
seiner Stelle in den Contract eintreten und uns nach 'Akabah
bringen sollte. Drei von den Leuten, die mit uns von Kairo gekommen waren, blieben hier; und wir fanden, dafs wir ganz
frische Kamele bekommen sollten, die sich besser als die vorigen
auswiesen. Die 190 Piaster, die wir für jedes Kamel von Kairo
bis 'Akabah zu bezahlen hatten, theilten die Araber unter sich
auf folgende Weise: 40 Piaster von Kairo bis Suez; 80 von Suez
bis zum Kloster; und 70 vom Kloster bis nach 'Akabah. Dennoch scheint kein fester Preis für eine von diesen Strecken zu
bestehn; denn ein Engländer bezahlte ein Jahr vorher 40 Piaster
bis Suez; 100 von da bis zum Kloster; und 60 vom Kloster bis
nach 'Akabah.

Es that uns leid, uns von Beshârah zu trennen. Er hatte
uns treu und rechtschaffen bedient, war immer thätig und wach-
sam, und hatte stets eine gewisse Unabhängigkeit und Selbstge-
fühl gezeigt. Wir gaben ihm noch ein kleines Geschenk dazu
für das Kamel, das er in unserm Dienste verloren hatte, und
versprachen, ihn in unserm Buche zu erwähnen, im Falle wir
eins schrieben. Da er gleich nach Kairo zurückkehren wollte,
so vertrauten wir ihm Briefe an, mit dem Versprechen eine Be-
lohnung bei ihrer Ablieferung zu erhalten; aber es dauerte viele
Monate, ehe sie ihren Bestimmungsort erreichten.

Tuweileb war älter als Beshârah; er war mehr gereist,
war mit den Wegen und mit dem Lande im Allgemeinen bekannter, und wufste mehr von den Sitten und den Bedürfnissen reisender Franken. Er war indefs nicht so thätig, wurde nun schon
alt und hatte die besten Tage hinter sich. Dennoch fanden wir

ihn durch und durch treu, zuverlässig und freundlich, obgleich er einen grofsen Theil der Zeit, während der er bei uns war, sich unwohl befand. Wir fügen der Empfehlung dieses Mannes durch frühere Reisende gern die unsre hinzu.

Unser sechstehalbtägiger Aufenthalt im Kloster kam uns ziemlich theuer zu stehen. Die Brüderschaft versah uns mit mehreren Gegenständen, die wir auf unsrer weitern Reise brauchten, als Brot, getrocknetes Obst, Mandeln, Lichte u. s. w., wollte aber nichts dafür fordern. Das konnten wir ungefähr abschätzen, aber in Betreff unserer Wohnung und Beköstigung und eines passenden Andenkens an alle Bewohner des Klosters vom Prior an bis zu den Dienstleuten herab das Rechte herauszufinden, erforderte mehr Feinheit und Takt. Mit Hülfe unsers Komeh, der in solchen Sachen wohl bewandert war, entledigten wir uns dieses Geschäfts, wie es schien, zur Zufriedenheit Aller, mit Ausnahme des guten Prior. Er hatte sich vielleicht ungewöhnlich angestrengt, um uns eine liebevolle Aufmerksamkeit zu zeigen, und mochte dafür zu viel von uns erwarten. Sein Wesen war still und ergeben, aber sein Gesicht war niedergeschlagen und trübe. Ein freundliches Wort indefs mit einer geschickten Einhändigung von zwei Dollars brachten eine plötzliche Veränderung hervor; die Wolken verschwanden, die Augen glänzten, und sein ganzes Angesicht bekam einen Ausdruck mehr als gewöhnlichen Wohlwollens.

Während unsrer Reise nach dem Kloster war es mit ein Theil unsres Plans oder vielmehr unsrer Wünsche gewesen, einen Abstecher nach dem Jebel Serbâl zu machen, um selbst zu untersuchen, ob dieser Berg irgend Ansprüche darauf hat, als der in der heiligen Schrift erwähnte Sinai angesehn zu werden, wie es nach Burckhardts Vermuthung vielleicht in alten Zeiten

der Fall gewesen sein möchte [1]). Aber nachdem wir das Kloster
besucht und erkannt hatten, wie diese Gegend zu den in der biblischen Erzählung angegebnen Umständen pafste, wurde dieser
Wunsch weniger dringend, und der Mangel an Zeit nachher, so
wie die Nachrichten, die wir von Sheikh Husein und Tuweileb
über die Umgebungen des Serbâl erhielten, machten, dafs wir
den Gedanken an den Besuch desselben aufgaben. Tuweileb hatte
sich im vorigen Sommer mehrere Wochen in der Umgegend des
Berges aufgehalten, und beide versicherten uns, dafs es nirgend
in der Nachbarschaft desselben ein Thal oder einen freien Platz,
wie die Ebne er-Râhah oder selbst wie Wady esh-Sheikh gebe.
Von der nordöstlichen Seite des Serbâl gehn Wady's nach dem
Wady Feirân hinab, aber sie sind verhältnifsmäfsig eng und
felsig. Auf der südwestlichen Seite gehn noch engere Wady's
nach der grofsen Ebne el-Kâ'a aus, die eine Stunde oder noch
weiter davon liegt. Auf beiden Seiten des Berges giebt es Wasser genug; und ein Pfad, theilweise mit Stufen versehn, führt
an der südlichen und östlichen Seite hinauf nach dem Gipfel.
Der Weg vom Kloster nach dem Serbâl geht den Wady esh-
Sheikh hinab, oder auch durch Nükb Hâwy und den Wady Solâf
hinunter. Die Entfernung vom Kloster nach Feirân dicht am Fufse des Serbâl, wenn man den letztern Weg wählt, beträgt neun
oder zehn Stunden. Der Berg selbst besteht aus einem langen
Kamm mit fünf Hauptspitzen. Burckhardt bestieg die östliche, die
er nebst der zunächst gelegenen für die höchste hielt. Rüppell
bestieg im Jahr 1831 die zweite von Westen her, auf einem Pfade an der nördlichen Seite des Berges; er schätzte diese als die
höchste und stellte Beobachtungen darauf an, um die Höhe zu
messen. So ward gefunden, dafs die Höhe dieses Theiles des

---

1) Travels etc. S. 609. (965).

Berges 6342 Pariser Fufs über dem Meere oder 976 Fufs über
dem Kloster el-'Arba'in beträgt [1]). Hieraus geht hervor, dafs
der Serbâl mehr als 1700 Fufs niedriger als der St. Katharinenberg ist, obgleich, da er allein und majestätisch aus der Mitte
von weit niedrigern Bergrücken sich erhebt, seine scheinbare Höhe
nicht viel unter der des vorgenannten Berges ist.

   Auf beiden Gipfeln, die Burckhardt und Rüppell bestiegen,
fanden diese Reisenden Inschriften mit den gewöhnlichen, unbekannten Schriftzeichen, wie auch in den Thälern, die nach dem
Berge hinführen. In einem Wady an der südwestlichen Seite
des Serbâl, nahe an dem östlichen Ende, finden sich die
Trümmer eines grofsen, schöngebauten Klosters, von wo aus
ein Pfad den Berg hinaufgehn soll. Diese Umstände scheinen
anzudeuten, dafs der Serbâl in alten Zeiten ein Wallfahrtsort
war; aber ob in Folge dessen, dafs man ihn als den in der Schrift
erwähnten Sinai betrachtete, oder ob, wie wahrscheinlicher, nur
wegen seiner Verbindung mit diesem Kloster und dem Bischofssitz von Faran, ist jetzt unmöglich zu bestimmen [2]).

   Das Wetter war während unsers Aufenthalts im Kloster
sehr schön, und so in der That während unsrer ganzen Reise über
die Halbinsel; mit der einzigen schon erwähnten Ausnahme auf
dem Berge Sinai. Im Kloster bewegte sich das Thermometer
zwischen 7^0 und $15\frac{1}{2}^0$ R. Den Winter kann man hier wohl
kalt nennen; das Wasser friert bis zum Februar, und oft fällt
Schnee auf den Bergen. Aber die Luft ist aufserordentlich rein
und das Klima gesund, wie das hohe Alter und die Rüstigkeit
vieler unter den Mönchen beweist. Und wenn im Allgemeinen wenige unter den Arabern ein so hohes Alter erreichen,

---

1) Rüppell's Reise in Abyssinien I. S. 128 und 124.
2) Siehe im Allgemeinen Burckhardt's Travels etc. p. 606 sq
(961 ff.) Rüppell's Reise in Abyssinien I. S. 125 ff.

so liegt die Ursache davon mehr in ihrer dürftigen Lebensweise
und den Entbehrungen, welchen sie ausgesetzt sind, nicht aber
in irgend einem schädlichen Einflusse des Klima's.

Zum Schlusse dieser Abtheilung unsers Tagebuchs fasse ich
hier alles Uebrige zusammen, was noch über den Sinai des alten
Testaments und den Sinai der frühern christlichen Zeit zu sagen
ist; so wie auch über das jetzige Kloster und die arabischen
Einwohner der Halbinsel.

Der Sinai des alten Testaments.

Wir kamen mit einigem Unglauben zum Sinai und mit dem
Vorsatz zu untersuchen, ob aufser der klösterlichen Ueberlieferung
noch irgend ein wahrscheinlicher Grund vorhanden sei, den jetzt
dafür gehaltenen Berg als den Sinai zu betrachten. Das Obige
wird den Leser mit den Gründen bekannt gemacht haben, die
uns zu der Ueberzeugung brachten, dafs die beschriebne Ebne
er-Râhah der Ort sei, wo die Gemeinde Israels versammlet wurde, und dafs der darüber hereinragende Berg, der jetzige Horeb,
die Stelle war, wo die erhabnen Erscheinungen statt fanden, unter denen das Gesetz gegeben wurde. Nach langer Prüfung und
Forschung waren wir davon völlig überzeugt, dafs es an keiner
andern Stelle der Halbinsel, und wenigstens nicht um irgend eine
der höhern Spitzen eine Stelle giebt, die auch nur einigermafsen so ganz der geschichtlichen Erzählung und den bei der Begebenheit obwaltenden Umständen entspräche, als diese. Ich habe aber das Einzelne genau dargelegt, weil frühere Reisende diesen Punkt nur obenhin berührt haben, und weil es bis auf den
heutigen Tag unter den Gelehrten eine gewöhnliche Meinung ist,
dafs es keinen freien Raum zwischen diesen Bergen giebt [1]). Wir
waren auch überrascht und erfreut, hier tief im Innern dieser fin-

---

1) Vergl. Winer's bibl. Realwörterb. 1838. Artik. Sinai, II. S. 550.

stern Granitklippen diese schöne Ebne vor dem Berge ausgebreitet zu sehen. Ich weifs nicht, wann mich je eine stärkere Bewegung durchzuckt hat, als da wir zum ersten Male über diese Ebne zogen, und während die dunkeln Felswände des Horeb in feierlicher Erhabenheit vor unsern Blicken aufstiegen, die Ueberzeugung über mich kam, wie vollkommen der ganze Schauplatz sich für die Zwecke, für welche der grofse Gesetzgeber Israels ihn wählte, eignete. Moses ist ohne Zweifel während der vierzig Jahre, da er die Schafe Jethro's hütete, oft über diese Berge gewandert, und war mit den Thälern und tiefen Gründen eben so gut bekannt, wie die jetzigen Araber. Auf jeden Fall hatte er den Ort besucht, wohin er sein Volk führen sollte [1], — dieses Adytum mitten in dem grofsen Kreise der Granitumgebung, mit einem einzigen nicht beschwerlichen Zugange versehn, ein geheimer, heiliger Ort, von der Welt durch einsame öde Gebirge abgeschlossen.

Die Israeliten nahten sich dem Berge Sinai wahrscheinlich durch den Wady Feirân, und traten durch das obere Ende des Wady esh-Sheikh in die Ebne. Wenigstens giebt es keinen begreiflichen Grund, warum sie südlich vom Berge Serbâl gegangen sein, und den schwierigern Umweg bei Tûr und durch den Wady Hibrân gemacht haben sollten, wie man oft gemeint hat. Von der Wüste Sin, für die ich oben die grofse Ebne längs dem Ufer angenommen habe, bis zum Sinai werden drei Stationen genannt, Dophkah, Alus und Raphidim [2]). Dies gilt so viel als vier Tagereisen für ein solches Heer, und stimmt ganz mit der Entfernung von 26 bis 28 Stunden überein, in welcher Zeit die Kamele sie gewöhnlich zurücklegen [3]).

---

1) 2 Mos. 3, 1.
2) 4 Mos. 33, 12 — 15.
3) Burckhardt's Travels etc. p. 598. 602. 618. 621. 622. (951. 956. 976. 980. 982.)

Die Benennungen Horeb und Sinai werden im Pentateuch abwechselnd gebraucht, um den Berg zu bezeichnen, auf welchem das Gesetz gegeben wurde, und dieser Umstand hat den Auslegern von jeher viele Mühe verursacht. Die gewöhnlichste und naheliegende Erklärung ist, den einen (Sinai) als den allgemeinen Namen für die ganze Gruppe, und den andern (Horeb) als Bezeichnung eines besondern Berges anzusehn; ziemlich ebenso, wie von den heutigen Christen dieselben Namen gebraucht werden [1]. So brauchen auch jetzt die Araber die Benennung Jebel et-Tûr, um die ganze innere Granitgegend zu bezeichnen, während die einzelnen Berge, aus denen sie besteht, Jebel Kâtherin, Jebel Mûsa u. s. w. heifsen. Indem ich darüber während unsers Aufenthalts im Kloster Untersuchungen anstellte, kam ich zu einem ähnlichen Schlufs, doch mit einer andern Anwendung der Namen, indem ich Horeb als den allgemeinen und Sinai als den besondern Namen ansehe. Zwei Umstände scheinen diesen Schlufs zu begünstigen. Der eine ist, dafs vor und während des Zuges der Israeliten aus Aegypten nach der Stelle, wo das Gesetz gegeben worden, diese letztere nur Horeb genannt wird, gerade ebenso wie die Araber jetzt von der Reise von Kairo nach Jebel et-Tûr sprechen; jedoch während des Aufenthalts der Hebräer vor dem Berge, dieser mit einer einzigen Ausnahme nur als Sinai bezeichnet, und nach ihrer Abreise wieder ausschliefslich Horeb genannt wird. Der andre und hauptsächlichste Umstand ist, dafs, während die Israeliten sich in Raphidim gelagert hatten, Mose den Befehl erhielt, mit den Aeltesten vor dem Volke herzugehn und den Fels in Horeb zu schlagen, um Wasser für's Lager zu bekommen. Die nothwendige Schlufsfolge hieraus ist, dafs ein Theil des Horeb

---

1) Gesenius Anmerkungen zu Burckhardts Reisen S. 1078. Rosenmüller biblische Alterthumsk. III. S. 115. Winer's bibl. Realwörterbuch, Artik. Horeb.

nahe bei Raphidim lag, während der Sinai noch eine Tagereise davon entfernt war [1]).

Die Lage von Raphidim selbst kann man auch nur aus denselben Schriftstellen entnehmen, die so eben angeführt sind. Wenn wir zugeben, dafs Horeb der allgemeine Name für die innere Berggruppe ist und dafs die Israeliten durch den grofsen Wady Sheikh sich ihm näherten, dann kann Raphidim nur an irgend einer Stelle in diesem Thale, nicht weit von den Vorbergen des Horeb gewesen sein, etwa einen Tagemarsch von dem eigentlichen Berge Sinai entfernt. Solch eine Stelle findet sich da, wo der Wady Sheikh aus den hohen, innern Granitklippen heraustritt. Wir haben die Stelle nicht besucht, aber Burckhardt beschreibt sie beim Hinaufsteigen durch Wady Sheikh nach dem Kloster zu auf folgende Weise: „Wir näherten uns jetzt den im Mittelpunkte stehenden Gipfeln des Sinai, die wir mehrere Tage lang schon im Auge gehabt hatten. Diese Granitklippen, sechs bis achthundert Fufs hoch, deren Oberfläche die Sonne geschwärzt hat, umgeben die Zugänge, welche zu der erhöhten Plattform, die (jetzt) im engern Sinne Sinai genannt wird, führen. Diese Klippen umschliefsen den heiligen Berg auf drei Seiten, und lassen blofs noch die östliche und nordöstliche Seite nach dem Meerbusen von 'Akabah zu dem Auge frei. — Wir kamen durch ein enges ungefähr vierzig Fufs breites Defilee, mit Granitfelsen zu beiden Seiten, in die obenerwähnten Klippen. (In diesem Defilee findet sich der sogenannte Mosis-Sitz). Weiter hinauf öffnet sich das Thal. Die Berge treten auf beiden Seiten von dem Wege zurück, und der Wady esh-Sheikh steigt in südlicher Richtung noch immer in die Höhe [2])." Der Eingang zu diesem Defilee von Westen her

---

1) 2 Mos. 17, 1. 5. 6. 19, 1. 2. Siehe auch Anmerkung XV, am Ende des Bandes.

2) Travels etc. S. 488. (798, 799.)

ist fünf Stunden von der Stelle entfernt, wo der Wady Sheikh
von der Ebne er-Rähah ausgeht. Das würde der Entfernung
von Raphidim ganz entsprechen; und dann würden die geschwärzten Klippen die Vorberge des Horeb sein. Ich kenne keinen Einwand, der gegen diese Ansicht gemacht werden könnte, ausgenommen einen, der aber auf jede Stelle des Wady Sheikh und
der Umgegend angewandt werden könnte, nämlich, dafs weder
hier, noch auf diesem ganzen Striche gegenwärtig ein besonderer
Wassermangel stattfindet. Es giebt einen Brunnen dicht am Defilee selbst; und eine Stunde oberhalb desselben ist eine Quelle,
Abu Suweirah genannt, die wir besuchten; aufser mehrern andern an verschiednen Stellen. Diese Schwierigkeit kann ich nicht
anders lösen, als durch die Annahme, dafs, da das Volk längere
Zeit zu Raphidim geblieben zu sein scheint, der geringe Wasservorrath bald erschöpft war.

Es geschah, während sie in Raphidim gelagert waren, dafs
Amalek herauf kam und mit Israel stritt [1]). Man braucht sich
dazu nicht nach einer grofsen, freien Ebne umzusehn, wo die
Schlacht nach den Regeln der neuern Kriegskunst stattgefunden
haben möchte. Die Amalekiter waren eine Nomaden-Horde, die
einen ungeordneten Angriff auf eine Masse machte, welche wahrscheinlich nicht viel besser als sie selbst eingeübt war; und zu solchen Treffen bieten die niedrigen Hügel und das freie Feld rings
um diesen Theil des Wady esh-Sheikh hinreichend Raum dar.

Nach dem Abzuge der Israeliten vom Berge Sinai hört man
weder in der Schrift noch sonst wo anders, dafs ihn irgend ein
Jude wieder besucht habe, ausgenommen der Prophet Elias, als
er vor den Nachstellungen der Isebel floh [2]). Das ist um so

_____

1) 2 Mos. 17, 8.
2) 1 Kön. 19, 3 — 8.

merkwürdiger, da diese Gegend der Sitz der Offenbarung ihres
Gesetzes gewesen, an dem sie so hartnäckig festhielten; und weil
die vom Geiste Gottes beseelten Sänger Israels von der Herrlichkeit und der Furchtbarkeit jener Begebenheit die erhaben ten Bilder zu entlehnen pflegten.

Der Sinai der frühern christlichen Zeit.

Bei den frühsten christlichen Schriftstellern findet man keine ganz bestimmte Nachrichten über den Sinai. Dionysius von
Alexandrien (um 250 n. Chr. G.) erwähnt, dafs dies Gebirge
die Zufluchtstätte der ägyptischen Christen in Zeiten der Verfol-
gungen gewesen sei, wo sie zuweilen von den Sarazenen zu Sklaven gemacht wären [1]). Die Legende der heiligen Katharina von
Alexandrien, die zuerst nach dem Sinai floh und deren Leib nach
ihrem Märtyrertode von Engeln nach dem Gipfel des Berges, der
noch ihren Namen führt, getragen sein soll, wird in den Anfang
des vierten Jahrhunderts verlegt, ungefähr in das Jahr 307 [2]).
Im dritten und vierten Jahrhundert war es auch, dafs Asceten und
Anachoreten in Aegypten entstanden; und bald folgten Vereinigun-
gen von Mönchen in öden Gegenden. Die erste Einführung dieser
heiligen Männer und Gemeinden in die Halbinsel des Berges Sinai
wird nirgends erwähnt; es ist aber ganz natürlich anzunehmen,
dafs eine Gegend, die durch ihre Abgelegenheit und Wildheit
ihrem Zwecke so ganz entsprach, von ihnen gewifs nicht wird
übersehn worden, noch auch lange unbewohnt geblieben sein.

Demgemäfs finden wir in den Schriften, die unter den Ueberresten mönchischer Frömmigkeit und Gelehrsamkeit erhalten
sind, dafs schon während des vierten Jahrhunderts dieser Berg
der Sitz vieler Einsiedler war, die, obwohl sie in abgesonderten

---

1) Euseb. Hist. Eccles. VI. 42.
2) Baronius Annales A. D. 307. XXXIII.

Zellen wohnten, doch regelmäßigen Umgang mit einander hatten und sich in kleinen Vereinen um die ausgezeichneteren Ascetiker und Lehrer versammelten. Der frühste von diesen Vätern, dessen ich auf dem Sinai erwähnt finde, war der Abt Silvanus, ein ägyptischer Anachoret, der sich einige Jahre in dies Gebirge zurückzog, ungefähr um 365, und nachher nach Gerar ging, wo er das Haupt eines grofsen Vereins von Asceten wurde [1]. Auf dem Sinai besafs er einen Garten, den er baute und bewässerte; und obgleich er der Vorsteher von mehreren Anachoreten war, so soll er doch mit seinem Schüler Zacharias allein gewohnt haben [2].

Eine genauere Nachricht vom Sinai um dieselbe Zeit findet man in dem kleinen Tractat des Ammonius, eines Mönchs von Canopus in Aegypten, der nach einem Besuch der heiligen Oerter in Palästina in Begleitung andrer Christen, welche dieselbe Wallfahrt machten, über den Sinai zurückkehrte. Sie erreichten von Jerusalem aus durch die Wüste den Sinai in achtzehn Tagen. Dieser Besuch scheint in oder um das Jahr 373 stattgefunden zu haben [3]. Der Pilger traf hier viele Anachoreten, die unter einem Vorsteher mit Namen Doulas, einem Manne von ungewöhnlicher Frömmigkeit und Milde lebten. Sie nährten sich nur von Datteln, Beeren und dergleichen Früchten, ohne Wein oder Oel, ja selbst ohne Brot. Doch hielt der Vorsteher einige

---

1) Tillemont Mémoires pour servir à l'histoire eccles. X. p. 448 sq. Cotelier Eccles. Graec. Mon. I. p. 563 sq.

2) Tillemont l. c. p. 451. Cotelier l. c. p. 680.

3) Diesen Tractat des Ammonius findet man in dem Werke des Combefis, Illustrium Christi Martyrum lecti Triumphi, Paris 1660. 8vo. p. 88 sq. Einen sehr genauen Abrifs davon giebt Tillemont Mémoires pour servir à l'hist. eccl. VII. p. 573 sq. Die im Text angegebene Zeit wird von Tillemont so bestimmt. l. c. p. 782 sq.

Brote für Fremde und Gäste. Sie brachten die ganze Woche schweigend und einsam in ihren Zellen zu bis zum Sonnabend Abend; dann versammelten sie sich in der Kirche und blieben die ganze Nacht im Gebet zusammen. Am Sonntag Morgen empfingen sie das heilige Abendmahl und kehrten dann wieder in ihre Klausen zurück.

Wenige Tage nach Ankunft des Ammonius machten die Sarazenen, deren Häuptling unlängst gestorben war, einen Angriff auf die frommen Leute. Doulas und die Seinigen zogen sich in einen Thurm zurück; aber alle, die diesen Zufluchtsort nicht erreichen konnten, wurden getödtet. Die Sarazenen berannten den Thurm und hätten ihn beinah eingenommen, als, nach Ammonius, der Gipfel des Berges ganz in Flammen zu sein schien, und die Barbaren von ihrem Vorhaben abschreckte. Sie flohen, und die Väter stiegen herab, um die Todten aufzusuchen und zu begraben. Sie fanden acht und dreißig Leichen; zwölf davon im Kloster Gethrabbi [1]), und die andern in Chobar und Codar. Zwei Einsiedler, Isaiah und Sabbas, fand man noch am Leben, obgleich tödtlich verwundet; zusammen vierzig Todte [2]). — Um dieselbe Zeit fiel ein ähnliches Blutbad unter den christlichen Anachoreten in Raithou vor, das am Ufer des rothen Meeres zwei Tagereisen vom Sinai lag. Diesen Ort hielt

---

1) Nilus schreibt diesen Namen B e t h r a m b e. Nili opp. quaed. p. 89. Sollte das Chobar im Texte vielleicht das corrumpirte Horeb sein?

2) Die Griechen und Lateiner feiern den 14ten Januar als den Tag, an dem diese Märtyrer getödtet worden; s. Acta Sanctor. Jan. Tom. I. p. 961. Tillemont Mémoires etc. VII. p. 573. Von diesen vierzig Märtyrern erhielt ohne Zweifel das Kloster el-Arba'in seinen Namen. Nicht unwahrscheinlich war es das Gethrabbi des Textes. Vergl. Quaresmius Elucid. Terr. Sanct. II. p. 996.

man schon für das Elim der Bibel; er entspricht dem heutigen Tûr [1]).

Etwas bestimmter, aber eben so traurig ist die Erzählung des Nilus, der selbst viele Jahre auf dem Sinai lebte, etwa vom Jahre 390 und später, und bei einem zweiten Blutbade der Einsiedler während eines ähnlichen Ueberfalls der Sarazenen zugegen war [2]). Er erzählt, dafs diese Heiligen ihre Klausen auf dem Berge immer eine halbe Stunde oder darüber voneinander hatten, um die gegenseitigen Unterbrechungen in der Woche zu vermeiden, obgleich sie sich dann und wann einander besuchten. Am Vorabend des Sonntags stiegen sie zu der heiligen Stelle des Busches hinab, wo eine Kirche und wahrscheinlich auch ein Kloster stand, oder wenigstens ein Ort war, wo man Vorräthe für den Winter aufbewahrte. Hier verweilten sie die Nacht im Gebet, empfingen am Morgen das Abendmahl, und nachdem sie einige Zeit in geistlicher Unterhaltung zugebracht hatten, kehrten sie wieder in ihre Klausen zurück. Eines Morgens, am 14ten Januar, als sie eben aus einander gehn wollten, wurden sie von einer Schaar Sarazenen überfallen, die sie alle in die Kirche trieben, während sie die Vorrathskammer plünderten. Darauf wur-

---

1) Raithou (*Païθοῦ*) wird auch von Cosmas Indicopl. (um 535) erwähnt, als die wahrscheinliche Stelle des alten Elim. Topogr. Christ. in Montfaucon Coll. nov. Patrum. II. p. 195. Die Stelle, auf der das Kloster bei Tûr steht, wird noch Raithu von den Griechen genannt. Rüppells Reisen in Nubien etc. S. 181. Sicard in Nouv. Mem. des Miss. dans le Levant, 1715. I. p. 20.

2) Nilus selbst hat die Vorfälle bei diesem Blutbade [griechisch niedergeschrieben. Siehe Nili Opera quaedam, ed. P. Possino, Gr. et Lat. Paris 1639. Die lateinische Uebersetzung ist auch abgedruckt in Acta Sanctorum, Jan. Tom. I. p. 953 sq. Siehe auch die vollständige Uebersicht in Tillemont Mémoires pour servir à l'hist. eccles. Tom. XIV. p. 189 sq.

den sie herausgelassen; doch tödteten die Barbaren sogleich den
Prior Theodulus und zwei Andre und behielten mehrere der jüngern Leute als Gefangene zurück. Die Uebrigen liefsen sie die
Berge hinauf entfliehen. Unter diesen letztern befand sich Nilus;
sein Sohn Theodulus war unter den Gefangenen. Die Sarazenen
zogen sich nun zurück, nahmen die Gefangenen mit sich, und
tödteten acht andere Anachoreten an verschiedenen Orten. Nilus
und seine Gefährten auf der Flucht stiegen des Nachts herab und
begruben die Leichen, und begaben sich nachher nach Faran
(Feirân). Der Rath dieser Stadt schickte sogleich Boten zu
dem Könige der Sarazenen, der nichts von der Schandthat wissen
wollte und Ersatz versprach. Unterdessen war Theodulus verkauft und nach Elusa gebracht worden, wo er von dem Bischof
dieser Stadt losgekauft und zuletzt wieder seinem Vater übergeben wurde.

Aus der Mitte des fünften Jahrhunderts haben wir einen
Brief vom Kaiser Marcian an den Bischof Macarius, die Archimandriten, und die Mönche auf dem Sinai, „wo sich Gott wohlgefällige und aller Ehre werthe Klöster befinden," mit der Warnung vor den gefährlichen Lehren und Kunstgriffen des Ketzers
Theodosius, der nach dem Concile zu Chalcedon (im J. 451) auf
diese Gebirge geflohn war [1]). Beinah ein Jahrhundert später
(im J. 536) finden wir bei den Unterschriften auf dem Concil zu
Konstantinopel den Namen Theonas, „Presbyter und Legat des
heiligen Berges Sinai und der Wüste Raithou (Tûr), so wie der
heiligen Kirche zu Pharan" [2]).

Die Ueberlieferung des jetzigen Klosters lautet dahin, dafs
es vom Kaiser Justinian (im J. 527) an der Stelle gegründet

---

1) Harduin Acta Concilior II. col. 665, vergl. mit col. 685.
2) Harduin Acta Concil. II. col. 1281. 1304.

sei, wo lange vorher von der Helena eine kleine Kirche gebaut
worden war. Die Hauptthatsache dieser Ueberlieferung, der Bau der
grofsen Kirche, wird durch das Zeugnifs des Geschichtschreibers
Procop unterstützt, der etwa um die Mitte desselben Jahrhunderts
blühte. Er erzählt, dafs der Berg Sinai damals von Mönchen
bewohnt war, „deren ganzes Leben eine immerwährende Vorbereitung auf den Tod sei," und dafs, in Betracht ihrer heiligen
Enthaltung von allen weltlichen Freuden, Justinian ihnen eine
Kirche errichten liefs und sie der heiligen Jungfrau weihte [1]).
Diese stand nicht auf dem Gipfel des Berges, sondern weit tiefer, weil keiner die Nacht über auf der Spitze wegen des fort-
dauernden Getöses und andrer übernatürlicher Erscheinungen,
die man daselbst wahrnehme, aushalten könne. Am Fufs oder
ganz unten an dem äufsersten Vorberge, baute derselbe Kaiser,
nach Procop, eine starke Festung mit einer ausgewählten Besatzung, um die Einfälle der Sarazenen in Palästina von dieser
Seite her zu verhindern [2]).

Deutlicher ist das Zeugnifs des Eutychius, Patriarchen von
Alexandrien in der letzten Hälfte des neunten Jahrhunderts. Das-

---

1) Es ist ohne Zweifel die noch stehende Kirche, die jedoch den
Namen der Verklärung hat.

2) Procop. de Aedificiis Justiniani lib. V, 8. — Wir haben die griechische Inschrift über dem Thor nicht bemerkt, die von Letronne im
Journal des Savans, Septbr. 1836. p. 538, gegeben [wird. Burckhardt
spricht blos von einer mit neuern arabischen Buchstaben desselben Inhalts.
Beide Inschriften schreiben die Erbauung des Klosters dem Justinian zu
im dreifsigsten Jahre seiner Regierung (527). Aber in diesem Jahr gelangte Justinian erst auf den Thron; und daher ist die Inschrift gewifs
in späterer Zeit gemacht auf Grund einer falschen Ueberlieferung. — In
Bezug auf die Kapelle, welche von der Helena gebaut sein soll, giebt
es auch nicht die leiseste historische Andeutung, dafs sie je in dieser Gegend war, oder hier eine Kirche erbauen liefs.

selbe ist, wie es scheint, noch nie angeführt worden; doch beweist
es, dafs die alte Ueberlieferung mit geringer Veränderung auf die
jetzige Zeit herabgekommen ist. Er erwähnt, dafs Justinian ein be-
festigtes Kloster am Sinai zu bauen befahl, welches den chemali-
gen Thurm mit der Kapelle in sich begriff, um die Mönche vor den
Einfällen der Ismaeliten zu schützen. Dies stimmt mit dem gegenwärtigen Ansehn des Gebäudes überein. Es ist wahrscheinlich
derselbe Bau, den Procop mit einer Feste verwechselt hat [1]).

Gegen das Ende desselben Jahrhunderts wurde der Sinai
vom Antoninus Martyr besucht, der in dem neuerlich erbauten
Kloster drei Aebte vorfand, die Syrisch, Griechisch, Aegyptisch
und Besta (Arabisch?) sprachen. Eine Kapelle war auch schon
auf dem Gipfel erbaut; und die ganze Gegend war voller Klausen
und anderer Einsiedeleien. An einer Stelle des Berges Horeb (oder
des Kreuzberges) beteten die Sarazenen oder Ismaeliten (Antoninus
nennt sie mit beiden Namen) damals einen Götzen an, der dem
Anschein nach mit der Anbetung des Morgensterns, die unter
den Sarazenen ganz gewöhnlich war, in Verbindung stand [2]). —
Es leuchtet daraus hervor, dafs diese Sarazenen, die Nachkommen der Nabathäer, die Halbinsel noch immer bewohnten, ungeachtet die Mönche und Christen da eingedrungen waren. Sie
unterschieden sich vielleicht nur sehr wenig von den heutigen
Arabern.

---

1) Eutychii Annales, ed. Pococke, II. p. 160 sq. Die ganze
Stelle ist so merkwürdig, dafs eine Uebersetzung davon der Mühe werth
schien; siehe Anmerkung XVIII, am Ende des Bandes. — Nicht unwahrscheinlich ist das „arabische Dokument," das von Burckhardt als
im Kloster aufbewahrt erwähnt wird, S. 545 (878), eine Handschrift des
Werkes des Eutychius.

2) Itinerarium beati Antonini Martyris 1640. p. 28. Abgedruckt
auch in Acta Sanctorum, Mai Tom. II. Vergl. Ritter Gesch. des peträischen

In den ersten Jahrhunderten, da die Mönche die Halbinsel in Besitz genommen hatten, scheint der Sitz des Bischofs zu Pharan oder Faran, dem jetzigen Feirân, gewesen zu sein. Hier war, wie es scheint, eine christliche Bevölkerung und, zur Zeit des Nilus etwa um das Jahr 400, ein Senat oder Rath. Um diese Zeit wird Nateras oder Nathyr als Bischof von Faran erwähnt. Der Bischof Macarius, von dem oben die Rede war, hatte wahrscheinlich seinen Sitz daselbst, und vor der Mitte des sechsten Jahrhunderts wird ausdrücklich Photius als Bischof von Pharan genannt [1]. Um dieselbe Zeit (im J. 535) wird Pharan von Cosmas als die Stelle des frühern Raphidim erwähnt [2]. Theodorus, Bischof desselben Sitzes, war in den Monotheletischen Streitigkeiten berühmt und wurde von zwei Concilien verdammt, dem Lateranischen im Jahre 649 und dem Konstantinopolitanischen im Jahre 680. Die Stadt Faran oder Feirân lag im Wady gleiches Namens, dem Jebel Serbâl gegenüber. Rüppell fand hier die Ueberreste einer Kirche, deren Architectur er für die des fünften Jahrhunderts hält; und Burckhardt spricht von den Trümmern von ungefähr zwei hundert Häusern und den Ruinen etlicher Thürme, die auf den nahegelegenen Hügeln zu sehn sind [3]. Mit diesem Bischofssitze standen die Klöster um den Serbâl und Sinai natürlich in sehr genauer Verbindung, bis zuletzt die zunehmende Wichtigkeit und der Einfluß des von Justinian gegrün-

---

Arabiens, in den Abhandlungen der Berlin. Akad. 1824, Hist. Phil. Klasse S. 207.

1) Le Quien Oriens Christ. III. col. 753. Vergl. Tillemont X. p. 453.

2) Cosmas Indicopl. Topogr. Christ. in Montfaucon Collect. nov. Patrum II. p. 195.

3) Rüppell's Reisen in Nubien etc. S. 263. Burckhardt's Travels etc. S. 616. (973.) Siehe weiter über Pharan Anmerkung XVI, am Ende dieses Bandes.

deten Klosters die Ansprüche Faran's verdrängt zu haben scheint,
und den Hauptsitz des Bischof's nach diesem Kloster zu ver-
legen veranlafste, was wenigstens vor dem Ende des zehnten
Jahrhunderts geschehn ist. Der Tod des Jorius, „Bischof's vom
Berge Sinai", wird in das Jahr 1033 gesetzt [1]. Um diese
Zeit stand der Sinai als ein Bischofssitz unmittelbar unter dem
Patriarchen von Jerusalem, wie ein Erzbisthum, d. h. ohne die
Vermittelung eines Metropoliten; und obgleich der Name Faran
noch immer als Bisthum genannt wird, so fehlen doch alle wei-
tere Nachrichten von seiner Wichtigkeit [2]).

Nach der Eroberung durch die Muhammedaner, zu welcher
Zeit die Sarazenen oder Araber der Halbinsel ihren heidnischen
Götzendienst mit den Lehren des falschen Propheten vertauscht
zu haben scheinen, sind die Anachoreten und Klöster fortwährend
in demselben Zustande der Unsicherheit und zuweilen vielleicht
auch wohl der Gefahr gewesen. Im Anfang und Verlauf des siebenten Jahrhunderts blühten hier als Mönche und Schriftsteller die
bekannten Johannes Climacus und Anastasius Sinaita. Um die
Mitte des zehnten Jahrhunderts sollen die Mönche vom Sinai alle
auf einen Berg Namens Latrum geflohen sein, um ihr Leben zu
retten [3]. Im Anfang des zwölften Jahrhunderts war das Kloster
wieder blühend, und wurde von einer grofsen Anzahl Pilger besucht. Zu dieser Zeit lebte hier der berühmte heilige Simeon als

---

1) Le Quien I. c. col. 754.

2) Siehe die Notitia ecclesiastica von Nilus, im J. 1151, und die
der Geschichte Wilhelms von Tyrus angehängte in Gesta Dei per Francos p. 1045. Diese werden vollständig von Reland angeführt; Palaest.
p. 219, 220, 228. — Jac. de Vitriaco im Anfang des zwölften Jahrhunderts spricht vom Sinai als dem einzigen Suffragan-Stuhl unter dem
Metropoliten von Petra oder Kerak; Gesta Dei etc. p. 1077.

3) Baronius Annal. A. D. 956. VIII.

Mönch, welcher fünf Sprachen, die ägyptische, syrische, arabische griechische und lateinische verstand. Im Jahre 1027 kam er nach Europa, und wurde von dem normannischen Herzog Richard II. freundlich aufgenommen. Er brachte Reliquien von der heiligen Katharina mit, und sammelte Almosen für das Kloster. Später aber veranlasste er die Stiftung einer Abtey in Frankreich, worin er starb [1]). Als im Jahr 1116 König Balduin I. von Jerusalem einen Ausflug nach dem Meerbusen von 'Akabah machte und seine Absicht, den Berg Sinai zu besuchen, aussprach, liefsen ihn die Mönche durch Boten ersuchen, es nicht zu thun, damit sie nicht durch seinen Besuch dem Verdacht und der Gefahr von Seiten ihrer muselmännischen Herrscher ausgesetzt würden [2]).

Alle bisher erwähnten Thatsachen machen es wahrscheinlich, dafs etwa vom Anfange des vierten Jahrhunderts herab sich eine ziemlich bedeutende christliche Bevölkerung auf der Halbinsel befand. Die Ueberreste so vieler Klöster, Kapellen und Einsiedeleien, die noch immer an verschiedenen Stellen zu sehn sind, beweisen dasselbe und geben der Tradition des jetzigen Klosters Nachdruck, dafs zur Zeit der Eroberung durch die Muhammedaner sechs oder siebentausend Mönche und Einsiedler auf dem Gebirge zerstreut lebten [3]). Dafs Wallfahrten nach diesen heiligen Oertern, die heilig an sich und zugleich Wohnplätze von Heiligen waren, damals sehr häufig wurden, ist für jene Zeit sehr natürlich; und es finden solche mehr oder weniger noch bis auf den heutigen Tag statt.

---

1) S. Mabillon Acta Sanctor. Ord. Ben. Saec. VI. P. I. p. 374. Ejusd. Annales Ord. Ben. lib. 56. c. 35, 36. Hist. Literaire de France, Tom. VII. p. 67.

2) Albert. Aq. XII. 22, in Gesta Dei per Francos. Wilkens Geschichte der Kreuzzüge Bd. II. S. 403.

3) Burckhardt's Travels etc. S. 546, (879.)

14

Mit diesen alten Wallfahrten, glaubte man, stehn die berühmten Sinaitischen Inschriften in genauer Verbindung. Etliche
sind schon oben erwähnt worden, als wir sie auf unsrer Reise
nach dem Sinai trafen; und man findet sie auf allen Strafsen,
die vom Westen nach diesem Berge hinführen, und südlich bis
nach Tûr. ˸ Sie erstrecken sich bis an den Fufs des Sinai, oberhalb
des Klosters el-Arba'in; man findet sie aber nicht auf Jebel Mûsa,
noch auf dem jetzigen Horeb, noch dem St. Katharinenberge, noch
im Klosterthale; während sie am Serbâl selbst bis zum Gipfel
hinaufgehn. Bis jetzt hat man noch keine einzige östlich vom
Sinai gefunden. Der Ort, wo die gröfste Anzahl derselben sich
findet, ist der Wady Mukatteb, „das beschriebne Thal", durch
welches die gewöhnliche Strafse nach dem Sinai geht, ehe sie
den Wady Feirân erreicht. Hier stehen sie zu Tausenden an
den Felsen, besonders an solchen Stellen, die den Reisenden und
Pilgern während der Mittagshitze bequeme Ruheplätze darboten ¹).
Ebendies ist auch der Fall bei denen, die wir auf dem andern
Wege trafen. Viele davon haben Kreuze bei sich, zuweilen augenscheinlich aus derselben Zeit wie die Inschriften selbst, zuweilen
sichtbarlich spätern Ursprungs oder aufgefrischt. Die Schriftzeichen sind überall dieselben, aber bis ganz vor Kurzem sind sie,
ungeachtet der Anstrengungen der ausgezeichnetsten Paläographen,
unentziffert geblieben. Die Inschriften sind gewöhnlich kurz; und
meistentheils haben sie dieselben Anfangszüge. Einige griechische Inschriften sind hie und da mit untergelaufen.

Diese Inschriften werden zuerst von Cosmas ums Jahr 535
erwähnt. Er hält sie für die Arbeit der alten Hebräer und sagt,
einige Juden, die sie gelesen hatten, erklärten sie ihm als Bezeichnung der „Reise des und des, aus dem und dem Stamme,

---

1) Burckhardt's Travels etc. S. 620. (979).

in dem und dem Jahre und Monate;" ganz nach der Weise der
Reisenden neuerer Zeit[1]). Viel weiter sind auch die neueren
Entzifferer bis jetzt kaum gekommen. Nachdem die Aufmerksamkeit der europäischen Gelehrten wieder durch Clayton, Bischof
von Clogher, um die Mitte des vorigen Jahrhunderts auf diese
Inschriften hingeleitet worden, wurden sie von ihm und Andern
immer den Israeliten auf ihrer Reise nach dem Sinai zugeschrieben[2]). In der neuesten Zeit hat man sie gewöhnlich für das
Werk christlicher Pilger gehalten, die diese Inschriften auf ihrem Wege von Aegypten nach dem Berge Sinai im vierten Jahrhundert verfafst haben sollen. Auf jeden Fall war der Inhalt
derselben schon zur Zeit des Cosmas unbekannt, und es scheint
keine Ueberlieferung in Bezug auf ihren Ursprung vorhanden
gewesen zu sein. Was die Schriftzeichen anbetrifft, so glaubte
Gesenius, dafs sie zum phönicischen oder vielmehr aramäischen
Character gehörten, der in den ersten Jahrhunderten der christlichen Zeitrechnung durch ganz Syrien, und theilweise auch in
Aegypten, verbreitet war; sie haben die meiste Verwandtschaft
mit den Inschriften von Palmyra[3]). Professor Beer in Leipzig,
der ganz neuerlich diese Inschriften zuerst entziffert hat, sieht sie
dagegen als die einzigen Ueberbleibsel derjenigen Sprache und
Schriftzeichen an, die einst die Nabathäer in Arabia Petraea
gebrauchten und meint, dafs wenn man künftig Steine mit der

---

1) Cosmas Indicopl. Topogr. Christ. in Montfaucon's Collect. nov.
Patrum, II. p. 205.

2) Siehe dessen Brief an die Alterthumsgesellschaft unter dem
Titel: „Journal from Grand Cairo to Mount Sinai" etc. Lond. 1753. Dies
ist das schon erwähnte Tagebuch des Generals der Franziskaner in Kairo.
Der Bischof erbietet sich in diesem Briefe, seinen Antheil an den Kosten, die die Aussendung eines Mannes, diese Inschriften zu copiren, ver-
anlassen möchte, zu tragen. p. 4.

3) Gesenius Anmerkungen zu Burckhardt's Reisen S. 1071.

14 *

Schrift des Landes darauf unter den Trümmern von Petra finden
sollte, die Schriftzeichen ganz dieselben sein würden, wie die
der Sinaitischen Inschriften. Nach dieser Ansicht hat es Wahrscheinlichkeit, dafs sie von den eingebornen Bergbewohnern her-
rühren. Dennoch mufs es immer als eine höchst merkwürdige
Thatsache angesehn werden, dafs man hier in diesen einsamen
Bergen ein Alphabet auf den Felsen findet, das durch Tausende
von Inschriften als ein viel verbreitetes sich erweiset, während
davon anderwärts vielleicht nicht eine Spur übrig ist. [1])

Das jetzige Kloster.

Nach der Zeit der Kreuzzüge hat man die ersten Nachrichten über den Berg Sinai und das jetzige Kloster von Sir John
Maundeville und Peter oder Rudolph von Suchem, die diese Gegend in der ersten Hälfte des vierzehnten Jahrhunderts besuchten.
Der letztgenannte Reisende (im Jahr 1336—50) fand hier über vierhundert Mönche unter einem Erzbischofe und mehreren Prälaten, mit
Einschlufs der Laienbrüder, die schwere Arbeit in dem Gebirge
verrichteten, und mit Kamelen von Elim nach Babylon (von Tûr
nach Fostât) Holzkohlen und Datteln in grofser Menge zu Markte
brachten. Auf diese Weise verschaffte sich das Kloster einen
kärglichen Unterhalt für seine Bewohner, so wie für Fremde und
Besuchende. [2])

Burckhardt fand in dem Archiv des Klosters das Original
eines Vertrages zwischen den Mönchen und Bedawîn vom Jahr
800 der H. oder 1398 nach Chr. woraus hervorgeht, dafs es

---

1) Siehe weiter in Anmerkung XVII, am Ende dieses Bandes.

2) Reisebuch des heil. Landes, 2te Ausgabe. S. 839. — Ritter
bezieht diese Stelle auf die Jebelîyeh oder Leibeignen des Klosters. Aber
es ist ausdrücklich nur von Laienbrüdern die Rede; überdies wurden solche Dinge den Leibeigenen niemals anvertraut. Siehe Gesch. des Petr.
Arabien in den Abhandl. der Berl. Akad. 1824. hist. phil. Kl. S. 222.

zu der Zeit aufser dem grofsen Kloster sechs andre auf der Halbinsel gab, ungerechnet eine Anzahl von Kapellen und Einsiedeleien.
Im funfzehnten Jahrhundert gab es ein bewohntes Kloster zu Feirân. Aus einem andern Dokamente drittehalbhundert Jahr später (H.
1053, Chr. 1643) erhellt, dafs diese kleinern Institute schon verlassen waren, und dafs das grofse Kloster allein noch bestand, und Eigenthum in Feirân, Tûr und in andern fruchtbaren Thälern hatte. [1])
Dies stimmt mit dem Zeugnisse von Reisenden aus dem funfzehnten und sechszehnten Jahrhundert überein, die aufser dem auf dem
Sinai nur von verlassenen Klöstern sprechen. [2]) In diesem Kloster sollen sich nach Fabri im J. 1483 achtzig Mönche befunden haben, obgleich er nicht die Hälfte davon gesehn hat. Zu
Belon's Zeit, ums Jahr 1546, war die Zahl auf sechzig zusam-
mengeschmolzen [3]); und Helffrich fand im Jahr 1565 das Kloster
temporär verlassen. Hundert Jahr später traf von Troilo siebenzig darin. Jetzt schwankt die Zahl zwischen zwanzig und dreifsig; wir aber fanden nur ein und zwanzig, sechs Priester und
funfzehn Laienbrüder. Zwei oder drei vermuthlich neue Mitglieder kamen indefs grade mit' uns dahin. Die jetzigen Mönche
sind grofsentheils von den griechischen Inseln, und die meisten
bleiben nur einige Jahre hier. — Das Filial-Kloster in Kairo
hat einen Prior und vierzig bis funfzig Mönche [4]).

---

1) Burckhardt's Travels etc. S. 547, 617. (882, 974.)

2) So Tucher im Jahr 1479; Breidenbach und Fabri 1483 u. a. m.

3) Observ. Paris 1588. p. 282. Paulus Samml. I. S. 218.

4) Es ist dieses Filial-Kloster, welches den Reisenden, die den
Sinai von Kairo aus besuchen, Empfehlungsbriefe giebt. In Ermangelung eines solchen Briefes verweigerte man Niebuhr 1762 den Eintritt
in's Kloster auf dem Sinai; aber man sagte uns dort, dafs ein Brief
jetzt nicht so durchaus erforderlich sei; alle Ankommenden werden aufgenommen. Dennoch ist es besser mit einem solchen versehn zu sein.
Siehe Niebuhrs Reisebeschr. I. S. 244.

Die früheren Reisenden sprechen sämmtlich von diesem Kloster als einem St. Katharinen - Kloster, und von den Mönchen als zum Orden des heiligen Basilius gehörig ¹). Burckhardt dagegen sagt, dafs das Kloster der Verklärung geweiht sei, was wenigstens von der Kirche wahr ist. Rüppell nennt es aber das Kloster der Verkündigung; aus welchem Grunde, weifs ich nicht. Auch kann ich nicht bestimmen, welche von diesen Angaben die richtigste ist.

Der letzte Erzbischof, der im Kloster residirte, soll Kyrillos gewesen sein, der hier im Jahr 1760 starb ²). Seitdem wird es für diesen Prälaten räthlich gefunden, auswärts zu leben, um die raubgierigen Erpressungen der Araber bei seiner Gelangung zur bischöflichen Würde und bei seinem Einzuge ins Kloster zu vermeiden. Schon längst vorher war zur Selbstvertheidigung das grofse Thor des Klosters vermauert worden, das nur, um einen neuen Erzbischof einzulassen, geöffnet wird; und auch dies scheint seit dem Jahre 1722 nicht stattgefunden zu haben ³).

---

1) Quaresmius aber nennt es das Kloster St. Salvator; Elucid. Terr. Sanct. II. p. 1002.

2) Burckhardt S. 549. (883.)

3) Burckhardt behauptet, nicht seit dem Jahr 1709; aber der Franziskaner General, der im Jahr 1722 da war, erzählt, dafs es in eben dem Jahre geöffnet gewesen sei. Dieser Schriftsteller scheint auch der erste zu sein, der davon spricht, dafs die Reisenden nach der hohen Thür oder dem Fenster hinaufgezogen werden. Dasselbe wird auch von Van Egmond und Heyman um die nämliche Zeit erwähnt. Von Troilo 1666 beschreibt den Eingang als niedrig mit doppelten eisernen Thüren versehen, die Tag und Nacht verschlossen gehalten werden. Er erwähnt auch eines hohen Fensters, durch welches die Mönche den Arabern Lebensmittel in einem Korbe an einem Seile herablassen; aber er deutet auf keinerlei Weise an, dafs Reisende da hinaufgezogen wurden. Reisebeschr. Dresden 1676. S. 379. 380.

Der jetzige Erzbischof ist der Expatriarch von Konstantinopel, und sollte er das Kloster besuchen, so (sagt man) müfste das grofse Thor geöffnet werden und ein halbes Jahr lang offen bleiben, in welcher Zeit die Araber das Recht haben würden, nach Belieben zu kommen, zu essen und zu trinken; und viele tausend Dollars würden die Ausgabe nicht decken.

Der Erzbischof wird von einem Concilium der Mönche, die sowohl die Angelegenheiten des Klosters als des Filials in Kairo leiten, gewählt. Dieser Prälat wird jedesmal aus den Priestern des Klosters genommen, und sobald er dann in Folge der alten Verbindung von dem Patriarchen von Jerusalem zum Bischof geweiht ist, wird er einer von den vier unabhängigen Erzbischöfen der griechischen Kirche; die andern sind die von Cypern, Moskau und Ochrida in Rumelien. Wäre er gegenwärtig, so würde er als ein einzelnes Mitglied der Versammlung nur eine Stimme bei der Leitung der Angelegenheiten des Klosters haben, während er bei seinem Aufenthalt in der Ferne gar keine Macht über jenes, noch eine Verbindung damit hat, ausgenommen, dafs er Geld und Geschenke aus den Einkünften desselben einstreicht. — Der Prior oder Superior wird sowohl hier als in Kairo auf dieselbe Weise von dem Concilium gewählt. Der jetzige Prior auf dem Sinai, Pater Neophytus, stammt ursprünglich von Cypern und ist achtzehn Jahre hier.

Die Mönche auf dem Sinai führen ein sehr einfaches und ruhiges Leben, seit sie mit ihren arabischen Nachbarn in gutem Vernehmen stehn. Rudolph von Suchem, vor fünfhundert Jahren, beschreibt ihr Leben in Worten, die noch heute angewandt werden können: „Sie führen ein strengen Orden; leben keusch und züchtig; sind unterworfen ihrem Ertzbischoff und Prelaten; trinken nicht Wein denn in den hohen Festen; essen nimmer kein Fleisch, sondern erhalten sich mit Kreutern, Erbsen, Bonen und

Linsen, welches sie ihnen mit Wasser, Saltz und Essig zubereiten; essen bei einander in einem Refectorio ohn ein Tischtluch; verrichten in der Kirchen ihr Ampt mit grosser Andacht tag und nacht; und belleissen sich in allen Dingen, dass sie dess Anthonii Regel nachkommen" [1]. — Dieselben Regeln gelten noch jetzt; sie essen kein Fleisch und trinken keinen Wein; aber ihre Regeln wurden vor der Erfindung gebrannter Wasser festgesetzt und daher ist Dattel-Brantwein nicht ausgeschlossen; dennoch scheinen sie alle gesund und kräftig zu sein, und die, welche hier bleiben, behalten ihre Geisteskräfte bis zu einem sehr hohen Alter. Der Laienbruder, welcher uns aufwartete, war über achtzig Jahr alt; einer von den Priestern sollte über neunzig sein; und ein Anderer war vor einem Jahre in dem Alter von hundert und sechs Jahren gestorben. — Ein grofser Theil ihrer Zeit wird scheinbar von ihren religiösen Uebungen in Anspruch genommen. Sie halten (oder sollten halten) regelmäfsig die gewöhnlichen Gebete der griechischen Liturgie sieben Mal alle vier und zwanzig Stunden. Jeden Morgen um 7 Uhr ist Messe; Sonnabends zwei, eine um 3 Uhr früh, die andre zur gewöhnlichen Stunde. In der Fastenzeit werden die Andachts-Uebungen an gewissen Tagen noch bedeutend vermehrt; an dem Mittwoch, den wir hier zubrachten, waren die Mönche den ganzen Morgen bis 12 Uhr im Gebet, und dann wieder in der Nacht von 10 bis 4 Uhr.

Die Pilger haben in den letzten Jahren sehr abgenommen, so dafs jetzt nicht mehr als zwanzig bis sechzig das Kloster jährlich besuchen. Dies sind, nach der Aussage des Prior, meist Griechen, Russen und Engländer, einige wenige Armenier und Kopten, und nur dann und wann ein Muhammedaner. Der gute Vater sieht wahrscheinlich alle Besucher für Pilger an.

---

1) Reifsbuch, 2te Ausg. S. 839.

Bis zum vorigen Jahrhundert jedoch sollen regelmäfsig Pilger-Karavanen von Kairo und Jerusalem hieher gekommen sein; und ein Dokument, das im Kloster aufbewahrt wird, erwähnt in einem Tage die Ankunft von achthundert Armeniern von Jerusalem, und ein ander Mal fünfhundert Kopten von Kairo [1]).

Aufser dem Filial in Kairo besitzt das Kloster viele Metochia oder Landgüter auf Cypern, Creta und an andern Orten. Die griechische Gemeinde in Tûr ist auch von hier abhängig, nicht aber die in Suez. Es hält einen Priester in Bengalen und zwei in Golkonda in Indien. Die Gärten und Oelpflanzungen in der Nachbarschaft gehören alle ihm an, so wie auch weitläufige Palmenhaine bei Tûr; ihre Haupteinnahmen kommen aber von den entfernten Metochia her. Die Gärten und Baumpflanzungen auf der Halbinsel werden jetzt von den Arabern nicht beraubt. Sie waren aber wegen der grofsen Dürre der beiden letzten Jahre sehr trocken. Das Kloster sah voraus, dafs es in einigen Wochen die ganze Erndte der eigenen Gärten aufgezehrt haben, und dann in allen Dingen von Aegypten abhängig werden würde. Ihr Getraide und ihre Hülsenfrüchte erhalten sie immer von Aegypten. Davon verzehren sie jetzt im Durchschnitt etwa ein tausend Ardebs jährlich [2]). Dies ist beinah das Doppelte von dem früher Gewöhnlichen; denn die Dürre und der Mangel dieser letztern Jahre haben die Araber wegen Brot mehr als je vom Kloster abhängig gemacht. — Die Dattelgärten bei Tûr bringen ihnen gemeiniglich drei hundert Ardebs Früchte, und wenn sie gut gepflegt würden, könnten sie wohl fünfhundert einbringen.

Die Bewohner des Klosters haben nun seit mehreren Jahren grofsentheils in Friede und Freundschaft mit den Bedawin

---

1) Burckhardt S. 552. (888.)
2) Das Ardeb ist ungefähr so viel als $3\frac{1}{2}$ Scheffel.

rings umher gelebt. Hie und da kommen wohl Unterbrechungen
dieser Eintracht vor [1]); aber in der neusten Zeit und besonders
seit dem Mangel und der Hungersnoth, scheint das Ansehn und
der Einflufs der Mönche unter den Arabern sich sehr gehoben zu
haben. Es wird noch mehr erhöht durch die Ehrfurcht, welche die
Araber vor dem Pascha von Aegypten haben, und die Gewifsheit,
dafs jede Ungerechtigkeit, die sie sich gegen das Kloster heraus-
nehmen, zuletzt auf ihr eignes Haupt zurückfallen würde.

Unter den Stämmen und Zweigen der Tawarah giebt es
drei, die durch alte Gewohnheit und vielleicht durch Vertrag
Ghafîrs oder Beschützer des Klosters sind, und sich für die
Sicherheit desselben und alles dessen, was dazu gehört, für verantwortlich halten. Dies sind die Dhuheiry, 'Awârimeh und
'Aleikât. Dagegen haben alle Mitglieder dieser Stämme Ansprüche
auf eine Portion Brot, so oft sie das Kloster besuchen. Sie erhielten früher auch etwas gekochtes Essen bei solchen Gelegenheiten; aufserdem jeder sechstehalb Dollars in baarem Geld jährlich, und einen Anzug für jeden Mann. Aber alles dies wird
jetzt nicht mehr gegeben. Wenn sie Kairo besuchen, so sind sie
ebenfalls berechtigt, von dem Filial-Kloster dort zwei kleine Brote
alle Morgen zu fordern und etwas gekochtes Essen alle Mittage;
früher hatten sie auch noch vier Brote alle Abend, was jedoch
dies Jahr unterblieb. Aufser dem allen haben sie das ausschliefsliche Vorrecht, Reisende und Pilger nach und von dem Kloster
zu geleiten.

---

1) Noch im Jahr 1828, während Laborde's Besuch, wurde ein Pilger durch eine Kugel, die von einem Bedawy von den Felsen über dem
Kloster auf einen Mönch gezielt war, im Schenkel verwundet. Voyage
etc. p. 67. — Ein Mönch, der den General der Franziskaner 1722 auf
die Spitze des Sinai begleitete, wurde von den Arabern ergriffen und geschlagen. Die ältern Reisebeschreiber sind voll von ähnlichen Geschichten.

Man kann daraus wohl abnehmen, dafs alle diese Ansprüche, so wie die theilweise Ernährung ihrer Leibeigenen, die zeit-
lichen Hülfsquellen des Klosters sehr mitnehmen müfsen. Dennoch
finden die Mönche es räthlich, diese vielen arabischen Mäuler lieber mit Brot zu stopfen, als sich ihrem lauten Geschrei und der
Gefahr plötzlicher Gewaltthätigkeiten anszusetzen. Die Bäckerei
des Klosters ist daher sehr grofs. Während unsers Besuchs klagten sie, dafs sie ihre Getreide-Vorräthe von Tûr nicht herbeischaffen könnten, und deshalb war vielleicht das beste Brot, das
wir sahen, grob und mit Gerste vermischt. Das unter die Araber vertheilte Brot ist immer viel schlechter. Der Dattelbrantwein soll nicht mehr, wie früher, im Kloster selbst gebrannt werden.

Die Araber der Halbinsel.

Der hier folgende Bericht über die Bedawin, welche die
Halbinsel des Sinai bewohnen, stammt hauptsächlich von ihnen
selbst her; und wenn er minder vollständig sein sollte als der
von Burckhardt, so kann er doch dazu dienen, die Bemerkungen
dieses Reisenden zu ergänzen [1].

Die Stämme, die man zu den eigentlichen Tawarah, den Bedawin des Jebel et-Tur oder des Berges Sinai rechnet, sind folgende:

I. Die Sawâlihah, die gröfste und wichtigste aller Abtheilungen unter den Arabern der Halbinsel, die aus verschiedenen
Zweigen besteht, welche letztere selbst wiederum Stämme bilden,
nämlich: 1. Die Dhuheiry, wovon wieder die Aulâd Sa'îd oder
Sa'idiyeh eine Unterabtheilung ausmachen, zu denen unsre Führer
gehörten. Die Aulâd Sa'îd bewohnen die besten Thäler in dem
Gebirge, sind sehr geachtet, und scheinen am meisten mit dem
Kloster in Verbindung zu stehn. Ihr jetziger Sheikh Husein ist
schon oben erwähnt worden. 2. Die 'Awârimeh. 3. Die Kûr-

---

1) Travels etc. S. 557 ff. (894 ff.)

râshy, deren Sheikh Sâlih lange Zeit hindurch der Haupt-
Sheikh der Táwarah in allen Beziehungen mit dem Auslande gewesen ist, und an den auch der Pascha seine Befehle in Betreff der
Halbinsel richtet. — Die Sawâlihah bewohnen gröfstentheils das
Land westlich 'und nord-westlich vom Kloster. Die Weideplä-
tze des Stamms sind zumeist allen Zweigen desselben gemein;
aber die Thäler, wo es Dattelpalmen giebt und Ackerbau getrieben wird, sollen das Eigenthum Einzelner sein. Sie sehn
sich als die ältesten und vorzüglichsten Einwohner der Halbinsel an. Alle Zweige desselben betrachten sich als Verwandte
und verheirathen sich unter einander. Ihre Ueberlieferung erzählt,
dafs ihre Vorväter von der Grenze Aegyptens, ungefähr um die
Zeit der Eroberung durch die Muhammedaner, gekommen sind.
Die Kürràshy indefs, sagt man, sollen Abkömmlinge weniger
Familien sein, die sehr früh vom Hejâz als Flüchtlinge zu ihnen
eingewandert sind. Daher kommt es vielleicht, dafs die zwei ersten
Zweige Ghafîrs des Klosters sind, und die Kürràshy nicht. —
Jeder dieser Zweige hat wieder Unterabtheilungen. Burckhardt
spricht auch von den Rahamy als einem Zweige, aber diese sind
uns nicht genannt worden.

II. Die 'Aleikât sind auch ein alter Stamm, aber viel
schwächer als die Sawâlihah und gering an Zahl. Dann und
wann finden auch Verheirathungen mit denen vom letztgenannten Stamme bei ihnen statt; aber sie werden im Ganzen nicht
gern gesehn. Die 'Aleikât sind auch Ghafîrs des Klosters. Sie
lagern meist rings um den westlichen Wady Nüsb, und dehnen
ihre Weiden bis zu den Wady's Ghürûndel und Wûtâh aus.

III. Die Muzeiny sind erst in späterer Zeit auf die Halbinsel gekommen, und werden noch von den Sawâlihah als ungebetne Gäste angesehn, mit denen sich keiner verheirathet. Unsre Araber von den Aulâd Sa'id blickten mit tiefer Verachtung

auf sie herab. Die Geschichte ihrer Einführung auf der Halbinsel, wie sie unsre Führer erzählten, war folgende.· Das ganze
Land gehörte ursprünglich den Sawâlihah und 'Aleikât und war
gleichmäfsig unter ihnen vertheilt; die erstern besafsen den westlichen Theil der Halbinsel und die letztern den östlichen. Während einer Hungersnoth entstand ein Krieg zwischen.den beiden
Stämmen, in welchem die erstern in einem nächtlichen Ueberfall bei Tûr die sämmtlichen 'Aleikât bis auf sieben tödteten.
Um diesen Sieg zu feiern, versammelten sie sich um das Grab
des Sheikh Sâlih im Wady Sheikh und opferten ein Kamel.
Gerade zu dieser Zeit kamen sieben von den Muzeiny zu ihnen aus ihrem Lande Harb auf dem Wege nach dem Hejâz,
und machten ihnen den Vorschlag, sich unter ihnen auf der
Halbinsel mit gleichen Rechten niederzulassen; indem sie vor-
gaben, dafs sie von Hause entflohen wären, weil sie Blut ver-
gossen hätten und den Bluträcher fürchteten. Die Sawâlihah er-
wiederten, dafs, wenn sie als Untergebne kommen wollten, sie
willkommen sein sollten; wenn nicht, so könnten sie gehn. Sie
gingen lieber, und auf ihrem Zuge trafen sie auf die Uebrigge-
bliebenen der 'Aleikât. Sie schlossen mit ihnen einen Bund, überfielen zusammen die Sawâlihah des Nachts, als sie unter den
Türfa-Bäumen versammelt waren, um das Kamel zu verzehren,
und ein grofses Blutbad war die Folge davon. Der Krieg dauerte
viele Jahre lang, aber endlich machten die Streitenden unter ausländischer Vermittlung Friede. Die 'Aleikât traten nun den Muzeiny die Hälfte ihres Antheils an der Halbinsel und an ihren
allgemeinen Vorrechten ab, und gestatteten denselben, sich mit ihnen
zu verheirathen. Diese Rechte geniefsen die Muzeiny noch; aber
da sie an Zahl sehr zugenommen haben, während die 'Aleikât
wenig und schwach geblieben sind, so besitzen sie jetzt den ganzen östlichen Theil der Halbinsel und den ganzen Tâwarah-Theil

des Ufers am Meerbusen von 'Akabah. Sie leben meistentheils
vom Fischfang, während die 'Aleikât, wie oben erwähnt, sich
in die Gegend des westlichen Wady Nüsb zurückgezogen haben.
Die Muzeiny stehn mit dem Kloster in keiner Verbindung.

IV. Die A n l â d S u l e i m â n bestehn nur aus einigen wenigen Familien in der Nähe von Tûr.

V. Die B e n i W â s e l, ebenfalls nur wenige Familien,
die unter den Muzeiny in und um Shürm wohnen.

Aus diesen fünf Stämmen bestehn die eigentlichen Bedawîn
des Berges Sinai oder Jebel et-Tûr, woher denn auch ihr Name
T â w a r a h. Sie sind unter einem Haupt-Sheikh mit einander verbunden, jetzt Sheikh Sâlih von den Kürrâshy, wie oben erwähnt. Sie halten fest zusammen, sobald sie von andern Bedawîn von auswärts angegriffen werden, haben aber zuweilen auch
blutige Streitigkeiten unter einander.

VI. Zu den arabischen Bewohnern der Halbinsel mufs man
auch die Jebeliyeh oder Leibeigenen des Klosters rechnen. Die
Tâwarah erkennen sie natürlich nicht als Bedawin an, sondern
nennen sie Fellâh's oder Sclaven. Selbst ihre Existenz war aufserhalb der Halbinsel beinah unbekannt, bis Burckhardt zum
ersten Male einen vollständigen Bericht von ihnen gab [1]).
Die Ueberlieferung des Klosters in Betreff dieser Gehörigen,

---

1) Die meisten von den frühern Reisenden scheinen nichts von
diesen Jebeliyeh gewufst zu haben. Belon erwähnt nur der „Sclaven"
des Klosters. Obss. p. 286. Paulus Samml. I. S. 224. Van Egmond und
Heyman (um 1720) liefern einen kurzen, aber richtigen Bericht über sie.
Reizen etc. T. II. S. 165. Dieser wurde von Büsching wieder abgedruckt. Erdbeschr. XI. 1. S. 605. Die Deutung, die Ritter dem Ausdruck
Rudolph's v. Suchem giebt, ist schon oben erwähnt worden (S. 212). Das
Zeugnifs des Eutychius, dessen in der nächsten Note gedacht wird, ist
bisher ganz übersehen worden.

wie sie uns vom Prior mitgetheilt wurde, ist folgende. Als Justinian das Kloster erbaute, sandte er zweihundert wallachische
Gefangene und befahl dem Gouverneur von Aegypten, zweihundert
Aegypter zu schicken, die Gehörige des Klosters sein, demselben
dienen und es beschützen sollten. Im Laufe der Zeit, da die
Araber eindrangen und das Kloster vieler seiner Besitzungen be-
raubten, wurden die Nachkommen dieser Gehörigen Muselmänner
und nahmen die Sitten der Araber an [1]). Die letzte Christin unter ihnen starb nach des Priors Aussage vor etwa vierzig Jahren
im Kloster der Vierzig Märtyrer [2]). Diese Leibeignen stehen
ganz und ausschliefslich unter dem Kloster, so dafs die Mönche
sie verkaufen, bestrafen, ja sogar tödten dürfen, wie es über
sie beschlossen wird. Sie unterscheiden sich jetzt in den Gesichts-
zügen und Sitten gar nicht von den andern Bedawin. Ein Theil
derselben wohnt noch immer auf Lagerung im Gebirge in der
Nähe des Klosters und hat die Gärten rings umher zu besorgen.
Einige davon dienen abwechselnd im Kloster selbst, wo sie die
niedrigsten Knechtsdienste verrichten, und im Garten wohnen. Die
meisten von denen, die so um das Kloster her leben, hängen grofsentheils von demselben in Betreff ihrer Erhaltung ab., Wenn
sie für das Kloster, was oft geschieht, im Garten oder anderswo
arbeiten, so werden sie nach einer gewissen Taxe, gewöhnlich
in Gerste bezahlt. Auch diese haben das ausschliefsliche Vorrecht, Besuchende auf die Gipfel der umliegenden Berge zu führen, wofür sie auf dieselbe Weise bezahlt werden. Dies erstreckt

---

1) Das Wesentliche dieser Tradition wird, bis auf das neunte Jahrhundert zurück, durch das Zeugnifs des Eutychius, Patriarchen von Alexandrien, bekräftigt; Annales II. p. 167 ff. Die Stelle ist merkwürdig;
man findet sie ganz übersetzt in Anmerkung XVIII, am Ende des Bandes. Vergl. S. 205.

2) Oder, wie man Burckhardt erzählte, im Jahr 1750. S. 564. (904.)

sich aber nicht darauf, Fremde auf ihrer Reise nach und von
dem Kloster zu begleiten. Einen um den andern Tag erhalten die,
welche darum bitten, Brot vom Kloster; jeder Mann fünf kleine
Brote, etwa wie eine Faust grofs und sehr grob, die Frauen etwas weniger, und Kinder ein oder zwei Brote. Natürlich können nur diejenigen regelmäfsig darnach kommen, die ganz nahe
wohnen. Die Jünglinge und Männer im mittleren Alter sahen
wohl und handfest aus; aber es kamen zu Zeiten Alte, Kranke
und Kinder nach dem Kloster, die das Abbild des Hungers und
der Verzweiflung waren. Diese elenden Leute, beinah nackt, oder
blos halb mit Lumpen bedeckt, sollen sich grofsentheils von Gras
und Kräutern nähren; und da diese bei der Dürre mangelten, so
waren sie völlige Gerippe geworden.

Andre Abtheilungen oder Klassen dieser Gehörigen sind in
den Gärten vertheilt, die das Kloster noch besitzt, oder früher
in verschiedenen Gegenden der Halbinsel besessen hat. So haben
sich die Tebna in den Dattelgärten von Feirân, die Bezia in den
Klostergärten zu Tûr, und die Sattla in andern Gegenden niedergelassen.

Auf unsre Frage nach der Anzahl dieser Gehörigen antwortete der Prior, dafs er sie nicht angeben könne; er wollte uns
aber den Ueberschlag mittheilen, den er vor sieben Jahren gemacht, als er Gelegenheit hatte, sie alle zusammen zu sehn.
Damals machte Sheikh Sâlih von den Kürrâshy, der Haupt-
Sheikh der Táwarah, der sich immer gegen das Kloster unfreundlich gezeigt hat, auf alle Jebeliyeh, als seine Leibeigenen, Ansprüche, und fing an seine Forderungen mit Gewalt durchzuse-
tzen. Sie waren alle darüber sehr erschrocken und flohen nach
einem Sammelplatz im Gebirge von et-Tîh, fünf Tagereisen weit.
Der Prior ging mit einem andern Mönche selbst dahin, sie zur
Rückkehr einzuladen, aber sie wollten nicht ohne eine Sicherheit

gegen fernere Bedrückungen kommen. Er ging dann und legte
die Sache dem Gouverneur von Suez vor, zeigte die Firmans des
Klosters vor (deren sie viele besitzen), die der Jebeliyeh als ihrer Leibeignen ausdrücklich erwähnen. Sheikh Sâlih wurde nun
vorgeladen, konnte aber keine Beweise für seine Ansprüche vorlegen. Das Ende davon war, dafs er in's Gefängnifs gesetzt
und in Geldstrafe genommen wurde, und die Jebeliyeh kehrten zu
ihrer frühern Lebensweise zurück. Damals, erzählte der Prior,
schätzte er die ganze Zahl zusammen auf funfzehn hundert bis
zweitausend Seelen. Aber diese Schätzung ist wahrscheinlich viel
zu grofs. Innerhalb weniger Jahre hat der Prior zwei von diesen Leibeigenen getauft, die Christen geworden sind; und keiner
hat dagegen etwas gesagt.

Die Tâwarah-Araber machen auf den ganzen Bezirk der
Halbinsel Ansprüche so weit nach Norden hin, wo die Haj-Strafse von Suez nach 'Akabah geht; sie haben aber wirklich nur
den Theil inne, der südlich von der Bergkette et-Tih liegt. Der
Landstrich nördlich von dieser Gebirgskette, mit Einschlufs der
nördlichen Wüste, wird von den verbündeten Stämmen Terâbin,
Teyâhah und Haiwât bewohnt, die zusammen stärker sind, als
die Tâwarah. Von den Terâbin ist schon erwähnt worden, dafs
sie das Gebirge er-Râhah bewohnen und um Tâset Südr ihr
Lager haben, und gegen Norden mit dem Stamm desselben Namens bei Gaza in Verbindung stehn. Ein kleiner Zweig davon
hält sich auch an der östlichen Küste am Meerbusen von 'Akabah
auf, nördlich von dem südlichen Bergrücken des Tih. Die Haiwât
haben ihr Lager auf der östlichen Seite der Hochebne nördlich
vom Tih nach 'Akabah zu. Die Teyâhah wandern in dem Di-
stricte zwischen den Haiwât und den westlichen Terâbin herum,
und dehnen ihre Wanderungen nördlich bis nach Gaza aus. Die
Weiden in den Wady's auf der nördlichen Seite des Tih sollen

15

gut sein, und ziehn sich quer über die ganze Halbinsel. — Zwischen
den Tawarah und Terábin, sagte Tuweileb, besteht ein Freund-
schaftsschwur, dafs sie so lange einander treu bleiben wollen, als
es noch Wasser im Meere giebt, und kein Haar in der flachen
Hand wächst.

In früherer Zeit bis ins vorige Jahrhundert herab hatte das
Kloster seine Beschützer auch in allen diesen nördlichen Stämmen, und ebenso auch unter den 'Alawin, Haweität und andern
Stämmen gegen Gaza und Hebron zu. Damals kamen die meisten Pilger über Gaza, und nur die Beschützer hatten das Recht,
sie zu geleiten. Aber da jetzt die meisten Besucher nur von
Aegypten her kommen, so ist dies Recht auf die Táwarah beschränkt worden; die Verbindung mit andern Beschützern hat
man fallen lassen, und Besuchende, die von andern Gegenden
herkommen, können Araber aus irgend einem Stamme mit sich
bringen. Aber sie können nur mit Führern von den Táwarah
wieder abreisen.

Die Táwarah sieht man als die ärmsten unter allen Beda-
wín-Stämmen an ; dies kann auch nicht anders sein. Ihre Berge
sind zu öde und unfruchtbar, als dafs sie ihnen mehr als kärg-
liche Mittel zu einer ungewissen Existenz darbieten könnten. Sie
haben im Verhältnifs wenig Heerden und Kamele, und letztere
sind noch dazu schwach; Esel sind unter ihnen nicht gewöhnlich;
Pferde und Rindvieh sind ihnen ganz unbekannt und können sich
auch in ihrem Lande nicht erhalten. Ihr kärgliches Einkommen
haben sie von ihren Heerden, vom Vermiethen ihrer Kamele, um
Güter und Kohlen zwischen Kairo und Suez zu transportiren, und
vom Verkauf der wenigen Holzkohlen, die sie brennen, so wie des
Gummi Arabicum's, das sie sammeln und sammt ihren Datteln
und anderm Obst zu Markte bringen. Aber das reicht kaum hin,
Kleidung und Nahrung für ihre Familien anzuschaffen, da sie

alles Getreide in Aegypten kaufen müssen, indem nicht ein Körnchen auf der Halbinsel gebaut wird. Und wenn, wie jetzt, Regen mangelt, und Dürre über das Land kommt, und ihre Kamele hinsterben, dann stehen Hungersnoth und Verzweiflung ihnen drohend bevor.

Die ganze Bevölkerung der Halbinsel, nördlich bis zur Haj-Strafse, wird von Burckhardt nicht über viertausend Seelen geschätzt. Die Abschätzung nach Rüppell's Daten kommt ungefähr bis auf siebentausend, die er selbst wenigstens um ein Viertel zu grofs hält. Ich kann keine neuen Data zu einer Abschätzung liefern, möchte aber die von Burckhardt für die wahrscheinlich richtigere ansehn [1].

Ich habe schon oben bemerkt, dafs nur zwei Abtheilungen der Sawâlihah, nämlich die Dhuheiry und 'Awârimeh, mit dem Stamme 'Aleikât als Ghafîr's oder Beschützer mit dem Kloster in Verbindung stehn; während die andre Abtheilung des erstgenannten Stammes, die Kürrâshy, so wie auch der Stamm der Muzeiny dies Vorrecht nicht haben. Es giebt indefs eine Ueberlieferung, wonach vor alten Zeiten die Kürrâshy dieses Recht stillschweigend theilten, obgleich sie nicht ganz dazu berechtigt, oder, wie unsre Araber sich ausdrückten, „nicht in's Klosterbuch eingeschrieben waren." Sie haben jedoch dies Vorrecht auf folgende Weise nach der Sage der Araber verloren. In einer Nacht drangen sieben von ihren Anführern heimlich durch eine Hinterthür ins Kloster, präsentirten sich am Morgen bewaffnet vor den Mönchen, und forderten ins Buch eingeschrieben zu werden. Die erschrocknen Mönche sagten: „Gut; aber das mufs in Gegenwart von Zeugen aus den andern Beschützern geschehn." Man liefs die Zeugen holen; bei ihrer Ankunft befahl man ihnen, ihre Waf-

---

[1] Burckhardt's Travels etc. S. 560. (900.) Rüppell's Reisen in Nubien etc. S. 198.

15 *

fen niederzulegen, und so wurden sie ins Kloster hinaufgewunden. Durch eine geheime Verabredung mit den Mönchen hatten sie jedoch ihre Waffen in den Säcken, die sie bei sich führten, verborgen. Die Mönche hatten sich auch heimlich bewaffnet; und auf ein gegebenes Zeichen fielen alle über die Kürràshy her und tödteten sechs auf der Stelle. Den noch übriggebliebenen warfen sie von der Klostermauer und er starb. Seitdem haben die Kürràshy keine Ansprüche auf irgend eine Verbindung mit dem Kloster gehabt.

Dennoch ist es klar, dafs die Vorrechte, welche die Beschützer geniefsen, immer ein Gegenstand des Verlangens und des Neides für die halb wilden Stämme der Bedawîn sein müssen, die gar keinen Grund sehen, warum sie davon ausgeschlossen sein sollen. Daher sind die Kürràshy und Muzeiny oft gegen das Kloster und dessen Beschützer mit einander verbündet, und hegen stets gegen sie eine unfreundliche Gesinnung. Ein Beispiel davon kam erst im vorigen Jahre vor in Bezug auf Lord Lindsay und seine Reisegesellschaft bei ihrer Abreise vom Kloster. Der Lord hat darauf in seinen Briefen hingedeutet, und ich nehme mir deshalb die Freiheit, die Geschichte, wie wir sie von den Arabern an Ort und Stelle gehört haben, zu erzählen. Da die Kürràshy und Muzeiny das Monopol der Beschützer abzuschaffen wünschten, so meldeten sie sich, die Gesellschaft vom Kloster nach 'Akabah zu bringen. Sobald dies bekannt wurde, versammelten sich die drei Stämme der Beschützer im Wady Seheb (nahe beim Wady esh-Sheikh) unter den Sheikh's Mûsa und Muteir, während die beiden erstern Stämme auch im Wady el-Akhdar unter ihren Sheikh's Sâlih und Khudeir zusammen kamen. Man wartete mit Spannung auf die Entscheidung der Reisenden. Wenn sie sich entschlossen, solche zu nehmen, die keine Beschützer waren, so sollte dies das Zeichen für die Beschützer sein, in mör-

derischem Kampfe über die andern herzufallen. Sie entschieden
sich aber für die Beschützer; und darauf erklärte die andre Partei,
dafs sie sich an den Pascha wenden wollte. Indefs hier trat das
Kloster von Kairo vermittelnd dazwischen und die Appellation an
den Pascha unterblieb. Noch später nahm ein französischer Reisender gegen den Rath und das Zureden des Klosters einen von
den Muzeiny mit nach 'Akabah, indem der Muzeiny den Döll-
metscher des Reisenden durch ein Geschenk gewonnen hatte; aber
auf den Rath des Klosters haben sich die Beschützer nicht weiter
gerächt, als dafs sie ihm eine derbe Tracht Prügel in 'Akabah
verschafften. — Es ist indefs sehr wahrscheinlich, dafs die Sache endlich doch nicht ohne Blut wird abgemacht werden können;
denn die oben erwähnten zwei Stämme erneuern immer ihre Versuche, an den Vorrechten der Beschützer einen Theil zu bekommen. Wir selbst wären zuerst in Kairo beinah in die Hände der
Muzeiny gerathen, da wir von der ganzen Sache noch nichts
wufsten. Durch eine Unachtsamkeit wurde Khudeir, ihr Sheikh,
im englischen Consulate uns vorgestellt, um uns mit Kamelen zu
unsrer Reise nach dem Kloster zu versehen; aber er kam nicht
zur bestimmten Zeit, wie wir hörten, in Folge der Dazwischen-
kunft des Filial-Klosters.

In diese Streitigkeiten der Bedawin mischt sich der Pascha
von Aegypten nicht, wenn sie nicht an ihn appelliren. Vor etwa
dreifsig Jahren, während eines Kriegs zwischen den Táwarah
und den Ma'âzeh, welche das Gebirge westlich vom rothen Meere
bewohnen, hatte sich eine Abtheilung der ersteren, etwa vierzig
Zelte, im Wady Südr gelagert. Die Ma'âzeh brachten ein Heer
von zweihundert Dromedaren, neun Reitern, und einer Compag-
nie von funfzig Mughreby-Reitern zusammen, um dies Lager zu
plündern. Sie passirten Suez in der Nacht, erfuhren, dafs die
Táwarah nach dem Wady Wardán gezogen wären, und überfie-

len sie bei Tagesanbruch. Die meisten Männer entronnen; die
Weiber, wie es die Sitte der Bedawin ist, blieben unberührt; und
nur zwei Männer mit Einschlufs des Sheikh wurden getödtet. Der
Sheikh, ein alter Mann, sah, dafs ihm die Flucht unmöglich sei;
er safs am Feuer nieder, und der Anführer der Ma'àzeh kam heran
und rief ihm zu, seinen Turban von sich zu werfen und seines
Lebens sollte geschont werden. Der hochgesinnte Sheikh, weit
entfernt dies zu thun, was nach den Begriffen der Bedawin seinen Namen für immer befleckt haben würde, rief aus: „Ich werde
mein Haupt vor meinen Feinden nicht entblöfsen!" und wurde
sogleich durch einen Lanzenstich getödtet. Funfzehn Dromedare,
viele Kamele, einige Sclaven und viele Kleidungsstücke und Ge-
räthschaften wurden fortgeschleppt; denn das Lager war reich [1]).
Die Tawarah warteten drei Monate und sammelten dann eine Schaar
von fünfhundert Dromedaren und einhundert Mann zu Fufs, zusammen einen Haufen von sechshundert Bewaffneten. Sie zogen heimlich bei Suez vorüber und überfielen die Ma'àzeh des Nachts,
tödteteten vierundzwanzig Mann, den Sheikh mit einbegriffen, und
nahmen siebenzig Dromedare, einhundert Kamele, und viele andre Beute mit fort. Der Sheikh wurde aus Versehn getödtet;
denn sie hatten mit einander ausgemacht, seiner zu schonen, weil
er ein guter und grofsmüthiger Mann war, der seine Einwilligung
zu dem Zuge gegen sie nicht gegeben hatte. Nun folgten noch
zwei Züge gegen die Ma'àzeh, wobei über zwanzig Mann getödtet und eine grofse Beute gemacht wurde. Darauf sandten die
Ma'àzeh ein Geschenk von drei Dromedaren an Shedid, den Sheikh
der Haweitât, der sich in Kairo aufhält, und baten ihn, den Frieden mit ihren Feinden zu Stande zu bringen. Er legte den Fall

---

1) Diese Geschichte hat Burckhardt schon zum Theil erzählt,
S. 471. (775.) Den Umstand vom Tode des Sheikh habe ich aus seinem Bericht hinzugefügt.

dem Muhammed Ali vor, der die Sheikhs beider Parteien holen liefs und Frieden zwischen ihnen stiftete. Dieser dauert auch noch. — Die Táwarah sehen die 'Abábideh von Oberägypten als Feinde an und pflegten früher auf Böten über den Meerbusen zu setzen und ihnen Kamele zu stehlen. Jetzt geschieht nichts der Art; dennoch dauert die Feindschaft fort. — Vor Kurzem ging einer von den Teyáhah zu Lande in das Gebiet der 'Abábideh und stahl funfzehn Dromedare; aber der Pascha zwang ihn, dieselben zurückzugeben.

Die Táwarah führen nie einen Prozefs vor einem ägyptischen Gerichtshofe. Der Sheikh jedes Stammes oder jeder Abtheilung ist Richter, ganz im Sinne alter patriarchalisch einfacher Sitte. Kleinere Streitigkeiten werden gewöhnlich von den Partheien selbst abgemacht. Wo nicht, so bringen sie die Sache vor den Richter, indem jeder ein Unterpfand ihm in die Hand giebt; und wer nun den Prozefs verliert, hat auch sein Pfand verwirkt, das der Richter als Gebühr behält, während das der andern Parthei zurückgegeben wird. Sobald der Richter das Urtheil gefällt hat, führt die gewinnende Parthei das Urtheil für sich aus. Die Art und Weise ihrer Prozesse wurde uns sowohl von den Arabern, als vom Prior als aufserordentlich gerecht geschildert. Bestechung und Partheilichkeit sind bei ihnen unbekannt. Wenn sich zwei mit einander zanken, so kann der dritte dazwischen treten und sie dazu bewegen, dafs sie sich küssen. Von da an sind sie äufserlich gute Freunde, wie vorher, obgleich der Streit noch erst durch einen Prozefs entschieden werden soll; und vielleicht können Monate darüber vergehn, ehe die Sache zu Ende ist.

Folgendes sind einige Eigenthümlichkeiten des Bedawîn - Rechts, — ein Recht nicht durch Statuten gegründet, sondern durch Zeit und Gebrauch, das jedoch eben so bindend ist, wie das ungeschriebne Gemeinrecht Englands. Wenn ein **Bedawy**

einem andern etwas schuldig ist und es ihm nicht bezahlen will,
so nimmt der Gläubiger zwei oder drei als Zeugen seiner Wei-
gerung. Dann nimmt oder stiehlt er, wenn er kann, ein Kamel
oder etwas Anderes vom Eigenthum des Schuldners und giebt es
einem dritten in Verwahrung. Dies bringt die Sache vor den
Richter, und der Schuldner geht des genommenen Gegenstandes
verlustig. — Die Bedawin hüten sich wohl, bei ihren Streitigkeiten einander mit einem Stock oder mit der Faust zu schlagen,
weil dies schändet; es ist das nämlich die Strafe für Sclaven und
Kinder, und eine grofse Beleidigung für einen Mann. Geschieht
es doch, so kann der Geschlagene auf sehr hohe Entschädigung
antragen. Ihr Ehren-Gesetz erlaubt nur mit dem Schwert oder
mit der Flinte zu schlagen, und dadurch fühlt sich der Leidende
viel weniger verletzt. In einer Schlägerei dieser Art, wo man zum
Schwert gegriffen hat, wird, wenn die Sache anhängig gemacht
ist, dem am wenigsten Verwundeten eine Geldbufse auferlegt, die
grofs genug ist, um die Ueberzahl der Hiebe, die der andre
bekommen hat, aufzuwiegen. Der Grad der Beleidigung oder An-
reizung oder des Rechts kommt nicht in Betracht, da vorausgesetzt wird, dafs nichts eine Schlägerei rechtfertigen kann, und
dafs dergleichen Vorfälle alle nach ihrer eignen einfachen Beschaffenheit gerichtet werden müssen.

Wenn Jemand einen Andern anfällt und verwundet, der ganz
passiv sich dabei verhält, so treten die Freunde dazwischen und
handeln als Vermittler. Sie bereden den Verwundeten zuerst zu
einem Waffenstillstand von einem Monat oder länger, während
dessen beide einander in Ruhe lassen. Gegen das Ende desselben bestimmen die Vermittler nach genauer Prüfung die Summe,
welche der Beleidigte als Schadenersatz haben soll, z. B. zweitausend Piaster. Dies nimmt er auf die Bedingung an, dafs einer
von ihnen sich dafür verbürgt. Nun aber kommt ein Freund

nach dem andern und bittet ihn, um seinetwillen etwas von der Summe abzulassen. So wird die Strafe vielleicht bis auf zweihundert Piaster heruntergebracht. Nun kommen die Gegner zusammen und der Beleidigte erläfst seinem Beleidiger vielleicht noch ein Hundert. So bekommt er wirklich nicht mehr als einhundert Piaster; und wenn die Versöhnung aufrichtig ist, so kann er vielleicht auch diese noch erlassen. Wenn beide Gegner etwa verwundet wären, so wägt man die Beleidigungen gegen einander ab. Das Werkzeug der Beleidigung ist nach dem Gesetz dem Beleidigten verfallen.

Wenn in einem solchen Streite oder auf eine andre Weise Jemand getödtet wird, so ist es das Recht und die Pflicht des nächsten Verwandten des Verstorbenen, den Mörder oder seinen nächsten Verwandten zu erschlagen, wo er ihn auch antreffen mag. Gewöhnlich fliehn indefs die, welche auf diese Art der Gefahr ausgesetzt sind, auf ein oder zwei Jahre aus dem Lande. Während dieser Zeit treten einflufsreiche Leute dazwischen, um die Verwandten des Gestorbenen zu beschwichtigen und sie zu bewegen, eine bedeutende Summe Geldes als Blutbufse zu nehmen. So wird gewöhnlich die Fehde beigelegt, und der Gegner kann wieder frei zurückkehren. Dies ist ganz die alte Blutrache der Hebräer, die in allen ihren Sitten und Gebräuchen so fest gewurzelt war, dafs auch der vom Geist Gottes erfüllte Gesetzgeber sie nicht gradezu abschaffen wollte, sondern sie nur modificirte und ihren Einflufs durch die Einrichtung von Freistädten beschränkte. Von letztern findet sich nichts bei den Arabern [1]).

Die einfachste Form dieser Anordnungen zeigt sich in deren Anwendung auf Mitglieder desselben Geschlechts oder Stam-

---

1) 2 Mos. 21, 13. 4 Mos. 35, 9 ff. 5 Mos. 19, 4 ff. Josua 20, 1 ff. Joseph. Antqq. IV, 7, 4.

mes. Es werden aber dieselben Grundsätze bei Streitigkeiten
und Mordthaten von Individuen verschiedenen Stammes angewandt; ausgenommen, wenn der Stamm des Angreifenden ihm
beisteht und den Streit als seinen eignen aufnimmt. In solchem
Falle erfolgt Krieg.

Die strenge Ehrlichkeit der Bedawîn unter einander ist
sprichwörtlich, so wenig sie auch sonst das Eigenthumsrecht
Andrer achten. Wenn eines Arabers Kamel auf dem Wege stirbt
und er kann seine Ladung nicht mehr fortbringen, so macht er
blos einen Kreis im Sande darum und läfst sie da. Auf diese
Art bleibt sie sicher und Monate lang unberührt. Auf unsrem
Wege nach 'Akabah sahn wir im Wady Sa'l ein schwarzes Zelt
an einem Baume hängen; Tuweileb sagte, dafs es schon vor einem Jahre, als er vorbeikam, dort gewesen wäre und nie gestohlen werden würde. Der Diebstahl, sagte er, würde unter
den Táwarah verabscheut; aber die diesjährige Hungersnoth sei
so grofs, dafs Einzelne sich zuweilen genöthigt gesehen, Lebensmittel zu stehlen. Er war grade von Aegypten mit einer Kamels-
last Getreide für seine Familie zurückgekehrt, das er in eins ihrer Magazine, als einen sichren Ort, niedergelegt hatte; aber es
war alles gestohlen worden. Burckhardt erzählt, dafs man ihm
im Wady Humr eine Stelle auf den Felsen gezeigt habe, von wo
einer der Táwarah einige Jahre vorher seinen Sohn köpflings mit
gebundenen Händen und Füfsen zur Strafe für ein solches Vergehn hinabgestürzt hatte [1]).

Der folgende Zug wurde uns vom Prior des Klosters mitgetheilt. Wenn ein Bedawy sein Weib oder seine Tochter in
einem unerlaubten Umgange antrifft, so dreht er sich um und
verhehlt die Sache vor allen, ja er läfst es die Schuldigen nicht

---

[1]) S. 475. (782.)

einmal wissen, dafs er sie gesehn hat. Monate lang nachher
sucht er seine Tochter zu verheirathen, oder nach noch längerer
Zeit vielleicht scheidet er sich von seiner Frau; bis dahin lebt
er mit ihnen zusammen, als ob gar nichts vorgefallen wäre, und
giebt irgend einen andern Grund für seine Verfahrungsweise an.
Ein Beweggrund zu diesem Verhehlen ist, die persönliche Schande
zu vermeiden; und ein anderer, eine nachherige Verheirathung
der Schuldigen nicht unmöglich zu machen.

Wir haben auf der Halbinsel und unter den Stämmen, die
wir noch weiter nördlich trafen, vielfach nachgefragt, konnten aber
nie einen unter allen den Bedawin finden, der zu lesen im Stande
gewesen wäre. Selbst Sheikh Sâlih, der Haupt-Sheikh aller
Tâwarah kann es nicht; und wenn er einen Brief oder einen Befehl von der Regierung bekommt, mufs er sich an das Kloster
wenden, dafs man ihn ihm vorlese. Unter den Tâwarah scheint
diese Unwissenheit mehr die Folge der Gewohnheit und Mangel
an Gelegenheit zum Lernen zu sein; aber unter den Stämmen
in den nördlichen Wüsten, fanden wir, dafs es für unanständig
gehalten wird, wenn ein Bedawy lesen lernt. Sie freuen sich
der wilden Freiheit ihrer Wüsten im Gegensatz von Städten und
Dörfern; in demselben Geiste rühmen sie sich ihrer Freiheit von
den Künsten und dem Zwange der Civilisation.

Mit dem Muhammedanismus aller dieser Söhne der Wüste hat
es eben nicht viel zu sagen. Dem Namen nach sind sie Anhänger des falschen Propheten; und die wenigen religiösen Begriffe,
die sie haben, sind nach seinen Vorschriften gebildet. Die Religion ist bei ihnen eine Sache der Gewohnheit, des Erbtheils
und nationellen Herkommens; aber sie scheinen wenig Anhänglich-
keit an diese Religion selbst zu haben und leben in beständiger
Vernachlässigung ihrer äufsern Gebräuche. Wir haben nie einen
unter ihnen die gewöhnlichen muhammedanischen Gebete hersagen

sehn, worin andre Muslims so pünktlich sind; ja man sagte uns, dafs Viele nie dies versuchen, und dafs sehr Wenige unter ihnen auch nur die Worte und Gebetsformulare kennen. Im Allgemeinen beobachten die Männer das Fasten des Rïmadân, obgleich Einige auch das nicht einmal thun; die Frauenzimmer halten es jedoch nie. Der Pflicht der Wallfahrten wird eben so wenig nachgekommen; denn nach Tuweileb haben nicht mehr als zwei oder drei unter allen Táwarah je eine Wallfahrt nach Mekka gemacht. — Die Gewohnheit profaner Redensarten geht bei den Bedawin ins Unglaubliche. „Ihr Mund ist voll Fluchens" und wir konnten kaum eine einzige Antwort von ihnen bekommen, die nicht einen Schwur enthalten hätte.

Wir fragten den Prior des Klosters, ob die Bedawin sich abgeneigt zeigen würden, das Christenthum anzunehmen. Seine Antwort war: „Gar nicht; sie würden morgen Christen, wenn sie sich damit nähren könnten." Diese Gleichgültigkeit ungeregelter und umnachteter Gemüther ist's, die jeder sittlichen und geistigen Verbesserung derselben im Wege steht. Das Kloster könnte einen aufserordentlich grofsen Einflufs über sie zu ihrem Besten ausüben, wenn es in sich selbst den wahren Geist des Evangelinms besäfse. Wenn ein Missionar zu den Táwarah oder vielleicht den andern Stämmen gehn würde, der ihre Sprache spräche und ihre Sitten kennte, so würde er gewifs sehr gut aufgenommen werden; könnte er sich ihrem Leben, ihren Sitten und Gebräuchen in Nebendingen anbequemen, so würde er bald Ansehn und Einflufs unter ihnen erlangen. Wir fanden sie überall im Umgange artig, gutmüthig und fügsam; obgleich sie, wie man wohl erwarten kann, auch grofse Bettler sind. Es ist jedoch schwerlich zu hoffen, dafs irgend ein bleibender Eindruck auf sie gemacht werde, so lange sie ihr wanderndes und halb wildes Leben führen; und diese Lebensweise mufs nothwendig so lange dauern, wie die Wüste ihre

Heimath ist. Um Civilisation bei ihnen einzuführen, mufs zuerst ihre eingewurzelte Vorliebe für die Wüste und den wilden Zauber derselben überwunden werden; dann müssen sie auf einen bessern Boden verpflanzt werden, wo sie sich an feste Wohnsitze gewöhnen und an die Beschäftigungen eines geordneteren Lebens. Es ist indefs zweifelhaft, ob ein solcher Plan durch blos menschliche Mittel ausgeführt werden kann; wenigstens würde es nichts Leichtes sein, so Gewohnheiten und Lebensweise umzustofsen, die beinah vierzig Jahrhunderte lang unverändert auf sie herabgeerbt sind.

Vierter Abschnitt.

Vom Sinai nach 'Akabah.

Donnerstag den 29ten März 1838. Ungefähr um Mittag wurde unser Gepäck und dann wir selbst vom hohen Fenster des Klosters herabgelassen und nach einem gewaltigen Lärmen und Geschrei unter den Arabern über die Vertheilung der Lasten, stiegen wir um 1 Uhr auf und sagten dem freundlichen Kloster Lebewohl. Burckhardt bemerkt,[1]) dafs jeder Araber, der bei der Abreise eines Fremden vom Kloster zugegen ist, ein Recht habe, etwas zu fordern; wir fanden dies jedoch nicht bestätigt, obgleich unsre beabsichtigte Abreise überall im Gebirge bekannt war. Eine Anzahl der Jebeliyeh sammelte sich freilich um uns her, 'aber es waren die Alten, Kranken, Lahmen und Blinden, die als Bettler kamen, nicht aber ein Recht in Anspruch nahmen. Wir entgingen ihrem Ungestüm, indem wir Komeh zurückliefsen, um nach unserm Abgange einige Piaster unter sie zu vertheilen. — Grade als wir aufbrachen, kaufte ich noch einen Stock von einem Knaben für eine Kleinigkeit, um mir zum Stabe oder zum Antreiben meines Kamels zu dienen. Es war ein grader Stock mit glänzender Rinde, sehr hart und zähe; und ich hörte nachher, dafs unsre Araber ihn als von eben demselben Holze geschnitten betrachteten, von welchem der Stab Mose's war. Er that mir gute Dienste in der Wüste, so wie bei allen nachherigen Wanderungen durch Judäa und nach dem Wady Músa;

---

1) S. 491. (803.)

aber er bestand zuletzt nicht die Probe gegen den Kopf eines
aufsäfsigen Maulthiers auf dem Wege nach Nazareth.

Wir erreichten den Anfang des Wady esh-Sheikh in fünf
und zwanzig Minuten; wir wandten uns da hinein zwischen die
hohen Felsklippen des Jebel Furei'a zur Linken und den Kreuzberg
zur Rechten; der Horeb lag hinter uns. Das Thal ist hier eine
Viertel engl. Meile breit, und unsre Richtung in demselben war
Ostnordost. Um 2 Uhr 15 Min. befanden wir uns der Mündung
des Wady es-Sebâ'iyeh gegenüber, der hier in einem breiten
Thale von Süden herkommt. Dieses Thal beginnt am südöstlichen Fufse des Jebel Mûsa und windet sich dann nach der östlichen Seite des Kreuzberges herum. Kurz zuvor ehe wir diesen
Punkt erreichten, kam ein kleiner Wady, Namens Abu Mâdhy,
rechts vom Berge herunter, an dessen obern Ende Wasser zu
finden ist. Wady Sheikh dreht sich nun nach Nordnordost und
später nach Norden und öffnet sich zu einer breiten Ebne, die
mit Kräutern und Sträuchern versehn ist und darum gute Weide
gewährt. Um 2 Uhr 30 Min. verschwand der Horeb aus unsern
Augen; Jebel Mûsa und St. Katharina waren nirgends sichtbar gewesen. Wir hatten nun links den Jebel Furei'a, dessen Gipfel sich zu Tafelland mit Wasser und Weide für Kamele ab-
flacht. Wir gingen bei der Mündung des kleinen Wady el-Mükh-
lefeh vorbei, der von der Rechten herkommt, und kamen gleich
um 3 Uhr 30 Min. zum Grabe des Sheikh Sâlih, eine der
heiligsten Stellen für die Araber auf der ganzen Halbinsel. Es
ist blos eine kleine, rohe, steinerne Hütte, worin der Sarg des
Heiligen von einem hölzernen, mit Tuch behangenen Verschlage
umschlossen ist; Tücher, Kamelhalfter und dergleichen, Opfer der
Bedawîn, hingen rings umher. Die Geschichte dieses Heiligen ist
ungewifs, unsre Araber hielten ihn indefs für den Stammvater
ihres Geschlechts, der Sawâlihah, was auch nicht unwahrschein-

lich ist. Einmal des Jahres, gegen das Ende des Juni, machen
alle Stämme der Täwarah eine Wallfahrt nach diesem Grabe und
lagern sich drei Tage lang um dasselbe. Dies ist ihr gröfstes
Fest [1]. Wir stiegen ab und gingen in die Hütte hinein, worüber unsre Führer sich zu freuen schienen. Offenbar thaten sie
sich etwas darauf zu Gute, dafs wir einen solchen Antheil an ihren Ueberlieferungen zeigten.

Hier verliefsen wir den Wady esh - Sheikh, der sich nun
mehr nördlich hinzieht und anderthalb Stunden von diesem Puncte
aus den dunkeln Felsklippen heraustritt, welche die Vorberge der
mittlern Granitregion ausmachen, an einer Stelle, bei welcher
ich oben angenommen habe, dafs Raphidim gelegen. Wir gingen über einige niedrige Hügel, die von dem östlichen Berge
auslaufen, und kamen in der Richtung Nordost gen Nord in einer halben Stunde zum Brunnen Abu Suweirah in dem untern
Theile des kleinen Wady es - Suweiriyeh, der von Nordost herabkommt. Der Brunnen ist nur klein, hat aber nie gänzlichen Wassermangel; dicht dabei liegen zwei kleine eingehägte Gärten. Wir
gingen noch ein wenig weiter und lagerten uns um 4 Uhr 10
Min. in dem engen Wady.

Der Tausch, den wir im Kloster so wohl in Betreff der
Leute als der Kamele gemacht hatten, bewährte sich im Allgemeinen als vortheilhaft; vielleicht mit Ausnahme eines alten Mannes, Heikal, der die leibhaftige Selbstsucht zu sein schien. Seine
beiden Kamele gehörten zu den besten; aber er wufste es immer
so zu drehen, dafs sie die leichteste Last unter allen bekamen.
Tuweileb war ein Mann von gröfsrer Erfahrung und Ansehn als
Beshârah, obgleich weniger thätig. Alles war sogleich bereit,
Hand anzulegen, um das Zelt aufzuschlagen und die nöthigen

---

1) Burckhardt S. 489. (800.)

Vorbereitungen für das Abendessen zu machen. Nach dem Essen stattete uns Tuweileb einen ordentlichen Besuch in unserm Zelte ab, und das that er regelmäfsig, so lange er bei uns blieb. Er konnte immer auf eine Tasse Kaffee rechnen, und bei diesen Besuchen war er offner und mittheilender als anderswo, und gab uns alle Auskunft über die Punkte, worüber wir ihn befragten.

Der Weg, den wir jetzt eingeschlagen hatten, ist der gewöhnliche vom Kloster nach 'Akabah, dem auch Burckhardt im Jahr 1816 bei seinem mifslungnen Versuch, den letztern Ort zu erreichen, folgte. Die Zeit hat sich nach Verlauf von mehr als zwanzig Jahren geändert, und wir und Andre hatten keine Schwierigkeit, um das auszuführen, was jener unternehmende Reisende nicht durchsetzen konnte.

Freitag den 30ten März. Das Thermometer stand bei Sonnenaufgang auf $2^2/_3^0$ R., der kälteste Morgen, den ich seit meinem Eintritt in Aegypten, Anfang Januar, erlebt hatte, und nur noch ein Mal, einige Tage später, hatten wir einen gleichen Grad Kälte. Jedoch im Laufe des Tages, da wir durch von Felsen und öden Bergen eingeschlofsne Thäler zogen, fanden wir die Hitze, die durch den Reflex der Sonnenstrahlen hervorgebracht wurde, sehr drückend.

Wir brachen um 5 Uhr 55 Min. auf, gingen das kleine Thal Nordost gen Osten hinauf und kamen in fünfundzwanzig Minuten an das obere Ende desselben; von wo aus wir noch zwanzig Minuten lang, durch einen felsigen Pafs nach der Höhe des Bergrückens hinaufstiegen. Dieser bildet hier die Wasserscheide zwischen denen Gewässern, die nach dem Wady esh-Sheikh und so nach dem Meerbusen von Suez fliefsen, und denen, welche nach dem Meerbusen von 'Akabah hingehn. Nahe an der Höhe des Passes sahen wir Jebel Kâtherin Südsüdwest halb West liegen. Wir wandten uns nun Ost gen Süd und gingen während

16

einer halben Stunde über eine lang ausgestreckte Anhöhe zwischen zwei kleinen Wady's hin; der linke mit Namen 'Örfân,
der in den Wady Sa'l geht; der rechte, el Mukhlefeh,. der sich
nach dem Wady ez-Zügherah hinzieht. Diese beiden grofsen Wady's Sa'l und Zügherah[1]) gehn an den entgegengesetzten Enden
des hohen schwarzen Bergrückens el-Fera' hinab, vereinigen
sich aber, ehe sie bei Dahab das Meer erreichen.

Um 7 Uhr 10 Min. wandten wir uns Ostnordost, zogen
über eine unebne Strecke Landes, und stiegen durch ein Nebenthal
des Wady 'Örfân hinab. Dieses nimmt nach der Vereinigung mit
mehreren andern, zehn Minuten weiter, den Namen Wady Sa'l
an, obgleich es nicht der Haupt-Wady dieses Namens ist. Unsre
Richtung war im Allgemeinen jetzt östlich, als ob wir grade
auf die Mitte des langen dunklen Bergrückens Fera' zugiengen.
Von diesem Punkte aus lag Jebel Habeshy Südost, südlich vom
Wady Zügherah, zwischen diesem Wady und dem Wady Nüsb,
der sich auch weiter hinab mit dem Zügherah vereinigt. Beinah
hinter uns sah man die Spitzen des Um Lanz, Um 'Alawy und
Râs el-Ferûsh, die auf dieser Seite die Vorposten des Sinai zu
sein schienen. Wir hatten auch wirklich, als wir heut morgen
bald nach unserm Aufbruch den niedrigen Pafs überschritten, die
höhere Granitregion des Sinai verlassen, die an dieser Seite verhältnifsmäfsig offen und unbeschützt ist, indem die eben erwähnten Spitzen südlicher liegen. Die beiden Seiten des Wady Sa'l,
den wir jetzt hinabgingen, bestehen hier nur aus niedrigen Hügeln von zertrümmertem Granit, ähnlich dem niedern Gürtel um
den Sinai nach Nordwest. Die Thäler sind breit und flach, und
enthalten viele Büschel von Kräutern, besonders 'Abeithirân. Um

---

1) Der Wady ez-Zügherah scheint das Thal zu sein, das von Laborde als Wady Z a c k a l erwähnt wird.

8 Uhr kam uns zur Linken ein bedeutender Berg zu Gesicht, in der Richtung nach Norden, Rås esb - Shükeirah genannt von einem Thale desselben Namens. Es ist ein Vorsprung des südlichen Bergrückens des Tih, der von diesem nach Südost sich hinzieht. Der Weg vom Kloster nach 'Ain geht dicht an diesem Berge vorbei, indem der Berg rechts bleibt; während er beim Uebergange über den südlichen Tih den Theil, der edh-Dhûlûl heifst, links liegen lässt, mit dem Anfange des Wady ez-Zülakah (der auch ez - Zürânik heifst), zusammentrifft, und diesem letztern bis nach 'Ain hinab folgt [1]).

Um 8 Uhr 30 Min. hörte das freie Feld auf; wir waren bis zu der düstern Mauer des Fera' gekommen, der dasselbe in Osten begrenzt und jeden ferneren Fortschritt abzuschneiden scheint. Indessen der Wady, dem wir folgten, geht hier in das Gebirge durch eine enge Kluft hinein, und windet sich sechs Stunden lang zwischen Rücken und Spitzen über Stätten der schaurigsten Oede. Der Bergrücken el-Fera' erstreckt sich rechts bis zum Wady Zügherah; links nimmt er den Namen el-Muneiderah an. Das Thal, noch immer eine Abzweigung von Wady Sa'l, ist eng und läuft in aufserordentlich vielen Krümmungen; doch ist die Richtung desselben im Allgemeinen beinah östlich. Die hohen und öden Berge, welche es einschliefsen, bestehn vorzüglich aus Grünstein, mit etwas Thonschiefer, und einigen Porphyradern; die höhern Spitzen waren beim Weitergehn zuweilen mit Sandstein gekrönt. Sträucher und Kräuter wachsen zerstreut auf dem Boden des Thales, aber die Berge sind ohne alle Vegetation

---

1) Dies ist der Wady Salaka bei Rüppell. Sowohl er als Laborde sprechen auch davon oder von einem Theile desselben, als Wady Saffran; aber weder Tuweileb, noch irgend einer unsrer Araber kannte diesen Namen, obgleich ersterer der Führer dieser beiden Reisenden gewesen war.

16 *

und die Schwärze der Felsen macht das Thal düster. Eine halbe
Stunde weiter mündet der Hauptzweig des Wady Sa'l von Westnordwest her, durch welchen ein Weg von en-Nuweibi'a nach
Suez geht, der sich über die grofse Sandebne er-Ramleh weg-
zieht, und das obere Ende des westlichen Wady Nüsb von hier
aus in zwei Tagen erreicht. Er kommt in diesen letztren Wady
beim Grabe von Sheikh Habûs, das uns auf dem Wege nach
Surâbit el-Khâdim zur Linken blieb. Die erste Tagereise geht
über Wady Akhdar und endigt auf einer Station ohne Wasser,
el-Humeit genannt. — Um 10 Uhr 10 Min. mündete noch ein Nebenthal von Nordwest, es-Sa'l er-Reiyâny, oder „das nasse
Sa'l" genannt, in welchem sich etwas weiter hinauf Wasser findet. Die Seyâl oder Tülh Bäume [1]) fingen jetzt an sich zu zeigen und waren zu sehn bis wir das Thal verliefsen. Viele derselben sind von bedeutender Gröfse mit dünnem Laube und vielen Dornen. Man sammelt zuweilen von ihnen Gummi Arabicum.
Nach Tuweileb sind alle diese Bäume, so wie auch die Türfa,
öffentliches Eigenthum; und ein jeder, der Lust hat, kann Gummi
und Manna von ihnen sammeln.

Wir waren nun auf das Gebiet der Muzeiny-Araber gekommen. Um 1 Uhr 50 Min. öffnete sich das Thal in eine breite
Ebne; die Berge links verschwanden, und wir konnten über
die grofse sandige Ebne ganz bis an den südlichen Rücken des
Tih sehen. Er hatte hier dieselbe Eigenthümlichkeit wie da, wo
wir ihn an dem obern Ende des Wady Nüsb geschn hatten, eine
fortlaufende, gleichmäfsige, steile Kette mit horizontalen Felsla-
gen und völlig unfruchtbar. Wady Zülakah und alle Gewässer

---

1) Dieser Baum ist die *Mimosa Sejal* bei Forskål; Flora Aeg.
Arab. p. 177. Bei spätern Botanikern heifst er *Acacia gummifera*, und
wird auch von Abdollatif *Tülh* genannt; Sprengel Hist. rei herbar. I,
p. 270.

des 'Ain liegen im Norden dieses Bergrückens zwischen diesem
und dem nördlichen Tih. — Von hier aus gingen wir in der
Richtung Nordost. Um 2 Uhr 10 Minuten mündete Wady esh -
Shukeirah von Westen her, der sein oberes Ende in der Gabel
zwischen dem oben erwähnten Râs esh - Shukeirah und dem südlichern Tih hat. Bald nachher sahen wir ein schwarzes Zelt an
einem Baume hängen, was nach Tuweileb's Aussage sich schon
dort befand, als er im vorigen Jahre hier vorbeiging, und nie
weggenommen werden wird, als von dem rechtmäfsigen Eigenthümer [1]). Die Ebne von Wady Sa'l verbindet sich hier im
Norden mit der grofsen, sandigen Ebne, die bis an et - Tih reicht,
während der Wady selbst sich nach Südost hin wendet und
wieder ins Gebirge hineingeht, um sich mit Wady Zügherah in
der Richtung von Dahab zu verbinden. Wir verliefsen die Ebne
des Sa'l um 2 Uhr 40 Minuten, und erreichten um 3 Uhr eine
niedere Höhe Nameus 'Öjrat el - Füras. Nachdem wir wieder
bergunter gegangen waren, lagerten wir uns um 3 Uhr 30 Min.
in einem kleinen Nebenthale von Wady Mürrah, mitten in einer
freien, unebnen, öden Gegend mit Hügeln von Grünstein zur Rechten, deren Spitzen mit Sandstein bedeckt sind. Unsre Tagereise
war nicht eben lang gewesen, aber die Hitze war sehr drückend,
da wir so lange von den nackten Wänden des Wady Sa'l eingeengt und sowohl den eigentlichen als den reflectirenden, heifsen Sonnenstrahlen ausgesetzt waren.

    Heut Abend erzählte uns Tuweileb etwas von sich selbst,
so wie von der Güte, die er von Herrn Linant erfahren habe.
Er war jetzt etwa sechzig Jahr alt und offenbar im Abnehmen
seiner Kräfte. Seine Frau war vor Kurzem gestorben, und hatte
ihm zwei Kinder hinterlassen, einen Knaben etwa zwölf Jahr alt

---

1) S. oben S. 234.

und ein Mädchen, ungefähr acht Jahr. Diese Kinder befanden
sich jetzt mit in unsrem Zuge. Da wir den Vater befragten, wie
er dazu komme, sie auf einer solchen Reise mitzunehmen, sagte
er, sie wären zu Hause allein, und er hätte auch die Absicht
gehabt, sie zurück zu lassen; aber da er abreisen wollte, wein-
ten sie ihm nach, dafs sie mitgehn wollten, und er sagte dann:
„Thut nichts, steigt auf die Kamele und kommt mit." Er hatte
auf diese Weise noch zwei Reserve-Kamele mitgebracht, die nicht
zu unserm Gebrauch waren und sehr herunter gewesen sein sollen. Die Kinder waren gescheidt und munter. Der Knabe pafste
gewöhnlich auf die Kamele, wenn sie losgelassen waren, um zu
weiden. Das kleine Mädchen hatte hübsche Augen und ein an-
genehmes Gesicht. Sie trug gewöhnlich nur ein langes, weites
Hemd, hatte aber eine Decke für die Nacht und die kühleren
Tage, und ritt meist den ganzen Tag im blofsen Kopf unter einer
brennenden Sonne. Sie fürchtete sich Anfangs sehr vor den Fremden, auch verliefs sie diese Scheu vor uns nie ganz.

Im vorigen Jahre hatte Tuweileb vierzehn Tage in und bei
der grofsen Ebne el-Kâ'a, nicht weit vom Berge Serbâl zugebracht; er weidete dort seine Kamele, ohne einen Tropfen Wasser
für sich oder für sie zu haben. Er trank Kamelsmilch; und die
Kamele brauchen, ebenso wie Schafe und Ziegen, kein Wasser,
wenn sie frische Weide haben. In solchen Fällen können sie
zuweilen drei oder vier Monate ohne Wasser aushalten. Andre
sagten uns, dafs das Kamel im Sommer ein Mal alle drei Tage
Wasser haben müsse, und im Winter alle fünf Tage; das ist
aber wahrscheinlich nur der Fall, wenn die Weiden trocken
sind, oder wenn sie mit Körnern gefüttert werden.

Sonnabend den 31ten März. Wir brachen um 5
Uhr 50 Min. auf, zogen den kleinen Wady fünfundzwanzig Minuten lang nach Nordost hinab, und erreichten das Hauptbett

des Wady Mürrah. Dieser kommt von Nordwest her, wo er dicht
am Tih anfängt, und sich südöstlich hinzieht, um sich mit
Wady Sa'l zu vereinigen. Wir durchschnitten ihn in schräger
Richtung und gingen Ostnordost bis um 6 Uhr 55 Min.; dann verliefsen wir den Wady und stiegen über Treibsandhügel, die unser Führer el - Burka' nannte. Hier war Tuweileh's ganze Scharf-
sicht und Erfahrung nöthig, um auf dem rechten Wege zu bleiben; Burckhardt's Führer hat sich hier, wie es scheint, verirrt
und ist Wady Mürrah weiter hinunter gegangen [1]. Unsre Richtung war jetzt Nordost über ein sandiges Land voll von niedrigen Bergrücken und Hügeln von verschiedenfarbigem Sandsteine.
Um 7 Uhr 50 Min. kamen wir heraus auf eine freie, sandige
Ebne, die sich bis zum Fufs des Tih erstreckt. Dieser war hier
eine Stunde oder noch weiter von uns entfernt, und behielt seine
Eigenthümlichkeit als eine regelmäfsige Mauer, bestehend aus
Sandsteinschichten mit Kalk - oder Thonlagen nach oben zu. Um
8 Uhr fingen wir an, die obern Enden mehrerer kleiner Wady's,
Ridhân esh - Shükâ'a genannt, zu durchschneiden. Um 8 Uhr 15
Min. hatten wir wieder die Richtung Ostnordost, und eine halbe
Stunde später wurde der St. Katharinenberg in der Richtung
Südwest gen West sichtbar. Noch eine halbe Stunde später er-
blickte man einen hohen Berg jenseit des östlichen Meerbusens,
mit Namen Jebel Taurân in der Richtung Ost gen Süden.

Um 9 Uhr 30 Min. stiegen wir ein wenig bergab in einen andern Wady oder ein flaches Wasserbett, el - Ajeibeh genannt, das vom Fufs des Tih kommt und nach dem Wady Mürrah hinabgeht. Wir durchschnitten es schräg Ost gen Norden,
kamen nach fünfundzwanzig Minuten wieder heraus, und gingen
in derselben Richtung fort. Keiner von allen diesen Wady's hatte

---

1) Travels S. 493. (806.)

Wasserspuren von diesem Jahre. Dieser Stelle gegenüber wendet sich die Kette et-Tih mehr nordöstlich und sinkt zu niedrigen Hügeln herab. Um 10 Uhr 45 Min. zeigte uns unser Führer die Stelle der Quelle 'Ain el-Hüdhera durch einen Pafs nordnordöstlich, mit einigen niedrigen Palmbäumen umher. Bald nachher kamen wir an noch eine Reihe von Wady's, die miteinander in Verbindung stehen, mit Namen Mawârid el-Hüdhera, oder „Pfade" zu dieser Quelle. Unser Weg führte uns rechts von el-Hüdhera; aber um 11 Uhr 10 Min. hielten wir in einem Thale an der Stelle, wo ihr unsre Strafse am nächsten kam; und alle Kamele wurden das Thal hinaufgetrieben zur Tränke an der Quelle, die über eine halbe Stunde nach et-Tih zu entfernt sein soll. Unterdefs legten wir uns auf den Sand nieder und schliefen. Nach einem Weilchen kamen einige Leute mit fünf Kamelen wieder zurück und sagten, dafs der Pfad so rauh und unwegsam sei, dafs ihre Kamele nicht nach der Quelle hinkönnten. Den Andern gelang es jedoch, und nach einem Aufenthalt von beinah drei Stunden kamen sie wieder und brachten einen frischen Vorrath von ziemlich gutem Wasser, obgleich es etwas salzig war. Es ist die einzige Quelle in dieser Gegend, die das ganze Jahr über Wasser giebt. Da diese Araber dem Tuweileb aus den Augen waren, hatten sie wahrscheinlich ihre Kamele losgemacht, um sie an der Quelle weiden zu lassen, und waren selbst unserm Beispiele gefolgt, indem sie sich durch ein Schläfchen erquickt. — Von hier aus war ein hoher Berg, der in der Gabel des Wady Zügherah und Wady Nüsb liegen soll, in der Richtung Südsüdwest halbsüdlich.

Burckhardt hat schon gemeint, dafs diese Quelle el-Hüdhera vielleicht das biblische Hazeroth sein möchte, die zweite Station der Israeliten nach ihrem Abmarsche vom Sinai und dem Anschein nach vier Tagemärsche von diesem Berge ent-

fernt [1]). Es ist klar, dafs der arabische und hebräische Name eins
sind, da jeder die entsprechenden Wurzelbuchstaben enthält; und die
Entfernung von achtzehn Stunden vom Sinai stimmt ganz wohl mit
dieser Hypothese überein. Die Bestimmung dieses Orts ist vielleicht
in der biblischen Geschichte von gröfserer Wichtigkeit, als es
zuerst den Anschein hat; denn wenn dies als die Lage von Hazeroth angenommen wird, so ist mit einem Male die Frage über
den ganzen Marsch der Israeliten zwischen dem Sinai und
Kadesch entschieden. Es erhellt daraus, dafs sie dem Wege
nach dem Meere, auf dem wir uns jetzt befanden, gefolgt
sein mufsten und so längs der Küste nach 'Akabah und von
da wahrscheinlich durch den grofsen Wady el - 'Arabah nach
Kadesch. Die Beschaffenheit des Landes ist von der Art, dafs, so
bald sie einmal bis zu dieser Quelle gekommen waren, sie nicht
gut von ihrer eingeschlagenen Richtung abweichen, vom Meere
sich fern halten, und auf der Hochebne der westlichen Wüste hätten weiter gehn können.

Um 2 Uhr 15 Min. waren wir wieder auf dem Wege und
näherten uns nun der südlichen Kette des Tih. Unsre Richtung
war im Ganzen Ostnordost. Um 2 Uhr 40 Min. erreichten wir
einen Engpafs, wo der Weg zwischen Sandsteinhügeln etwas
bergab geht. Hier sahen wir zur Linken am Felsen arabische Inschriften mit Kreuzen, wodurch dieselben als von Pilgern
herrührend, bezeichnet werden; weiterhin den Abhang hinunter
waren viele rohe Thierzeichnungen. Der Weg windet sich pun
sehr zwischen Sandsteinhügeln und Rücken hindurch, und ist
selbst sehr sandig. Um 3 Uhr kamen wir auf einen grofsen
freien Strich Landes oder eine Ebne mit Namen el - Ghôr, die

_____

1) 4 Mos. 11, 35. 33, 17. Vergl. 10, 33. — Burckhardt S.
495. (808.)

sich weit hin nach Südost erstreckte, und mit der grofsen, sandigen Ebne, die den Tih weiter nach dem Westen zu begrenzt,
in Verbindung zu stehen schien. Wir hatten nun die Linie der
südlichen Kette des Tih erreicht, die hier in steile, einzelnstehende
Hügel und Massen von Sandsteinfelsen zusammensinkt, von oben
bis unten durch schmale sandige Thäler oder Kluften durchrissen,
durch welche der Weg geht, der sich weder merklich hebt
noch senkt. Man kann diese Hügel Bruchstücke des Tih nennen. Nachdem wir in diese Felsklippen hineingetreten waren,
gelangten wir ohne merkliches Bergan-Steigen um 3 Uhr 30 Min.
zu der Stelle, wo die Gewässer des Wady Murrah und Sa'l sich
von denen, die nördlich nach dem Wady Wetir zu gehn, scheiden. Hier trafen wir das obere Ende des Wady Ghüzälch, dem
wir in nordöstlicher Richtung folgten. Er hat senkrechte Wände
von Sandstein an beiden Seiten, und ist an einigen Stellen so
eng, dafs man ihn mit einem Thor verschliefsen könnte. Um 3
Uhr 45 Min. kamen wir aus diesen Hügeln oder Bruchstücken
des Tih heraus in eine freie sandige Ebne mit Hügeln zur Linken, und rechts in einiger Entfernung dem Jebel es-Sümghy,
einem langen Bergrücken, der von Nordwest nach Südost läuft
und eine Art von Fortsetzung dieses Rückens des Tih nach
der östlichen Küste zu bildet. In diesem Gebirge fängt auf der
andern Seite der Wady an, der denselben Namen führt. Um
3 Uhr 50 Min. lag die Mitte dieses Bergrückens östlich. Um
4 Uhr verliefsen wir das Bett des Wady Ghüzälch, das sich
nun nördlich hinzieht, um sich mit Wady Wetir zu vereinigen. Nachdem wir funfzehn Minuten lang über einen sandigen
Landstrich gezogen waren, kamen wir nach dem Wady er-Ru-
weihibiyeh [1]), der von Nordost herab läuft und nach einer kur-

---

1) Wady Rahab bei Burckhardt S. 496. (809.)

zeu Wendung sich in Wady Ghüzâlch mündet. Wir stiegen dies
Thal bis um 4 Uhr 30 Min. hinauf, und lagerten uns dann in demselben für die Nacht und den folgenden Tag. Es ist einer der
lieblichsten Wady's, die wir noch gefunden hatten; der Boden war
nicht mehr sandig, so bald wir dieses Thal betraten, sondern bestand aus feinem Kies. Es ist breit; die Seiten sind rauhe,
nackte Felsklippen, wo Sandstein, Grünstein und Granit mit einander abwechseln. Es ist überall mit Büscheln von Kräutern
bedeckt, und viele darin zerstreute Seyâl-Bäume geben ihm beinah das Ansehn eines Baumgartens.

Das Land, durch welches wir heut gereist waren, ist eine furchtbare Wüste. In einigen Wady's stehen Kräuter und
Sträucher, in andern keine; während die sandigen Ebnen und
rauhen Sandsteinhügel ohne alle Spur von Vegetation sind. Als
wir aus dem engen Theile des Wady Ghüzâleh heraustraten, veränderte sich das Aussehn des Landes; und man sah deutlich, dafs
wir die südliche Kette des Tîh hinter uns hatten. Wir befänden
uns jetzt in einem andern Netze von Wady's, welche die Berggegend zwischen den beiden parallellaufenden Rücken jenes Gebirges durchschneiden. Der Mittelpunkt und am meisten besuchte
Ort ist die Quelle und der Wady el-'Ain. Diese waren einige Stunden weit nordwestlich von unsrer Lagerstätte, wo sich Quellwasser,
ein Bach und ein üppiger Pflanzenwuchs, sehr ähnlich dem des
Wady Feirân findet, obgleich unangebaut[1]). Das Wasser soll
nicht so gut sein, als das von Hüdhera. Von diesem Puukte
aus zieht sich der grofse Wady Wetir östlich in vielen Krümmungen nach dem Meerbusen, und bildet so das grofse Wasserbett, in welches alle Wady's dieser Gegend von Norden und Süden auslaufen. Eine schon oben erwähnte Strafse geht vom Klo-

---

1) Rüppell's Reisen in Nubien etc. S. 255 ff.

ster nach el - 'Ain, die den südlichen Tih auf einem viel weiter
westlich gelegnen Punkte als unser Weg durchschneidet, und
dann Wady Zülakah hinabgeht. Von 'Ain geht eine Strafse nördlich ab nach Gaza und Hebron, und so über den nördlichen Rücken des Tih. Eine andre geht Wady Wetir nach dem Meerbusen hinab und dann längs der Küste nach 'Akabah.

Sonntag den 1sten April. Wir blieben den ganzen
Tag über auf unsrer Lagerstätte. Nachmittag wanderte ich allein nach einem einsamen Nebenthale und schrieb einen Brief.
Kaum war je im Leben ein solches Gefühl der vollkommensten
Einsamkeit über mich gekommen. Kein menschliches Wesen war
da; kein Ton liefs sich hören, aufser dem des Windes zwischen
den Felsen. Grade als ich eben umkehren wollte, stand plötzlich
ein wild aussehender Araber mit seinem Gewehre vor mir. Ich
würde vielleicht etwas bestürzt gewesen sein, wenn ich ihn nicht
sogleich als einen von unsern Leuten, einen gutmüthigen Kerl
erkannt hätte, der gekommen war, um wegen meines langen Aus-
bleibens sich nach mir umzusehn.

Montag den 2ten April. Um 5 Uhr 30 Min. machten
wir uns wieder auf den Weg. Der Morgen war sonnenhell und
schön, der Himmel heiter, und die Luft der Wüste frisch und
stärkend. Wir zogen das Thal Nordost gen Ost hinauf. Ein
kleiner Vogel safs zirpend auf dem obersten Zweige eines der
Seyâl-Bäume, und erinnerte mich lebhaft an den Gesang des
amerikanischen Rothkelchens auf den grünen Hügeln meines Vaterlandes. Welcher Contrast mit dieser Wüste! in der wir nur
ein Mal Grashalme gesehn hatten, seit wir die Nilgegend verliefsen. In zwanzig Minuten kamen wir heraus auf eine freie
Ebne am obern Ende des Wady er - Ruweihibiyeh. Diese Ebne
besteht aus Sandstein, der nur theilweis mit Erde bedeckt ist;
die Oberfläche neigt sich ein klein wenig nach Nordost hinab und

die Gewässer derselben fliefsen dahin ab nach Wady es - Sümghy. Um 6 Uhr 25 Min. trafen wir einen kleinen Wady,
der sich nach Nordost längs dem nordwestlichen Fufse des Jebel Sümghy hinzieht. Die Felsen zeigen hier noch immer abwechselnd Proben von Sandstein, Grünstein und Granit. Um
6 Uhr 50 Min. trat der Wady in sehr schräger Richtung in die
Felsklippen hinein. Diese machen auf dieser Seite den Anfang
der Berggegend aus, welche, ohne sich im Charakter eben zu
verändern, sich bis zur Küste hin erstreckt. Die Felsklippen sind
dunkel, und beim Weitergehn schienen sie zumeist aus granem
Granit, hie und da mit Porphyr und Grünstein vermischt, zu bestehn. Nichts konnte öder und weniger einladend aussehn. Um
7 Uhr 15 Min. verliefsen wir den Wady, der in derselben Richtung weiterging, um sich mit Wady Sümghy zu vereinigen, und
wandten uns in einem rechten Winkel in einen Neben-Wady,
der von Südost her kam. Hier stiegen wir einige Minuten lang
allmählig bergan, gingen dann über die flache Wasserscheide,
und stiegen nach dem Wady Sümghy hinab, den wir um 8 Uhr
erreichten. Dies ist ein breites Thal, das von Südwesten kommt.
Eine andre breite Thalebne, Namens el-Mukrih, die von Süden
kommt, vereinigt sich an dieser Stelle mit ihm. Das vereinigte
Thal ist weit und zieht sich nach Nordnordost. Es enthält viele
Seyâl-Bäume, von denen man im Sommer Gummi Arabicum sammelt. Alle Bäume dieser Gattung, die wir seit unsrer Abreise
vom Kloster gesehn haben, waren gröfser als die auf der westlichen Seite der Halbinsel, und man kann sie mit Aepfelbäumen
von mittlerer Gröfse vergleichen.

Unser Weg ging nun Wady Sümghy nordnordöstlich hinab. Die Felsklippen auf beiden Seiten sind hoch und unregelmäfsig, oben hie und da mit Sandstein bedeckt. Eine halbe
Stunde später hatten wir aus der Ferne eine Ansicht des nörd-

lichen Rückens des Tih, von welchem ein hoher Punkt N. 15°
O. lag. Das Gesträuch in diesem Thale sah grüner aus, als
wir es früher bemerkt hatten; ein Anzeichen, dafs es in dieser Gegend mehr als an andern Orten geregnet. Um 9 Uhr 40
Min. verliefsen wir den Sümghy und wandten uns kurz um in
ein Nebenthal rechts, das zuerst vierzig Minuten bergan ging
und uns durch einen engen Pafs um 10 Uhr 20 Minuten auf
die Höhe eines steilen Bergrückens brachte. Hier trafen wir
das obere Ende des Wady es-Sa'deh, der unter demselben Namen bis an's Meer hinabgeht [1]). Wir folgten nun diesem Thale
im Allgemeinen in der Richtung Ostnordost zwischen steilen Klippen, abwechselnd aus Granit und Grünstein von dreihundert bis
zu fünfhundert Fufs hoch, zuweilen oben mit Sandstein bedeckt.
Je weiter wir kamen, desto höher wurden die Klippen, engten
das Thal immer mehr ein, und stellten an vielen Ecken grofs-
artige und gewaltige Festungswerke dar. Einen Augenblick hatten wir zum ersten Male um 11 Uhr 10 Min. eine Aussicht auf
das ferne Meer, aber es verschwand bald wieder. Funfzehn Minuten weiter hin kam ein Nebenthal rechts herein; und um 11
Uhr 35 Min. war das ganze Thal zwischen ungeheure Felsmas-
sen, nur zehn oder zwölf Fufs breit, eingeklemmt. Dieser romantische Pafs heifst el-Abweib „die kleine Thür". Um 12
Uhr 15 Min. öffnete sich endlich Wady es-Sa'deh vom Gebirge
gegen das Ufer zu auf einer ungeheuren Lage von Kies, der offenbar durch seine Wasserströme herabgespült war. Grade hier zur
Linken sieht man einen dünnen Felsrücken oder eine Schicht Kalk.
Das Ufer ist noch beinah eine halbe Stunde weit; und nahe dabei gradezu ist die salzige Quelle en-Nuweibi'a mit einigen nie-

---

1) Das kurze Thal, durch welches wir bergan stiegen, ist Burckhardts
Wady Boszeyra (Büseirah). Unsre Araber kannten diesen Namen nicht,
sondern rechneten das Ganze zu Wady es-Sa'deh.

drigen Palmbäumen, die den Muzeiny gehören. Der Abfall nach
dem Ufer zu über den Kies hin ist sehr beträchtlich[1]).

Der erste Anblick des Meerbusens und seiner Umgebung von
der Stelle aus, wo wir uns jetzt befanden, war, wenn nicht schön
(denn wie kann eine Wüste schön sein?) doch in hohem Grade
romantisch und belebend. Der östliche Meerbusen des rothen
Meeres ist schmäler als der westliche, aber es ist ein eben solcher langer, blauer Wasserstreifen, der mitten durch eine ganz
öde Gegend läuft. Die Berge sind hier auch höher und malerischer als die, welche den Meerbusen von Suez umgeben; das
Thal zwischen ihnen ist nicht so breit; auch ist hier nicht eine
solche ausgedehnte Fläche oder Ebne längs dem Ufer wie dort.
Gegen Süden schien der Meerbusen etwa zehn engl. geogr. Meilen breit zu sein. Dicht zu unsrer Linken zog sich eine breite
Kiesebne, auf der sich auch Treibsand befand, eine bedeutende
Strecke ins Meer hinaus; während auf dem entgegengesetzten
Ufer eine ähnliche Landspitze von geringerer Ausdehnung hinaus-
lief, so dafs an dieser Stelle die Breite des Meerbusens beträchtlich
verringert war. Weiter nördlich wird er wieder breit, wie vorher. Die westlichen Berge bestehn grofsentheils aus steilen Granitklippen, vielleicht achthundert Fufs hoch, und liegen gewöhnlich eine halbe Stunde oder weiter vom Ufer ab, obgleich sich hie und
da eine Bucht bis ganz dicht an den Fufs derselben erstreckt.
Vom Gebirge aus breitet sich gewöhnlich ein Kies-Abfall bis
zum Meere aus. Dem Wady es-Sa'deh gegenüber sind die Berge
der östlichen Küste höher als die der westlichen; aber etwas weiter nördlich sind sie niedriger. Das westliche Ufer hat im Allgemeinen die Richtung Nordnordost, bis zu dem merkwürdigen

---

1) Diesen Punkt an der Küste erreichte Seetzen im Jahr 1810 beinah auf demselben Wege. Von hier ging er südlich längs dem Ufer des
Meerbusens. Zach's monatl. Correspondenz XXVII. S. 64.

Vorgebirge Râs el-Burka', das die Aussicht nach dieser Seite hin begrenzt.

Wir wandten uns nun links längs dem Ufer, stiegen allmählig zu der oben erwähnten Kies-Ebne hinab und durchschnitten sie in der Mitte zwischen dem Gebirge und dem Meere. Wir fanden sie überall von Wasserbetten und Rinnen vom Wady Wetîr durchwühlt, die sich weit hin über die Ebne verbreiten, da das Wasser in der Regenzeit von diesem Wady aus sich nach dem Meere hinstürzt. Dieser bedeutende Wady, vor dessen Mündung wir um 1 Uhr 15 Min. vorbei kamen, dient (wie ich schon oben bemerkt habe) dazu, das Wasser der ganzen Gegend zwischen den beiden Bergrücken des Tih abzuleiten, und bringt von Zeit zu Zeit ungeheure Wassermassen hinab, wie dies die Spuren davon in der Ebne deutlich zeigen. Hier sahen wir zum ersten Male Baumstämme, die auf diese Art herabgebracht waren. Der Weg, welchen Rüppell und Laborde einschlugen, um von 'Akabah nach dem Kloster zu kommen, geht dies Thal hinauf nach el-'Aïn, etwa anderthalb Tagereisen entfernt, und von da durch den Wady Zülakah.

Um 1 Uhr 30 Min. waren wir el-Wâsit gegenüber, einer kleinen Quelle dicht am Ufer, mit einer Anzahl Palmbäumen, welches die Grenze zwischen den Muzeiny und den wenigen Teräbîn-Familien, die diese Gegend bewohnen, ausmacht. Nachdem wir die hervorspringende Ebne durchschritten hatten, kamen wir um 2 Uhr 15 Min. zu einem kleinen Palmhaine auf dem Abhange nahe am Ufer und zu einem Brunnen, welcher Nuweibi'a el-Teräbîn heifst, um ihn von dem andern zu unterscheiden. Es waren Spuren zu sehn, dafs erst vor Kurzem hier ein Lager dieses Volks gewesen; und wir erwarteten wenigstens einige Fischer anzutreffen, die diese Küste oft besuchen; aber es liefs sich keiner sehn. Es waren auch Spuren von früheren Wohnungen oder vielleicht Magazinen sicht-

bar, die von rohen Steinen ohne Kitt aufgebaut waren, wie man
sie nicht selten bei den Arabern auf der Halbinsel findet. Je
drei oder vier Palmbäume wurden immer von einem Erdwall eingeschlossen, der zugleich einen Wasserbehälter bildete, in welchen
die Giefsbäche vom Gebirge geleitet waren. Der Brunnen ist
acht oder zehn Fufs tief, das Wasser von Natur salzig, und jetzt
verbreitete es vom langen Stehen einen Geruch von Schwefel-
wasserstoffgas. Die Kamele wurden hier getränkt und schienen
durstig zu sein. Die Araber füllten auch ihre Wasserschläuche,
und sagten, dafs wir bis nach 'Akabah kein so gutes Wasser
mehr finden würden. Der Strauch Ghürkud wächst hier in grofser
Menge. Nach einem einstündigen Aufenthalt brachen wir wieder
auf. Man sah viele Haufen von grofsen Muschel-Schalen beim
Fortgehn am Ufer; ein Beweis, wie häufig diese Thiere an dieser Küste vorkommen. Nach dreiviertel Stunden schlugen wir
um 4 Uhr unser Zelt am Ufer auf, am Ende einer Bai, die
sich bis dicht an den Berg hinanzieht.

Dienstag den 3ten April. Der Weg ging den ganzen Tag am Ufer entlang; hohe Berge erhoben sich zur Linken,
meistentheils aus dunkelgranem Granit, hie und da mit einer Lage
von Sandstein auf der Höhe des Rückens. Um halb sechs Uhr
waren wir schon aufgebrochen und unterwegs; die aufgehende
Sonne warf ihren milden Schimmer auf das durchsichtige Wasser
des Meerbusens, und das östliche Gebirge, von ihren Strahlen
beleuchtet, bot ein schönes Gemälde von dunklen, zackigen Spitzen und Massen dar. Um 6 Uhr 30 Min. ging der Pfad dicht
am Gebirge hin, das hier aus Sandstein besteht. Zehn Minuten später kam ein kleiner Wady von den Bergen herab, den
unsre Führer nicht zu benennen wufsten; rings umher liegen niedrige Hügel von conglomerirtem Kies. Um 7 Uhr 15 Min. passirten wir den kleinen Wady Um Hâsh bei Burckhardt; unten

17

am Fufse der Hügel war ein Kreidestreifen sichtbar, oben waren
sie mit Sandstein gedeckt. Dicht am Rande des Wassers findet sich ein einzelnstehender Felsen mit Namen Mürbüt Ka'ûd
el-Wâsileh, auf dem früher ein Wächter seinen Posten hatte, um
alle, die von Norden herkamen, zu beobachten. Sobald er einen
sah, war es seine Pflicht nach Nuweibi'a zu reiten und davon
zu benachrichtigen. Eine halbe Stunde weiter kamen wir an der
Mündung eines andern Wady, bei Burckhardt Mawâlih genannt,
vorbei. Davor liegt eine breite Kiesebne. Wir hatten nun einen Bergrücken vor uns, der von Südwest nach Nordost geht
und sich in dem Vorgebirge Râs el-Burka' oder Abu Burka'
d. i. Schleier-Cap endet. Es wird so genannt, weil es aus der
Ferne weifs erscheint. Längs der südlichen Seite dieses Rückens
liegt eine breite Bai, deren Ufer wir um 8 Uhr 10 Min. erreichten. Nach dem südwestlichen Ende dieses Vorgebirges kamen wir um 9 Uhr 15 Minuten. Um 10 Uhr gingen wir um
die Spitze desselben herum, wo es ins Meer vorspringt und
nur einen schmalen Pfad am Fufse hat. Dieser Punkt ist bedeutend niedriger als der weiter zurückgelegene Bergrücken;
es ist ein Hügel mit weifsem Treibsand bedeckt, der, wie es
scheint, von der See aus dort hingeweht ist, und von Ferne das
Ansehn einer Kreideklippe hat. Sobald wir dies Vorgebirge hinter uns hatten, erblickten wir sogleich den nördlichen Zweig des
Tih. Er hat im Ganzen dasselbe Aussehn wie der südliche, eine
Mauer von horizontalen Lagen, und endigt sich in einer hohen
Klippe am Meer, die Burckhardt Râs Um Haiyeh nennt; obgleich
Tuweileb keinen andern Namen dafür kannte als et-Tih. Bis
zu dieser Klippe hin war die Richtung des Ufers im Allgemeinen
immer noch nordnordöstlich.

Wir hatten jetzt einen sehr schönen Strand zur Rechten und
machten uns das Vergnügen, längs dem Ufer zu gehen und die

sonderbaren Muscheln, deren hier überall so viel sind, aufzule-
sen. Das durchsichtige Grün des Wassers war sehr einladend;
nichts konnte reiner sein, als die Wellen, die über den weifsen
Sand hinrollten. Ich konnte der Versuchung nicht widerstehn,
und indem ich ein wenig hinter der Gesellschaft zurückblieb, nahm
ich in aller Eile ein recht erquickendes Bad. Die Berge treten
hier etwas zurück und lassen eine Ebne von ziemlicher Breite
zwischen denselben und dem Wasser. Um 11 Uhr 30 Min. gelangten wir zu einem Brunnen mit schlechtem, salzigen Wasser,
der mit einigen Palmbäumen bezeichnet ist, und wie so viele
andre Abu Suweirah heifst. Von dieser Stelle aus fingen wir
an, uns dem Ende des nördlichen Tih mehr zu nähern. Dieser fällt gegen die Küste zu in ungeheuren Massen, dem Anscheine nach von gelbem Sandstein, plötzlich ab, wird jedoch von
einer Reihe Granitklippen, die zwischen demselben und dem Ufer
liegen, abgeschnitten; letztere gehn von Südsüdwest nach Nordnordost, die wiederum mit rothem Sandstein oben bedeckt sind.
Wir erreichten das südwestliche Ende dieser Klippen um
1 Uhr. Ein steiler Kiesabhang dehnt sich von ihnen bis nach
dem Wasser hin; auf einer Stelle desselben weideten drei Gazellen, die, sobald sie unserer ansichtig wurden, eiligst in anmuthigen Sprüngen davonflogen. Um 2 Uhr 30 Min. kamen wir
an den Wady el-Muhâsh, der durch die Felsklippen, ein ungeheures Kiesbett vor sich, heraustritt. Indem wir durch dessen Oeffnung hinaufsahen, konnten wir rechts, jenseit desselben, die Massen des Tih sehen. Dies ist wahrscheinlich die Stelle, wohin
Burckhardt's Führer, der alte 'Aid, so entschlossen nach Wasser
ging [1]. Eine Stunde später, um 3 Uhr 30 Min. befanden wir

---

1) Travels etc. S. 503. (819.) Dieser Name sollte regelmäfsig
'îd geschrieben werden.

17 *

uns dem Ende des Tih oder Râs Um Haiyeh gegenüber; dies
ragt nicht ins Meer hinaus, obgleich eine Bucht bis an den Fuſs
desselben sich erstreckt. Seine Höhe ist ungefähr dieselbe, wie
die der Felsklippen in der Nähe von Nuweibi'a. Weiter nördlich werden die Berge niedriger. Wir betraten wieder einen breiten Kiesabhang, der sich vor dem Wady Mukübbeleh, nördlich vom Tih befindet; an dessen Mündung kamen wir um 4
Uhr vorbei. Er ist hier breit und man kann durch denselben
weit ins Gebirge hineinsehn, wo er ganz eng wird. Um 4 Uhr
45 Min. bildete ein felsiges Vorgebirge am Ende einer Bucht
(Jebel Sheräfeh bei Burckhardt) einen sehr engen und schwierigen Paſs. Beim Uebergange über denselben fiel eins von den
Kamelen und rollte beinah ins Meer hinab. Das Thier muſste
abgeladen werden, um es wieder aufzurichten; und mehrere Sachen waren naſs geworden. Unterdefs waren wir weiter gezogen
und hatten uns um 5 Uhr in dem breiten Wady el-Huweimirât
gelagert, der hier von Nordwesten herabkommt und voll von
Kräutern und Gesträuch ist.

Das Ufer war heut auf dem ganzen Wege mit unzähligen
Muscheln von allen möglichen Formen und Gröfsen bedeckt, von
den kleinsten an bis zu solchen, die mehrere Pfund wiegen. Sie
waren jedoch meist zerbrochen und ohne weitern Werth. Hie und
da war der sandige Strand gepflastert oder vielmehr mit einer
Kruste aus Felstrümmern und Muscheln conglomerirt, überzogen, die sich durch die Einwirkung des Meerwassers gebildet
hatte. Das Ufer war überall mit kleinen Geleisen punktirt, von
welchen die Araber sagten, dafs sie von einer Art Schalthier her-
rühren, das alle Nacht auf's Land kommt und des Morgens wieder nach dem Meere zurückkehrt. Wir bemerkten nachher viele
Krabben von verschiedener Art, die munter am Ufer umherlie-
fen. Ein kleines sonderbares Thier fand sich sehr häufig da;

eine Art Schrimp oder ganz kleiner Krebs, der eine gewundene
Muschelschale in Besitz genommen und zu seiner Behausung gemacht hatte; sie streckten Kopf und Beine heraus und liefen in
grofsen Schaaren umher, indem sie ihre Häuser mit sich schlepp-
ten. Sie waren offenbar Fremdlinge darin; denn obgleich ihr
Körper in die Gestalt der Schalen hinein gewachsen war, so waren diese letztern dennoch alle alt und einige zerbrochen. Das
kleine Thier war auf keine Weise mit seinem Häuschen verbunden, sondern sobald es herausgezogen wurde, lief es davon. Einige waren aus ihren Häusern herausgewachsen.

Nördlich von dem Vorgebirge des Tih ist die Richtung
der westlichen Küste bis zum äufsersten Ende im Allgemeinen
nordöstlich. Dies beengt den Meerbusen immer mehr, je näher
man 'Akabah kommt, da die östliche Küste dem Anscheine nach
beinah in grader Linie geht. Gleich hinter dem Thale, in welchem wir uns gelagert hatten, laufen zwei Vorgebirge eine ziemliche Strecke ins Meer hinein, eben nicht hoch, aber in Felsen endend, so dafs beladene Kamele nicht um sie herumgehn
können. Das südlichste, el-Mudâreij, ist das kürzeste und un-
wegsamste; zwischen ihnen liegt ein breites Thal.

Die Berge auf der gegenüberliegenden oder östlichen Küste
waren hier nur niedrig, und es hatte den Anschein, als ob eine
schmale, sich neigende Ebne zwischen denselben und dem Meere
läge. Ein Ort, Hakl genannt, die erste Station des Haj hinter
'Akabah (der schon von Edrisi erwähnt wird), war nahe am Ufer
sichtbar in der Richtung Südost halb Süd. Er liegt in einem
Wady Namens el-Mehrük, der viele Palmbäume enthält. Hier
wendet sich die Haj-Strafse mehr nach dem Innern. Der Ge-
birgszug zwischen Hakl und 'Akabah wird von den 'Amrân-Ara-
bern bewohnt; während die südlichern Berge der Sitz des Stammes
Mesâ'id, einer Unterabtheilung (Fendeh) der Haweitât, sind.

Mittwoch den 4ten April. Die vor uns liegenden Vorgebirge nöthigten uns hinten herum zu gehn, um höher
oben die Rücken derselben zu übersteigen. Wir brachen um
6 Uhr 15 Min. auf, zogen Wady el-Huweimirât zehn Minuten
lang nordnordwestlich hinauf, und wandten uns dann in einen
engeren Neben-Wady in nordöstlicher Richtung. Nach zwanzig
Minuten kamen wir an den Fufs des steilen Passes, der nach
dem folgenden Thale hinüberführt. Der Pfad ist sehr schmal
und geht an der Seite des Sandsteinfelsens bergan; er schien
theilweis künstlich zu sein. Es fiel wieder ein Kamel und schien
nicht lange mehr ausdauern zu können. Wir erreichten die Höhe
um 6 Uhr 50 Min. und stiegen allmälig in das breite Thal
zwischen den beiden Vorgebirgen hinab. Daselbst machten wir
um 7 Uhr 15 Min. Halt, etwa zwanzig Minuten lang, um die
Lasten wieder zurecht zu bringen und das ermüdete Kamel frei
zu lassen. Das arme Thier war jedoch zu sehr angegriffen und
starb noch in derselben Nacht.

Diesen Wady nannten unsre Araber auch Huweimirât,
obgleich er mit dem erstern dieses Namens in keiner Verbindung steht [1]). Er senkt sich sehr nach dem Meere zu, das
nicht weit davon ist. Burckhardt scheint dies Thal hinab und um
das zweite Vorgebirge herumgegangen zu sein, das er als aus
schwarzen Basaltklippen bestehend, beschreibt, in welche das Meer
mehrere kleine Buchten, gleich kleinen Seen hineingespült hat,
die voll von Fischen und Muscheln sind. Hier fand Laborde ein
Austernbett. Es scheint auch in diesem Thale gewesen zu sein,
wo Burckhardt bei seiner Rückkehr von Räubern angefallen wurde. Unsre Führer zogen es vor, auch das folgende Vorgebirge

---

1) Aehnlich giebt Burckhardt beiden den Namen Mezârîk, jedoch
unrichtig. S. 505, 506. (822, 823)

von hinten zu umgehen. Wir durchschnitten daher diesen Wady,
gingen in derselben Richtung ein Nebenthal hinauf und gelangten
um 7 Uhr 55 Min. auf die Höhe eines andern Passes, von wo
herab es steiler und rauher ging als irgend wo vorher. So kamen wir um 8 Uhr 15 Min. in den Wady el-Meråkh [1]), den wir
Ostnordost nach dem Meere zu hinabgingen. Er ist breit und
wüst; weiter unten vereinigt sich ein andrer bedeutender Zweig
damit von Nordwest her, der denselben Namen hat. Beide laufen zusammen breit nach dem Meere aus, über ein ungeheures
abfallendes Kiesbett, das beinah ein Vorgebirge bildet. Wir betraten es um 9 Uhr 30 Min. Nach dem Meere zu steht ein Palm-
baum und etwas weiter nördlich noch einer; daselbst soll sich
salziges Wasser in der Nähe finden. Hier hatten sich einige Fischer in zwei oder drei schwarzen Zelten gelagert; auch ein paar
Ziegen hatten sie bei sich. Der eine von ihnen brachte uns ein
Beden (wie er es nannte) das er geschossen hatte; wir kauften
es für fünf Piaster statt der zwanzig, die er forderte; aber es
war nichts weiter als eine Gazelle. Wir befanden uns nun auf
dem Gebiet der Haiwât, da sich das der Táwarah und Teråbin
nur bis zum nördlichen Tih erstreckt.

Dies war ohne Zweifel die Stelle, wo Burckhardt auf seinem Wege nach 'Akabah angehalten und umzukehren gezwungen
wurde. So wie man es von hier aus ansieht, stimmt Alles mit
seiner Beschreibung überein [2]), die Reihe Dattelbäume um die
Feste von 'Akabah Nordost gen Osten, das Vorgebirge Rås
Kureiyeh (wie er es nennt), und die kleine Insel mit Trümmern,
von der ihm seine Führer erzählten, die er aber nicht gesehen
hat, da er wahrscheinlich, ebenso wie ich, anfänglich darnach

---

1) Wady Emrag bei Rüppell.
2) S. 509. (827.)

weiter in den Meerbusen hinaus gesehn hat, während sie dicht
am Ufer, grade vor Augen liegt. Burckhardt nennt den Ort jedoch nicht Wady Meräkh, sondern Wady Tâba'. Im Allgemeinen sind die Namen, die er in dieser Gegend anführt, so verschieden von denen, die wir hörten, oder werden so ganz anders angewandt, dafs wir lange verlegen waren, was wir daraus machen
sollten. Wir wufsten wohl, dafs der alte 'Aîd, Burckhardts Führer, mit der Gegend sehr gut bekannt sein mufste; und da gar
kein Grund vorhanden war, eine Täuschung von seiner Seite zu
argwöhnen, so waren wir geneigt, der Genauigkeit von Tuweileb's
Nachrichten zu mifstrauen. Als wir dem Tuweileb die Abweichungen vorhielten, sagte er mit einem Mal, dafs es 'Aîd besser
gewufst als er und keine Lüge gesagt haben werde. Da er indefs
in unsrer Gegenwart bei den dort lagernden Arabern nachfragte, so
bestätigten sie die Nachrichten, die uns Tuweileb schon vorher
gegeben hatte. Ich möchte daher lieber den Irrthum auf Burckhardt selbst schieben, oder vielmehr auf die Umstände, in die er
versetzt war; denn er sagt ausdrücklich, dafs er in den zwei Tagen, die er in dieser Gegend zubrachte, gar keine Gelegenheit
hatte etwas niederzuschreiben [1]. Es ist gar nicht zu verwundern,
wenn bei einer solchen Menge neuer Namen, die nicht gleich aufge-
schrieben wurden, einige von ihm vergessen und andre unrechten
Orten beigelegt worden sind. Wir nahmen für jetzt von diesem
ausgezeichneten Reisenden Abschied, dessen Buch bis hieher unser beständiger Begleiter gewesen war [2].

---

1) S. 517. (839.)

2) Der alte 'Aîd scheint eine sehr bekannte Person auf der Halbinsel gewesen zu sein. Tuweileb hatte ihn gesehen und alle unsre Araber hatten von ihm gehört. Sie kannten auch Hamd, den andern treuen
und unerschrocknen Begleiter Burckhardt's, der von ihrem Stamme der
Auläd Sa'îd war. Er lebte noch als ein armer Mann in Kairo, wo

Wir wandten uns nun links und stiegen schräg in nordöstlicher Richtung quer über das Kiesbett, und um 9 Uhr 40 Min.
erreichten wir das Ufer einer kleinen Bai mit einem sandigen
Strande. Um 10 Uhr befanden wir uns der oben erwähnten kleinen Insel gegenüber, die uns etwa eine Viertel englische Meile
vom Ufer entfernt zu sein schien. Sie besteht nur aus einem
schmalen Granitfelsen, neunhundert bis tausend Fufs lang, mit
zwei Anhöhen, eine höher als die andre. Sie liegen von Nordwest nach Südost und sind durch eine niedrige Landenge mit
einander verbunden. Auf ihnen stehen die Ruinen einer arabischen Festung. Das Gauze ist von einer Mauer mit Zinnen
umgeben, und hat zwei Thorwege mit Spitzbögen. Das ist ohne
Zweifel die frühere Citadelle Ailah, von welcher Abulfeda sagt,
dafs sie im Meere liege. Im Jahr 1182 wurde sie ohne Erfolg
mit Schiffen von dem ungestümen Rainald von Chatillon belagert.
Zu Abulfeda's Zeit (um das Jahr 1300) war sie schon verlassen
und der Gouverneur derselben nach der auf dem Ufer liegenden
Feste versetzt [1]. Die Ruinen können daher nicht in spätre Zeit
als in's zwölfte Jahrhundert gesetzt werden. — Unsre Araber
nannten diese Insel nur el-Kurey, oder el-Kureiyeh, die Ver-
kleinerung eines Wortes, das Dorf bedeutet, das sie aber auch
zur Bezeichnung der Ruinen eines solchen Orts gebrauchen. Die
Araber der östlichen Küste geben ihr nach Lieutenant Wellsted
den Namen Jezirat Far'ón, Pharao's Insel [2]. Von der Feste
'Akabah liegt sie Westsüdwest.

---

er es sich zum Geschäft gemacht hatte, für die Kamele Futter zu besorgen.

1) Wilken Gesch. d. Kreuzzüge III, 2. S. 222. Abulfed. Arab.
in Geogr. vet. scriptores minores ed. Hudson. Oxon. 1712. Tom. III.
p. 41. Schultens Ind. Geogr. in Vit. Salad. Art. Aila. Rommels Abulfeda p. 78 und 79.

2) Diese Insel ist von Lieut. Wellsted beschrieben; Travels II.

Indem wir weiter gingen, gelangten wir in zwanzig Minuten an den kleinen Wady el-Kureiyeh, der links herabkommt und nach der Insel, die davor liegt, benannt wird. Dann folgten der Sand und die Steine von Wady el-Mezârik, worüber wir um 10 Uhr 45 Min. kamen. Niedrige Hügel von Kreide und Sandstein unterbrachen hier den Granit auf einige Zeit. Weiter unten kamen wir in der breiten Ebne des Wady Tâba' um 11 Uhr 30 Min. zu einem salzigen Brunnen mit vielen Palmbäumen. Unter den letztern war einer von der Gattung Dôm, die Thebanische Palme, die in Oberägypten so häufig ist. Hier fanden wir ein grofses Viereck ausgegraben und mit rohen Steinen ausgemauert, wie ein Keller; es ist früher ein Brunnen darin gewesen, aber der Boden war jetzt mit kleinen Palmbäumen bedeckt. Weiter hinauf im Thale soll besseres Wasser sein.

Auf der andern Seite dieser Thal-Ebne gehn die Granitfelsen wieder bis zum Ufer hinab und bilden ein langes, schwarzes Vorgebirge, das bei Burckhardt Râs Kureiyeh heifst, von unsern Führern aber Elteit genannt wurde; indefs die Araber in 'Akabah ihm den Namen Râs el-Musry beilegten und behaupteten, dafs Elteit der Name eines Thales am östlichen Ufer sei. In zehn Minuten gelangten wir bis zu diesem Vorgebirge, das in der Richtung Ostnordost läuft. Unser Weg ging längs seinem Fufse hin; um 12 Uhr 15 Min. kamen wir um die Spitze herum. Von hier lag die kleine Insel in der Richtung S. 65° W., während das Ufer vor uns in nordöstlicher Richtung fortging. Grade hinter dieser Spitze soll ein Thal, Wady el-Musry genannt, auslaufen; wir haben es jedoch damals nicht bemerkt. Die Berge links treten nun von der Küste zurück und

---

p. 140. 142 sq. So auch von Laborde, und Rüppell, Reisen in Nubien etc. S. 252. Letztere beide Reisende haben Ansichten von den Ruinen geliefert; die von Laborde ist eleganter, die von Rüppell genauer.

nur niedrige Hügel von conglomerirtem Sand und Kies, beinah felsenfest, kommen derselben nahe und dehnen sich bis über den Winkel des Meerbusens hinaus. Wir fingen nun an die Mündung des grofsen Thals el-'Arabah zu sehen; die Berge auf seiner östlichen Seite sind hoch und malerisch, und eine niedrige Stelle bezeichnet den Ort des Wady el-Ithm. Um 2 Uhr kamen wir bei einem kleinen Felsen am Ufer vorbei, auf dem ein Haufen Steine lag, Hajr el-'Alawy, oder 'Alawy-Stein genannt. Dies, sagte Tuweileb, war die alte eigentliche Grenze der Táwarah auf dieser Seite, die sie von den 'Alawin trennte, und hier wurde früher von Menschen und Thieren, sobald sie das Gebiet betraten, eine Abgabe bezahlt. Um 2 Uhr 15 Min. erreichten wir endlich den nordwestlichen Winkel des Meerbusens und betraten die grofse Haj-Strafse, die von den westlichen Bergen herabkommt und längs dem Ufer am nördlichen Ende des Meeres dahingeht. Grade an dieser Stelle begegneten wir einer grofsen Karavane der Haweitât, die von der östlichen Wüste herkam, wo die Dürre sie verjagt hatte, so dafs sie nun nach dem Süden Palästina's hinwanderten. Sie hatten etwa siebzig Kamele und viele Esel, aber keine andren Heerden bei sich. Dies waren die ersten wirklichen arabischen Bewohner der Wüste, die wir sahen; sie trugen keinen Turban wie die Táwarah, sondern schmückten sich mit dem Kefîyeh, einem Tuche von gelber oder einer andern hellen Farbe, welches sie über den Kopf werfen und mit wollenen Garnfäden festbinden. Die Zipfel bleiben los und hängen an den Seiten des Kopfes und Halses herab. Es waren wilde, rohe, grimmig aussehende Leute, und wir dachten, wir wollten lieber mit unsern sanften Táwarah zusammen als in ihrer Gewalt sein. Tuweileb unterredete sich mit ihnen, was uns funfzehn Minuten aufhielt.

Von dieser Stelle aus, die wir um 2 Uhr 30 Min. verlie-

fsen, geht das nördliche Ufer des Meerbusens südöstlich beinah
in einer graden Linie bis dicht an die Feste 'Akabah. Die Richtung des Wady el-'Arabah ist im Allgemeinen ungefähr von der
Mitte aus genommen Nordnordost. Die Breite desselben beträgt
hier etwa eine deutsche geograph. Meile. Die Berge sind auf beiden Seiten hoch, die westlichen von funfzehnhundert bis achtzehn-
hundert Fuſs und die östlichen zweitausend bis zweitausend fünfhundert Fuſs. Das Thal war, so weit nur das Auge reichte,
voll Treibsand und schien wenig oder gar keine Steigung zu
haben. Die Gieſsbäche, die in der Regenzeit von den nahegelegenen Bergen in dasselbe herabströmen, flieſsen, sofern sie nicht
vom Sande eingesogen werden, auf der westlichen Seite desselben
und gehn im nordwestlichen Winkel ins Meer. In keinem andern Theile des Thales findet man eine Spur von einem Wasserbette. Von dieser Stelle aus bis beinah an die Feste heran, längs
dem Ufer hat das Wasser des Meerbusens eine fortlaufende Bank
von Sand und Kies aufgeworfen, die höher liegt als der Wady,
und die jedem Strome den Durchgang verwehren würde. Links
vom Wege nach der westlichen Seite zu hat ein breiter Landstrich
das Ansehn eines feuchten und sumpfigen Bodens, der, wie es scheint,
mit Salpeter geschwängert ist. Es sah aus als ob unlängst Wasser darauf gestanden, das dort vertrocknet, an vielen Stellen der
Oberfläche eine Kruste zurückgelassen hatte. Dieser Landstrich
ist beinah ohne Pflanzenwuchs; die Umgegend ist jedoch voll von
Sträuchern, besonders von Ghürküd, und von fern aus angesehn
scheint sie mit einer üppigen Vegetation bedeckt zu sein. Dies
verschwindet jedoch, sobald man näher kommt. In dem westlichen Theile des Thales sahen wir uns vergebens nach einigen
Spuren von Ruinen irgend einer Art um; wir hatten gehofft irgend etwas zu finden, um die Stelle von Ezeongeber zu bestimmen. Gegen Osten zu und um die Feste herum liegt ein

grofser Palmenhain, der sich nach beiden Seiten längs dem Ufer eine ziemliche Strecke weit ausdehnt.

Um 3 Uhr 40 Min. erreichten wir das Ende des graden Theils des Ufers, das sich hier beinah eine halbe Stunde ganz nach Süden wendet; dann dreht es sich wieder herum Südsüdwest in die allgemeine Richtung der östlichen Küste. Hier bezeichnen ausgedehnte Schutthaufen die Stelle, wo früher Ailah stand, das Eloth der Bibel; diese lagen uns links. Sie bieten nichts Interressantes dar, als dafs sie die Zeichen sind, dafs eine sehr alte Stadt hier ganz untergegangen ist. Wir haben nicht gehört, dafs sie jetzt einen besondern Namen haben. Weiter östlich davon, hinter einem Wasserbette, das von den östlich gelegenen Bergen herabkömmt, finden sich die Ruinen eines arabischen Dorfes, nackte Mauern von Stein, die wahrscheinlich vor Alters mit flachen Dächern von Palmblättern bedeckt waren, wie die Wohnungen, die jetzt dicht um die Feste liegen. Viele Palmbäume sind hier in Vertiefungen eingehegt, um das Wasser rings um sie zu fixiren. Um 3 Uhr 50 Min. kamen wir bei der Feste an und gingen durch das ungeheure Portal von Nordwest hinein, das mit starken und massiven Thüren, schwer mit Eisen beschlagen, versehn ist; der ganze Eingang ist mit alten arabischen Inschriften bedeckt.

Die Feste ist ein längliches Viereck von hohen dicken Mauern mit einem Thurm oder einer Bastion an jeder Ecke [1]). Rings um die Mauer innerhalb läuft eine Reihe von Gemächern oder Magazinen, ein Stock hoch, mit einem festen, flachen Dach, das eine Platform rings um die innere Seite der Feste bildet. Auf derselben sind an mehrern Stellen leichte Hüt-

---

1) Eine Ansicht der Feste 'Akabah findet sich bei Rüppell, so wie auch bei Laborde.

ten oder Zimmer errichtet, mit den Stielen der Palmblätter bedeckt, dem Anschein nach von der Garnison als Wohnungen benutzt. Wir erfuhren nicht, wann die Feste gebaut ist; das Datum steht wahrscheinlich mit unter den zahlreichen Inschriften,
aber wir waren so sehr mit andern Sachen beschäftigt, dafs wir
dies übersahen. Burckhardt sagt, dafs sie so, wie sie jetzt ist,
von el-Ghûry, Sultan von Aegypten, im sechzehnten Jahrhundert
erbaut sei. Dies ist nicht unwahrscheinlich, obgleich ich nicht
weifs, worauf sich seine Angabe gründet. Die Besatzung bestand jetzt aus drei und dreifsig undisciplinirten Soldaten, Mu-
ghâribeh genannt, aber eigentlich Bedawin aus Oberägypten. Das
Commando über dieselben haben ein Kapitän des Thors, ein
Artillerist, ein Wakil oder Commissair, und über alle ein Gouverneur.

Als wir in die Festung einzogen, safs der Gouverneur im
Freien auf einer massiven Bank unter den Fenstern eines Zimmers
nahe an der südwestlichen Ecke des Hofes. Er empfing uns mit
apathischer Höflichkeit, lud uns ein, uns auf seiner Bank zu setzen, liefs Kaffee bringen und las unterdefs die Briefe, die wir
ihm von Habib Efendi und dem Gouverneur von Suez überbracht
hatten. Er war ein junger Mann, der sich nur erst seit vier
oder fünf Monaten hier befand. Sein Vorgänger soll wegen Grob-
heit gegen frühere Reisende abgerufen sein. In seinem ganzen
Verhalten gegen uns, jetzt wie nachher, zeigte sich ein studir-
tes Bestreben, nicht uns zu gefallen und zu willfahren, sondern
nur, sich so zu benehmen, um Klagen und darauf folgende Ver-
weise zu vermeiden. Das Zimmer, vor dem er safs, wurde uns
angewiesen; es schien sein gewöhnlicher Audienzsaal zu sein, mit
weitläufigem Gitterwerk statt der Fenster, ohne Glas. Hier wurde
unser Gepäck hingelegt und wir machten unsre Betten zurecht; da
die Wände des Zimmers von Stein und der Fufsboden von Erde

und kalt war, so entgingen wir der gewöhnlichen Plage von Wanzen und Flöhen, wodurch dieser Ort berüchtigt ist. Auch Scorpionen soll es hier viele geben; wir haben jedoch keinen davon gesehn. Man fängt sie durch Katzen, deren es eine grofse Anzahl in der Feste giebt, wie wir in der Nacht zu unserm eignen Schaden erfuhren. — Unsre Táwarah begaben sich mit ihren Kamelen für die Nacht aufserhalb der Mauern.

Wir fafsen noch im Gespräch mit dem Gouverneur, als man entdeckte, dafs eins der Dächer von Palmblättern uns gegenüber Feuer gefangen hatte, und plötzlich in furchtbarer Flamme aufloderte. Nun war Alles Geschrei, Verwirrung, Hin- und Herlaufen; der Gouverneur vergafs seine Pantoffeln und seine Würde; er lief hastig unter die Leute und ertheilte seine Befehle, worauf keiner hörte; und um den Schreck voll zu machen, hiefs es, dafs das Pulvermagazin der Festung grade unter den Flammen wäre. Glücklicherweise war nur massives Mauerwerk in der Nähe, und Wasser genug dicht dabei, so dafs das Feuer ohne grofsen Schaden, wennschon unter ungeheurem Schreien und Tumult der Araber, bald gelöscht wurde. Wir konnten nachher nicht mit Gewifsheit erfahren, ob die Geschichte mit dem Pulver gegründet war oder nicht.

Wir zogen uns nun in unser Zimmer zurück und suchten die Zeit zum Schreiben zu benutzen; aber unsern Wunsch, allein zu sein, konnten unsre neuen Freunde nicht fassen und wir hätten uns ebenso gut mitten im Hofe hinsetzen können. Mein Gefährte wünschte mit dem Gouverneur allein zu sprechen und suchte ihn defshalb in seinem Gemache auf. Er fand ihn da weniger zurückhaltend und freundlicher, als er öffentlich gewesen war. Man hat wohl Grund anzunehmen, dafs alle vorerwähnten Officiere nur Spione gegen einander sind; und der Gouverneur hatte sein öffentliches Benehmen demgemäfs eingerichtet. Während der Zeit

dafs unser Wortführer abwesend war, wurde unser Zimmer auch
mehr in Ruhe gelassen.

Abends wurden wir vom Gouverneur zum Kaffee in sein
Gemach eingeladen, eine Treppe hoch dicht an der südwestlichen
Bastion. Das Zimmer war nur klein und ganz leer, der Fufsboden von Erde und das Dach von Palmblätterstielen. In einer Ecke war eine hölzerne Bank angebracht, etwa drei Fufs
hoch, worauf sein Teppich und Kissen lagen; auf einer andern
Seite stand ein kleines Kohlenbecken, eine Art Heerd, um
Kaffee zu kochen; dies nebst einer oder zwei Matten auf dem
Fufsboden machten das ganze Ameublement aus. Wir wurden zu
seinem Divan zugelassen; Andre, die hereinkamen, nahmen auf
den Matten Platz oder kauerten so nieder. Diese Soirée war gut
gemeint, aber langweilig genug.

Bei unsrer Reise über 'Akabah hatten wir den Plan gehabt,
gradezu nach Wady Músa längs dem Thale 'Arabah oder durch
das östliche Gebirge zu gehn und von da nach Hebron. Wir hatten uns daran gewöhnt, auf diesen Ort als auf den kritischsten
Punkt unsrer ganzen Reise zu blicken. Das Land zwischen hier
und dem Wady Músa mit Einschlufs des 'Arabah, ist in Besitz
der 'Alawin, eines Zweiges oder Geschlechts des grofsen Stammes der Haweität, die natürlich das Recht haben, alle durch ihr
Land ziehenden Reisenden zu geleiten. Sie sind ein gesetzloser
Haufe, und haben keinen guten Ruf bei ihren Nachbarn. Ihr
Sheikh Husein ist in den letztern Jahren unter den Reisenden als
ein treuloser, niedrig gesinnter Mann berüchtigt geworden [1].
Wir erwarteten daher hier und auf unserm Wege nach Hebron

---

1) Dies ist dieselbe Person, die bei Schubert „Emir Salem von
Gaza, der grofse Sheikh der Araba" heifst; Reise u. s. w. II. S. 394.
Wir hörten nichts, weder von diesem Namen, noch von solchen Eigen-
schaften.

Schwierigkeiten, und viele kleinliche Plackereien und Betrug, obgleich wir wußten, daß die Furcht vor dem Pascha uns vor offenbaren Angriffen auf unsre Person und unser Eigenthum sicher stellen würde. Wir hatten nie daran gedacht, einen andern Weg einzuschlagen. Wir erfuhren jedoch jetzt, daß Husein und sein Stamm ihr Lager zwei Tagereisen weit von 'Akabah, bei Ma'ân hatten, und daß es uns wenigstens vier Tage kosten würde, ihn hieher zu bringen, außer dem Aufenthalte, eine Uebereinkunft mit ihm zu treffen, so wie die andern Vorbereitungen zur Weiterreise zu machen. Wenn wir ihn daher holen ließen, so mußten wir uns damit begnügen, hier in der Festung eingeschlossen, fünf oder sechs Tage lang zu warten, ohne Beschäftigung oder sonstiges Interesse an etwas zu haben, und dabei den ununterbrochenen Plackereien arabischer Neugier und amtlicher Zudringlichkeit ausgesetzt zu sein. Der Gedanke an einen solchen Zeitverlust war unerträglich; und wir sahn uns daher nach einem andern Wege um, aus dieser Feste wohlfeiler zu entkommen; schon zum Voraus fingen wir an, sie wie ein Gefängniß zu fürchten.

Unsre Táwarah konnten nicht mit uns nach Wady Mûsa gehn, ohne die Rechte eines andern Stammes zu verletzen und sich der Gefahr der Wiedervergeltung auszusetzen; aber sowohl sie als auch der Gouverneur sagten, daß sie uns durch die westliche Wüste nach Gaza oder dessen Umgegend geleiten könnten, ohne Gefahr von irgend einem daran gehindert zu werden. Beim weitern Nachfragen erfuhren wir auch, daß uns derselbe Weg nach Gaza oder auch nach Hebron bringen würde, wie wir wollten; und wir brauchten nicht zu bestimmen, wohin wir wünschten, bis wir uns den Grenzen Palästina's nähern würden. Die Reise, wie man uns sagte, würde fünf oder sechs Tage dauern. Da der größere Theil dieses Wegs bis jetzt noch von keinem neuern Reisenden betreten war, und wir auf diese Weise Verzug, sowie die Nothwendig-

18

keit mit den 'Alawîn uns einzulassen, vermieden, so entschlossen
wir uns, wo möglich mit unsern treuen Táwarah einen neuen
Contract zu machen und unsern Weg in dieser Richtung zu nehmen. Unsern Besuch in Wady Músa wollten wir nachher mit
einem beabsichtigten Ausfluge nach dem südlichen Ende des todten Meeres verbinden. Auf unsre Anfrage erklärten sich die Táwarah bereit mit uns zu gehn; aber angesteckt von der Atmosphäre der Feste oder von dem, was sie über die 'Alawîn gehört
hatten, forderten sie für jedes Kamel zweihundert Piaster für die
Reise, eine gröfsere Summe als wir für die ganze Entfernung
von Kairo bis hieher bezahlt hatten. So blieb es denn für heut.

Donnerstag den 5ten April, Vormittag. Heut Morgen wurden die Unterhandlungen wieder angeknüpft mit einem
Gebot von einhundert und zwanzig Piaster von unsrer Seite. Die
Araber forderten nun einhundert und siebenzig, liefsen jedoch nachher bis einhundert und funfzig herab. Als sie so bei uns safsen,
um die Sache mit uns zu besprechen, trat der Gouverneur mit
seinen Teppichen und Bedienten ein, setzte sich, und liefs Kaffee
kochen und herumreichen. Unser Frühstück kam nun auch, und
unsre Araber waren so bescheiden, sich zu entfernen. Der Gouverneur und seine Begleiter blieben; er lehnte es indefs ab, an
unserm Mahle, wozu wir ihn einluden, Theil zu nehmen, aufser
dafs er eine Tasse Thee annahm. Sie zogen sich nachher
zurück, und unsre Araber fingen die Unterhandlungen wieder
an. Nach langer und ernster Berathung war das Resultat, dafs
die mittlere Summe von einhundert fünf und dreifsig Piaster von
beiden Theilen angenommen wurde. Statt des todten Kamels
sollte eins von Tuweileb eine Last tragen, und wir nahmen es
auf uns, für den Mundvorrath der Leute auf der Reise zu sorgen.
Das war keine grofse Sache; denn ihrer Bedürfnisse sind nur
wenige und ihre Gaumen eben nicht lecker. Brot und Reis sind

Luxusartikel, die sie nur selten geniefsen, und daran hatten wir
einen grofsen Vorrath. Der Commissair in der Feste hatte auch
einige Nahrungsmittel zu ungeheuren Preisen zu verkaufen; wir
kauften jedoch nur wenig, ausgenommen etwas Linsen oder kleine
Bohnen, die in Aegypten und Syrien unter dem Namen ''A das
allgemein bekannt sind, eben solche, wovon das Gericht bereitet
war, wofür Esau sein Erstgeburtsrecht verkaufte. Wir fanden
sie ganz schmackhaft und konnten es uns recht gut denken, dafs
sie einem müden Jäger, dem vor Hunger weh ist, ein ordentli-
cher Leckerbissen sein mufsten [1]).

Während diese Unterhandlungen stattfanden, schlenderte ich
allein aufserhalb der Mauern am Ufer entlang. Die Feste liegt
ganz an der östlichen Seite von Wady el-'Arabah [2]) auf dem Kies-
abhange, der hier grade vom Meere nach dem östlichen Gebirge
zu aufsteigt. Grade hinter der Feste ist der Berg hoch und heifst
Jebel el-Ashbab, doch etwas mehr südlich werden die Hügel an
der Küste viel niedriger. Der Abhang hinter der Festung ist
von Abflüssen der Gebirgsbäche durchschnitten, ohne jedoch grofse
und bestimmte Wasserbetten zu zeigen. Wady el-Ithm tritt weiter nördlich auf derselben Seite in den Wady 'Arabah. Ich sah
mich getäuscht, da ich in dem letztern Thale nirgend weiter
Spuren von dem Wasser fand, das während der Regenzeit in dasselbe hinabströmen mufs. Es scheint überhaupt wenig Wasser
hier in den Meerbusen zu fliefsen; das meiste wird wahrscheinlich vom Sande eingesogen. Am Ufer machte ich auch den
Versuch, den sowohl Rüppell als auch Laborde erwähnen, durch
das Bohren von Löchern in den Sand zur Zeit der Ebbe, frisches Wasser zu bekommen. Theilweis gelang es, obgleich

---

1) 1 Mos. 25, 34. Es ist im Hebräischen und Arabischen derselbe Name.

2) Dies Thal heifst nicht Wady el-'Akabah, wie Berton berichtet.

18 *

nicht in dem Grade, als ich nach ihrer Erzählung erwartete. Sobald ich mit der Hand ein Loch gebohrt hatte, wurde es allmälig voll Wasser, dafs zuerst salzig war; allein so wie dies ausgeschöpft war, füllte sich das Loch wieder langsam mit frischem Wasser. Die Araber hatten dicht dabei einige gröfsre Löcher gemacht, in denen frisches Wasser stand. Nach Laborde's Rede zu schliefsen, sollte man meinen, dafs die Festung das meiste Wasser auf diese Weise erhalte; aber das ist keineswegs der Fall, da innerhalb der Mauern ein grofser Brunnen nur funfzehn oder zwanzig Fufs tief gegraben ist, der eine grofse Masse gutes Wasser liefert. Es giebt auch noch andre ähnliche Brunnen in der Nähe der Festung. Ueberhaupt befindet sich das frische Wasser an dem Ufer dem Anscheine nach in derselben Tiefe wie der Grund dieser Brunnen, und alle haben wahrscheinlich ihren Zuflufs durch Wasser, das sich vom östlichen Gebirge herab unter dem Kies, der hier bis an's Meer hin einen Abhang bildet, durchsickert. Dies Hervorkommen des Wassers beschränkt sich nur auf das Ufer nahe der Feste; denn ich wiederholte diesen Versuch nachher an verschiedenen Stellen, nach der Mitte des Wady 'Arabah zu, ohne irgend einen Erfolg.

Ganz dicht um die Festung herum haben mehrere Familien der 'Amrân-Araber ihre Wohnplätze aufgeschlagen und sich Behausungen von Steinen gebaut, lange, niedrige, rohe Hütten, blos mit Palmblätterstielen gedeckt. Das eigentliche Gebiet des Stammes fängt hier an, und schliefst die mehr südlich und südöstlich gelegenen Berge ein. Jene schienen indefs in einer Art von Abhängigkeit von der Feste zu stehn und im Dienste derselben als Tagelöhner beschäftigt zu sein. Ihre Zahl scheint früher viel gröfser gewesen zu sein, da Häuser von derselben Art sich als Ruinen nordwestlich beinah bis an die Schutthaufen von Aïlah ausdehnen. Eine halbe Stunde weiter südlich von der Festung, an der Mündung des kleinen Wady Elteit, finden sich die Trümmer eines arabischen Forts oder Kastells, Namens Küsr el-Bedawy, das vielleicht zum Schutz der Haj-oder Pilger-Karavanen gedient haben mag, ehe die jetzige gröfsere Feste gebaut wurde. — Nach Rüppell's Beobachtungen liegt die Feste 'Akabah 29° 30' 58" N. B. und 32° 40' 30" O. L. von Paris [1]). Die kleine Insel el-Kureiych mit ihren Ruinen liegt von hier in der Richtung Westsüdwest, in einer Entfernung von acht bis zehn englischen Meilen.

Bei meiner Rückkehr in die Festung um 10 Uhr fand ich, dafs alle Vorbereitungen schon gemacht waren, und wir wünschten ohne Verzug aufzubrechen. Da wir jedoch im Begriff waren, einen Weg einzuschlagen, den unsre Táwarah nicht gemacht hatten, so war es nöthig, einen mit der Gegend wohlbekannten Führer mitzunehmen. Der Gouverneur übernahm es, uns einen zu besorgen; und aufserdem ging er sehr regelrecht zu Werke, indem er Scheine gab und nahm, um auf diese Weise sich und uns sicher zu stellen. Diese bestanden in Folgendem: erstens, eine Anerkennung von unsrer Seite, dafs er die Bitten, die in Habib Efendi's Brief enthalten waren, zu unsrer völligen Zufriedenheit erfüllt habe; zweitens, ein Tezkirah oder Schutz-

---

1) S. Berghaus Memoir zu seiner Karte von Syrien, S. 28, 30. — Dies giebt einen Längenunterschied zwischen 'Akabah und Suez von 2° 29' 20". Die Länge von 'Akabah nach Moresby's Karte des rothen Meeres ist 35° 6' O. von Greenwich, oder 32° 45' 36" O. von Paris; eine Abweichung von mehr als 5 Minuten von der Rüppell'schen Angabe. Da aber die Entfernung zwischen 'Akabah und Suez nach derselben Karte auch nur 2° 29' beträgt, so findet natürlich dieselbe Abweichung an beiden Orten statt. Die Länge von Suez aber ist mehrere Male bestimmt worden; und daher ist Rüppell's Angabe für 'Akabah wohl vorzuziehen; besonders da Moresby's Bestimmung durch das Chronometer von Bombay aus gemacht worden.

brief für uns, worin alle Umstände genau dargestellt sind, so wie
dafs keiner das Recht habe, uns auf unsrer Reise anzuhalten,
mit dem Verbote jedes Eingriffs [1]); drittens, eine Verpflichtung von
unsern Tawarah -Arabern, uns sicher nach Gaza zu geleiten. Die
Ausfertigung dieser Scheine, die Instruction des Führers, das
Aufladen auf die Kamele u. s. w. nahm die ganze Zeit bis 1
Uhr hin.

Als wir die Feste verliefsen, überreichten wir als eine Sache, die sich von selbst versteht, dem Gouverneur ein Geschenk,
so wie die Erfahrung es uns als „das Rechte" gelehrt hatte.
Er lehnte es jedoch für seine Person mit dem Bemerken ab, dafs
die andern drei Officiere auch gewöhnlich Geschenke zu bekommen pflegten. Mein Gefährte erwiederte darauf, dafs wir mit
diesen nichts zu thun gehabt, ja sie nicht einmal alle gesehn
hätten; wenn er indefs das Geld unter sie theilen wollte, so hätten wir nichts dagegen; oder wenn er uns sagen wollte, wie viel
noch nöthig wäre und uns darüber einen Empfangschein ausstellen
wollte, den wir dem Consul in Kairo vorzeigen könnten, so sollte
er es haben. Das schien ihm aber eben nicht sehr zu gefallen,
und er lief in seinen Pantoffeln wackelnd hinter uns her, um
uns das Geld wieder zu geben; wahrscheinlich glaubte er, es sei
nicht genug, um seine Mitspione zu befriedigen. Ueberhaupt fanden wir, dafs das Ganze dort ein Harpyien-Nest war, und waren daher herzlich froh, die Feste zu verlassen. Dennoch ist
es einem Reisenden, der mit den 'Alawin einen Handel abschlie-
fsen will, sehr zu rathen, sich durch Geschenke von kleinen
Kleidungsstücken, Mützen, Tüchern oder dergleichen lieber als
durch Geld, diese Hoheiten zu Freunden zu machen; denn sie

---

1) Dieser Schein ist so merkwürdig, dafs ich in der Anmerkung
XIX am Ende des Bandes eine Uebersetzung davon gebe.

können ihm bei seinen Verhandlungen mit diesen treulosesten unter den Bedawin von grofsem Nutzen sein.

Kurz zuvor, ehe wir aufbrachen, sahen wir in einem Winkel die Fabrikation des Zeuges von Ziegenhaaren, wovon die gewöhnlichen arabischen Mäntel gemacht werden. Eine Frau hatte ihren Aufzug, mehrere Ellen lang, auf die Erde gelegt, und safs an einem Ende desselben unter einer Art von Bude mit einem Vorhang vor sich, um die Augen der Vorübergehenden abzuwehren. Sie webte, indem sie den Einschlag mit ihrer Hand durchzog und ihn dann mit einem flachen, scharfkantigen Holze fest schlug.

In den ältesten Zeiten lagen in diesem Winkel des östlichen Busens des rothen Meeres, zwei in der biblischen Geschichte wohl bekannte Städte, Ezeon-geber und Elath. Die erstere wird als eine Lagerstätte der Israeliten angeführt, von wo sie nach Kadesch, wahrscheinlich zum zweiten Male, zurückkehrten; und beide Städte werden wieder erwähnt, nachdem das Volk den Berg Hor verlassen hatte, als der Punkt, wo sie sich vom rothen Meere nach Osten zu wandten, um auf der östlichen Seite um das Land Edom herumzugehn [1]). Dafs sie nahe bei einander gelegen haben, wird ebenfalls ausdrücklich an einer andern Stelle gesagt [2]).

Ezeon-geber wurde als Hafen berühmt, wo Salomo und nach ihm Josaphat ihre Flotten erbauten, um den Handel mit Ophir zu betreiben [3]). Nach Josephus lag es dicht bei Aelana

---

1) 4 Mos. 33, 35. 21, 4. 5 Mos. 2, 8 „auf dem Wege des Gefildes (oder der Wüste) von Elath und Ezeon-geber." Das hebräische Wort, das hier für „Gefilde" steht, ist Arabah, dasselbe Wort, das den jetzigen arabischen Namen des grofsen Thals bildet.

2) 1 Kön. 9, 26 „Ezeon-geber, das bei Elath liegt, am Ufer des Schilfmeeres." Vergl. 2 Chron. 8, 17. 18.

3) Siehe die vorige Anmerkung, so wie auch 1 König. 22, 49. (48.)

und hiefs später Berenice [1]). Es wird jedoch nicht weiter erwähnt, und keine Spur scheint jetzt davon übrig zu sein, wenn nicht vielleicht im Namen eines kleinen Wady mit salzigem Wasser, el - Ghûdhyân, der nach el - 'Arabah von den westlichen Bergen in einiger Entfernung nördlich von 'Akabah hineingeht [2]).

Elath, von den Römern und Griechen Aila und Aelana genannt, scheint nach und nach ihre minder glückliche Nachbarin verdrängt zu haben, vielleicht nachdem sie von Azariah (Uzziah) etwa 800 vor Chr. wieder aufgebaut worden. Einige funfzig Jahre später ward sie den Juden durch Rezin, König von Syrien, entrissen, und kam nie wieder in deren Besitz [3]). Nachrichten über diese Stadt, die in griechischen und lateinischen Schriftstellern vorkommen, sind vollständig von Cellarius und Reland gesammelt [4]). Zur Zeit des Hieronymus war sie noch eine Stadt, die den Handel nach Indien betrieb, und es stand hier eine römische Legion. Theodoret bemerkt etwas später, dafs es früher ein grofser Handelsplatz gewesen, und dafs noch zu seiner Zeit Schiffe von da nach Indien segelten [5]). Aila wurde sehr früh der Sitz

---

1) Antiq. VIII, 6, 4.

2) So sehr verschieden die Namen el - Ghûdhyân und Ezeon auch auf den ersten Anblick zu sein scheinen, so entsprechen die Buchstaben im Arabischen und Hebräischen einander doch genau. Der Name 'Asyûn, der von Makrizi erwähnt wird, nach Burckhardt's Anführung S. 511. (831.), scheint sich nur auf die alte Stadt zu beziehn, von der er gehört und gelesen hatte. — Nach Schubert soll Ezeon - geber auf der kleinen Insel el - Kureiyeh gelegen haben; Reise II. S. 379. Diese aber ist nur ein Felsen im Meere, nicht einmal 1000 Fufs lang, und sehr schmal.

3) 2 Künig. 14, 22. 16, 6.

4) Cellarius Notit. orb. ant. II. p. 582 sq. Reland Palaestina p. 554 sq.

5) Hieron. Onomast. Art. Ailath. Theodoret. Quaestion. in Jerem. 49.

einer christlichen Kirche; und die Namen von vier Bischöfen von
Aila finden sich bei den verschiedenen Concilien vom Jahr 320
bis zum Jahr 536 [1]). Im sechsten Jahrhundert erzählt auch Procop davon, dafs es unter der Herrschaft der Römer von Juden
bewohnt sei [2]). Einige Notizen der Kirchenväter und andrer
Schriftsteller, die ebenfalls Ailah erwähnen, beziehn sich auch
auf diesen Zeitraum [3]). Als jedoch Muhammed im Jahr 630 mit
seinen siegreichen Waffen nördlich bis nach Tebûk vorgedrungen
war, so war dies für die christlichen Gemeinden in Arabia Petraea das Signal, sich freiwillig dem Eroberer zu unterwerfen
und für Tributzahlungen sich den Frieden zu erkaufen. Unter
diesen war auch Johannes, das christliche Haupt von Ailah, der
sich verpflichten mufste, einen jährlichen Tribut von dreihundert
Goldstücken zu zahlen [4]).

Seit dieser Zeit verlor sich Ailah in die Nacht muhammedanischer Finsternifs, und erst während des jetzigen Jahrhunderts
tauchte es ganz wieder daraus auf. Von dem angeblichen Ibn Han-
kal wird es gegen das Jahr 1000 noch blofs erwähnt; und hundert Jahr später beschreibt es Edrisi als eine kleine Stadt, die
von den Arabern, welche es damals beherrschten, oft besucht
wurde und einen Hauptort auf der Strafse zwischen Kairo und
Medinah ausmachte [5]). Im Jahr 1116 machte König Balduin I.
von Jerusalem mit zweihundert seiner Anhänger einen Zug nach

---

1) Le Quien Oriens Christ. III. p. 759. Reland Palaest. p. 556.

2) Procop. de Bell. Pers. I, 19.

3) Gesammelt in Reland's Palaest. p. 215 — 230.

4) Abulfedae Annales Muslemici, ed. Adler, 1789. Tom. I. p. 171.
Ritter Gesch. des Petr. Arab. in den Abhandl. der Berlin. Acad. 1826.
Hist. Phil. Kl. S. 219.

5) Ouseley's Ebn Haukal, p. 37. 41. Edrisi, ed. Jaubert. Tom. I,
p. 328. 332.

dem rothen Meere und nahm von Ailah, das er verlassen fand,
Besitz. Er wurde von einem weitern Vorrücken nach dem Sinai
nur durch die Bitten- der Mönche abgehalten [1]. Im Jahr 1167
ward es den Händen der Christen von Saladin wieder entrissen
und es ist nie wieder ganz in ihre Gewalt gekommen; obgleich
der verwegne Rainald von Chatillon im Jahre 1182 die Stadt auf
eine kurze Zeit in Besitz nahm und die Festung im Meere, jedoch ohne Erfolg, belagerte [2]. Zu Abulfeda's Zeiten um das
Jahr 1300, war es schon verlassen, denn dieser Schriftsteller sagt ausdrücklich von Ailah: ,,In unsern Tagen ist es eine
Festung, wohin ein Gouverneur von Aegypten geschickt wird; es
hatte eine kleine Feste im Meer, aber diese ist jetzt verlassen
und der Gouverneur ist nach der Festung am Ufer gezogen " [3].
Wie Ailah zur Zeit Abulfeda's war, so ist 'Akabah jetzt. Schutthaufen bezeichnen nur noch die Stelle, wo die Stadt gestanden
hat; während eine Festung, wie wir sie kennen gelernt haben,
mit einem Gouverneur und einer kleinen Besatzung unter dem Pascha von Aegypten, dazu dient, die nahgelegenen Stämme der
Wüste im Zaum zu halten und dem jährlichen Haj der Aegypter
Schutz, wie die Bestreitung ihrer Bedürfnisse, zu gewähren. Shaw
und Niebuhr hörten nur von 'Akabah; Seetzen und Burckhardt
versuchten es vergeblich, dahin zu kommen. Der erste Franke,
der es in neuerer Zeit selbst besucht hat, war Rüppell im Jahr

1) Fulcher. Carn. 43. Will. Tyr. XI, 29. Vergl. Wilken Gesch.
der Kreuzzüge II. S. 403. Siehe ebenfalls oben S. 209. — Die Geschichtschreiber der Kreuzzüge nennen den Ort Helim und nehmen ihn
irrthümlich für das biblische Elim.

2) Abulf. Annal. ad ann. 566, 578. Wilken Geschichte der Kreuzzüge III, 2. S. 139, 222.

3) Abulfedae Arabia, in Geogr. vet. Scriptores minor. ed. Hudson.
Oxon. 1712. Tom. III. p. 41. Schultens Index geogr. in Vit. Saladini,
Art. Ailah.

1822 [1]). In den letzten zehn Jahren hat es nicht an europäischen Besuchern gefehlt.

Der neuere Name 'Akabah bedeutet Abhang 'oder steiler Abfall, und kommt von dem langen und beschwerlichen Abhang her, über den die Haj-Strafse von dem westlichen Berge hinunterführt. Dieser Pafs wird von Edrisi 'A k a b a t A i l a h genannt [2]). Zuweilen heifst er auch el - 'Akabah el - Musriyeh, das ägyptische 'Akabah, zum Unterschiede von el-'Akabah esh - Shâmiyeh oder dem syrischen 'Akabah, einem ähnlichen Pafs auf der syrischen Haj - Strafse, etwa eine Tagereise östlich von diesem Ende des rothen Meeres [3]).

Ailah oder 'Akabah ist immer eine wichtige Station auf der Strafse der ägyptischen Haj- oder grofsen Pilger-Karavane gewesen, die jährlich von Kairo nach Mecca geht. Diese Karavane hat in religiöser wie in politischer Beziehung eine solche Wichtigkeit, dafs die Herrscher Aegyptens derselben von den frühsten Zeiten her Begleitung und Schutz haben angedeihen lassen. Deshalb hat man eine Reihe von Festungen, ähnlich der von 'Akabah, auf dieser Strafse in bestimmten Zwischenräumen erbaut, und sie mit Wasserbrunnen und Mundvorräthen für die Pilger versehen. Bei diesen Festen macht die Karavane regelmäfsig Halt, gewöhnlich zwei Tage. Die erste Festung auf der Strafse ist 'Ajrûd; die zweite Nükhl auf der hochgelegenen Wüste nördlich vom Jebel et-Tih; die dritte 'Akabah. Eine vierte

---

1) Shaw's Travels 4to p. 321. Niebuhr's Beschr. von Arab. S. 400. Seetzen in Zach's Monatl. Correspond. XXVII. S. 65. Burckhardts Travels etc. S. 508. (826.) Rüppell's Reisen in Nubien etc. S. 248.

2) Edrisi Geogr. Clim. III. §. 5. p. 1. ed. Jaubert Tom. I. p. 332. Niebuhr's Behauptung, dafs 'Akabah auch von den Bedawin Hüle genannt wird, mufs ich als zweifelhaft ansehn. Beschr. v. Arab. S. 400.

3) Burckhardt's Travels etc. S. 658. (1036.)

liegt bei Muweilih oder Mawâlih an der Küste des rothen Meeres aufserhalb des Einganges in den Meerbusen von 'Akabah. Von 'Akabah an geht die Strafse auf dem östlichen Ufer des Meerbusens während einer langen Tagereise bis nach Hakl. Auf dieser Strecke führt sie um ein Vorgebirge herum. Hier wird der Raum zwischen dem Berge und dem Meere so schmal, dafs nur Ein Kamel auf einmal ihn passiren kann. Dieser Punkt wird für sehr gefährlich gehalten. Ehe man Hakl erreicht, kommt man zu einem Platze mit Palmbäumen, Dahar el-Hümr genannt. Bei Hakl verläfst die Strafse das Ufer, geht zwischen den Bergen hindurch, die hier den Meerbusen einfassen, und läuft dann auf der östlichen Seite derselben nach Muweilih. Weiter hin war keiner von den Arabern, die wir getroffen haben, mit der Strafse bekannt.

In den Zwischenräumen zwischen diesen Festungen giebt es gewisse regelmäfsige Stationen oder Haltplätze, oft ohne Wasser, wo die Karavane auf kürzere Zeit zum Ausruhen und zur Erquickung verweilt. Die verschiedenen Stämme der Bedawin, durch deren Gebiet die Strafse geht, werden für die Sicherheit zwischen einzelnen bestimmten Punkten verantwortlich gemacht. Sie haben das herkömmliche Recht, dem Haj während seines Zuges zwischen diesen Punkten eine Bedeckung oder Escorte zu geben; und die meisten derselben empfangen für diesen Dienst eine gewisse Summe als Zoll von der Karavane [1]).

---

1) Ein Verzeichnifs der vierzehn Stationen der Hâj-Karavane bis nach Muweilih, so wie auch die Geleitstrecken, welche den verschiednen Stämmen der Araber zugetheilt sind, folgt in Anmerkung XX am Ende dieses Bandes.

Fünfter Abschnitt.

Von 'Akabah nach Jerusalem.

Donnerstag den 5ten April 1838, Nachmittag. Da wir endlich mit allen Anordnungen für die Reise fertig waren, verliefsen wir die Feste 'Akabah um 1 Uhr 15 Min. und fühlten uns eben so glücklich wie die Bedawin, uns wieder in der Wüste zu befinden. Von 'Akabah gehn zwei Wege durch die westliche Wüste nach Gaza oder Hebron; der eine, welcher beschwerlich sein soll, durchschneidet ganz schräg die Ebne 'Arabah und geht weiter nördlich die westlichen Berge hinauf; der andre folgt der Haj - Strafse bis auf die Höhe der westlichen Berge und schlägt dann rechts ein, quer über die Wüste. Wir wählten den letztern als den leichtesten. Statt Eines Führers fanden wir, dafs wir nun zwei hatten, beide 'Amrân, von der Feste abhängig und in der Nachbarschaft geboren. Der Gouverneur instruirte sie in unsrer Gegenwart, uns sicher bis nach dem Wady el-'Abyad, nicht weit vom Vereinigungspunkte der Wege nach Gaza und Hebron zu geleiten. Der ältere hiefs Sâlim; beide waren ziemlich verständig, aber sie sahen dabei düster und diebisch aus und waren mit unsern Táwarah gar nicht zu vergleichen.

Unser Weg ging längs dem nördlichen Rande des Meerbusens auf der Haj-Strafse, auf der wir gestern gekommen waren. Um 2 Uhr 40 Min. erreichten wir den Fufs der westlichen Höhen, wo die Hügel von conglomerirtem Granit, die wir gestern weiter südlich passirt hatten, in einen steilen Kiesabhang auslaufen, der sich weit nach Norden hin ausdehnt. Diesen erstiegen

wir in der Richtung Westnordwest, durchschnitten um 3 Uhr 25
Min. den flachen Wady Khurmet el-Jurf, der rechts hinabgeht,
und gelangten dann zwischen niedrige Hügel von zerbröckeltem
Granit. Hinter diesen folgte wieder ein offner Kiesabhang, an
einigen Stellen von Anhöhen unterbrochen, ehe wir die höhern
Granitklippen erreichten. Um 4 Uhr lagerten wir uns an der
Bergseite in einem engen Zweige desselben Wasserbetts, Na-
mens Wady edh-Dhaiyikah.

Von dieser Höhe aus hatten wir eine Aussicht, die den
Meerbusen, die Ebne el-'Arabah und die Berge jenseits beherr-
schte. Die Feste lag von hier in der Richtung Südost gen Ost.
Hinter dieser erhebt sich der hohe Berg el-Ashhab; jenseits desselben, so dafs man ihn nicht sehn kann, liegt el-Hismeh, ein
sandiger Landstrich von Bergen umgeben. Keiner von unsern
Führern kannte diesen Namen als eine allgemeine Bezeichnung dieses Gebirges[1]. Am südlichen Ende des Ashhab kommt der kleine Wady Elteit nach dem Meere herab; in diesem steht die Ruine
Küsr el-Bedawy, von hier aus in der Richtung S. 40° O. Weiter südlich werden die Hügel längs der östlichen Küste niedriger, und sehen wie Tafelland aus, während mehr hinten hohe
Berge sich erheben, unter ihnen der lange Rücken en-Nukei-
rah. Sie dehnen sich weit nach Süden hin aus und nehmen
dort die Stelle der niedrigen Hügel an der Küste ein. — Nördlich von der Feste kommt der grofse Wady el-Ithm von Nordost durch das Gebirge steil herab, die einzige Verbindung zwischen 'Akabah und der östlichen Wüste. Auf diesem Wege sind
ohne Zweifel die Israeliten vom rothen Meere heraufgekommen,
damit „sie um der Edomiter Land hinzögen" und nach Moab
und dem Jordan kämen. Wady el-Ithm lag nun in der Rich-

---

1) S. Burckhardt, S. 433, 440. (719, 729.)

tung O. 1⁰ S., während ein Berg etwas weiter nördlich mit
Namen Jebel el-Ithm in der Richtung O. 1⁰ N. lag. Daselbst
kommt ein kleinerer Wady Namens es-Sidr herab. Nördlich von
demselben ist Jebel esh-Sha'feh in der Richtung N. 70⁰ O.; und
noch weiter nördlich wollten uns unsre Führer den Jebel esh-She-
räh zeigen, in der Richtung N. 50⁰ O., der vom esh-Sha'feh
durch den Wady Ghüründel getrennt wird. Dies schien uns jedoch etwas zweifelhaft.

Freitag den 6ten April. Der klare Morgen gewährte
uns eine herrliche Aussicht auf das Meer, das wie ein Schweizer
Landsee zwischen Bergen eingeschlossen ist. Die östlichen Berge
glänzten im Sonnenschein, schöne, hohe, zackige Spitzen, viel
höher als die, welche wir jetzt bestiegen. Wir brachen um 6
Uhr auf, und gingen westnordwestlich immer bergan. Bald erreichten wir die Granithügel, traten zwischen diese hinein, und
neigten uns dann wieder nach dem kleinen Wady er-Rizkah hinab, wo wir um 6 Uhr 25 Min. anlangten. Diesen sieht man
noch, wo er links ein wenig weiter unten in den Musry fällt.
Nachdem wir eine andre unbedeutende Erhöhung überstiegen
hatten, erreichten wir um 6 Uhr 45 Min. den Wady el-Musry.
Dies ist ein grofser Wady, der von Norden her schräg den
Bergabhang hinunter bis in das Meer läuft, das er etwas nördlich von Rás el-Musry erreichen soll. Unser Weg ging nun
dies Thal sich vielfältig schlängelnd, hinauf, aber im Allgemeinen ungefähr in der Richtung Nordwest. Der Bergrücken zur Linken war von gelbem Sandstein, mit einer Unterlage von Granit; während rechts Granit- und Porphyrfelsen
waren. Die Umgebung war wild, öde und düster, obwohl weniger grofsartig, als die, welche wir schon gesehn hatten. Um
7 Uhr kam links Kalkstein zum Vorschein und wir wandten uns
kurz um, vom Musry links in eine enge Kluft zwischen Mauern

von Kreide mit Lagen von Feuersteinen. Nach zehn Minuten gelangten wir bis an den Fufs der steilen und schwierigen Höhe; man kann diese Schlucht wohl das Thor des Passes nennen. Die Höhe wird nur einfach en-Nükb oder el-'Arkúb genannt, beides bedeutet „den Pafs" bergan; auch unsre Führer kannten keinen andern Namen. Die Strafse steigt theilweise in Zickzacks an einem steilen Vorsprung des Felsrückens hinauf zwischen zwei tiefen Schluchten. Sie ist zum Theil künstlich gemacht, und an einigen Stellen ist die dünne Lage Sandstein zwanzig oder dreifsig Fufs breit, bis auf den Kalksteinfelsen herab, weggehauen. Einige Theile dieses Werks sind wahrscheinlich auf Kosten frommer Muselmänner gemacht, um die Reise der Pilger zu erleichtern. Während des Aufsteigens und auf dem Gipfel sieht man zwei arabische Inschriften am Felsen, die vermuthlich die Stifter dieses Werks verewigen. Dem Gipfel nahe findet sich etwas, das einer neuern Verbesserung ähnlich sieht; man hat nämlich eine neue Strafse etwas niedriger an der Seite des Berges eingehauen, die allmäliger steigt. Die ganze Strafse soll nach Makrizi zuerst von Ibn Ahmed Ibn Tulûn, Sultan von Aegypten, im Jahre 868 bis 884 angelegt sein [1]).

Wir erreichten den Gipfel der steilen Höhe um 8 Uhr, stiegen aber noch allmälig eine halbe Stunde länger, ehe wir nach Râs en-Nükb oder der eigentlichen Höhe des Passes gelangten. Hier mufsten wir jedoch gleich einen kurzen, aber steilen Abhang hinab und das obere Ende des Wady el-Kureikireh durchschneiden, der südlich nach dem Wady Tâba' zu geht, wovon er ein Hauptzweig zu sein scheint. Dann stiegen wir wieder an einem Rücken hinauf, der nahe am obern Ende dieses Thales liegt, in der Richtung Westnordwest; wir hatten rechts neben uns eine tiefe Schlucht, den Wady er-

---

1) Makrizi von Burckhardt angeführt, S. 511. (831.)

Riddâdeh, der nach Osten zu geht und ein Nebenthal vom Musry ist. Um 9 Uhr erreichten wir endlich den Gipfel der ganzen Höhe und kamen nun auf die Hochebne der oberen Wüste. Ueberall auf dem Wege hatten wir viele weite Aussichten über den Meerbusen und el-'Arabah; letzteres, von dieser Entfernung aus gesehn, schien theilweis mit einem üppigen Pflanzenwuchs bedeckt zu sein. Wir hatten es aber zu sehr in der Nähe betrachtet, um uns täuschen zu lassen. Der Punkt, wo wir uns jetzt befanden, gewährt die letzte und eine der schönsten dieser Aussichten. Die Feste 'Akabah lag noch immer in der Richtung Südost gen Ost und die Mündung des Wady Ithm Ost gen Süden. Um 9 Uhr 25 Min. kamen wir an den Scheideweg, Mufârik et-Turk genannt, wo die Haj-Strafse grade ausgeht, während der Weg nach Gaza sich mehr rechts wendet. Die erstgenannte hat, so weit wir derselben folgten, alle Zeichen einer grofsen, öffentlichen Strafse. Dieser Pafs ist besonders wegen seiner Beschwerlichkeit berüchtigt, so wie wegen seiner Verderblichkeit für Lastthiere. Die Strafse ist hier wirklich beinah buchstäblich mit Kamelknochen besäet und mit Gräbern von Pilgern eingefafst.

Da wir nun die Höhe der grofsen westlichen Wüste erreicht hatten, verliefsen wir die Haj-Strafse und unsre Richtung nordwestlich nach Gaza und Hebron nehmend, wagten wir uns jetzt in die „grofse und furchtbare Wüste" hinein. Wir kamen gleich zu einer ungeheuren Ebne mit Namen Kâ'a en-Nükb, die sich weit nach Westen hin erstreckt, und so völlig eben war, dafs, wie es schien, das Wasser kaum auf ihrer Oberfläche fliefsen konnte. Sie hat jedoch, wie wir nachher fanden, eine geringe Abdachung nach Westen und Nordwesten; denn zu unserer Linken war der Anfang eines flachen Wady, el-Khureity genannt, der nach jener Richtung zu abläuft. Da, wo wir die

19

Ebne betraten, war sie mit schwarzen Feuersteinen bedeckt; dann
kam eine Strecke verhärteter Erde; und nachher wieder ähnliche
Feuersteine. Der ganze Strich war von allem Pflanzenwuchs
gänzlich enthlöfst. Dennoch konnte man nicht sagen, dafs die
Wüste pfadlos sei; denn die vielen Kamelsspuren bewiesen, dafs
wir auf einer besuchten Strafse waren. Einer der ersten Gegenstände, die uns hier zu Gesicht kamen, waren die Luft-
spiegelungen, die uns die Ansicht eines lieblichen See's zur Linken darstellten. Wir hatten diese Naturerscheinungen auf der
ganzen Halbinsel seit dem Tage, als wir Suez verliefsen, nicht
gesehen; ich erinnere mich auch nicht, dafs wir irgend nachher
sie noch bemerkt hätten.

Auf dieser Hochebne fanden wir uns über allen Bergspitzen und Hügeln, zwischen denen wir kurz zuvor hinaufgestie-
gen waren. Wir konnten sie nun alle übersehen, und erblickten
jenseits derselben die Gipfel der östlichen Berge, an welche
die Fläche der Hochebne, auf welcher wir jetzt waren, ungefähr auf zwei Drittel ihrer Höhe heranzureichen schien. Aus
diesem und anderen Umständen schlossen wir, dafs die Höhe dieser Ebne ungefähr funfzehnhundert Fufs über der Fläche des Meerbusens und über el-'Arabah sei [1]). Weit südlich waren hohe
Landrücken zu sehen; und mehr in der Nähe, in einer Entfernung von drei oder vier Stunden zog sich eine Kette von hohen
Hügeln Namens Tawârif el-Belâd von Ostsüdost nach Westnordwest hin, deren Mittelpunkt um 9 Uhr 30 Min. in der Richtung

---

1) Nach den barometrischen Messungen von Russegger, der wenige Monate nach uns die Wüste vom Kloster aus nach Hebron durchzog, beträgt die Höhe der Feste Nŭkhl 1496 Pariser Fufs über der Meeresfläche. Diese Feste liegt wahrscheinlich etwas niedriger, als die oben
erwähnte Ebne. Siehe Berghaus Annalen der Erdkunde etc. Februar
und März 1839. S. 429.

Südwest lag. Weiter rechts sahen wir einen ähnlichen Bergrücken, Türf er-Rukn genannt, der in der Richtung von Südsüdost nach Nordnordwest lief, und gegen das nördliche Ende zu am höchsten war; dieser Punkt lag zu derselben Zeit in der Richtung N. 70° W. Die Haj-Strafse geht an dem nördlichen Fufse dieser Bergreihe vorbei und im Süden derselben befindet sich der Brunnen eth-Themed, von welchem die Karavanen ihr Wasser erhalten [1]).

Die Ebne, welche wir durchzogen, war auf dieser Seite nach Norden zu von einer Kette niedriger dunkelfarbiger Granithügel begrenzt, die sich nach Westsüdwest hinzogen, und welche wir um 11 Uhr erreichten. Diese Kette, eine ähnliche weiter vor uns, und die Strecke Landes dazwischen, haben alle den Namen el-Humeiràwàt. Nachdem wir zwischen diesen Hügeln hindurchgegangen, war unsere Richtung für den Rest des Tages Nordnordwest. Wir durchzogen nun eine andere freie Ebne, so dafs wir in einiger Entfernung links Wady el-Khureity behielten. In einigen kleineren Wasserbetten wachsen wenige Kräuter und einige Seyâl-Bäume. Noch Vormittag passirten wir die nächste Hügelreihe und stiegen von derselben nach dem Wady el-Khümileh um 12 Uhr 10 Min. hinab. Dies ist eine breite, flache Vertiefung, die rechts von der Bergwand des Wady el-'Arabah herabkommt und voll von Kräutern und Sträuchern ist. Nach der Linken hin dehnt sich ein breiter freier Strich der Wüste, jenseits des nördlichen Endes von Türf er-Rukn aus. Durch diese Ebne zieht sich der Wady Mukütta' et-Tawàrik, nachdem

---

1) Burckhardt's Travels in Syria etc. S. 448. (741.) Dieser Berg ist der Dharf el-Rokob dieses Reisenden; indefs, obgleich wir uns viel nach diesem Namen erkundigten, so konnten wir ihn doch nicht so herausbringen. Seine Führer waren aus der Wüste östlich von el-'Arabah, und benannten ihn vielleicht anders oder hatten eine andere Aussprache.

19 *

er den Khureity und andere Wady's aufgenommen hat. Der Wady
Mukütta' geht nordwestlich, sich mit dem Jeräfeh zu vereinigen;
von diesem wurde stets als von dem gröfsten Wasserabfluls in
diesem ganzen Theile der Wüste gesprochen. Der Wady Khümileh lief eine Zeit lang parallel mit unsrem Wege. Die kleineren Wady's waren jetzt voll von Kräutern und gaben der Ebne
das Ansehen einer ziemlichen Vegetation; auch war es ein Anzeichen, dafs es mehr geregnet hatte, als weiter südlich auf der Halbinsel. Weithin nach Westen waren Hügelreihen, dem Anscheine
nach aus Kalkstein bestehend, sichtbar, die von Süd nach Nord
liefen. Um 12 Uhr 30 Min. kreuzte ein kleiner Wady, Namens
el-Erta, unsern Weg von der Rechten her, und verband sich mit
dem Khümileh. Ein niedriger Kalksteinrücken lag nun vor uns,
den wir durch eine Einsenkung um 1 Uhr 30 Min. durchschnitten. Dann kamen wir auf den breiten, sandigen Wady oder vielmehr die Ebne el-'Adhbeh, die nach der Linken zu sich abdacht
und an deren nördlicher Seite wir uns um 3 Uhr nicht weit
von dem Fufse einer andern ähnlichen Höhe lagerten. Von hier
aus war der nächst gelegene Winkel von Türf er-Rukn in der
Richtung S. 60° W.

Das Wetter war den ganzen Tag über kalt gewesen, bei
einem starken Nordwinde; überhaupt war dies der winterlichste
Tag, den ich seit meinem Eintritt in Aegypten erlebt hatte. Unsere Araber zitterten vor Frost, und dies war auch die Ursache,
weshalb wir uns so früh lagerten. Sie zündeten grofse, lodernde
Feuer an, und wie sie in der Nacht darum her safsen, und das auf-
flackernde Licht die dunkelbraunen Gesichter und die wilde Tracht
bestrahlte, gab es eine eigenthümlich romantische Scene. Auch
die Kamele, wie ihre Herren, kauerten nieder und drängten sich
ebenfalls um das Feuer zusammen, wodurch der malerische Effekt
des Ganzen nur noch mehr gehoben wurde.

Der allgemeine Charakter der Wüste, die wir jetzt betreten hatten, war der zwischen Kairo und Suez ähnlich, — ungeheure und beinah grenzenlose Ebnen, ein harter Kiesboden, unregelmäßige Ketten von Kalksteinhügeln in verschiedenen Richtungen hinlaufend, Luft-Spiegelungen, und besonders Wady's oder seichte Wasserbetten. Als wir diese Hochebne erreichten, waren wir etwas überrascht zu finden, dafs alle diese Wady's nach Nordwest zu liefen, und nicht nach dem Osten, nach el-'Arabah zu, wie wir es bei dessen Nähe erwartet hatten. Dieser ganzen Wüste gaben unsere Araber den allgemeinen Namen et-Tih, oder „Wanderung", und behaupteten, dafs der Bergrücken, welcher sie im Süden begrenzt, denselben Namen nur von der Wüste annimmt [1]).

Diese ganze Gegend ist den Geographen bis jetzt eine völlige Terra incognita gewesen. Nicht, dafs Reisende sie nicht in verschiedenen Richtungen durchkreuzt hätten; denn Seetzen war im Jahre 1807 von Hebron nach dem Kloster Sinai gegangen; und Henniker im Jahre 1821 und Catherwood mit seinen Begleitern im Jahre 1833, waren vom Kloster nach Gaza gereist; dennoch existirt nur eine sehr dürftige Nachricht von den beiden ersteren Reisen, — so dürftig, dafs man ihren Weg nur mit grofser Mühe verfolgen kann [2]). Linant soll auch einige Gegenden dieser Wüste besucht haben; aber er hat davon keinen Bericht gegeben. Auch Burckhardt ist im Jahre 1812 von den Wady's Ghüründel und 'Arabah nach Nükhl und 'Ajrud gegangen, aber seine Bemerkungen sind hier weniger ausführlich als gewöhnlich.

---

1) Der Name et-Tih als Benennung dieser Wüste findet sich bei Abulfeda, der ihn auf die Wanderungen der Israeliten bezieht. Tab. Syr. ed. Köhler p. 4 und die Addenda.

2) Seetzen in Zachs monatl. Corresp. XVII. S. 143 ff. Henniker's Notes etc. p. 246 sq.

Rüppell bereiste im Jahre 1822 die Haj-Strafse bis nach 'Akabah [1]). Von dem Wege, den wir jetzt machten, existirte daher
keine Nachricht; auch habe ich erst nach meiner Rückkehr nach
Europa erfahren, dafs ein Theil desselben im Jahre 1834 von
Callier gemacht war [2]). Demzufolge fühlten wir, dafs wir theilweise auf bis jetzt unerforschtem Boden wanderten; und obgleich
wir keine Entdeckungen zu machen erwarteten (was in der That
die Beschaffenheit des Landes einigermafsen verhinderte), so fühlten wir doch, dafs wir es der Wissenschaft schuldig seien, auf
Alles, was sich unserer Beobachtung darbot, zu achten. Aus eben
dem Grunde, hoffe ich, wird der Leser mir verzeihen, wenn der
Bericht von dieser Reise vielleicht unnöthigerweise ins Kleine
eingehend und langweilig erscheinen sollte.

Uns war diese Reise von höchstem Interesse. Es war eine
Gegend, in welche das Auge der geographischen Wissenschaft
noch nie gedrungen und die, wie auch ihr Name andeutet, das
Feld der Wanderungen Israels in alten Zeiten gewesen sein soll.
Unser Gemüth wurde durch die Vorstellung der Neuheit besonders
angeregt und zugleich durch den Wunsch, diese grofse Wildnifs
aufmerksam zu erforschen, um wo möglich Gewifsheit darüber zu
erlangen, ob es hier noch irgend etwas gebe, was über das Dunkel, welches bisher über diesem Theile der biblischen Geschichte
geschwebt, Licht verbreiten könnte. — In wiefern es uns gelungen ist, wird der Leser nicht aus dem Bericht dieser Reise
allein, sondern aus demselben in Verbindung mit unsrer nachherigen Ausflucht von Hebron nach Wady Mûsa ersehen.

---

1) Burckhardt's Travels etc. S. 444 ff. (735 ff.) Rüppell Reisen
in Nubien S. 241.

2) Siehe seinen Brief an Letronne, Journ. des Savans Fevr. 1836.
Es ist mir nicht bekannt, ob noch irgend etwas anderes darüber erschienen ist.

Sonnabend den 7ten April. Wir brachen um 6 Uhr
10 Min. auf, und zogen in der Richtung Nordnordwest weiter.
In 45 Minuten gelangten wir auf die Höhe des niedrigen oben
erwähnten Kalksteinrückens. Hier öffnete sich unseren Blicken
eine andere ähnliche Aussicht. Vor uns lag eine beinah ganz
flache Ebne mit Kieselsteinen und schwarzen Feuersteinen bedeckt; hinter derselben in weiter Entfernung zeigte sich ein einsamer kegelförmiger Berg gerade vor uns, längs dessen Fufs unsere Strafse gehen sollte. Dieser Berg heifst Jebel 'Aráif en - Ná-
kah, steht beinah ganz abgerissen mitten in der Wüste, und dient
somit den Reisenden zu einem weithin sichtbaren Merkzeichen.
Er lag von hier aus in der Richtung Nord gen West, und wir
gingen den Rest des Tages über mit sehr geringer Abweichung
gerade darauf zu. Wir konnten bemerken, dafs einige kleinere
Bergrücken sich nach Ost und West hin von demselben ausbrei-
ten. Der gegen Osten zu ist zuerst niedrig, wird aber nachher höher und läuft an seinem östlichen Ende in eine Felsklippe
Namens el - Mükräh aus. Diese letztere ist nicht weit vom Wady el - 'Arabah, wie wir nachher zu bemerken Gelegenheit hatten. Am Fufse dieser Klippe giebt es nach Aussage unsrer
Araber eine Quelle guten fliefsenden Wassers, esh - Shehâbeh
genannt.

Indem wir über die oben erwähnte Ebne zogen, hatten wir
zu unsrer Rechten eine Kette von flachen Hügeln in der Richtung von Süd nach Nord, die sich in einen niedrigen runden Berg
Namens 'es - Suweikeh endigt. Dieser lag um 8 Uhr in der
Richtung N. O. ½ O. und dann um 10 Uhr O. S. O. Diese Hügel so wie die gegen den Bergrand von el - 'Arabah hinaufstei-
gende Hochebne machte, dafs wir die Berge im Osten des grofsen
Thales weder jetzt noch nachher sehen konnten, ausgenommen

hier und da und dann ganz undeutlich [1]). Zur Linken dehnte
sich die Ebne beinah bis an den Horizont aus, wo eine niedrige, schon vorher erwähnte Bergkette nach Norden zu, von der
Nähe des Türf er-Rukn aus, in einer Entfernung von 6 oder 8
Stunden von unserer Strafse ab, sich hinzog. Dafür kannten unsere Araber keinen andern Namen als et-Tih [2]). Sie sagten,
diese Kette bilde die Scheidelinie zwischen der Wüste gegen Osten,
welche ihren Wasserabflufs durch Wady Jeráfeh habe, der nach
dem 'Arabah zu läuft; und der mehr westlichen Wüste, welche
ihren Wasserabflufs durch den grofsen Wady el-'Arish hat, der
nach dem mittelländischen Meere zu abläuft.

Um 9 Uhr 10 Min. befanden wir uns Suweikeh gegenüber
in östlicher Richtung. Zwanzig Minuten später durchschnitten
wir Wady el-Ghaidherah, der hier von S. W. herkommt, sich
nachher aber nach N. W. herumdreht und unsren Pfad kreuzte,
um sich mit dem Jeráfeh zu verbinden; wir passirten ihn zum
zweiten Male um 10 Uhr 40 Minuten, wo er nordwestlich eine Zeitlang links mit unsrer Strafse parallel lief. Um 11 Uhr
15 Min. fanden wir in demselben dicht an unserem Pfade einen kleinen Pfuhl Regenwasser in einer tiefen Höhlung. Dies
ist einer der Hauptwasserplätze der Araber in dieser Gegend;
von der grofsen Anzahl von Kamelen und Schafheerden, die hierher
zur Tränke kommen, hat aber das Wasser einen sehr starken
Geruch angenommen, und es war nichts weniger als einladend. Da
wir indessen kein Wasser auf unsrem Wege getroffen hatten,

---

1) Nach Burckhardt liegt Jebel es-Suweikeh 8 Stunden von der
Bergwand des 'Arabah entfernt. Er reiste in einer Entfernung von 2
Stunden nördlich vor diesem Berge vorbei in der Richtung nach Türf
er-Rukn. Travels in Syria etc. S. 444—48. (736—41.)

2) Sie scheinen eine Fortsetzung der Kette zu sein, die Burckhardt
el-Öjmeh nennt; S. 449. (742.)

auch für die nächsten zwei oder drei Tage keins zu finden hoffen konnten, so mußten die Wasserschläuche gefüllt werden, mitten unter dem Trinken der Kamele, Ziegen und Hunde. Wir hielten uns hier dreiviertel Stunden auf. Diese Art von Pfuhl heißt Ghüdhir. An dem Rande des Beckens wuchsen einige Büschel Gras; dies war das zweite Mal, daß wir Gras gesehen hatten, seitdem wir die Nilgegend verließen. Ebenso standen einzelne sehr alte Tülh-Bäume umher zerstreut. Wir trafen hier einige Haweitât-Araber, Nachzügler der Horde, die wir vor ein. paar Tagen bei 'Akabah getroffen hatten. Sie hatten die Aufsicht über einige milchende Kamele mit ihren Jungen, und schienen eben um dieser willen hinter den Uebrigen zurückgeblieben zu sein. Wir ergötzten uns an dem gesetzten und steifen Verhalten der jungen Kamele. Statt des muntren, spieligen, anmuthigen Wesens andrer junger Thiere zeigten sie all den kalten Ernst und die linkische Ungeschicklichkeit der Alten. Von hier aus lag die Klippe el-Mukräh in der Richtung N. N. O.

Um 12 Uhr verließen wir den Pfuhl und erblickten bald zur Linken den Wady el-Jeráfeh mit vielen niedrigen Bäumen. Er läuft eine Zeitlang mit dem Ghaidherah beinahe parallel. Beide vereinigen sich nicht weit unterhalb dieser Stelle, so daß man es von der Strafse aus bemerken kann. Um 1 Uhr 30 Min. erreichten wir den Jeráfeh, der hier in der Richtung von Südsüdwest beinahe nordöstlich nach el-'Arabah zu ausläuft, wohin er sich ein wenig rechts von der Klippe el-Mukräh mündet. Er soll sehr weit südlich, nahe an dem nördlichen Bergrücken des Jebel et-Tih, anfangen, und läuft längs der östlichen Seite des Türf el-Rukn [1]), und wie es scheint zwischen diesem

---

1) Nach Lord Prudhoe's Noten liegt der Wady Jeráfeh 5½ Stunde von Wady Ghureir in südöstlicher Richtung gerechnet. Nach Burck-

Berge und dem Felsrücken Tawârif el-Belâd. Er nimmt alle
Wady's, die wir durchschnitten hatten, von der Ostseite, so wie
andre in gleicher Art von Westen her, auf. Ueberhaupt ist dies
der grofse Wasserabzug des ganzen langen Beckens zwischen
dem 'Arabah und den Bergrücken westlich von Türf er-Rukn.
Dies dehnt sich vom Jebel et-Tih auf der Südseite nach dem
Rücken zwischen Jebel 'Arâif und el-Mükrâh an der Nordseite
aus. Der Jerâfeh zeigt Spuren von einer grofsen Wassermasse
zur Regenzeit, ist voll von Kräutern und Sträuchern und hat
viele Seyâl- und Türfa-Bäume. In einiger Entfernung von unserem Wege findet man rechts Regenwasser in Löchern, die in
die Erde gegraben sind und Emshâsh heifsen [1]). — Wir waren damals nicht wenig erstaunt über die besondere Beschaffenheit dieser Gegend, in der Voraussetzung, dafs alle Gewässer
dieses Beckens so weit nach Norden gehen sollten, um wieder
durch el-'Arabah südlich nach dem rothen Meere abzufliefsen.
Wir konnten nicht begreifen, wie dies möglich sei, ohne dafs
mehr Spuren von einem Wasserabflufs in dem letzteren Thale
bei el-'Akabah zurückgelassen wären. Erst einige Wochen später auf einer andern Reise lernten wir den wirklichen Zusam-
menhang kennen.

Das Land behielt immer denselben Charakter; um drei Uhr
durchschnitten wir den Wady el-Ghubey, der in der Richtung
Ostnordost nach dem Jerâfeh geht. Ein anderes Nebenthal des-

---

hardt liegt das nördliche Ende von Türf er-Rukn 3½ Stunde östlich
von eben diesem Wady Ghureir; S. 448. 449. (741. 742.)

1) Dies scheint die Stelle zu sein, welche Burckhardt besuchte, S.
447. (739.) Der Wady Lehyâneh, welchen er erwähnt, ist ein Neben-
Wady des Jerâfeh und tritt von Süden her hinein. Er lag ganz rechts
von unserem Wege. Die andere Strafse von 'Akabah geht eine ziemliche
Strecke mit demselben.

selben, Wady Bŭtlihât, folgte um 3 Uhr 30 Minuten. In dem
letzteren ist rechts vom Wege Regenwasser in Gruben zusam-
mengelaufen, die Themileh heifsen. Noch ;eine halbe Stunde
weiter kamen wir auf eine kiesartige Höhe, von wo aus wir
eine Aussicht über einen höckerigen Strich Landes vor uns
hatten. Bis hierher hatte die Wüste aus grofsen Ebenen bestanden, die oft mit Kiesel- und Feuersteinen bedeckt waren;
von Zeit zu Zeit Reihen von Hügeln und wellenförmiger Boden;
während die Wady's sich nur ein wenig tiefer als die Fläche
im Ganzen war, hinabsenkten. Die ganze Gegend ist das leibhaftige Bild der Unfruchtbarkeit, denn es findet sich auch nicht
die geringste Spur von Pflanzenwuchs darauf, ausgenommen in
den Wady's. Aber auch in diesen fanden wir, dafs die Kräuter
und die Bäume sich mehrten, je weiter wir vorschritten, offenbar ein Zeichen, dafs es hier mehr geregnet. Die Gegend, welche jetzt vor uns lag, war unebner und hüglicher; die Thäler
tiefer mit vielem losen Sande. Ein etwas steiler Abhang führte
uns nach dem breiten, sandigen Wady el-Ghŭdhâghidh, welcher die
übrigen Gewässer dieser Gegend zwischen dem Jerâfeh und el-Mükrâh aufnimmt, und dieselben östlich dem Jerâfeh zuführt. Wir lagerten uns um 4 Uhr 45 Min. in diesem Wady dicht an der Nordseite.

Das Wetter war heute wieder kalt und unangenehm. Am
Nachmittage bemerkten wir einige Wolkengüsse, die von Südwest
und West herkamen und längs dem Horizonte nach Syrien zu
zogen. Um $2\frac{1}{2}$ Uhr hatten wir einen tüchtigen Regengufs, so
wie auch nachher noch einige gelindere. Dies war der erste bedeutende Regen, den ich seit meiner Abreise von Alexandrien
erlebt hatte. Er war für uns angenehm an sich, und auch indem
er uns zeigte, dafs wir uns Palästina näherten, wo der Spätre-
gen zuweilen bis um diese Zeit anhält und gewöhnlich von Südwest herkommt.

Unsere 'Amrân-Führer waren ganz andere Leute als die Tawarah. Sie zeigten sich träge und unnütz und wir erfuhren bald, dafs wir kein Vertrauen in sie noch in ihre Worte setzen durften, ausgenommen wenn ihre Aussagen durch andre Beweise unterstützt wurden. Ihren Reden nach ist keiner der 'Amrân, nicht einmal die Sheikhs, im Stande zu lesen; indem es ein Bedawy für eine Schande hält, lesen zu lernen. Sehr wenige können auch beten. Die 'Amrân, sagten sie, theilen sich in fünf Geschlechter, nämlich el-Üsbâny, el-Humeidy, er-Rûbî'y, el-Humâdy und el-Fûdhly. Der jetzige Haupt-Sheikh über das Ganze heifst el-Makbûl. Nur der Sheikh hat in diesem Stamme Pferde, sonst keiner; und auch dieser nur vier oder fünf. Das ist ein Beweis, dafs ihr Land eine Wüste ist [1]). Der 'Amrân- und Haweitât-Stamm sind verbündet mit einander. — Das Weiderecht in einer bestimmten Gegend gehört nicht ausschliefslich dem Stamme, der den Landstrich bewohnt, sondern jeder fremde Stamm, der Lust hat, kann kommen, weiden und wieder gehen, ohne um Erlaubnifs zu fragen. So wanderten jetzt Horden der Haweitât, wie wir gesehen haben, auf eine Zeitlang nach der südlichen Grenze von Palästina. — Sobald Jemand stiehlt, so nimmt der Bestohlene dem Dieb irgend etwas von demselben oder gröfserem Werthe weg und übergiebt es einem Dritten. Der Dieb wird dann zum Verhör vorgeladen, und wenn er nicht erscheint, so ist das, was ihm genommen ist, verfallen. Die Sheikhs sind nicht immer die Richter; auch andere können dies Amt verwalten. Wenn einer einen Andern erschlägt, so kann der nächste Verwandte des Verstorbe-

---

1) Pferde und Rindvieh erfordern hinlänglich Wasser und frische Weide. Daher kann man durch Nachforschen über die Thiere, die ein Stamm besitzt, immer auch die Beschaffenheit des Bodens kennen lernen.

uen eine gewisse Anzahl von Kamelen oder das Leben eines, der mit dem Verstorbenen gleichen Ranges ist, fordern[1]).

Hier folgen die Wady's und Quellen, die unsre Führer, als von den westlichen Bergen nach el-'Arabah hinabgehend, kannten. Sie sind alle nur klein, mit Ausnahme des Jeráfeh, und alle Quellen haben lebendiges Wasser. Wenn man vom Süden anfängt, so ist die erste el-Hendis mit süfsem Wasser; dann folgt el-Ghüdhyán (Ezeon?) mit salzigem Wasser; esh-Sha'ib mit einem Wege, der sich dieses Thal hinaufzieht; el-Beyáneh mit dem geradesten Wege von 'Akabah nach Gaza; el-Jeráfeh, dem Berge Hor beinah gegenüber; el-Weiby; el-Khürár. Die drei letzteren lernten wir später besser kennen; von den andern haben wir nichts weiter erfahren.

Sonntag den 8ten April. Wir blieben den ganzen Tag auf unsrer Lagerstätte. Der Morgen war klar und kalt, überhaupt der kälteste, den wir je dort erlebten. Das Thermometer fiel bei Sonnenaufgang auf $1\frac{1}{3}^0$ R. Den Tag über wurde es auch windig, so dafs wir durch den Treibsand in unserm Zelte etwas belästigt wurden. Unsre Araber wurden von einigen Haiwât besucht. Diese besitzen den ganzen östlichen Theil der Wüste. Nachher kamen auch einige von der Haweitât-Horde, die wir gestern sahen. Wir erhielten von ihnen Kamelsmilch zu unsrem Thee, und fanden sie fetter und besser als Ziegenmilch.

Unsre Araber kauften von ihren Besuchern eine junge Ziege, die sie zu einer „Erlösung" (arabisch Fedu) schlachteten, um, wie sie sagten, durch deren Tod ihre Kamele vom Tode zu erlösen; so wie auch als ein Opfer, dafs unsere Reise glücklich von Statten gehen möchte. Mit dem Blute malten sie Kreuze auf die

---

1) Vergl. die ähnlichen Züge in den Gesetzen der Tawarah. Siehe oben S. 233.

Hälse ihrer Kamele und auf andere Theile ihrer Leiber. Solche Opfer finden häufig bei ihnen statt. Das Zeichen des Kreuzes, vermutheten wir, hatten sie wahrscheinlich ihren Nachbarn, den Mönchen vom Sinai nachgemacht, oder vielleicht brauchten sie es nur, weil es eins der einfachsten Zeichen ist.

Montag den 9ten April. Bald nachdem wir uns gestern schlafen gelegt, hatten wir eine Art Aufstand. Seit zwei oder drei Tagen hatte sich ein magrer, halb verhungerter arabischer Hund, wahrscheinlich von den Haiwât oder Haweitát an unsre Karavane angeschlossen, und pafste, wie seine Herren, ganz besonders auf Komeh und seine Küche. Ungefähr um 11 Uhr, als ich eben im besten Schlafe lag, fing dieser Hund, der eigentlich ein halber Wolf war, an zu bellen. Das war ein Zeichen, dafs irgend etwas Fremdes, Mensch oder Thier, uns nahe sei; und wir gedachten an das Bellen des Hundes des alten 'Aid in der Nacht, ehe Burckhardt und seine Gefährten von Räubern angefallen wurden. Jetzt mochte es eine raubsuchende Hyäne oder einer von unseren gestrigen Besuchern sein, der auf eine Gelegenheit zum Stehlen lauerte; oder es konnte auch eine Bande bewaffneter Räuber von jenseits el-'Arabah sein. Wir hatten überhaupt in 'Akabah gehört, dafs zwei Stämme jener Gegend, die Beni Sükhr und die Hejáya mit den Arabern der Wüste et-Tîh im Kriege seien, und öfters in el-'Arabah selbst Räubereien begingen und ihre Streifzüge nach der westlichen Wüste hin ausdehnten; und es war nicht unmöglich, dafs wir jetzt mit einem Besuche dieser Art bedroht waren. Unsere Araber waren offenbar erschrocken. Sie sagten, wenn es Diebe wären, so würden sie sich um Mitternacht einschleichen; wenn es aber Räuber wären, so würden sie uns gegen Morgen überfallen. Alle schlugen vor und versprachen, die ganze Nacht hindurch zu wachen; und wir hielten es auch für das Beste, abwechselnd auf zu sein. Indessen hörten wir nichts weiter, und der Morgen begrüfste uns in voller Ruhe. Einer unsrer 'Amrân-Führer behauptete nachher die Spuren einer Hyäne nicht weit von unsrem Zelte bemerkt zu haben; möglich auch der Lärm galt einem Diebe, der sich auf das Hundegebell zurückzog. Wir nahmen uns nun des armen Hundes viel mehr an und er bewährte sich als ein treuer Wächter, so dafs er uns den ganzen Weg bis nach Jerusalem begleitete; aber seine Bedawy-Natur war zu stark, als dafs er sie hätte überwinden können, und er verschwand, als wir in die Stadt einzogen.

Um 5 Uhr 45 Min. befanden wir uns schon wieder auf dem Wege, stiegen in einem kleinen Neben-Wady, Namens Raudh el-Hümârah, bergan über einen Strich unebnen Landes von Kalksteinformation, zu welcher diese ganze Wüste gehört, und ganz mit schwarzen Feuersteinen und Kieseln bedeckt. Um 7 Uhr gelangten wir aus diesem Wady auf eine niedrige Höhe zu einer kleinen Ebne, und durchschnitten das obere Ende noch einiger Ridhân oder trocknen Bäche gleichen Namens. Hier ist vor zwei oder drei Jahren ein Raubanfall von einer Horde der Hejâya, eines der Stämme „von der aufgehenden Sonne her“ auf eine Karavane der 'Amrân gemacht worden. Sie überfielen die Karavane des Nachts auf ihrer Lagerstätte, ergriffen die Beute und tödteten einen oder zwei.

Der Weg führte uns nun über eine sehr wüste Strecke schwellender Hügel, ebenfalls mit schwarzen Feuersteinen bedeckt. Unsre Richtung war immer N. gen W. nach dem Jebel 'Arâif zu. Um 7 Uhr 20 Min. lag die Klippe el-Mükrâh in der Richtung Nordost, während der westliche Punkt seines hohen Rückens grade gegen Norden zu lag. Zehn Minuten weiter hin kam die grade Strafse von 'Akabah durch Wady Beyânch rechts in die unsrige. Um 7 Uhr 40 Min. durchschnitten wir einen Wady, der rechts ab nach dem Wady el-Ghüdâhghidh und so nach el-'Arabah hinläuft. Wir stiegen wieder allmählig nach einem kleinen Plateau hinauf und kamen sogleich zur Wasserscheide zwischen den Gewässern von el-'Arabah und denen des mittelländischen Meeres; die ersteren fliefsen durch Wady Jerâfeh und die letzteren durch den grofsen Wady el-'Arish ab. In einer kleinen Entfernung zur Linken zeigten sich niedrige Kreideklippen von ganz besonderer Form, dem Anscheine nach Vorsprünge der Hügelrücken, die wir vorher in jener Richtung gesehen hatten.

Indem wir ein wenig bergab gingen, kamen wir um 8 Uhr zum Wady el-Haikibeh, und durchschnitten ihn. Er geht hier nach N. O., wendet sich aber bald wieder nach N. W., so dafs wir ihn um 8 Uhr 45 Min. zum zweiten Mal passirten. Er ist voll von Gesträuchen. Wir gingen eine halbe Stunde lang in der Richtung N.N.W. neben demselben dahin, und verliefsen ihn sodann, indem er hinabgeht, um sich mit dem Kureiyeh, einem Neben-Wady vom Wady el-'Arish zu vereinigen. Dicht hinter diesem Wady befanden sich die oben erwähnten Kreideklippen; und sobald wir diese verlassen hatten, zeigten sich andere Hügelreihen links in verschiedener Entfernung von fünf, zehn, auch fünfzehn engl. Meilen. Wir zogen nun über einen andern dürren, mit Feuersteinen bedeckten Landstrich, auf dem einige kleine Ridhân nach dem Haikibeh zu liefen. An einigen Stellen fanden wir kleine Büschel Gras, die zwischen den Kieselsteinen aufschossen, die Frucht des unlängst gefallenen Regens. Unsre Führer sagten, dafs in solchen Jahren, wo viel Regen fällt, das Gras auf diese Weise überall in der Wüste wächst. In solchen Zeiten sind die Araber Könige, wie sie sagten. Um 10 Uhr ging ein Pfad rechts ab, der zu einigen süfsen Wasserbrunnen Namens el-Mâyein führte, die in der Richtung N. gen O. in dem Gebirge jenseit des Jebel 'Arâif liegen. Dieser Pfad geht rechts vom 'Aráif über den niedrigen Theil des Rückens, der sich östlich von jenem Berge hinzieht, und kommt weiter hin wieder in unsren Weg.

Wir erreichten Wady el-Kureiyeh um 10 Uhr 10 Min. Dieser Wady kommt von N. O. gen N. aus der Nähe des Rückens el-Mükráh, der nicht weit entfernt war. Von hier aus lag ein runder Berg Namens Jebel Ikhrimm uns zur Linken in der Richtung W. gen N. Der Wady Kureiyeh windet sich herum und läuft längs dem nördlichen Fuße dieses Berges; weiter hin, etwa eine halbe Tagereise von der Stelle, wo wir denselben durchschnitten, giebt es Gruben mit Regenwasser, „Emshásh" genannt, die eine Station auf der Haupt-Strafse vom Kloster nach Gaza ausmachen. — Noch ein ähnlicher Landstrich mit Feuersteinen, genannt Hemádet el-'Auaz, folgte nun, über den wir in der Richtung N. N. W. gingen. Ein lehmigter Wady, Namens Abu Tín, kam um 12 Uhr 50 Min.; und noch einer, das tiefe Bett eines Winterstroms el-Khüráizeh, um 1 Uhr 30 Min.; beide liefen südwestlich in den Wady Kureiyeh. Das Land wurde nun ganz offen bis an den Fufs des Jebel 'Aráif en-Nákah, der so lange unser Landmerkmal gewesen war. Dieser Berg hat eine Kegelgestalt, ist fünf oder sechs hundert Fufs hoch und besteht aus Kalkstein, dick mit Feuersteinen bedeckt. In der Entfernung scheint er ganz allein dazustehen, indem man-die niedrigen Rücken, die von demselben nach Ost und West zu auslaufen, übersieht. Der auf der Ostseite, wie schon bemerkt, steht weiterhin mit höheren Bergrücken in Verbindung und endigt sich in der Klippe el-Mükráh, während der auf der Westseite niedriger und mehr unterbrochen fortgeht. Der 'Aráif ist sehr in die Augen fallend, wenn man ihn so mitten in der gewaltigen Wüste sieht. Es ist überhaupt ein ungeheures Bollwerk, das die ebene Wüste auf dieser Seite begrenzt, und so ein Aufsenwerk oder

20

eine Bastion des noch gebirgigeren Landstrichs jenseits bildet.
Um 2 Uhr 30 Min. kam ein Wady grade von dem Berge, der
hier etwas über eine halbe Stunde entfernt ist, herab; der Wady führt denselben Namen 'Aráif, und zieht sich in der Richtung W. S. W. nach dem Kureiyeh. An dem niedrigen Uferran-
de hatte man den Leichnam eines Menschen halb begraben und
einige Steine darum gesetzt; ein paar Zehen und etliche Lumpen waren noch sichtbar. Unsre Araber sagten, die Hyänen würden den Leichnam bald verzehren.

Indem wir in derselben Richtung N. N. W. weitergingen,
kamen wir um 3 Uhr auf die Höhe des niedrigen Rückens, der
westlich vom Jebel 'Aráif sich hinzieht. Von hier konnten wir
über den wüsten Landstrich, den wir so eben durchzogen hatten,
und der südlich in sehr grofser Entfernung von kleinen Hügeln
begrenzt ist, zurücksehen. Das Ganze hat seinen Wasserabflufs
durch den Kureiyeh in den Wady el-'Arish. Vor uns lag noch
eine Ebne, die sich rechts in das Gebirge hinein ausdehnt und
im Norden etwa zwei Stunden davon durch eine Reihe höherer
Hügel begrenzt wird. Von diesem Puncte unsres Weges lag Jebel
'Aráif ungefähr eine halbe Stunde entfernt, in der Richtung N.
70° O. Jebel Ikhrimm lag grade im Westen und war von dem
Rücken, auf welchem wir uns befanden, nur durch. den Wady el-
Kureiyeh getrennt. In einer weit gröfsern Entfernung nach W. N. W.
kam ein hoher und längerer Berg Namens Yelek zum Vorschein;
und noch weiter rechts ungefähr N. N. W. noch einer, Namens
el-Helál. Diese beiden letzteren sollen jenseits des Wady el-
'Arish liegen.

Wir stiegen einen kurzen steilen Abhang hinab und kamen in zehn Minuten nach dem Bett des Wady el-Mâyein
oder el-Ma'ein, der nördlich längs dem Fufse des Jebel 'Aráif
und des weiter westlich gelegenen Rückens fliefst, um sich mit

dem Kureiyeh zu vereinigen. Der Anfang desselben liegt weit hinauf rechts im Gebirge; hier sind die oben erwähnten Brunnen gleiches Namens. Sein Bett hat deutliche Spuren einer grofsen Wassermasse; und die flache Ebne auf der andern Seite ist von den Strömungen aufgerissen. Das Bett des Wady und der daranstofsende Theil der Ebne sind mit Steinen bedeckt, von denen einige ziemlich grofs, wahrscheinlich vom Gebirge durch das Wasser herabgeführt sind. Nachdem wir die Ebne in nördlicher Richtung durchschnitten hatten, lagerten wir uns um 4 Uhr 30 Min. am Fufse der Hügelreihe, die sie auf dieser Seite begrenzt; Jebel 'Arâif lag von unserm Zelte aus in seiner ganzen Gröfse ungefähr anderthalb Stunden entfernt in der Richtung S. 55⁰ O. Auf dieser Ebne vereinigt sich die Strafse mit der, welche vom Kloster nach Gaza über 'Ain und eth-Themed geht. Unser Zelt war dicht bei einem seichten Wasserbett, das nach dem Wady el-Mâyein hinläuft, aufgeschlagen. Dies ist voller Kräuter und Gestrüpp, wie die meisten der Wady's, und gewährte unseren Kamelen gute Weide. Unter den Gesträuchen der Wüste war besonders der Retem oder Ginster sehr häufig und gröfser als wir ihn vorher gesehen hatten.

Wir hatten nun das Land der Haiwât verlassen und das der südlichen Tiyâhah betreten. Hier endigt sich auch die Gegend oder Wüste des Tih, durch welche wir beständig gereist waren, seitdem wir den Wady el-'Arabah verliefsen. Das Gebiet der Haiwât fängt, wie wir gesehen haben, an den nördlichen Gebirgsrücken des Jebel et-Tih an und zieht sich nördlich längs des 'Arabah und an dasselbe angrenzend bis zu den Bergen 'Arâif und el-Mukrâh. Hier erhebt sich der hohe Gebirgsrücken zwischen ihnen wie eine Mauer und bildet auf dieser Seite die Grenze. Im Westen dieses Stammes liegt das Land

20 *

der Tiyâhah, das sich ebenfalls vom Jebel et-Tih durch die
Mitte der Wüste nördlich bis über die Grenze der Haiwât hinauf,
in die Nähe von Gaza und Bersaba ausdehnt. Die Tiyâhah theilen sich in die Beneiyât und Sukeirât. Noch weiter westlich wohnen die Terâbin vom Gebirge bei Suez bis in die Gegend von
Gaza; die meisten derselben trifft man nicht weit von dem letztgenannten Orte. Dieser Stamm ist der stärkste von allen und
mit dem der Tiyâhah sehr eng verbündet.

Die Gebirgsgegend nördlich vom Jebel 'Arâif und el-Mükrâh zwischen el-'Arabah und den Tiyâhah wird von den 'Azâzimeh bewohnt, die mit diesem Stamme ein enges Bündnifs
haben und zuweilen auf seinem Gebiete weiden. Noch weiter
nördlich, längs dem Ghôr befinden sich die Sa'idin oder Sa'i-
diyeh, die Dhüllâm und die Jehâlin; letztere wohnen zwischen Hebron und dem todten Meere. Unsre Führer erwähnten auch die
Namen der Sawârikeh, der Jebârât und der Henâjireh, als in derselben Gegend wohnhaft. Doch erfuhren wir in Betreff dieser nichts
weiter und haben auch nachher nichts mehr von ihnen gehört. —
Dies sind, so viel wir erfahren konnten, alle arabischen Stämme,
welche die grofse westliche Wüste bewohnen.

Wir waren nun mit dem allgemeinen Charakter dieser Gegend so weit bekannt geworden, um die Gründe einzusehen, warum
alle Strafsen, die von 'Akabah und vom Kloster nach Hebron
und Gaza durch dieselbe führen, in der Mitte der Wüste in einen Hauptweg zusammenkommen. Die ganze Gegend am Thal
'Arabah, nördlich vom Jebel 'Arâif und el-Mükrâh ist, wie
schon erwähnt, gebirgig und bestcht, wie wir nachher erfuhren,
aus steilen parallel laufenden Bergrücken, die sich meist von Ost
nach West hinziehen, und beinahe unübersteigliche Hindernisse
einem Wege entgegenstellen, der mit dem 'Arabah parallel liefe.
Demzufolge führt weder jetzt, noch hat je zuvor eine grofse Strafse

durch diese Gegend geführt, sondern die Wege von 'Akabah, die vom Wady el - 'Arabah heraufkommen und die Hochebne südlich vom el - Mükrâh berühren, müssen sich nothwendig alle nach dem Westen zu drehen und, nachdem sie um den Fufs des Jebel 'Arâif en - Nâkah herumgegangen, auf der westlichen Seite dieser Gebirgsgegend weiter fortlaufen.

Wir waren daher nun gewifs, dafs wir uns auf der alten Römer - Strafse befanden, wie sie auf der Peutingerschen Tafel gezeichnet ist, durch diese Wüste von 'Akabah nach Jerusalem gehend; mochte sie nun entweder von dem 'Arabah durch den Weg, dem wir folgten, oder, wie es wahrscheinlicher ist, auf dem geraderen Wege durch Wady Beyâneh hinaufgegangen sein. Wir erkundigten uns sehr genau nach den Namen Rasa (Gerasa) und Gypsaria, die ersten Stationen, die auf der alten Strafse bezeichnet sind, und auch von Ptolemäus erwähnt werden [1]; aber wir konnten keine Spur von etwas diesen entsprechendem finden. Von den andern Stationen etwas nördlicher von uns, Lysa, Eboda und Elusa, so wie auch Bersaba hofften wir etwas mehr berichten zu können; denn unsre Führer hatten schon von einem Wady Lussân, von Ruinen mit den Namen 'Abdeh und Khulasah und von Brunnen zu Bîr es - Seba' gesprochen.

In Betreff des Weges, auf welchem sich die Israeliten Palästina näherten, überzeugten wir uns nur davon, dafs sie nicht westlich vom Jebel 'Arâif gegangen sein konnten, weil diese Richtung sie gleich nach Bersaba und nicht nach Kades gebracht haben würde, da letztere Stadt der Grenze Edom's nahe lag [2].

Dienstag den 10ten April. Um 5 Uhr 45 Min. safsen wir auf, und erstiegen die dicht vor uns liegende Hügelreihe auf einem sehr steinigen Pfade und erreichten die Höhe in fünf und zwanzig Minuten. Wir fanden hier einen breiten Rücken

1) S. Reland Pal. p. 463.   2) 4 Mos. 20, 16.

und fingen bald an allmählig in einem kleinen Wady bergab
zu gehen. Rechts und gegen Nordost lag jetzt ein gebirgi-
ger Landstrich, der aus steilen Kalksteinrücken besteht, welche
parallel mit einander von Ost nach West laufen, drei oder vier
hundert Fufs hoch sind, und sich in Westen in steilen Felsklippen endigen. Unsre Richtung war noch immer Nord gen West,
parallel mit diesen Klippen und in nicht grofser Entfernung von
ihnen, durch eine niedrigere 'und freiere Gegend. Vor uns lag
ein andrer grofser Wady, der westlich hinablief, und dann noch
eine Hügelreihe, niedriger als die Felsklippen; und so blieb die
Beschaffenheit des Landes den gröfsten Theil des Tages über.
Um 6 Uhr 35 Min. kamen wir nach dem Wady Lussân hinab,
eine breite Ebne, die von Giefsbächen überströmt wird, welche
von dem Gebirge rechts herabkommen und nach dem Wady el-
'Arish hinfliefsen. Unsre Führer wufsten nichts von einer Quelle
oder von Wasser in diesem Thale, noch auch von Ruinen. Indessen der Name und vielleicht die Lage stimmt mit Lysa, einer
Station auf der Römerstrafse überein. Dies lag nach Rennell [1])
in einer Entfernung von fünfundfunfzig engl. geographischen Meilen
von Ailah, von welchem Orte wir auf einem Umwege etwa dreifsig Stunden gereist waren. Die alte Strafse konnte nur wie
die unsre ein Karavanen-Pfad gewesen sein und Lysa, so wie
die andern Orte, die noch weiter südlich darauf gezeichnet sind,
waren sehr wahrscheinlich nur Stationen mit einer Wache und
einigen Zelten oder Hütten, ohne Wasser, ausgenommen was sie
aus Cisternen oder aus der Entfernung bekamen. Zur Linken
kurz zuvor, ehe wir die Ebne erreichten, bemerkten wir einige

---

1) Comparative Geogr. of Western Asia I. p. 92. — Es ist auf
der Peutingerschen Tafel 48 R. M. südlich von Eboda gezeichnet, gleich
bedeutend mit ungefähr 18 Reisestunden mit Kamelen. Vom Wady Lussân bis nach Eboda fanden wir jedoch nur 14 Stunden.

wenige Ueberreste von rohen Mauern und Fundamenten, die wir
damals nur ansahen als die Bezeichnung eines früher dort befindlichen arabischen Lagers. Aber von den vielen ähnlichen Ueberresten, die wir nachher längs der Strafse fanden, bin ich
jetzt geneigt anzunehmen, dafs sie wohl Unterbaue von Lysa gewesen sein mochten.

Wir durchschnitten diese Ebne in 15 Minuten und betraten
um 6 Uhr 50 Min. einen anderen Strich hüglichen wellenförmigen Landes, der überhaupt wohl bergig genannt werden konnte.
Ein Pfad ging nun rechts ab und führte zu etwas Regenwasser,
das sich in den Felsen an dem obern Ende des Wady Jerûr
sammelte; weiterhin traf er wieder mit unsrem Wege zusammen. Wenige Minuten später lief der Pfad von der Quelle Màyein,
der gestern abging, rechts in unsern Weg hinein. Wir betraten nun eine grofse beckenartige Ebne, die ihren Abflufs durch
ein Wasserbett nicht weit von der Mitte hat. Dieses mit seinen Nebenzweigen wird Wady el - Muzeiri'ah genannt und geht
südwestlich nach dem Wady Lussân zu. Hierher gelangten wir
um 7 Uhr 15 Minuten. Dieses ganze Becken war voll von Gesträuch und Pflanzenwuchs, und es schien urbar gemacht werden
zu können. Ueberhaupt bemerkten wir an mehreren Stellen Spuren von roher Pflugarbeit, und man sagte uns, dafs die Araber
in Regenjahren hier zu pflügen und zu säen pflegen; ein dünnes
mageres Gras sprofste an verschiedenen Stellen hervor. Solche
Orte, wie dieser war, hatten wir weder gesehen noch hatten wir
davon gehört, seit wir Wady Ghùrùndel an dem Meerbusen von
Suez verliefsen. In dem ganzen Gebiete der Tàwarah, der 'Am-
ràn und der Haiwât giebt es keine. Wir stiegen nun durch einen engern Wady allmälig eine
andre parallellaufende Höhe hinauf. Um 8 Uhr waren wir oben.
Der Pflanzenwuchs geht bis ganz oben hinauf und besteht aus

Sträuchern und dünnen Büscheln magern Grases. Von diesem
Punkte aus hat man eine weite Aussicht über einen breiten, freien
Landstrich zur Linken gegen N. W., der sich anscheinend bis zu
den Bergen Yelek und el-Helâl hin erstreckt, an einigen Stellen
von niedrigen Kalksteinrücken und Kreidehügeln unterbrochen;
während rechts die steilen Kreideklippen der Berggegend fortge-
hen. Wady Jerûr ging durch die vor uns liegende Ebne hinab;
aber die Luft war so dick, dafs wir das Land nicht so genau
erkennen konnten als wir wohl wünschten, besonders die entfernten Berge. Rings um uns schien der Pflanzenwuchs üppiger zu
sein und zur Linken weideten Kamele, die den Hawaitât gehörten, welche vor einigen Tagen bei uns vorbeigekommen waren. —
Hier war Sâlim, einer unserer 'Amrân-Führer, der Karavane vorangegangen und hatte sich niedergelegt, um zu schlafen. Als
wir nachkamen, sahen wir ihn mit einer grofsen Schramme über
dem Gesicht und einem kleinen Schnitt in der Schulter, die er nach
seiner Aussage von zwei Arabern erhalten hatte, welche ihn während
des Schlafs überfielen und ihn seines Dolchs und Mantels zu be-
rauben suchten. Wir bezweifelten die Wahrheit dieses Theils
seiner Erzählung; denn er war ein unverschämter Kerl, der sehr
leicht in Händel gerieth.

Um 9 Uhr erreichten wir das Bett des Wady Jerûr, der
rechts von den Bergen herabkommt und westlich nach el-'Arîsh
hinläuft. Unsre Führer wufsten von keinem Wasser in demselben, weder oberhalb noch unterhalb (ausgenommen das Regenwasser in den Felsen nahe dem obern Ende, wie schon vorher
erwähnt), noch auch von irgend einem Anbau; obgleich Tuweileb und andere diesen Wady weiter unten nahe an seiner Mündung gesehen hatten [1]. Unser Pfad erhob sich nun sehr allmäh-

---

1) Der Name Jerûr im Arabischen entspricht dem hebräischen
Gerar, aber weder die Lage noch die Beschaffenheit dieses Wady ge-

lig und um 9 Uhr 45 Min. senkte er sich durch einen engen
Wady, wo wir etwas Regenwasser in den Felsen an dem unteren Ende stehen fanden, von welchem der Führer und der Hund
zugleich tranken. Ueberhaupt hatten wir in mehreren Wady's
sowohl gestern als heute Spuren fliefsenden Wassers von dem
neulichen Regen wahrgenommen. Um 10 Uhr 30 Min. passirten
wir einen Kalksteinrücken von ziemlicher Höhe durch eine Einsenkung des Berges; hier hatten wir die letzte Aussicht auf
Jebel 'Arâif, Süd gen Ost. Von diesem Punkte aus war unsre
Richtung den ganzen Ueberrest des Tages N.N.O. Eine halbe
Stunde später gelangten wir zu drei breiten seichten Wasserbetten, voll von dem Gesträuch Retem, die sich weiter unten vereinigen und unter dem Namen Wady es-Sa'idât in den Wady
Jâifeh, der vor uns lag, hinablaufen. An dies letztre Thal kamen
wir um 11 Uhr 50 Min.; es ist sehr breit und voller Weide; es
kommt von O.S.O. her, wo es viele Stellen hat, die von den Tiyâhah angebaut und besäet werden; es geht nach dem 'Arish hinab,
und hat, so viel unsre Führer wufsten, kein Wasser. Links weideten viele Kamele in demselben, die der Haupthorde unsrer neuen
Freunde, der Hawaitât zugehörten, welche wir nahe bei 'Akabah
getroffen hatten.

Eine Stunde später führte uns der Weg leise aufsteigend auf
eine hohe steinige Ebne, während unsere Richtung uns dem Gebirge
rechts näher und näher brachte. Um 1 Uhr 10 Min. kamen
wir zum Wady Abu Retemât, einer weiten Ebne mit Sträuchern
und Retem; jenseits derselben dehnte sich ein Kalksteinrücken von
ziemlicher Höhe aus, von den östlichen Bergen bis weit nach dem
Westen hin, der mehrere Einsenkungen und Oeffnungen hat. Wir

___

statten die Annahme, dafs es das biblische Gerar sei. Dies lag viel näher an Gaza im Lande der Philister und war sehr fruchtbar. 1 Mos.
20, 1. 26, 6. 8.

kamen bald nahe an die Berge zu unsrer Rechten und fingen nun
an durch einen mit vielen Kräutern bewachsenen Wady zu gehn,
der von N. O. in den Abu Retemât herabkommt und einen breiten
Pafs zwischen dem Berge rechts und dem Anfange des oben erwähnten Bergrückens bildet. Jenseits des östlichen Berges befindet
sich in ziemlicher Entfernung eine reichlich fliefsende Quelle mit
süfsem Wasser, 'Ain el-Kudeirât genannt, gewöhnlicher einfach
mit dem Namen el-'Ain bezeichnet. Von dieser geht ein Wady,
ebenfalls el-'Ain genannt, nach Norden zu, dreht sich nach Nordwesten durch einen Strich offnen Landes, und verbindet sich nachher mit dem 'Arîsh. Um 1 Uhr 45 Min. ging ein Pfad ab, der
zu den Brunnen el-Birein führt, die ein wenig rechts von unserm Wege, etwa eine halbe Tagereise von dieser Stelle entfernt
lagen. Um 2 Uhr erreichten wir die Höhe des Passes, der überall dünn mit Kräutern bewachsen ist. Er führt auf eine grofse
Kiesebne oder ein Becken, das an vielen Stellen dick mit Kräutern und Sträuchern bedeckt ist und anderwärts nackte Sandstri-
che hat. Hier tritt die östliche Bergreihe plötzlich zurück; die
Ebne dehnt sich zur Rechten weit aus, und wird im Osten, Süden und Westen von Kalksteinhügeln eingeschlossen.

Nachdem wir zwanzig Minuten lang über die Ebne gezogen, gelangten wir zu mehreren Gruben mit bläulichem, salzigem
Wasser; sie waren einige Fufs tief in ein Bett von blauem Thon
gegraben und mit einer Fülle dicker Binsen und einer üppigen
Vegetation umgeben. Nur eine Grube hatte damals Wasser. Hier
hielten wir eine halbe Stunde an, tränkten die Kamele, die durstig zu sein schienen, und füllten einige unsrer Wasserschläuche.
Um dies um so rascher zu thun, stieg Tuweilebs Knabe nackt
in das Wasser hinein, und reichte es in unsrem ledernen Eimer
herauf. Diese Brunnen liegen in einem seichten Wady, Namens
el-Küsâimeh, der in der Ebne seinen Anfang nimmt und W. N. W.

zwischen die westlichen Hügel hin abläuft. — Von dieser Stelle
lag das nördliche Ende des Jebel el-Helål jenseits des Wady
el-'Arish in der Richtung N. 80° W.; derselbe lag vom Wady
el-Jåifeh um 11 Uhr 50 Min. in der Richtung N. 55° W. Die
Oeffnung, durch welche Wady el-'Ain die Berge verläfst, lag
von hier ans S.O. Das Bett dieses Wady geht quer über die
Ebne, östlich von den Brunnen, und wendet sich dann nach
N. W. herum.

Wir verliefsen die Brunnen um 2 Uhr 50 Min. und zogen
eine halbe Stunde lang allmälig zwischen niedrigen Kalkhügeln
bergan; und eben so nach und nach bergab. Wir passirten dabei
zwei oder drei kleine Wady's, und kamen dann an den Wady
el-'Ain; letztrer läuft hier links über eine breite Kieschne, hie
und da mit Sandstrichen vermischt, und auf dieser Seite dünn
mit Kräutern und Sträuchern bedeckt. Wir erreichten den tiefen
Graben, welchen sein Wasserlauf bildet, um 4 Uhr, und fanden
denselben mit Gras, Gänseblümchen und andern kleinen Blumen
eingefafst, die nach einer so langen Entbehrung das Auge recht
erquickten. Ueberhaupt hatten wir heute mehr Vegetation in der
Wüste gefunden, als zuvor auf unsrem ganzen Wege von Aegypten. Dieser Wady kommt, wie oben bemerkt, von der erwähnten
Quelle el-'Ain auf einem Umwege her und geht weiter fort, um
sich mit dem Wady el-'Arish zu vereinigen. Weiter hinab kommt
ein Wady von der Linken her hinein, der ein salziges Wasser,
el-Muweilih genannt, enthält; hier ist eine Station auf der westlichen Strafse von dem Kloster nach Gaza.

Nachdem wir das Wasserbett durchschnitten, kamen wir auf
einen breiten Strich ziemlich fruchtbaren Bodens, der angebaut
werden kann, und auch dem Anscheine nach früher angebaut
gewesen ist; über den ganzen Landstrich waren lange Reihen von
niedrigen Steinmauern sichtbar, die wahrscheinlich früher als

Scheidewände der angebauten Felder gedient hatten. Die Araber
nennen sie el-Muzeiri'ât „kleine Pflanzungen". Wir bemerkten
späterhin viele solche Mauern, die offenbar nicht von dem gegenwärtigen Geschlechte der arabischen Einwohner gebaut sind,
sondern einer viel frühern Zeit angehören müssen. Wir hörten
und sahen nichts von Ruinen in diesem Thale; es mag wohl von
den Bewohnern eines nicht weit entfernten Orts angebaut gewesen
sein. — Wir lagerten uns um 4 Uhr 25 Min. auf der Ebne;
an der nördlichen Seite derselben erhebt sich ein schwellender
niedriger Bergrücken mit einigen spitzen Kreidegipfeln; der höchste von diesen hiefs Râs es-Serâm. Gegen Osten zu waren nur
in einiger Entfernung Berge sichtbar.

Das Land, welches wir heute durchreist hatten, obgleich
an sich dürr und aufserordentlich öde, hatte dennoch in Folge des
neuerlich gefallenen Regens das Ansehn einer weniger furchtbaren
Wüste. Etwas Gras, einige Blumen, noch mehr Kräuter und
Sträucher und etliche leise Spuren von Anbau, waren uns angenehme Neuigkeiten; um so erfreulicher, da sie uns für die Zukunft
noch viel Besseres versprachen.

Mittwoch den 11ten April. Der Morgen war hell und
lieblich, und wir brachen guten Muths um 5 Uhr 45 Min. auf,
in der Hoffnung heute zwar nicht arabische Wohnungen, aber doch
die interessanteren Ueberbleibsel der Behausungen früherer Geschlechter zu finden. Unsre Führer hatten versprochen, uns nach
einer Stelle mit Ruinen nicht weit von dem Wege zu führen,
welche sie nur unter den Namen 'Aujeh kannten, von denen jedoch Tuweileb behauptete, dafs sie auch 'Abdeh hiefsen. Unsre
Richtung war zuerst N.O. gen N. über die Ebne, und die Haupt-
strafse ging in dieser Richtung den ganzen Tag weiter fort. Auf
beiden Seiten des Weges hatte man kleine Strecken mit Waizen
oder Gerste besäet, deren dunkles Grün gegen die Nacktheit rings

herum sehr abstach. Wir bemerkten im Laufe des Tags viele
solche Getreidestellen; aber alles war meist verkümmert und
armselig in Folge zu wenigen Regens. Die Ebne erhob sich nun
allmälig zu einem Abhang; und indem wir einen breiten Wady oder
einen mit Kräutern bewachsenen Landstrich hinauf verfolgten, kamen wir um 6 Uhr 40 Min. auf eine kleine runde Hochebne, von
Kreidehügeln umgeben, die aus der Ferne wie Bergspitzen aussahen.
Diese Ebne hat etwa eine halbe Stunde im Durchmesser und ist mit
Gesträuch bedeckt; einer der Hügel, ein Kreidekegel im S. W., ist
der gestern bemerkte Râs es-Serâm. Er heifst so von dem Wady
es-Serâm, dessen oberes Ende diese Ebne ist, und der auf der
entgegengesetzten oder Nordost-Seite hin ausläuft. Auf dieser
Ebne vereinigt sich die grofse westliche Strafse von dem Kloster
Sinai nach Gaza mit der unsrigen; die verschiednen Wege durch
die beiden Pässe er-Râkineh und el-Mureikhy über den Jebel
et-Tih hatten sich längst zuvor, ehe sie diesen Punkt erreichen,
vereinigt. So waren nun alle Strafsen, welche durch die Wüste
führen, in einem Hauptzug verbunden und liefen so den Ueberrest
des Tages fort.

- Wir durchschnitten die Ebne und betraten um 7 Uhr 15
Min. den Wady es-Serâm, den wir hinabstiegen. Die Wüste
fing an einen mildern Anblick zu gewähren. Der Serâm läuft in
eine ausgedehnte Ebne aus, die mit Gesträuch, Gras und kleinen
Strecken von Waizen und Gerste beinah wie eine Wiese aussah.
Einige 'Azâzimeh-Araber weideten hier ihre Kamele und Heerden. Das Land rings umher wurde freier, zeigte breite des Anbau's fähige Thäler, die durch niedrigere allmälig sich erhebende
Hügel getrennt werden. Das Gras wurde häufiger in den Thälern, und Kräuter fanden sich auf den Hügeln. Wir hörten heute
früh zum ersten Mal den Gesang vieler Vögel und unter ihnen
auch die Lerche. Ich beobachtete die kleine Sängerin wie sie in

die Höhe stieg und singend schwebte, und war unaussprechlich erfreut. Als wir die Ebne erreicht hatten, schickten wir zwei Araber mit einem Kamel über die Hügel rechts nach den Brunnen Birein, um Wasser zu holen, mit der Anweisung, uns im Laufe des Tages wieder einzuholen. Um 8 Uhr liefsen wir unsre Dienerschaft und Kamele die grade Strafse nach Ruhaibeh fortziehen, wo wir uns zu lagern vorgenommen hatten; wir selbst wandten uns mit den Dromedaren und drei Arabern links von der Strafse ab nach einer Reihe niedriger Hügel, um die Ruinen von 'Aujeh oder 'Abdeh zu besuchen. Indem wir gegen Norden zu eine halbe Stunde lang weiter reisten, gelangten wir auf den Hügelrücken, von wo aus man eine weite Aussicht über die unbegrenzte Ebne oder einen etwas wellenförmigen Landstrich nach Osten zu hat, der oft sandig, aber überall mit Gesträuch und Kräutern wie ein Wady überstreut ist. Der Seråm läuft in diese Ebne aus, so wie ebenfalls Wady el-Birein von Süden her und Wady el-Hüfir von S.O. her. Das Wasserbett des Seråm geht längs der westlichen Seite der Ebne unterhalb der Hügel, auf denen wir uns jetzt befanden, hinweg. Wir waren hier auf einen Pfad gestofsen, der rechts vom Wady es-Seråm heraufkommt und nach Gaza hingeht; aber es war nicht die gewöhnliche Strafse nach Gaza. Wir verliefsen ihn bald wieder und wandten uns mehr rechts. Um 8 Uhr 45 Min. sahen wir die Ruinen auf einem Hügel gegen Norden liegen.

Wir zogen einen kleinen Wady hinab und kamen um 9 Uhr an das Wasserbett des Seråm, der hier nach Norden längs dem Fufse der niedrigen Hügel hinläuft, die auf dieser Seite die Ebne zu begrenzen fortfahren. Hier stiefsen wir auf die Ueberreste von Mauern, denen ähnlich, die wir beim Wady el-'Ain geschn; sie hatten dem Anscheine nach vor alten Zeiten Felder oder Gärten, auf dem vom Strome während der Regenzeit überschwemmten Landstrich, eingeschlossen. Anfangs waren es nur Spuren von Mauern; sie wurden aber dicker und fester, je weiter wir kamen. Die meisten derselben sind zwei oder drei Fufs dick, und doppelt. Die Aufsenseiten sind sehr nett mit runden Steinen aus dem Wady aufgemauert und die Mitte mit Kies ausgefüllt. Einige, quer über das Wasserbett gebaut, sind sechs oder acht Fufs dick und bilden einen festen Damm; sie waren ohne Zweifel dazu bestimmt, den Abflufs und die Vertheilung des Wassers zu reguliren. In einigen Mauern sind die Aufsenseiten senkrecht, in andern schräg, und hie und da sind die runden Steine zerschlagen um eine glatte Seite zu machen. Um 9 Uhr 10 Min. vereinigt sich das Wasserbett des Wady el-Birein, der über die Ebne herkommt, mit dem Seràm und giebt dem Ganzen den Namen. Fünf Minuten weiter fanden wir einen Ghùdir oder Pfuhl von Regenwasser in dem Bett desselben, und noch einen dicht unterhalb. Diese Stelle war etwa eine Viertelstunde vom Hügel mit den Ruinen entfernt. Hier stiegen wir ab und wandten uns einen kleinen Wady hinauf, der von Westen herkommt, um die Ruine eines viereckigen Thurms von Quadersteinen an der südlichen Seite desselben zu besuchen. Nahe dabei waren die Grundmauern von Häusern sichtbar, und viele behauene Steine und Scherben lagen zerstreut umher. An der nördlichen Seite des kleinen Wady, dem Thurme gegenüber, ist eine tiefe Höhle in dem Kalksteinhügel, scheinbar früher ein Steinbruch, in welchem Pfeiler stehn geblieben sind, um das Dach zu tragen. Von hier hat man wahrscheinlich die Materialien zu den naheliegenden Gebäuden genommen. Er ist über hundert Fufs lang und dem Anscheine nach bewohnt gewesen, vielleicht von Arabern, da Scherben darin zerstreut lagen. Es ist jetzt der Zufluchtsort einer Menge von Tauben, die wie eine Wolke daraus hervorflogen, sobald wir eintraten.

Die Hauptruinen liegen auf einem Hügel oder Felsrücken, sechzig bis hundert Fufs hoch, der gegen Osten hin von dem Hochlande links wie ein Vorgebirge ausläuft und die ganze Ebne vor sich überschaut; während das Bett des Winterstroms in einem tiefen Graben dicht um die Spitze desselben sich herumwendet. Auf diesem Hügel erblickt man zwei Ruinen, die den Festen einer Akropolis ähnlich sind. Als wir uns näherten, glaubten wir links einen alten Wasserbehälter zu sehen, der sein Wasser von den darüber gelegenen Hügeln empfangen haben mufs. Hier fanden wir Araber, die ihre Kamele und Ziegen weiden liefsen; es war eine Táwarah-Familie, die so weit von ihrem Wohnsitze weggezogen. Als wir am Hügel ankamen, sahen wir, dafs die südliche Seite und der Fufs desselben mit Häusertrümmern von behauenen Steinen bedeckt waren, die in der gröfsten Verwirrung durcheinander lagen, und diese Stelle als den Hauptplatz, auf dem die alte Stadt gestanden, bezeichneten. Unter diesen bemerkten wir mehrere Säulen und Gesimse. Oben auf der Höhe erkannten wir das westlichste Gebäude, nahe an der Mitte des Felsrückens, für eine griechische Kirche, die mit der Front nach Osten hin liegt, etwa einhundert und zwanzig Fufs lang und in verhältnifsmäfsiger Breite. Die noch grofsentheils stehenden Mauern sind von behauenen Steinen, dem Anscheine nach aus dem nahe gelegenen Steinbruche erbaut und gut gearbeitet. Die runde Nische oder der Platz des Altars ist noch sichtbar mit einer ähnlichen Nische auf beiden Seiten ganz erhalten. Auf der Westseite sind eine Nebenkapelle und zwei oder drei kleine Gemächer. Innerhalb der Mauern waren zerbrochene Säulen und Gesimse umhergestreut.

Etwa einhundert und funfzig Schritt weiter östlich, nahe am Ende des Felsrückens, stehen die Ruinen einer Festung oder eines Kastells; ein grofses Parallelogramm, ebenfalls von behauenen Steinen aus dem Bruche erbaut. Die Länge des eingeschlofsnen Raums, wovon die Mauern noch stehn, beträgt über dreihundert Fufs von Ost nach West. An der östlichen Seite scheint noch ein, vielleicht stärkerer Theil der Festung gestanden zu haben, der sich einhundert Fufs weiter ausdehnte, bis dicht an den Rand des steilen Abhangs. Dieser ist jetzt ganz zerstört. Von dem gröfsern Raume ist jetzt kein Theil bedeckt. Der Eingang war auf der Westseite durch ein schönes Bogenportal, das jetzt oben abgebrochen ist. Wir sahen uns sowohl hier als in der Kirche nach Inschriften um, aber vergebens. Auf dem Ostende, aufserhalb der jetzigen Mauer, aber innerhalb der kleinern Feste ist eine sehr tiefe Cisterne, die wohl einige hundert Oxhoft enthalten kann, und weiter hin, nahe am äufsersten Rande der Felsspitze, ein Brunnen, ungefähr einhundert Fufs tief, jetzt trocken. Der Boden dieses Brunnens ist einige sechzig Fufs in den festen Felsen gehauen; während der obere Theil, etwa vierzig Fufs tief, acht Fufs im Geviert mit aufserordentlich schönem Mauerwerk von gehauenen Steinen ausgebaut ist. Früher hatte man oben einen Bogen darüber geschlagen, der nun eingefallen ist. Die Mauern des kleinern Theils der Festung schlossen sowohl die Cisterne als den Brunnen ein. Am Fufs des Hügels, dicht unter dieser Stelle, befindet sich noch ein Brunnen, ungefähr vierzig Fufs tief, auf dieselbe Art ausgemauert. — Auf der Ostseite des Wasserbetts vom Wady el-Birein stehn auch Ruinen von Gebäuden und Einfassungsmauern von Feldern, ähnlich denen, die wir zuerst sahn, dehnen sich weit über die Ebne aus.

Vom Kastell aus wurde uns die Richtung nach den Brunnen Birein ungefähr Süd gen Ost gezeigt. Weiter östlich kommt das Wasserbett des Wady el-Hüfir über die Ebne, vereinigt sich mit dem des Wady el-Birein gleich nördlich vom Kastell, und

21

giebt dem Ganzen den Namen. Dann zieht es sich nordwestlich hin, um sich mit Wady el-Abyad zu vereinigen.

Wir hatten damals keinen Zweifel und auch jetzt habe ich keinen, dafs diese Ruinen zum alten Eboda oder Oboda gehörten, einer Stadt, die nur von Ptolemäus erwähnt und auf Peutingers Tafel als auf der Römerstrafse, dreiundzwanzig römische Meilen südlich von Elusa gelegen, angegeben wird. Wir brauchten nachher acht Stunden, um von diesen Ruinen nach dem alten Elusa zu kommen, und dabei ging's rascher als gewöhnlich, so dafs dies einer Entfernung von beinah oder ganz siebenzehn engl. geograph. Meilen, wovon sechzig auf den Grad gehn, gleichkommen würde [1]). Die Uebereinstimmung ist hier aufserordentlich genau, und der Name 'Abdeh, den die Stelle noch immer führt, ist entscheidend. Es mufs ein wichtiger und fester Ort gewesen sein. Die grofse Kirche deutet auf eine zahlreiche christliche Bevölkerung hin, obgleich Eboda nirgends unter den Bischofssitzen erwähnt wird. Es ist auch etwas Seltenes, in der Wüste eine Festung von solcher Ausdehnung und mit so grofser Sorgfalt erbaut, zu finden. Aber die Wüste hat ihre Rechte wieder errungen, und die sich aufdringende Hand der Cultur ist zurückgewiesen; das Geschlecht, das hier wohnte, ist untergegangen; und ihre Werke blicken nun in Einsamkeit und Stille über die gewaltige Wüste hin [2]).

Wir verliefsen die Ruinen um 10 Uhr 45 Minuten. Grade als wir die Kamele besteigen wollten, kam einer der 'Azâzimeh, der in der Nähe weidete, heran, und schalt unsre Führer aufs heftigste, dafs sie Christen herbrächten, um sein Land zu besehen.

---

1) Nimmt man die römische Meile zu $^3/_4$ einer solchen engl. geographischen Meile, so ist eine Entfernung von 23 röm. M. gleich 17$^1/_4$ geogr. M. Siehe weiter Anmerkung XXIII.

2) Siehe Anmerkung XXI.

Wir nahmen nun unsre Richtung N.O. gen O. über die Ebne,
um wieder auf unsre alte Strafse zu kommen. Der Charakter
der Wüste fing an, sich zu verändern; und je weiter wir kamen,
desto sandiger wurde sie. Um 12 Uhr 15 Min. gelangten wir
auf den Weg und trafen wieder, mit unsren Bekannten, den
Haweität, zusammen, die jetzt dieselbe Strafse zogen. Wir eilten
bald vor ihrer Karavane vorbei und sahn sie nicht mehr wieder.

In dieser Zeit waren wir einem heftigen Sirocco ausgesetzt,
der bis gegen Abend anhielt und dem ägyptischen Khamsin glich.
Der Wind war den ganzen Morgen nordöstlich gewesen; aber um
11 Uhr sprang er plötzlich nach Süden herum und wehte uns
mit grofser Heftigkeit und furchtbarer Hitze an, bis er zum völligen Sturm überging. Die Atmosphäre war mit kleinen Sand-
theilchen angefüllt, und wurde bläulicher Duust; die Sonne war
kaum zu sehn; ihre Scheibe hatte nur einen trüben und matten
Schein, und die Glut des Windes wehte uns ins Gesicht wie von
einem Glutofen. Oefters konnten wir kaum dreifsig Schritt weit um
uns sehen; und unsre Augen, Ohren, Mund und Kleider waren
voll Sand. Das Thermometer stand um 12 Uhr 25° R. und
hatte wahrscheinlich früher höher gestanden; um 2 Uhr war es
bis auf 19½° herabgesunken, obgleich der Wind noch immer
anhielt.

Zwischen Sandhaufen zogen wir weiter; der Boden war an
mehrern Stellen weifs von zerbrochnen Schneckenhäusern, und wir
fingen an sehr allmälig nach dem Wady Abyad hinabzusteigen. Um
12 Uhr 50 Min. trafen wir wieder Mauern auf dem Felde, Zeichen
von einer bedeutenden Einhegung. Um 1 Uhr kamen wir an
einen arabischen Begräbnifsplatz mit einem rohen Steinhaufen,
das Grab des Sheikh el-'Amry genannt, dessen Namen die Araber nie ohne einen Fluch aussprechen. Eine lächerliche Geschichte
des arabischen Aberglaubens knüpft sich an dieses Grab. Es

21 *

schienen auch die Grundmauern eines Dorfs oder dergleichen mit
den genannten Feldern in Verbindung zu stehn. Dicht dabei
ist das Bett des Wady el-Abyad, der links nach dem Wady el-'Arish zu läuft, dem Anscheine nach der letzte Wady
auf unsrer Strafse, der sich mit dem 'Arish vereinigt. Die Umgegend ist ganz sandig, und wir gingen nun zwischen schwellenden Hügeln dahin, die, obgleich von Sand, dennoch bis oben
hinauf mit Kräuterbüscheln und Gesträuch bedeckt wären, ebenso
wie die Thäler und Ebnen. Alles war grüner als bisher, ein
Anzeichen, dafs wir uns einem Regenlande näherten. Zwischen
diesen Hügeln zogen wir um 2 Uhr 30 Min. durch ein bedeutendes Becken, das obre Ende eines Wady Namens en-Nehiyeh, der
nach Westen zu in den Wady el-Abyad hinläuft. Hier holten
wir unsre zwei Leute mit einer Ladung guten Wassers von el-
Birein ein. Sie erzählten uns, dafs dort nicht zwei, sondern vier
Brunnen wären, alle fünfundzwanzig oder dreifsig Fufs tief, mit
behauenen Steinen ausgemauert und voll von Quellwasser. Die
Ebne oberhalb der Brunnen, sagten sie, sei von den Arabern
weit umher angebaut.

Wir holten die Uebrigen von unserm Zuge um 2 Uhr 45
Minuten ein und fingen bald darauf an allmälig nach dem obern
Ende des Wady er-Ruhaibeh hinabsteigen. Der Sturm dauerte
noch immer in gleicher Heftigkeit fort, obgleich die Gluthitze theilweis nachgelassen hatte. Als wir um 3 Uhr 20 Min. eine Ebne,
die sich unmerklich nach Nordost zu neigte, überschritten, fanden wir Spuren von Mauern und früher angebaut gewesenen Feldern. Zehn Minuten später gelangten wir an den Eingang des
Wady er-Ruhaibeh, der von der Ebne nach Nordost zu läuft.
Hier ist der Scheidungspunkt der beiden Hauptstrafsen, die nach
Gaza und Hebron führen. Wir lagerten uns um 3 Uhr 45 Min.
im Wady, der hier eng zwischen nicht eben steilen Hügeln liegt.

Der Sturm schien jetzt seine gröfste Heftigkeit erreicht zu haben und war zum Orkan geworden. Nur mit der gröfsten Mühe gelang es uns, das Zelt aufzuschlagen und es darnach aufrecht zu erhalten. Eine Zeitlang war es furchtbar. Dieser Sturm war wahrscheinlich ebenso schrecklich als die meisten von denen, welche die übertriebnen Schilderungen der Reisenden veranlafst haben. Hierbei war jedoch keine Lebensgefahr, ob ich mir gleich unter gewissen Umständen, wie, wenn ein Reisender ohne Wasser und schon vorher schwach und erschöpft ist, wohl denken kann, dafs so ein furchtbarer Sturm tödtlich wird. Die meisten unsrer Araber bedeckten ihr Gesicht mit einem Tuche, obgleich der Wind uns in den Rücken kam. — Ungefähr um halb 6 Uhr liefs der Wind nach; die Luft war nicht mehr so trübe; ein sanfter Wind erhob sich von Nordwest, der die Atmosphäre bald reinigte, der Sonne ihren frühern Glanz wiedergab, und uns einen klaren, angenehmen Abend mit einer Temperatur von 15° R. brachte. Es kostete nicht wenig Mühe, uns von der Sandhülle, mit der wir umgeben waren, zu befreien.

Wir hatten an dieser Stelle gar nichts oder nur in allgemeinen Ausdrücken von Ruinen gehört, und waren daher um so mehr überrascht, auch hier Spuren des Alterthums zu finden. Im Thale selbst, gleich links vom Wege, steht die Ruine eines kleinen, rohen Gebäudes mit einer Kuppel, nach Art einer Moschee erbaut; es war offenbar einst ein Wely oder Grabmal eines muhammedanischen Heiligen. Rechts vom Wege liegt ein Haufe behauener Steine durch einander, die Ueberreste eines viereckigen Gebäudes von ziemlicher Gröfse, vielleicht eines Thurms. Am Abhange des östlichen Hügels fanden wir Spuren von Brunnen; eine tiefe Cisterne oder vielmehr eine Höhlung, die als Cisterne gebraucht zu sein schien; und eine schöne runde Tenne, dem Anscheine nach antik. Als wir aber den Hügel links vom Thale

hinaufstiegen, waren wir überrascht, uns mitten unter den Ruinen
einer alten Stadt zu finden. Hier lag ein ebner Platz vor uns,
zehn oder zwölf Morgen grofs, ganz und gar mit dicht neben und.
über einander geworfnen Steinen bedeckt, die noch grade genug
von ihrer vorigen Anordnung beibehalten haben, um die Grundmauern und die Gestalt der Häuser, sowie die Richtung einiger
Strafsen zu zeigen. Die Häuser waren meist klein, alle massiv
gebaut von bläulichem Kalkstein in Quadern und oft blos an der
äufsern Oberfläche behauen. Viele von den Häusern hatten jedes
seine Cisterne in den Fels gehauen, und diese sind noch ganz
da. Ein Steinhaufe, gröfser als die übrigen, schien der Ueberrest einer Kirche zu sein, was man aus den abgebrochnen Säulen und Gesimsen, die zerstreut umher lagen, schliefsen konnte.
Eine andre grofse Masse lag noch etwas mehr nördlich; diese haben wir nicht besucht. Es scheint hier kein öffentlicher Markt-
platz und kein wichtiges oder grofses, öffentliches Gebäude gewesen zu sein; auch waren wir nicht im Stande, mit einiger Gewifsheit Stadtmauern aufzuspüren. Wir sahn uns auch vergebens
nach Inschriften um. Dies mufs einst, wie wir es an Ort und
Stelle abschätzten, eine Stadt von nicht weniger als zwölf oder
fünfzehntausend Einwohnern gewesen sein. Jetzt ist es nur ein
Feld voll Ruinen, ein Ort unbeschreiblicher Zerstörung, über den
der vorübergehende Wanderer kaum seinen Weg finden kann.
Eine Menge von Eidechsen schlüpften munter und still zwischen
den Steinen hin; und am Abend, da wir noch auf waren und
schrieben, war das Gekreisch einer Eule der einzige Laut, der
die Todtenstille unterbrach.

. Wie es scheint, so sind diese Ruinen noch von keinem frühern Reisenden bemerkt worden; und es war nur Zufall, dafs
wir darauf stiefsen. Der Ort mufs in alten Zeiten einige Wichtigkeit gehabt haben. Aber welche Stadt kann es wohl gewesen

sein? Das ist eine Frage, die ich nach vielem Forschen und mit den besten Hülfsmitteln europäischer Wissenschaft, noch nicht beantworten kann. Der Name er-Ruhaibeh erinnert natürlich an das hebräische Rehoboth, einen der Brunnen Isaaks nahe bei Gerar [1]). Das scheint jedoch nur ein Brunnen gewesen zu sein, und weder in der Schrift noch irgendwo anders wird erwähnt, dafs eine Stadt damit in Verbindung stehe. Auch die Lage des Brunnens selbst scheint viel weiter nördlich gewesen zu sein, und es wird keine Stadt dieses Namens in dieser ganzen Umgegend erwähnt. Wahrscheinlich hatte dieser Ort einen andern Namen, der jetzt ganz in Vergessenheit gerathen ist. Das obenerwähnte verfallne Wely deutet an, dafs der Ort bewohnt oder wenigstens häufig besucht wurde bis lange Zeit nach der Eroberung durch die Muhammedaner.

Da Ruhaibeh der grofse Punkt ist, von welchem die Wege durch die Wüste, nachdem sie alle vereinigt waren, wiederum nach Gaza und Hebron auseinanderlaufen, so ist hier eine passende Gelegenheit, Alles zusammenzufassen, was noch über diese Wege, so wie über die Gegend weiter südlich zu sagen übrig bleibt. Den Weg nach Hebron gingen wir selbst, eine Reise von zwei Tagen; er wird im Folgenden näher beschrieben werden. Gaza (arabisch Ghuzzeh) sollte blofs einen, obgleich sehr langen Tag von Ruhaibeh entfernt sein. Unsre Führer wufsten von keinen Ruinen an diesem Wege, und blofs von einem Orte von einiger Bedeutung, Nüttar Abu Sümar genannt, wo die Araber Getreide-Magazine haben.

Von 'Akabah nach Hebron und Gaza führt ein Weg beinahe die ganze Länge des grofsen Wady el-'Arabah hindurch,

---

1) 1 Mos. 26, 22.

und erhebt sich von da zu dem hohen westlichen Plateau durch
zwei Pässe, nicht fern vom südlichen Ende des todten Meeres.
Wir werden. später Gelegenheit haben, denselben zu beschreiben.
Von 'Akabah nach Ruhaibeh giebt es ferner für einen Theil des
Weges zwei Strafsen. Die eine ist die, welche wir gingen. Der
andre Weg zieht sich eine Zeitlang durch das Thal 'Arabah hin,
wie wir solches bereits erwähnt haben; dann hebt er sich durch
den Wady el-Beyâneh, und vereinigt sich mit unsrem Wege,
ehe er Jebel 'Arâif erreicht.

Vom Kloster Sinai (und folglich auch von Tûr) führen drei
Wege über die drei grofsen Pässe von Jebel et-Tih, und vereinigen sich, ehe sie Ruhaibeh erreichen. Der östlichste ist der
Weg, welcher bei el-'Ain, so wie bei den Brunnen eth-Themed
im Westen des Berges Türf er-Rukn vorbeigeht, und in unsern
Weg bei Wady el-Mâyein nahe Jebel 'Arâif fällt. Der mittelste Weg kommt über den Tih durch den Pafs el-Mureikhy, und
der westlichste über den Pafs er-Râkineh. Diese Wege vereinigen sich, ehe sie die Haj-Strafse erreichen, und kommen dann
auf der runden Ebne beim Ursprung des Wady es-Serâm, ungefähr eine Tagereise von Ruhaibeh entfernt, in unsre Strafse.
Dieser vereinigte Weg geht in einiger Entfernung ostwärts der
Festung Nùkhl an der Haj-Strafse, und zwar 6 Stunden zufolge
Seetzen's Nachricht[1]), oder 13 Stunden zufolge Lord Prudhoe's
Notizen. Es geht indessen ein abgezweigter Weg von beiden
Pässen über Nùkhl und kommt weiter nördlich wieder herein;
doch wird dadurch die Entfernung um eine Tagereise verlängert.
Vom Kloster bis Ruhaibeh rechnet man neun Tagereisen auf dem
graden Wege, und zehn Tage über Nùkhl. Der mittelste durch
den Pafs el-Mureikhy ist derjenige, welcher am gewöhnlichsten

---

1) Zach's Monatl. Correspond. XVII. S. 147.

von den Tàwarah bereiset wird; doch war Tuweileb mit ihnen allen bekannt.

Alle diese Wege liegen, wie man bemerken wird, östlich von Wady el-'Arish; die mehr westlichen durchschneiden diesen Wady von Westen nach Osten, nicht weit oberhalb Jebel Ikhrimm. Ein anderer Zweig hält sich jedoch von diesem Punkt nach Gaza längs der westlichen Seite vom 'Arish, indem er diesen Wady viel weiter unterwärts durchschneidet, und Ruhaibeh in einiger Entfernung zur Rechten läfst. Dies ist, wie es scheint, die Strafse, welche im funfzehnten und sechszehnten Jahrhundert die Pilger nahmen, wenn sie von Gaza nach dem Berge Sinai wanderten.

Die oben gedachten Wege sind alle, von denen wir erfahren konnten, dafs sie von Süden nach Norden durch die Wüste gingen. Indessen führt noch eine wichtige Strafse von Kairo über 'Ajrûd nach Hebron und läuft am Anfang des Wady es-Seràm in unsern Weg, ehe sie Ruheibeh erreicht. — Einige Tage vor uns war Lord Prudhoe ebenfalls direkt von Nükhl nach Wady Mûsa gegangen, und hatte die Güte uns die auf seiner Tour gemachten Bemerkungen mitzutheilen.

Die von uns bei den Arabern eingezogenen Nachrichten, verbunden mit unsern eigenen Beobachtungen, und Burckhardt's Reise im Jahre 1812 gewähren, so weit mir bekannt ist, die einzigen topographischen Details, welche bis jetzt in Betreff dieser grofsen Wüste dem Publikum übergeben sind; ausgenommen einen sehr kurzen Bericht von Russegger auf seiner Reise vom Kloster nach Hebron, wenige Monate nachdem wir durchgekommen waren. Diese Notizen sind in einer Anmerkung am Ende dieses Bandes zusammengefafst [1]).

---

1) Siehe Anmerkung XXII.

Aus einem Vergleich aller dieser Nachrichten geht hervor, dafs sich in der Mitte dieser Wüste ein langes Central-Becken befindet, welches sich von Jebel et-Tih bis zu den Küsten des mittelländischen Meeres erstreckt und gegen Norden mit bedeutendem Abfalle hinuntergeht. Durch die ganze Länge dieses Beckens läuft, alle seine Gewässer ableitend, der Wady el-'Arîsh, und fällt nahe am Orte gleiches Namens in das Meer. Westlich von diesem Becken laufen andre Wady's direkt zum Meere hinab. Im Osten desselben Central-Beckens ist ein gleiches paralleles, zwischen ihm und dem 'Arabah; indem beide durch die Kette el-'Öjmeh und deren Fortsetzung getrennt sind. Dieses letztre Becken erstreckt sich vom Tih bis beinah an den Jebel el-'Arâif und el-Mükrâh; seine Gewässer werden durch den Wady el-Jerâfeh abgeleitet. Letzterer hat seinen Anfang in oder nahe am Tih, und entleert sich in den 'Arabah, ganz nahe bei el-Mükrâh. Im Norden des letzteren Beckens ist der Landstrich zwischen dem 'Arabah und dem Becken von el-'Arîsh mit Bergreihen oder Berggruppen ausgefüllt, von welchen im Osten kurze Wady's nach dem 'Arabah laufen, so wie längere im Westen nach Wady el-'Arîsh. Weiter nördlich laufen diese letztern gradezu nach dem Meere nahe bei Gaza.

Vergleichen wir nun diese Formation der nördlichen Wüste mit den Notizen, welche wir bereits in Betreff der Halbinsel des Sinai gegeben haben, so erhalten wir eine deutlichere Uebersicht von den Hauptzügen der letzteren. — Wenn man die Parallele der nördlichen Küste von Aegypten östlich bis nach dem grofsen Wady el-'Arabah ausdehnt, so ergiebt sich, dafs die Wüste im Süden dieser Parallele allmälig sich nach Süden zu erhebt, bis sie auf dem Gipfel des Bergrückens et-Tih zwischen den Meerbusen von Suez und 'Akabah, nach Russeggers Angabe, die Höhe von 4322 Fufs erreicht. Die Gewässer dieses ganzen grofsen

Landstrichs fliefsen nördlich entweder nach dem mittelländischen,
oder dem todten Meere ab. Der Tih bildet eine Art Abstufung,
und an seiner südlichen Seite fällt der Boden plötzlich bis nur
zu einer Höhe von ungefähr 3000 Fufs ab, und bildet die sandige Ebne, welche sich beinah über die Breite der Halbinsel erstreckt. — Hinter dieser Ebne fangen die Berge der eigentlichen
Halbinsel an, und erheben sich schnell durch Formationen von Sandstein, Grünstein, Porphyr und Granit, zu den erhabenen Massen
des Katharinenbergs und Um Shaumer, deren ersterer eine Höhe
von mehr als 8000 Pariser Fufs erreicht, und sonach beinah doppelt so hoch ist als der Tih. Von hier laufen alle Gewässer ost-
oder westwärts nach den Meerbusen von 'Akabah und Suez.

Donnerstag den 12ten April. Wir hatten unsre
'Amrân-Führer blofs bis Sheikh el-'Amry, welches wir gestern
passirten, angenommen; da sie jedoch angeblich nach Gaza gingen, so blieben sie noch bis Ruhaibeh bei uns und verliefsen uns
am Abend. Wir selbst waren lange unentschlossen gewesen, welchen Weg wir von diesem Punkte aus nehmen sollten; als wir
jedoch erfuhren, dafs kein Ort von einiger Bedeutung auf dem
Wege nach Gaza läge, und dafs wir auf demselben Jerusalem
vielleicht einen Tag später erreichen würden, während der Weg
über Hebron viel grader ist und anscheinend über frühere bedeutende Ortslagen führte, so entschlossen wir uns den letztern einzuschlagen. Die gestrige Tagereise war uns von höchstem Interesse gewesen; auch bot uns die heutige nicht weniger unerwartete
und erfreuliche Resultate dar.

Wir brachen um 5 Uhr 30 Min. auf und gingen in der
Hauptrichtung N.O. den Wady er-Ruhaibeh hinunter, welcher nun
breit und anbaufähig wurde und auf beiden Seiten abgerundete

Hügel hat. Um 6 Uhr 15 Min. bemerkten wir auf dem Hügel
zur rechten Seite eine Ruine, einen viereckigen Thurm von gehauenen Steinen, an welchen sich ein grofser Steinhaufe anschlofs.
Ein kleiner Wady, esh-Shütein genannt, kommt an diesem Punkt
von derselben Seite her, und an den Hügeln weiter nördlich sahen wir andre Haufen von Quadersteinen. Als wir weitergingen,
wurde das Thal ganz grün von Gras, und in den Jahren des gewöhnlichen Regens mufs es voll von grünen und üppigen Pflanzenwuchs sein. Die Vögel waren nun häufiger. Sie zwitscher-
ten und sangen und füllten die Luft mit süfsem Klang. Wir
unterschieden den Schlag der Wachtel und das Lied der Lerche,
und auch manchen andern kleinen Sänger. Auch die Töne der
Nachtigall hörten wir im Laufe des Tages. Um 6 Uhr 30 Min.
sahen wir ein zerstörtes Dorf auf dem Hügel linker Hand. Fünf
Minuten später verliefsen wir den Wady er-Ruhaibeh, welcher
sich N.W. wendet, um sich mit Wady el-Kürn zu vereinigen,
und gingen bergan in ein kleines Seitenthal Wady el-Futeis.
Wir hatten eine herumstreifende Hawaität-Familie mit drei oder
vier Kamelen eingeholt, welche denselben Weg wie wir reiste,
und da es schien, als wenn der Mann mit der Gegend bekannt
wäre, indem er, wie er sagte, oft hier gewesen war, so nahmen
wir ihn als Führer bis in die Nähe von Hebron an.

Unser Weg führte nun über eine Anhöhe und ein anderes
kleines Thal hinunter, welches beinahe O. N. O. nach einem breiten freien Lande zu lief. Dieses, voll schwellender Hügel, jedoch ohne Berge, breitete sich nun beinahe so weit aus, als das
Auge reichte. Kräuter wurden häufiger, aber das wenige Gras
war verwelkt und verdorrt. Indem wir über niedrige Hügel ritten, deren Zug von der linken Seite herkam, erreichten wir
um 8 Uhr 20 Min. das Bett des Wady el-Kürn. Dies ist
eine Thalebne von ziemlicher Breite mit einem Wasserlauf in

der Mitte, welcher hier West und später Nordwest geht und sich mit dem Ruhaibeh vereinigt. Als wir uns seinem Bett von Süden näherten, bemerkten wir eine Mauer von behauenen Steinen, die sich eine ziemliche Strecke schräg von dem Bett aus hinzieht. Viele kleine Scherben lagen über den Erdboden zerstreut. Wir hielten am nördlichen Ufer bei einem schönen Brunnen, welcher mit kleinen steinernen Trinktrögen zum Tränken der Kamele und Heerden umgeben war. Der Brunnen ist rund, hat acht oder zehn Fufs im Durchmesser und mifst 27 Fufs Tiefe bis zur Oberfläche des Wassers. Er war sehr zierlich mit gutem Mauerwerk ausgebaut, aber der Grund schien theilweise mit Schutt gefüllt zu sein. Das Wasser war etwas salzig; wie man sagt, versiegt es nie. Nahe bei diesem Brunnen war der Boden mit Ruinen überstreut, welche unsre Araber el-Khülasah nannten, in welchem Namen wir nichts anders als das alte Elusa wiedererkennen konnten.

Diese Ruinen bedecken einen Flächenraum von funfzehn oder zwanzig Morgen, auf welchem die Grundmauern und der Umfang der Häuser deutlich zu erkennen sind; auch liegen Quadersteine überall zerstreut umher. Im westlichen Theile waren zwei freie Stellen, vielleicht öffentliche Märkte der alten Stadt. Mehrere grofse Haufen behauener Steine deuten an verschiedenen Stellen die frühere Lage öffentlicher Gebäude an, waren jedoch in zu grofser Verwirrung untereinander geworfen, als dafs es leicht gewesen wäre, etwas davon zu erkennen. Stücke von Säulen und Gesimsen waren hin und wieder sichtbar. Cisternen fanden wir nicht vor; und es scheint der öffentliche Brunnen die Stadt mit Wasser versorgt zu haben. Der Raum, welcher von den Ruinen bedeckt wird, ist wenigstens um ein Drittel gröfser als der von Ruhaibeh; die Stadt scheint jedoch weniger eng gebaut, und die Massen von Ruinen waren weniger beträchtlich. Der Kalkstein

ist hier weicher und sehr zerfallen durch den Einflufs der Witte-
rung; viele der Blöcke waren gleich einer Honigscheibe durch
und durch zerfressen. Auf diese Weise ist wahrscheinlich ein
grofser Theil der Materialien untergegangen. Wir hielten dafür,
dafs dies eine Stadt gewesen sein mufs, welche Raum genug für
eine Bevölkerung von funfzehn bis zwanzig tausend Seelen hatte.

Die Stadt Elusa lag aufserhalb der Grenze von Palästina,
und ihr Name findet sich nicht in der Bibel. Sie wird zuerst
von Ptolemäus in der ersten Hälfte des zweiten Jahrhunderts unter den Städten von Idumäa im Westen des todten Meeres erwähnt, und in der Peutingerschen Tafel als an der römischen
Strafse, ein und siebenzig römische Meilen südlich von Jerusalem
liegend, angemerkt. Diese Entfernung reisten wir nachher in
sechs und zwanzig und einer Viertel Stunde, welches ungefähr
gleich drei und funfzig engl. geographischen Meilen ist: eine
Uebereinstimmung, grofs genug, um die Lage festzustellen,
selbst wenn der Name nicht entscheidend wäre [1]).

Die Profangeschichte erwähnt Elusa nicht weiter; von den
Kirchen-Schriftstellern erfahren wir jedoch, dafs, obgleich hier
eine christliche Kirche mit einem Bischof war, die Stadt gröfstentheils von Heiden bewohnt wurde, welche mit den Sarazenen
der angrenzenden Wüste in Verbindung standen. Hieronymus erzählt von St. Hilarion, dafs er, als er einst mit einer Gesellschaft von Mönchen nach der Wüste von Kades gereiset, nach
Elusa gekommen sei, grade zu einer Zeit, wo ein Jahresfest das
ganze Volk in den Tempel der Venus versammelt hatte, welche
sie, gleich den Sarazenen, anbeteten, in Verbindung mit dem
Morgenstern. Die Stadt selbst, sagt er, war gröfstentheils halb
barbarisch. Als ein Bischofssitz wurde Elusa zum dritten Palä-

---

1) Siehe Anmerkung XXIII.

stina gerechnet. Ungefähr 400 Jahr nach Christo wurde der
Sohn des Nilus als Gefangener vom Berge Sinai hierher gebracht
und vom Bischof losgekauft, wie wir bereits oben angeführt haben, als wir vom Kloster sprachen [1]. Die Namen von vier andern Bischöfen findet man in den Berichten der Concilien bis zum
Jahre 536 nach Christo. Ungefähr im Jahre 600 n. Ch. scheint
Antoninus der Märtyrer von Palästina nach dem Sinai über Elusa
gekommen zu sein, welches er Eulatia nennt. «Die Notitiae von
Kirchen-Schriftstellern, welche bei Reland gesammelt sind, wei-
sen auf dieselbe Periode hin. Von jener Zeit bis jetzt, mehr
als 12 Jahrhunderte hindurch, ist Elusa unerwähnt und die Stelle
unbekannt geblieben, bis es uns vergönnt ward, es der langen
Vergessenheit wieder zu entreifsen [2].

Wir verliefsen den Brunnen um 9 Uhr 15 Min. und setzten
unsern Weg in der Richtung nach N.N.O. fort. Von Wady el-
Kürn (mitunter auch Wady el-Khülasah genannt) hatten wir zwei
Nachrichten. Tuweileb war der Meinung, dafs, nachdem sich
dieser Wady mit dem Ruhaibeh vereinigt hat, beide den Wady
Khübarah bilden, welcher in den Arish geht. Dieser Wady,
nämlich Khübarah, obgleich ohne lebendiges Wasser, ist sehr
fruchtbar und liefert eine gute Ernte von Getreide und Melonen.
Dahingegen behaupteten unsre 'Amrân- und Haweität-Führer,
dafs der vereinigte Wady weiter hinunter den Wady Mürtübeh
aufnehme und so Wady es-Süny bilde, welcher sich in der Nähe
des Meeres nicht weit südlich von Gaza mit dem Sheri'ah verei-

---

1) Siehe oben S. 204.
2) Siehe im Allgemeinen Reland's Palästina p. 215, 218, 223, so
wie auch p. 755 sq.; le Quien Oriens Christ. III. p. 735; Itin. Antonin.
Mart. XXXV. — Callier reiste von Hebron nach Dhoheriyeh und von
da nach Wady Khülasah. Er scheint jedoch das Thal an einem Punkte
weiter östlich berührt zu haben. Journal des Savans Jan. 1836. pag. 47.

nigt. Dieser letztere Bericht schien uns der wahrscheinlichste
zu sein. — Unser Pfad führte uns eine Zeitlang über Sandhügel, Rumeilet Hámid genannt, welche mit Kräutern und Sträuchern überstreut waren; doch fand sich nur wenig Gras. Dieselben Sträucher, welche wir durchgängig in der Wüste ange-
troffen hatten, sahen wir auch jetzt. Einer der vorzüglichsten
unter ihnen war der bereits erwähnte Retem, eine Art Ginster-
Pflanze, *Genista Retem* bei Forskål. Dies ist der ansehnlichste
und am meisten ins Auge fallende Strauch der Wüste; er wächst
häufig in den Wasserbetten und Thälern. Unsere Araber wählten
jedesmal, wo es möglich war, einen Ort zum Lagerplatz, wo dieser Strauch wuchs, um des Nachts von ihm gegen den Wind geschützt zu sein; und wenn sie, wie es oft geschah, während des
Tages den Kamelen vorangegangen waren, war es nichts ungewöhnliches, dafs wir sie unter einem Retem-Strauch sitzend oder
schlafend fanden, um sich gegen die Sonne zu schirmen. Es
war in eben dieser Wüste, eine Tagereise von Ber-Seba, wo
einst sich der Prophet Elias unter denselben Strauch niederlegte
und schlief [1]).

Um 10 Uhr 45 Min. kamen wir an einen breiten Wady
mit einer grofsen Strecke mit Gras, el-Khùza'y genannt. Als wir
weiter vorwärts kamen, hörte der lose Sand auf und das Land zeigte
mehr Gras mit den Kräutern vermischt. Um 11 Uhr 55 Min. durchschnitten wir das Bett von Wady el-Mürtübeh, einen breiten
Strich Landes, der die Spuren von vielem Wasser an sich trug.

---

1) 1 Kön. 19, 4. 5. Der hebräische Name רֶתֶם rothem ist eins
mit dem jetzigen arabischen Namen. Die Vulgata, Luther, die englische
und andre Uebersetzungen geben es unrichtig durch Wachholder.
Die Wurzeln sind sehr bitter und die Araber meinen, sie lieferten die
besten Holzkohlen. Dies erläutert Hiob 30, 4 und Psalm 120, 4.
Vergl. Burckhardt S. 483. (791.)

Kurz vorher, ehe wir diesen Wady erreichten, hatte ein Pfad den unsrigen gekreuzt, welcher nicht weit zur Linken zu Gruben in demselben führt, die Wasser enthalten und Themáil heifsen. Weiter hinunter nimmt dieser Wady den Khúza'y auf und später vereinigt er sich mit dem Kürn, wie oben beschrieben ist.

Unser Weg war soweit zwischen schwellenden Hügeln von mäfsiger Höhe dahingegangen. Wir fingen nun an, andere, höhere, jedoch im Allgemeinen von derselben Beschaffenheit zu ersteigen. Die Kräuter der Wüste begannen zu verschwinden und die Hügel waren nur dünn mit Gras bewachsen, das jetzt trocken und verbrannt aussah. Der Aufgang war lang und allmälig. Wir erreichten die Höhe um 1 Uhr 15 Min. und vor uns eröffnete sich die Aussicht auf einen breiten, niedrigen Landstrich, in dessen Hintergrund unser Blick zum ersten Male die Berge von Judah, im Süden von Hebron, begrüfste, welche das offene Land umgürten und den Horizont in O. und N.O. begrenzen. Jetzt empfanden wir, dafs die Wüste ihr Ende erreicht hatte. Indem wir allmälig hinabstiegen, kamen wir um 2 Uhr über einen wellenförmigen Boden; das Gesträuch verschwand beinahe gänzlich grünes Gras wuchs längs den kleinern Wasserbetten, ja beinahe grüner Rasen, wo hingegen die sanft ansteigenden Hügel, welche in den gewöhnlichen Regenjahren mit Gras und üppiger Weide bedeckt sind, jetzt trocken und verdorrt dalagen. Araber weideten ihre Kamele an verschiedenen Stellen, jedoch war keine Spur von Wohnungen irgendwo sichtbar. Um 2 Uhr 45 Min. erreichten wir Wady es-Seba', das weite Wasserbett eines Winterstroms, der hier W.S.W. gen Wady es-Süny zugeht. An der Nordseite, dicht an den Ufern desselben, liegen zwei tiefe Brunnen, welche noch immer Bir es-Seba' heifsen, — das alte Ber-Seba. Wir hatten nun die Grenze von Palästina betreten.

22

Diese Brunnen liegen in einiger Entfernung von einander;
sie sind rund und in einer sehr festen und dauerhaften Art ausgemauert; dem Anscheine nach war dies ältere Arbeit, als die der
Brunnen von 'Abdeh. Der gröfste hat 12½ Fufs im Durchmesser
und bis zur Oberfläche des Wassers eine Tiefe von 44½ Fufs;
unten war er 16 Fufs in den Felsen eingehauen. Der andre
Brunnen liegt 300 Schritt W. S. W., hat fünf Fufs im Durchmesser und ist 42 Fufs tief. Beide Brunnen haben klares, treffliches Wasser im gröfsten Ueberflufs, das beste, welches wir überhaupt gefunden hatten, seitdem wir den Sinai verliefsen. Beide
Brunnen waren mit steinernen Wassertrögen umgeben, für Kamele und Heerden bestimmt, wie sie ohne Zweifel schon vor Alters für die Heerden gebraucht wurden, welche auf den Hügeln
rings umher weideten. Die Einfassungs-Steine waren tief ein-
geschnitten von den Stricken, woran das Wasser mit der Hand
heraufgezogen wurde [1]).

Wir hatten von keinen Ruinen hier gehört, und erwarteten auch kaum welche zu finden; denn von den Brunnen aus
war nichts dergleichen sichtbar. Dennoch konnten wir uns
nicht entschliefsen, einen so wichtigen Ort ohne genaue Untersuchung zu verlassen. Wir erstiegen die niedrigen Hügel
nördlich vom Brunnen und fanden dieselben mit den Ruinen frü-

---

1) Der hebräische Name Ber-Seba bedeutet „Brunnen des Eides"
oder wie Andere vermuthen „Brunnen der Sieben " in Bezug auf die
sieben Lämmer, welche Abraham dem Abimelech als ein Bundeszei-
chen gab; 1 Mos. 21, 28—32. Der arabische Name Bir es-Seba' bezeichnet auch „Löwen-Brunnen." Einige Schriftsteller haben den Namen als sich auf sieben Brunnen beziehend, angesehn; jedoch ohne den
geringsten historischen oder andern Grund. Auf der Karte unsrer Route
durch die Wüste, herausgegeben im Journ. of the Royal. Geograph.
Society of London für 1839 ist eine ähnliche Erklärung ohne mein Wissen eingerückt worden.

herer Wohnungen bedeckt, von deren Grundmäuern noch die deut-
lichsten Spuren vorhanden sind, ungeachtet kaum noch ein Stein
auf dem andern ruht. Die Häuser scheinen nicht dicht neben einander gestanden zu haben, sondern über verschiedne kleine Hügel und in den Höhlungen dazwischen zerstreut gewesen zu sein.
Gebaut waren sie hauptsächlich von runden Steinen; obwohl sich
auch viereckige und behauene darunter finden. Wahrscheinlich
war es nur eine kleine dorfartige Stadt. Diese Bemerkung schrieb
ich mit Bleistift an Ort und Stelle nieder; und war später erfreut zu finden, dafs sowohl Eusebius als Hieronymus es nur als
„ein grofses Dorf" mit einer römischen Besatzung beschreiben [1]).
Wir konnten keine genaue Spuren von Kirchen oder andern öffentlichen Gebäuden auffinden; ein oder zwei grofse Stein-Haufen
mochten indessen dergleichen Gebäude gewesen sein. Diese Ruinen sind über einen Raum von ungefähr einer Viertel Stunde längs der Nordseite des Wasserbettes zerstreut und dehnen
sich etwa halb so viel in die Breite aus; Scherben waren
überall umhergestreut. — An der Südseite des Wasserbetts ist
eine lange Mauer von behauenen Steinen unterhalb des Ufers,
welche sich mehrere hundert Fufs weit erstreckt und wahrscheinlich errichtet worden ist, um das Ufer nicht durch den
Strom hinwegspülen zu lassen. Gärten oder irgend ein bedeutendes Gebäude mögen einst an dem Ufer oben gelegen haben, aber jetzt ist keine Spur mehr davon zu sehn. An derselben Seite sind mehrere Steinhaufen, und der Boden ist ebenfalls
mit kleinen Scherben bestreut.

Hier ist also die Stätte, wo die Patriarchen Abraham, Isaak
und Jakob oft weilten. Hier grub Abraham vielleicht eben diesen

---

1) Onomast. Art. Bersabec. Euseb. κώμη μεγίστη. Hieronym.
vicus grandis.

22 *

Brunnen, und reiste von hier aus mit Isaak zum Berge Moriah, um ihn dort als Opfer darzubringen. Hier war es, von wo Jakob nach Padan - Aram floh, nachdem er das Erstgeburtsrecht und den Seegen, welcher seinem Bruder gehörte, erworben hatte; hier opferte er auch dem Herrn, als er auszog, um seinen Sohn Joseph in Aegypten wiederzusehn. Hier machte Samuel seine Söhne zu Richtern, und von hier wanderte Elias aus in die südliche Wüste und saß dort unter dem Strauch Retem, eben so wie unsere Araber jeden Tag und jede Nacht darunter saßen. Hier war die Grenze des eigentlichen Palästina, welches sich von Dan bis Ber- Seba erstreckte [1]). Ueber diese schwellenden Hügel schwärmten einst die Heerden der Patriarchen zu Tausenden; wir fanden jetzt nur einige zerstreute Kamele, Esel und Ziegen.

Ber-Seba wird zuletzt im alten Testament als einer der Oerter erwähnt, wohin die Juden nach ihrer Verbannung zurückkehrten [2]). Im neuen Testament kommt dieser Name nicht vor, und eben so wenig wird seiner Existenz von irgend einem Schriftsteller vor Eusebius und Hieronymus im vierten Jahrhundert gedacht. Dieselben beschreiben ihn als ein großes Dorf mit einer römischen Besatzung [3]). In den früheren kirchlichen und andern Notitiae [4]), die sich auf die Jahrhunderte vor der muhammedanischen Eroberung beziehen, kommt es als ein Bischofsitz vor; aber keiner der Bischöfe wird irgendwo genannt. Seine Lage war ebenfalls lange vergessen; und die Kreuzfahrer legten diesen Namen dem Orte

---

1) 1 Mos. 21, 31 ff. 22, 19. 26, 23. 28, 10. 46, 1. 1 Sam. 8, 2. 1 Kön. 19, 3. 2 Sam. 17, 11. Vergl. Relands Palaest. p. 620.

2) Nehem. 11, 27. 30.

3) Onomast. Art. Bersabee. Josephus erwähnt zwar eines Bersabe unter den Städten, welche er befestigte; dies lag jedoch in Galiläa. B. J. II, 20, 6. Vit. 37.

4) Relands Palaest. p. 215. 217. 222.

bei, welcher gegenwärtig Beit Jibrin heifst und zwischen Hebron
und Askalon liegt [1]). Ungefähr in der Mitte des vierzehnten Jahrhunderts kamen Sir John Maundeville so wie Rudolph von Suchem
und Wilhelm von Baldensel diesen Weg auf ihrer Reise vom Sinai
nach Hebron und Jerusalem, und alle drei erwähnen hier eines
Ber-Seba. Die beiden letztern sagen, es sei zu jener Zeit unbewohnt gewesen, doch einige Kirchen ständen noch. Von dieser
Zeit an blieb es, wie es scheint, wiederum fünf Jahrhunderte hindurch bis zu unserer Reise unbesucht und unbekannt; die geringe Auskunft ausgenommen, welche Seetzen darüber von den
Arabern erhielt [2]).

Wir verweilten beinahe eine Stunde an diesem interessanten
Orte, wo Alles, was suchenswerth ist, in einem nahen Kreise
herum liegt. Unterdessen kamen mehrere Ziegenheerden zum
Tränken heran, vielleicht auch weil ihre Hirten sich die Fremden
näher anzusehen wünschten. Nach einigem Handel mit ihnen kauften wir für unsre Araber eine Ziege in der Absicht, ihnen ein
gutes Abendbrod zu geben, zumal da sich unsre Reise dem Ende

---

1) Will. Tyr. XIV, 22.

2) Zachs Monatl. Corresp. XVII. S. 143. Zu der Zeit unsres Besuchs stand ich in dem Wahne, dafs Seetzen selbst in Berseba gewesen;
aber er ging von Hebron zuerst nach der Gegend von Gaza, und demnächst direkt nach dem Sinai, und bemerkt blofs, dafs die Brunnen von
Bir es - Seba' einige Stunden O. N. O von dem Orte lägen, wo er sich
zu der Zeit befand. — Eusebius und Hieronymus setzen Ber - Seba
zwanzig römische Meilen im Süden von Hebron. Dies ist ein auffallen-
des Beispiel ihrer nachlässigen und unbestimmten Weise, Entfernungen
und Richtungen anzugeben, welche ihnen nicht genau bekannt waren.
Wir fanden, dafs die Entfernung von Berseba nach Hebron gute 12 Ka-
melstunden sei, die beinahe 25 engl. geogr. Meilen oder 31 römischen
Meilen gleich kommen, im Allgemeinen in der Richtung N.O. gen O.
Vergl. Relands Palaest. p. 474.

näherte. Um 3 Uhr 35 Min. brachen wir wieder auf und gingen allmälig bergan in der Richtung nach N.O. über einen freien Landstrich, welcher in den gewöhnlichen Regenjahren ein sehr schönes Weideland sein mufs. Keine Felswand, kein Baum war zu sehen, nichts als grasige Hügel. Um 4 Uhr 25 Min. kamen wir an Trümmern eines ehemaligen Dorfes vorbei, von welchem die steinernen Häuser selbst bis auf die Grundmauern niedergeworfen sind. Den Namen konnten wir nicht erfahren. Um 4 Uhr 35 Min. lagerten wir uns in dieser freien Gegend, und zwar zum ersten Male auf Gras oder besser, gewesenen Gras, denn gegenwärtig war es vertrocknet und braun; doch war es immerhin angenehmer als die Wüste, wo bisher der Boden unsres Zeltes nichts als kahler Sand oder Kies gewesen war.

Unsre Araber schlachteten jetzt schnell die Ziege, und die verschiednen Portionen waren bald an mehreren Feuern im vollen Kochen begriffen. Kein Gast, weder gebeten, noch ungebeten, störte sie diesmal in dem vollen Vergnügen ihres appetitlichen Mahls. Solcher Art war wahrscheinlich das „Essen, wie es Isaak gern hatte," und mit welchem, ganz nahe an dieser Stelle Jakob von ihm den Seegen entlockte, der für seinen älteren Bruder bestimmt war [1]. Unser Haweity-Führer hatte seine Familie und zwei oder drei Kamele mit sich; ihnen wurde der Abgang der Ziege überlassen. Ich sah diesem Schmause zu, und bemerkte, dafs die Weiber den Magen und die Eingeweide, welche sie blofs durch das Abstreifen mit der Hand, ohne sie zu waschen, gereinigt hatten, kochten; während der Kopf unabgehäutet und ungeöffnet unterhalb in der Glut eines Feuers bratete, das hauptsächlich nur von Kamelmist gemacht war. Mit einem solchen Mahl würden unsre Täwarah schwerlich zufrieden gewe-

---

1) 1 Mos. 27, 9 ff.

sen sein. Ueberhaupt stehen alle Bedawin, die wir von der
Halbinsel aus getroffen hatten, die 'Amrân, die Haiwát, die Haweitât und die Tiyâhah, unzweifelhaft auf einer niedrigeren Stufe
der Civilisation als die Táwarah, und scheinen sich wenig oder
gar nicht weiter von ihrem ursprünglichen rohen Leben entfernt zu haben, als der rothe Bewohner der amerikanischen
Wildniſs.

Unser Haweity-Führer war aus der Gegend östlich vom
Meerbusen von 'Akabah und nördlich von der Haj-Strafse. Gleich
so vielen andern seines Stammes war er von der Dürre vertrieben worden und wanderte hieher nach dem Süden von Syrien,
um Weide zu suchen. Später fanden wir in der Gegend von
Wady Mûsa mehrere ähnliche Wanderer. Er erzählte uns, dafs
es in seinem Lande viele zerstörte Städte gäbe, welche bis jetzt
noch nicht „niedergeschrieben‟—wären. Sein Stamm besäfse
keine Pferde, und keiner von ihnen, selbst nicht einmal der
Sheikh, könne lesen; er erinnere sich auch keines Bedawy, welcher solches im Stande wäre. In dem Fall, dafs die Haweitât
jener Gegend Briefe empfingen, wendeten sie sich an die Araber-
Hûdhr „Stadtleute‟ von Muweilih, um die Briefe lesen zu lassen.
Diese Haweitât seien in Feindschaft mit den Arabern von Khai-
bar. — Dieser Führer sowohl als die andern Araber nannten
den Wind, welchen wir gestern hatten, Shürkiyeh oder Ostwind,
obgleich derselbe von Süden wehte. Sie sagten, der Simûm un-
terscheide sich von ihm blofs durch seine gröfsere Hitze. Der
Dunst, der Sand und die Verfärbung der Luft waren in beiden
gleich. Sollte er einen Reisenden, welcher kein Wasser bei sich
führt, überfallen, so könnte er unter gewissen Umständen tödtlich werden. Man brauchte das Wasser nicht blos zum Trinken,
sondern es sei auch zweckmäfsig, die Haut damit zu waschen.
Der Simûm, meinten sie, herrsche blofs während der Jahreszeit,

wo der Khamṣîn in Aegypten weht. Dieses ist der Fall im Monat April und Mai [1]).

Freitag den 13ten April. Um 5 Uhr 25 Min. setzten wir uns in Bewegung, und kamen in 5 Min. über einen Pfad hinweg, welcher N. gen W. zum Brunnen von Khuweilifeh führt. Dieser ist in einem Wâdy gleiches Namens und an der Strafse gelegen, welche von Hebron über Dhoheriyeh nach Gaza führt. Er war uns, als dem kleinern Brunnen von Bîr es - Seba' ähnlich, beschrieben [2]). Um 5 Uhr 45 Min. kamen wir auf eine weite freie Ebne, die sehr von der Dürre litt, in welcher jedoch viele Waizenfelder zerstreut lagen, die durch ihr hellgrünes Gewand einen herrlichen Anblick gewährten. Der Boden war auch an vielen Stellen mit Blumen überstreut, unter welchen sich eine Menge von kleinem scharlachrothen Mohn bemerkbar machte. Der Morgen war lieblich, der Himmel klar und heiter, mit einem erfrischenden Winde von S. W., und die Lüfte voll von jubelnd singenden Vögeln; so brachten wir den ersten Morgen in Palästina zu. Es war ein freudiger Eintritt in das Land der Verheifsung.

Die Ebne, über welche wir nun in der Richtung N. O. gen O. reisten, hat eine wellenförmige Oberfläche und erstreckt sich sehr weit nach S. O. Sträucher und Bäume waren nicht sichtbar, und wir erblickten nur Gras, Blumen und grüne Felder. Es erinnerte mich an die grofsen Ebnen des nördlichen Deutschlands. In Osten und Norden erhoben sich Hügel und Bergrücken, der Anfang des Gebirges Judah, und bildeten einen Winkel nach N. O., wohin unser Weg führte. Die Ebne war vielfach durchrissen von tiefen Gräben mit senkrechten Ufern, die

---

1) Lane's Mod. Egyptians I. p. 2. 3.
2) S ehe weiteres über diesen Brunnen unter dem 4. Juni.

gröfstentheils nach der linken Seite hinliefen und durch die win-
terlichen Regengüsse entstanden waren.   Um 6 Uhr 10 Min. ging
links ein Weg nördlich ab, welcher zu einem Orte führte, wo
die Bedawîn ihre Getreide-Magazin haben und der Nüttâr el-
Lükîyeh heifst. Ungefähr um 7 Uhr durchschnitten wir einen
Wady, der nordwestlich durch die Ebne läuft und der Khuweilifeh sein soll, welcher, nachdem er den Brunnen gleiches Namens passirt, sich herumwendet, um sich dem Wady Seba' anzu-
schliefsen. Wir hegten jedoch einigen Zweifel hinsichtlich der
Richtigkeit dieser Nachricht. Zehn Minuten später kamen wir
quer über den Weg, welcher von Gaza nach Wady Mûsa und
Ma'ân führt. Zufolge der Aussage unsres Haweity-Führers vereinigt er sich mit dem Weg von Hebron bei oder nahe einem Brunnen,
welcher el-Milh genannt wird, und dann theilt er sich und geht
hinunter nach dem 'Arabah durch zwei Pässe Namens el-Ghârib und
er-Râkib. Wir erfuhren später mehr von diesem Wege, hörten
jedoch nichts weiter von dem letzteren Pafs [1]). Indem wir weiter gingen, näherten sich die Hügel von N. W. her immer mehr
und mehr denen in Osten; und ein kleiner Wady zeigte sich unsren
Blicken, welcher sich von dem Winkel herunterzog.   Um 8 Uhr
20 Min. ging ein Pfad zur Rechten ab, der, wie man sagte,
zu einem Dorfe in dem Gebirge führt. Um 8 Uhr 45 Min. en-
digte sich die Ebne; wir kamen nun allmählig zwischen die Hügel und betraten den oben genannten Wady, den unsre Araber
Wady el-Khülîl zu nennen beliebten; ob sie jedoch eine andere
Ursache dazu hatten als die, dafs er nach el-Khülîl oder Hebron
führt, ist zweifelhaft. In diesem Thale gab es Getreidefelder
und nach einer halben Stunde, nachdem wir es betreten hatten,
trafen wir einen Mann mit zwei Färsen pflügend, um Hirse zu

---

1) Siehe unter dem Datum des 3. und 4. Juni.

säen. Sein Pflug war sehr einfach, so dafs ein englischer oder
amerikanischer Landmann ihn roh nennen würde; doch verrichtete
er seine Dienste gut, und war viel leichter und von besserer
Construction, als die rohen Pflüge der Aegypter. Es ist nicht
unwahrscheinlich, dafs die alte Form sich noch erhalten hat.

Der Aufgang ward nun steiler. Die Kalksteinhügel an
jeder Seite wurden felsiger und höher und waren mit Gras bewachsen, während hie und da niedrige Bäume an denselben zerstreut standen. Unter diesen war der Butm, *Pistacea Terebin-
thus* bei Linnée und die Terebinthe des alten Testaments, am
häufigsten. Wir bemerkten rothen Klee, der wild auf diesem
Pfade hervorwuchs. Um 9 Uhr 45 Min. erreichten wir das obere
Ende des Thales, und gelangten auf eine Höhe, von welcher
ein steiler Abhang uns zu einem andern tiefen und schmalen
Wady brachte, welcher von N.O. herabkommt. Dieser letztere
biegt sich hier in kurzer Wendung nach S.O, wir konnten aber
so wenig den Namen davon, als in welcher Richtung sein Wasser zuletzt abläuft, erfahren; fanden jedoch später, dafs; er
sich in das grofse Thal entleert, welches weiter östlich, aus
der Nähe von Hebron, nach Wady es – Seba' heruntergeht.
Unser Weg führte uns nun dieses Thal hinauf, immer in der
Hauptrichtung N.O. gen O. Das Thal ist schmal und schlängelt sich zwischen den Hügeln durch, so dafs es schien, als
würde es nie enden. Die Seiten waren felsig, doch mit Gras bekleidet, so wie mit dem Gesträuch Bellân, einer Art Pfriemen-
kraut. Hier begegneten wir mehreren Arabern von wildem, rohem Aussehen, und weiterhin einem Mann zu Pferde, dem ersten,
den wir seit unsrer Abreise von Aegypten sahen. Er ritt eine
wohlgehaltene Stute, welche ihn schnell die steile felsige Seite
eines der Hügel hinunterbrachte. Der Boden des Thals war
früher an seinen steilern Theilen in Terrassen angelegt, von

welchen die massiven Mauern noch vorhanden sind, jedoch nichts
weiter. Nach einiger Zeit sah man Schaaf- und Ziegenheerden
untereinander auf den Hügeln weiden; auch begegneten wir andern Heerden, welche blofs aus jungen Ziegen bestanden. Nicht
lange nachher stiefsen wir auf weidende Heerden Rindvieh und
Esel, und zuletzt, um 11 Uhr 15 Min., erblickten wir das Dorf
edh-Dhoheriyeh auf dem Gipfel eines Hügels, welcher den Wady beschliefst, dessen oberes Ende sich hier hinaus in ein grünes Becken öffnet. Dieses war, so wie die Hügel umher, ganz
in alter patriarchalischer Weise mit Schaf- und Ziegenheerden,
mit Rindvieh, Pferden, Eseln und Kamelen bedeckt, alles im besten Zustande. Welch ein vergnüglicher Anblick, nachdem wir
dreifsig Tage auf die traurige, nackte Wüste beschränkt gewesen waren! Wir erreichten Dhoheriyeh um 11 Uhr 35 Minuten.

Unsre Táwarah-Araber hatten immer gesagt, dafs sie uns
nicht weiter als bis zu diesem Dorfe bringen könnten, welches
das erste auf diesem Wege innerhalb der Grenze von Syrien ist.
Sie hatten es auch so gestellt, als wäre es ganz nahe bei Hebron.
Die Bedawîn bringen Reisende oder Ladungen nie weiter als bis
zu diesem Punkt, da die Einwohner, indem sie an der grofsen
Strafse von Hebron nach Gaza und Aegypten wohnen, das Monopol haben, alle Güter und Reisende, welche von der Wüste herkommen, weiter zu befördern. Unser erstes Bemühen war, uns
in den Stand zu setzen, dafs wir ohne Aufenthalt nach Hebron
vorwärts kommen konnten, zumal da der Tag noch nicht halb
verflossen war. Wir suchten deshalb den Sheikh des Dorfes auf;
er war jedoch abwesend, und derjenige, welcher seine Stelle ver-
trat und mit einer Anzahl Einwohner zusammensafs, benachrichtigte uns, dafs wir keine Lastthiere vor dem nächsten Tage erhalten könnten, wo sie sich verpflichten wollten, uns bis nach Jerusalem zu bringen. Gegen alle unsre dringenden Vorstellungen,

sofort weiter geschafft zu werden, hatten sie taube Ohren, wahrscheinlich, weil sie nicht wünschten, die Nacht mit uns in Hebron zu bleiben; sie sagten jedoch, unsre Araber möchten, wenn sie wollten, mit uns weiter gehen. Dieses schlugen wir denn auch vor, aber die Táwarah sagten, sie wären hier Fremde und fürchteten, dafs, wenn sie nach Hebron gingen, ihre Kamele zum Dienst der Regierung in Beschlag genommen würden, welches, wie wir wufsten, nichts ungewöhnliches war. Wir versuchten nun die Entfernung von hier bis Hebron zu ermitteln, indem wir dachten, dafs es vielleicht möglich wäre, einen unsrer Leute nach Hebron zu senden, um von dort her Lastthiere zu erhalten. Einige sagten uns, es wäre drei, andere vier und noch andere fünf Stunden entfernt; wir konnten auch hierüber nicht eher Gewifsheit erlangen, als bis wir nachher selbst den Weg reisten, wo es sich dann fand, dafs die letzte Abschätzung die richtige war. Unter allen diesen Umständen, so sehr wir auch wünschten vorwärts zu kommen, fanden wir uns doch gezwungen, die Kamele abzuladen und das Zelt aufzuschlagen. Dies thaten wir zum ersten Male auf grünem Grase unter Olivenbäumen in dem Becken dicht unterhalb des Dorfes an der südöstlichen Seite. — Unser Vorsatz war, unsre Táwarah zu bezahlen und zu entlassen, und dann, wenn es möglich wäre, Lastthiere von Hebron zu erlangen.

Wir fanden keine Schwierigkeit, alle unsre Araber zufriedenzustellen, deren Kamele vom Kloster aus für uns beladen gewesen waren; doch eine unerwartete Bedenklichkeit erhob sich in dem Fall mit Tuweileb. Wir hatten ihn blofs als an die Stelle Beshârah's tretend, betrachtet, als Haupt der Gesellschaft und Führer, welches er zufolge einer ausdrücklichen Bestimmung in unserm Contract, ohne vermehrte Kosten für uns, zu thun hatte, abgesehn von kleinen Geschenken, die wir ihm freiwillig gäben. Ich habe bereits erwähnt, dafs er zwei Extra-Kamele mit sich

brachte, zuerst für sich selbst und seine Kinder; eins davon
wurde zu 'Akabah an die Stelle eines Kamels, welches unterwegs
gestorben war, in unserm Dienst genommen. Aber seine Ansichten waren, wie es scheint, schon als er die Reise unternahm, von
den unsrigen verschieden gewesen, und Beshârah hatte ihm gesagt, dafs wir ihn als Sheikh der Gesellschaft nehmen, und ihm
die Miethe eines Dromedars für ihn selbst bezahlen, oder vielmehr ihm ein dem gleichkommendes ansehnliches Geschenk machen würden. So wurde dieses Thier, welches die ganze Reise
hindurch nichts weiter als ein zu Grunde gerichtetes Kamel gewesen war, nun plötzlich in das Dromedar eines Sheikh verwandelt. Wir hatten, wie wir glaubten, ihm bereits genug bezahlt.
Dies war jedoch ein höherer Anspruch, wobei seine Ehre als
Sheikh und als Bedawy mit ins Spiel kam: Es sei angenommen, dafs er als Sheikh zu unsrer Gesellschaft komme; er habe
eingewilligt, dafs sein Dromedar eine Last zu unsrer Bequemlichkeit getragen habe, und nun würde er, sowohl wie sein Dromedar, für immer in den Augen seines Stammes herabgesetzt sein,
wenn wir ihm nicht ein für einen Sheikh passendes Geschenk
machten. All diesem hatten wir nichts entgegenzusetzen als die
Worte unsres Contrakts, welchen er nicht lesen konnte. Wir
machten zuletzt der Sache ein Ende, indem wir ihm unsre alten
Pistolen gaben, mit welchen er auf der Reise gewöhnlich in seinem Gürtel paradiert hatte, und welche wir für eine Wenigkeit
in Kairo gekauft hatten. Durch dieses Geschenk schien er höch-
lichst erfreut; wir waren jedoch nicht ganz gewifs, ob er dieselben nicht sofort im Dorfe verkaufte, wo Schiefsgewehre in Folge
der Entwaffnung des Volks durch die ägyptische Regierung mit
Begierde gesucht wurden.

Wir waren im Ganzen sehr zufrieden mit Tuweileb gewesen, obgleich, wie ich bereits bemerkt habe, seine besten Jahre

vorüber waren und er einen Theil der Zeit sehr unwohl war. Er
war gleichförmig, freundlich, geduldig, gefällig und treu, und bis
hierher hatte er sich weniger als Bettler gezeigt, als seine Gesellschafter. Er nahm von uns Abschied, indem er jeden auf beide
Wangen küfste, noch aufser dem gewöhnlichen Küssen der Hände.
Wir schieden von unsern Táwarah-Arabern mit Bedauern und
herzlichem Wohlwollen. Dreifsig Tage lang waren sie nun unsre
Begleiter und Führer durch die Wüste gewesen, und nicht das
geringste Mifsverständnifs war zwischen uns vorgefallen; sie hatten im Gegentheil alles gethan, was in ihren Kräften stand, uns
die Beschwerden unserer Reise zu erleichtern und uns vor Unbe-
haglichkeiten auf dem Wege zu schützen. Auf allen unsern nachherigen Reisen fanden wir keine so treue und ergebene Führer.

Es war nun zu spät geworden, um noch daran zu denken,
Hebron zu erreichen; wir mietheten daher Kamele bis Jerusalem, um uns und unser Gepäck um Mitternacht aufzunehmen,
damit wir die heilige Stadt vor dem morgenden Abend erreichten.
Die Reise durch die Wüste hatte unsern Proviant so geschmälert,
dafs der Sheikh uns blofs sechs Kamele nehmen liefs anstatt der
neun, welche uns bis hierher gebracht hatten. Diese waren jedoch viel gröfser und stärker als die der Bedawín.

Das Dorf Dhoheriyeh liegt hoch und ist in grofser Entfernung von jeder Richtung aus sichtbar. Es ist ein roher Haufen
Steinhütten; viele davon sind halb unter der Erde, und andere
zusammengefallen. Ein Kastell oder eine kleine Feste schien einst
hier gestanden zu haben; die Ueberreste eines viereckigen Thurms
sind noch zu sehen und werden jetzt als Wohnhaus benutzt; auch
die Thorwege vieler Hütten sind von behauenen Steinen mit Bogen. Der Ort mag zu der Reihe kleiner Festungen gehört haben, die an der ganzen südlichen Grenze von Palästina einst gestanden zu haben scheinen. Das Dorf enthält zufolge der Ab-

schätzung der Regierung ein hundert erwachsene Männer, von welchen acht und dreifsig zu drei verschiedenen Malen für die ägyptische Armee genommen wurden. Obgleich halb in Trümmern, ist es doch reich an Heerden von kleinem und grofsem Vieh und besitzt wenigstens hundert Kamele. Die Einwohner sind Hüdhr oder Stadtleute und gehören zu den Keisiych. Die meisten Dörfer dieser Gegend gehören zu dieser Parthei, wie auch einige der Bedawin[1]). Das Land umher hat ein unfruchtbares Ansehn. Die Kalksteinfelsen sehen in grofsen Blöcken und Massen an den Seiten und Höhen der Hügel heraus, und geben der ganzen Landschaft einen weifslichen Anstrich. Kein Baum war sichtbar, eben so wenig Getreidefelder, ausgenommen in den Gründen der engen Thäler. Ueberhaupt war der Anblick der ganzen Gegend rauh und traurig. Dessenungeachtet mufs es ein schönes Weideland sein, wie sich aus dem wohlgenährten Zustande der Heerden und dem glänzend glatten Ansehn des Rindviehs erwies; auch ist es von Abraham her immer ein gern besuchter Ort der nomadischen Hirten gewesen.

Gegen Abend gingen wir auf die Höhe eines Hügels, grade östlich von unsrem Zelte gelegen, konnten jedoch aufser felsigen Bergen ringsumher nichts sehen. Auf dem einen derselben, in der Richtung Ost gen Süd, waren die Ruinen eines Kastells, welches, wie sich auswies, Semû'a war, am Wege von Wady Mûsa nach Hebron. In der unmittelbaren Nähe desselben liegen, wie die Araber sagten, zwei andre eben solche Ruinen; die eine heifst 'Attîr und die andere Hüsn el-Ghüráb. Von der letzteren erfuhren wir nichts mehr, die erstere sahen wir jedoch später, als wir durch Semû'a von Wady Mûsa zurückkehrten.

Während des Abends legten wir uns nieder und schliefen. Beim Aufgange des Mondes, etwa um 10 Uhr, kamen die Ka-

---

1) S. unter Beit Nettíf am 17. Mai.

mele und wir bestimmten die Zeit des Aufladens um halb 1 Uhr,
da wir nicht wünschten vor Anbruch des Tages Hebron zu erreichen. Kamele und Leute legten sich an der Erde nieder und
waren bald in tiefen Schlaf versunken. Meine Gesellschafter schliefen ebenfalls, während ich allein aufsaß und die wenigen Stunden, welche uns noch übrig waren, durchwachte.

Sonnabend den 14ten April. Eine halbe Stunde
nach Mitternacht machten wir uns wiederum auf, und fingen an
das Gepäck zu ordnen; doch so groß war die Trägheit und
Dummheit unserer neuen Kameltreiber, daß beinahe zwei Stunden
vergingen, ehe wir aufsitzen konnten. Ein Kamel zeigte sich
widerspenstig und wollte sich nicht beladen lassen, an dessen
Stelle ein anderes vom Dorfe gebracht werden mußte. Endlich
um 2 Uhr 15 Min. brachen wir auf; doch als wir den langen
steilen Abhang vom Dorfe hinabgingen, wurden wir beinah drei
Viertel Stunden aufgehalten durch die Nothwendigkeit, die eine
Ladung umzupacken. Dies und andere Hindernisse machten, daß
wir auf dem Wege nicht weniger als eine Stunde Zeit verloren.
Die Richtung von Dhoheriyeh nach Hebron, wie wir später beob-
achteten, ist N. 54° O. Der Hügel, welchen wir zuerst hinabstiegen, ist sehr steil und felsig und der Pfad schlängelt sich
zwischen Steinen hinab. Er brachte uns zu dem Grunde eines
tiefen Thals, welches zur Rechten hinläuft, muthmaßlich zu dem
großen Wady, welcher das Wasser der Gegend um Hebron her
ableitet. Der Weg fährt fort sich durch Thäler und über Hügel
zu schlängeln; die Dunkelheit verhinderte uns jedoch, viel von der
Gegend zu sehen. Wir konnten wahrnehmen, daß die Hügel
sich mit Sträuchern zu bedecken anfingen, welche immer mehr
zunahmen, je weiter wir kamen, und mit kleinen Steineichen,
Erdbeerbäumen (*Arbutus unedo*), so wie mit andern zwergarti-
gen Bäumen und Büschen vermischt waren. Um 5 Uhr 30 Min.

fanden wir eine Quelle lebendigen Wassers; die erste, welche wir sahen. Als die Sonne aufging, hörten wir zur Linken das Blöcken der Heerden und Krähen der Hähne wie aus einem Dorfe. Bei näherer Erkundigung sagte man uns, dafs keins da wäre, dafs jedoch eine Gesellschaft Bauern in Höhlen dort lebten, welche ihre Heerden weiden liefsen. Im Sommer soll ein grofser Theil der Bauern ihre Dörfer verlassen und in Höhlen oder Ruinen wohnen, damit sie ihren Heerden und Feldern näher seien. Um 6 Uhr 10 Minuten trafen wir eine andre Quelle mit einem viereckigen Reservoir rechts unterhalb derselben, und 10 Min. weiter hin einen rieselnden Bach, den ersten, welchen wir gesehen, seitdem wir den Nil verlassen. Dies war in einem Wady, ed-Dilbeh genannt, der rechts hinabläuft, und theilweise bebaut ist. Dicht dabei war die Stelle eines zerstörten Dorfes, welches ed-Daumeh hiefs.

Die Kamele, welche wir jetzt hatten, waren sehr grofs, fett und kraftvoll, jedes einzelne stärker, als zwei unsrer frühern Bedawinthiere; zugleich waren sie beschwerlicher in ihrem Gange, indem sie mit mehr Festigkeit auftraten, weil sie nur gewohnt waren, Lasten zu tragen und nicht als Dromedare zu reisen. Zwei der Besitzer waren mit uns aufgebrochen, verliefsen uns jedoch bald mit dem' Vorgeben, gleich zurückzukehren, und überliefsen uns und ihre Thiere der Obhut von zwei gewöhnlichen Kameltreibern und einem jungen Nubischen Sklaven, welche alle nichts weiter von der Gegend wufsten, als was grade am Wege lag. Als wir weiter kamen, waren die Hügel dicker mit Gebüsch bekleidet, und mit einer grofsen Menge der Za'ter, einer Art Thymian, welcher beinahe wie Melisse riecht und zum Kochen gebraucht wird, bedeckt. Um 7 Uhr 20 Minuten verliefsen wir den graden Weg nach Jerusalem, welcher links von Hebron läuft, und wendeten uns etwas mehr rechts. Wir ritten nun über eine Höhe und er-

23

reichten um 7 Uhr 45 Min. ein kleines Thal mit vielen Olivenbäumen und eingezäunten Weingärten, Kennzeichen unsrer Annäherung an ein mehr cultivirtes Land. Die Gegend um Hebron
ist überreich an Weingärten und die Trauben sind die schönsten
in Palästina. Jeder Weingarten hat ein kleines Haus oder ein
Thürmchen von Stein, das den Hütern zur Behausung dient,
und man sagte uns, dafs während der Weinlese die Einwohner
von Hebron hinausgingen und in diesen Häusern wohnten, so
dafs die Stadt beinahe verlassen sei. In diesem kleinen Thale
sieht Alles gedeihlich aus; rings umher weideten grofse Heerden
Schafe und Ziegen, alle im besten Stande.

Von einer andern Anhöhe, über die uns unser Weg führte,
sahen wir endlich Hebron, jetzt el-Khalîl genannt, unter uns in
einem tiefen engen Thale liegen. Dieses Thal läuft von N. N. W.
nach S. S. O. in den grofsen Wady, welcher nach Wady es-Seba'
seinen Abflufs hat. Die Stelle, wo wir uns befanden, gewährte
eine der schönsten Ansichten des Orts. Die Stadt liegt eigentlich auf den Bergabhängen zu beiden Seiten dieses Thals, hauptsächlich auf der östlichen; der untere Theil jedoch erstreckt sich
gleichfalls quer über nach der westlichen Seite. Die Häuser sind
alle von Quadern, hoch und gut gebaut, mit Fenstern und platten
Dächern, und auf diesen Dächern kleine Kuppeln mitunter zwei
bis drei an jedem Hause: eine Bauart, welche Judäa eigenthümlich zu sein scheint, da ich mich nicht erinnre, es weiter nördlich als Nâbulus gesehen zu haben. Dies gab der Stadt in unsern Augen ein neues und besondres Ansehn, und die ganze Erscheinung war viel besser, als ich erwartet hatte. Das grofse
alte Gebäude, welches jetzt als Moschee gebraucht wird, ist das
ansehnlichste. Wir stiegen von Westen auf einem felsigen Pfade
in das Thal hinab und hielten um 8 Uhr 15 Minuten gegenüber
dem nördlichen Stadttheile auf einem grünen Abhange, welcher

zum Theil zum Begräbnifsplatze dient. Wir hatten somit gefunden, dafs die Entfernung von Dhoheriyeh nach Hebron fünf Reisestunden betrug.

Ein höchst interessanter Punkt unsrer Reise war nun erreicht. Die Stadt vor uns war eine der ältesten jetzt noch vorhandenen Städte, welche in der Schrift, ja vielleicht in den Geschichtsbüchern der Welt erwähnt ist [1]). Hier wohnte Abraham und die andern Patriarchen und gingen mit Gott um. Hier nahebei wurden sie und ihre Weiber begraben. Hier war auch sieben Jahre lang die königliche Residenz Davids; vor uns lag „der Teich zu Hebron", über welchem er die Mörder seines Nebenbuhlers Isboseths aufhing [2]). In Hebron dichtete er auch wahrscheinlich viele seiner Psalmen, welche jetzt noch die Seele erschüttern und zu Gott erheben. Unser Gemüth wurde von allen diesen Erinnerungen tief ergriffen, und wir würden den Tag gern einer nähern Untersuchung des Orts gewidmet haben, wenn wir nicht den lebhaftesten Wunsch gefühlt hätten, Jerusalem noch an diesem Tage zu erreichen, und so unsre lange und mühselige Reise zu beendigen. Zugleich hegten wir die Hoffnung, Hebron ein andermal wieder zu besuchen. Dies zusammengenommen bestimmte uns zur Hintansetzung aller übrigen Bedenken, und so schnell als möglich nach Jerusalem zu eilen. Beinahe sechs Wochen später verweilten wir mehrere Tage in Hebron, und ich schiebe daher den ausführlichen Bericht über die Stadt und ihre Umgebung bis dahin auf [3]).

Nachdem wir die Strafsen von Hebron eilig durchstrichen hatten, waren wir nach einem Aufenthalt von einer einzigen Stunde um 9 Uhr 15 Minuten wieder auf der Reise. Die Strafse nach

1) 1 Mos. 13, 18.
2) 2 Sam. 4, 12.
3) Siehe den 24. und 25. Mai.

23 *

Jerusalem ist rauh und bergig, aber ziemlich grade in der Hauptrichtung zwischen N. O. gen N. und N. N. O. Als wir aus der Stadt hinausritten, war der Pfad vor dem Thore auf eine kleine Strecke hin voll Schmutz und Pfützen von einer Quelle in der Nähe; das war für uns, da wir aus der Wüste kamen, ein erfreulicher Anblick. Der Pfad geht auf kurze Zeit das Thal hinauf, und dann in ein Nebenthal, ebenfalls bergan, welches von N. O. kommt. Hier ist der Weg gepflastert oder vielmehr uneben mit breiten Steinen belegt, nach der Art einer Schweizer Bergstrafse. Er geht zwischen den Mauern von Wein - und Oelgärten; die ersteren liegen hauptsächlich in dem Thal und die letzteren an den Abhängen der Hügel, welche an vielen Stellen in Terassen gebaut sind. Diese Weingärten sind trefflich und tragen die gröfsten und schönsten Trauben im ganzen Lande. Das Thal wird gemeiniglich für das Escol des alten Testaments gehalten, woher die Kundschafter die Weintrauben nach Kades zurückbrachten, und wie es scheint, nicht ohne Grund. Die Beschaffenheit seiner Früchte stimmt noch immer mit ihrem alten Ruhm überein; sowohl Granatäpfel und Feigen, als auch Aprikosen, Quitten und dergleichen wachsen hier noch im Ueberflufs [1]).

Dieser Weg trägt alle Zeichen an sich, dafs er stets die grofse Landstrafse zwischen Hebron und Jerusalem war. Er ist in grader Richtung und an vielen Stellen künstlich und augenscheinlich vor alter Zeit gemacht. Räder haben ihn jedoch nie

---

1) 4 Mos. 13, 23. Die Lage von Escol wird in dieser Stelle nicht genau bezeichnet; aber 1 Mos. 14, 24 heifst es, dafs Abraham bei seiner Verfolgung der vier Könige, von Hebron aus durch seine Freunde Aner, Escol und Mamre begleitet wurde. Nun gab Mamre der Terebinthe bei Hebron, bei welcher Abraham wohnte, den Namen (1 Mos. 13, 18.), und es ist nicht unwahrscheinlich, dafs auf gleiche Art der Name des Thals von seinem Gefährten Escol abgeleitet ist.

berührt. Die Hügel sind zu schroff und steil und die Oberfläche
des Bodens ist zu häufig mit Felssteinen bestreut, als dafs die Möglichkeit vorhanden wäre, dafs Wagen in dieser bergigen Gegend
gebraucht werden könnten ohne die mühsamste Erbauung von künstlichen Wegen, so wie sie hier nie existirt haben. Ueberhaupt
lesen wir nirgend von Wagen mit Rädern in Verbindung mit dem
Lande im Süden von Jerusalem, ausgenommen wo von Joseph
gesagt wird, dafs er Wagen gesandt habe, um seinen Vater Jakob hinab nach Aegypten zu bringen. Diese kamen nach Hebron
und Jacob reiste damit nach Berseba [1]. Wir hatten diesen Umstand auf unsrer Reise von Berseba nach Hebron im Sinne und
lange vorher, ehe wir Dhoheriyeh erreichten, waren wir überzeugt,
dafs die Wagen für den Patriarchen diesen Weg nicht passirt haben konnten; hätten sie jedoch einen gröfseren Umweg, den grofsen Wady el-Khülil hinauf, mehr zur Rechten genommen, so
konnten sie wahrscheinlich durch die Thäler ohne grofse Schwierigkeit Hebron erreichen.

In ungefähr drei Viertel Stunden gelangten wir an das obere
Ende des Thals. Die Weingärten hörten auf und wir kamen
auf einem freien Landstrich hinaus, wo wir um 10 Uhr zu unsrer Linken die Ruinen eines Dorfes hatten, welches einst von
Christen bewohnt war und jetzt Khurbet en-Nüsàrah heifst. Man
sagte uns, die Einwohner seien durch die Muhammedaner umge-
bracht worden, und es gebe gegenwärtig keine Christen in der
ganzen Provinz von Hebron.

Um 10 Uhr 15 Min. ging ein kaum zu erkennender Steig
rechts im rechten Winkel ab, welcher nach Tekoa führt; an diesem lagen etwa 300 Schritt von unsrem Wege die Grundmauern
eines ungeheuren Gebäudes, welches unsre Neugierde erregte.

---

1) 1 Mos. 45, 19. 21. 27. 46, 1.

Wir gingen zu Fufs hin, während wir die Thiere langsam weiter gehen liefsen, und fanden den Unterbau eines Gebäudes, welches, wie es scheint, nach einem grofsen Mafsstab angefangen,
doch nie vollendet worden war. Er besteht in zwei Mauern, anscheinend von grofsem Umfang; eine davon mit der Front nach
S. W. ist zwei hundert Fufs lang und die andre im rechten Winkel mit der Front nach N. W. ein hundert und sechzig Fufs lang
mit einem offen gelassenen Raum in der Mitte, als wie zu einem
Portal bestimmt. Nur zwei Lagen von behauenen Steinen befinden sich über der Erde, jede davon drei Fufs vier Zoll hoch;
einer der Steine mifst funfzehn und einen halben Fufs in der Länge
und drei ein Drittel Fufs in der Dicke. In dem nordwestlichen
Winkel ist ein überwölbter Brunnen oder eine Cisterne, jedoch nicht
tief. Steine oder Ruinen irgend einer Art liegen nicht umher,
woraus man schliefsen könnte, dafs die Mauern jemals höher
aufgeführt gewesen wären. Es ist nach diesen Ueberbleibseln
allein schwer zu bestimmen, was wohl eigentlich der Zweck dieses Gebäudes gewesen sein mag. Möglich, dafs es eine Kirche
war, obgleich es nicht wie die meisten alten Kirchen in der Richtung von Westen nach Osten liegt. Oder es war vielleicht der
Anfang zu einer Festung, obwohl es scheint, als ob in der Umgegend kaum etwas zu bewachen gewesen wäre. Jedenfalls aber
können diese Mauern nicht später aufgeführt worden sein, als in
den ersten Jahrhunderten der christlichen Zeitrechnung; die Gröfse der Steine weist vielmehr auf ein noch früheres Alter hin.
Der Fleck selbst wird von den Arabern Râmet el - Khalîl genannt.
Die Juden von Hebron nennen es „das Haus Abrahams" und betrachten dies als die Stelle von Abrahams Zelt und der Terebinthe
zu Mamre. Dürfen wir vielleicht voraussetzen, dafs diese massiven Mauern wirklich das Werk der Hände der Juden sind, die
sie in alten Tagen um die Stelle errichtet, wo der Stammvater

ihres Geschlechts gewohnt? Nach einer solchen Voraussetzung
würde der Bau mit dem um sein Grab in Hebron in Uebereinstimmung gewesen sein [1]).

Die Gegend war immer noch felsig und uneben, obgleich
mitunter bebaut. Um 10 Uhr 45 Min. sahen wir auf einem langen Hügel, parallel mit unserm Wege zur Rechten, die Ruine einer Moschee, Neby Yûnas (Prophet Jonas) genannt. Sie
lag in einer Entfernung von etwa einer halben Stunde oder etwas
drüber von uns, und sah ungefähr einer Dorfkirche in Neu-England gleich. Um diese Moschee herum finden sich, wie wir
später erfuhren, die Ueberreste von Mauern und Grundsteine, welche einen früheren Ort bezeichnen. Der Ort wird von den Arabern
Hülhûl genannt, ohne Zweifel das alte Halhul, eine Stadt in den
Bergen Juda's, welche Hieronymus nahe an Hebron setzt [2]). —
Ein anderer Weg von Hebron nach Jerusalem, welchen einige
unserer Freunde wenige Wochen später nahmen, geht bei diesem

---

1) S. d. Haram unter d. 24. Mai. — Diese jüdische Ueberlieferung und der Name sind wenigstens so alt als die Kreuzzüge; Benjamin de Tudèle Voyages par Barat. p. 101. Wenn die oben im Text ge-
gebene Voraussetzung nicht zulässig sein sollte, so können diese Ueberreste vielleicht als zu der Kirche gehörig betrachtet werden, die Constantin nahe an dem vermuthlichen Orte von Abraham's Terebinthe errichten
liefs. S. Euseb. Vit. Const. III, 51—53, und Valesius' Noten zum c.
53; Hieron. Onomast. Art. Arboch und Drys. Das Itin. Hieros. vom
Jahre 333 spricht von dieser Kirche als zwei römische Meilen von Hebron nach Jerusalem zu gelegen. Nach Sozomenus lag sie funfzehn Stadien entfernt in der nämlichen Richtung; Hist. Eccl. II, 4. Adamnanus
erwähnt hier diese Mauern als die einer Kirche; lib. II, 11. Siehe im Allgemeinen Reland's Palaest. p. 711 ff. Josephus wiederum läfst die Terebinthe von Mamre nur sechs Stadien von Hebron stehen; B. J. IV, 9, 7. —
Luther übersetzt weniger correct, Hain Mamre; 1 Mos. 13, 18. u. s. w.
    2) Jos. 15, 58. Hieron. Onomast. Art. Elul.

Orte vorbei. Wir sahen ihn bei einer spätern Excursion von Jerusalem wiederum von der Ostseite, besuchten ihn jedoch nicht[1]). Längs der östlichen Seite desselben Hügels läuft das grofse Thal, welches, indem es südwestlich zum Wady es-Seba' hinuntergeht, das Wasser der ganzen Gegend rund um Hebron und Dhoheriyeh ableitet.

Ein grofses Dorf wurde nun in N.N.O. in einer Entfernung von einer Stunde oder etwas mehr sichtbar, Beit Ummar genannt, welches wir jedoch später nicht bemerkten. Um 11 Uhr 10 Min. befand sich zu unsrer Linken ein verfallner Thurm, vielleicht noch aus den Zeiten der Kreuzzüge, und 5 Min. später gelangten wir rechts an eine Quelle mit einem Steintroge; rings lagen Ruinen umher, gleich denen eines befestigten Platzes. Die Steine sind sehr grofs, und die nahegelegenen Felsen waren so weggehauen, dafs sie eine senkrechte Wand bilden. Dieser Ort heifst ed-Dirweh[2]). — Die Gegend wurde nun freier, die Thäler brei-

---

1) Der Ort ist ebenfalls angeführt von Ibn Batûta im vierzehnten Jahrhundert als das Grabmal des Jonas. Siehe dessen Reisen übersetzt von Lee, London 1829. p. 20. Niebuhr scheint der erste gewesen zu sein, der von Hŭlhûl hörte als dem Namen eines Orts, wo die Juden das Grabmal des Propheten Nathan verehrten; Reisebeschr. III. S. 69. Schubert besuchte die Stelle im Jahre 1837, und giebt einen ähnlichen Bericht über das Grabmal Nathans und die alten Mauern, scheint aber den Namen Hŭlhûl nicht gehört zu haben; Reise II. S. 487.

2) Als wir nachher nach der Lage des alten Bethzur suchten, kam dieser Ort uns wieder in die Gedanken. Diese Stadt war wahrscheinlich nicht weit von Halhul (Josua 15, 58), auf dem Wege von Jerusalem nach Hebron, nahe einem Brunnen; Euseb. und Hieron. Onomast. Bethsur. Aber beide, sowohl Eusebius als Hieronymus, setzen Bethzur zwanzig Meilen von Jerusalem, also nur zwei Meilen von Hebron; während diese Stelle zwei Stunden oder etwa fünf römische Meilen von letztrem Orte entfernt liegt. Das Itin. Hiero . setzt Bethzur 11 Meilen von Hebron. — Dies kann

ter, so wie anscheinend fruchtbar, und die Hügel waren mit Gebüsch, Erdbeerbäumen und Zwerg-Eichen bedeckt, und zeigten
durch ihre terrassirten Seiten die Spuren früheren Anbaus. Dieser Strich war, wie es schien, voll von Rebhühnern, deren Rufen
und Glucken wir von allen Seiten hörten. Indem wir ein Thal
schräg durchschnitten, kamen wir um 12 Uhr 15 Min. zu den
Ruinen eines anderen Dorfes, Abu Fid genannt, mit Oliven-Bäu-
men und Feldbau umher, so wie einem Behälter mit Regenwasser. Hier konnten wir den Weg in ziemlicher Entfernung vor
uns sehen, wie er sich an der Seite eines langen Bergrückens
hinaufzog. Um 12 Uhr 45 Min. trafen wir einen andern verfallnen Thurm zu unsrer Linken. Der Weg nach der eben erwähnten Höhe hinauf ist künstlich; um die Mitte desselben ist eine
Cisterne mit Regenwasser und ein offener Betplatz für die muhammedanischen Reisenden. Von oben geht der Pfad in ein langes
grades Thal, Wady et-Tuheishimeh hinunter, und läuft eine
Stunde darin fort. Um 2 Uhr 15 Min. wurden die Hügel höher
und felsiger. Das Thal wird hier enger und fängt an sich zu
winden, wobei der Weg zur Linken schräg aufwärts geht und
sich um die östliche Spitze eines Berges herumschlängelt, indem das Thal sehr tief unten zur Rechten bleibt. In diesem
Theil desselben sind die Ruinen eines grofsen, viereckigen Gebäudes, vielleicht einst ein Kloster; hier war auch im Jahre 1834
das Feld einer der Schlachten zwischen Ibrahim Pascha und den
rebellischen Fellâhs. Das Thal geht zur Rechten, und wie ich
glaube, vereinigt es sich mit demjenigen, welches von Salomons
Teichen herunter kommt und so zum todten Meere läuft.

---

sicherlich nicht das Wasser gewesen sein, wo der Eunuch getauft ward;
denn er fuhr in seinem Wagen nach Gaza zu, und kann folglich nie diesen Weg passirt haben. Apostelg. 8, 26 ff. Vergl. Schubert's Reise Bd.
II. S. 488. Siehe weiter am 7. Juni.

Der Weg ging nun schräg über die Höhe des Rückens nach der Linken zu und brachte uns um 2 Uhr 30 Min. zu einem engen, nach Osten hinunterlaufenden Thale. Längs der Seite des nördlichen Hügels war eine Wasserleitung, welche, wie wir nachher fanden, um das östliche Ende desselben Hügels herumgeht und in den unteren Teich fliefst. Nachdem wir über diesen Hügel gegangen waren, kamen wir zu dem offnern Thale, in welchem die Teiche sind. Dasselbe geht nach Osten hinunter, nimmt den Wady, den wir eben durchschnitten hatten, auf und vereinigt sich weiter hin mit Wady et-Tuhcishimeh. Von dem Hügel konnten wir in einiger Entfernung vor uns jenseits des Thales das kleine Dorf und die frühere Kirche St. Georg, von den Arabern el-Khüdhr genannt, sehen [1]. — Unser Weg führte uns nun nach dem oberen Ende des obern Teiches hin, welches wir um 2 Uhr 45 Min. erreichten. Es giebt drei dieser ungeheuren Reservoirs, die eins über dem andern in dem abschüssigen Thale liegen und alle Spuren eines hohen Alterthums an sich tragen. Eine kleine Wasserleitung ist von denselben längs den Bergen nach Bethlehem und Jerusalem geführt. Der arabische Name der Teiche ist el-Burak. Dicht dabei ist ein grofses sarazenisches Kastell, Kül'at el-Burak genannt, welches anscheinend jetzt nur von dem Teichhüter bewohnt wird.

Wir hielten eine halbe Stunde an und besahen eilig die Reservoirs, doch später besuchten wir sie nochmals und untersuchten sie dann mit mehr Mufse. Ich schiebe daher die Beschreibung derselben jetzt auf [2]. Ein Weg geht von hier längs der Wasserleitung nach Bethlehem; doch da wir rasch vorwärts zu kommen wünschten, nahmen wir den graderen, welcher schräg

---

1) Siehe den 17. Mai.
2) Siehe den 8. Mai.

den sanften Abhang hinauf nördlich von den Teichen führt.
Es war 3 Uhr 15 Min., als wir aufbrachen. Der Weg ging
dann über eine flache, doch aufserordentlich felsige Strecke Landes, und war schwierig für die Kamele. Unsre Strafse ging
beinahe eine Viertel Stunde links von Bethlehem vorbei, welches
wir in der Entfernung sahen; doch wurde es später durch die
dazwischen kommenden Hügel versteckt. Der arabische Name
ist Beit Lahm. Zu unsrer Linken war das obere Ende eines
Thals, das zuerst parallel mit unsrer Richtung läuft und sich dann
N. W. um einen Berg gegen das mittelländische Meer wendet.
Hier heifst es Wady Ahmed. An der Seite dieses Berges, Bethlehem gegenüber, liegt das grofse Dorf Beit Jâla, gleich Bethlehem von Christen bewohnt und von Oliven-Hainen umgeben,
welche sich in das Thal hin ausdehnen. Um 4 Uhr 10 Min.
waren wir zwischen Bethlehem und Beit Jâla, ersteres uns grade
zur Rechten. Der Weg geht nun längs einer geringen Erhöhung
zwischen Wady Ahmed zur Linken und dem obern Ende eines
Wady zur Rechten, welcher nördlich von Bethlehem nach dem
todten Meere zu läuft. Auf dem sanften Abhange, welcher gegen
Nordost von Wady Ahmed sich erhebt, steht nach der Mitte zu
Kubbet Râhil „Rahels Grab", welches wir um 4 Uhr 25 Min.
erreichten. Es ist dies blofs ein gewöhnliches Muslim Wely oder
Grab eines Heiligen, ein kleines viereckiges steinernes Gebäude
mit einer Kuppel, und innerhalb ein Grab in der gewöhnlichen,
muhammedanischen Form; das Ganze ist mit Mörtel überzogen.
Natürlich ist dies Gebäude nicht alt; im siebenten Jahrhundert
stand hier blofs eine steinerne Pyramide [1]). Gegenwärtig ist es

---

[1]) Adamnanus ex Arculfo II, 7. Das gegenwärtige Gebäude hatte
früher offne Bogen an den vier Seiten, welche ungefähr vor hundert
Jahren zugemauert sind. Es scheint vor Edrisi's Zeiten gebaut worden zu

sehr vernachlässigt und verfällt. Dessenungeachtet wallfahrten
die Juden noch immer dahin. Die kahlen Wände waren mit Namen in verschiedenen Sprachen bedeckt, worunter viele hebräische. Die allgemeine Richtigkeit der Tradition, welche an diesen Fleck das Grab Rahels setzt, kann wohl kaum in Zweifel gezogen werden, da sie durch die Umstände der biblischen
Geschichte hinlänglich unterstützt wird. Es wird auch in dem
Itin. Hieros. A. D. 333 und von Hieronymus in demselben Jahrhundert erwähnt [1]).

Noch immer den Hügel hinan, dem griechischen Kloster
des Elias zu, geht der Weg links um das obere Ende eines tiefen Thals herum, welches ostwärts zum todten Meere hinläuft,
und gewährt eine weite Aussicht über die Berggegend nach demselben, so wie nach der andern Seite dieses Meeres, Bethlehem
und den Frankenberg mit eingeschlossen. Das tiefe Becken des
Meeres war ebenfalls zu erkennen, das Wasser desselben jedoch
nicht sichtbar. Hier zeigten sich uns die ersten Spuren von den
Pilgern, welche jetzt grade in Jerusalem zum Osterfeste versammelt waren. Eine grofse Zahl ihrer Pferde weidete hier, im Augenblicke unter der Aufsicht eines einzelnen Mannes. Die Thiere
waren glatthäutig und in gutem Stande und hatten nicht das Ansehn, als kämen sie von einer weiten Reise. In derselben Nacht
wurden, wie wir später hörten, die Hüter von Räubern angefallen,
wobei ein Mann getödtet, ein andrer verwundet und mehrere Pferde
weggetrieben wurden.

Um 4 Uhr 55 Min. waren wir dem Kloster Mâr Elyâs gegenüber, welches an dem Rande des hohen Landrückens liegt

---

sein. Siehe Edrisi S. 345 ed. Jaubert. Vergl. Cotovici Itin. p. 245.
Pococke II. p. 39. fol.

1) 1 Mos. 35, 16—20. Hieron. Ep. 86. ad Eustoch. epitaph.
Paulae. Opp. T. IV, 2. p. 674. ed. Mart.

und Bethlehem, so wie das tiefe Thal, um welches wir so eben herumgekommen, überschaut. Nach Norden zu ist die Senkung gering, und das Gewässer läuft wiederum nach dem mittelländischen Meere. Von hier aus hatten wir die erste Aussicht auf einen Theil der heiligen Stadt, die Moschee und die andern hohen Gebäude, welche am Berge Zion außerhalb der Mauern liegen. Als wir weiter kamen, waren uns zur Rechten niedrige Hügel und zur Linken das bebaute Thal oder die Ebne Rephaim (der Riesen), mit sanften Hügeln dahinter. Die Ebne ist breit und senkt sich allmählig nach S. W., bis sie sich in dieser Richtung in ein tieferes und engeres Thal, Wady el-Werd genannt, zusammenzieht, welches sich weiterhin mit Wady Ahmed vereinigt und sich den Weg nach dem mittelländischen Meere bahnt[1]). Längs dieser Ebne begegneten wir vielen Menschen, meistens Christen, Männer, Weiber und Kinder, welche von Jerusalem zurückkehrten. Es war der heilige Abend vor Ostern und das Wunder des griechischen heiligen Feuers war so eben geschehen. Sie waren in ihren besten Putz gekleidet und schienen leichten Muths und fröhlich.

Die Ebne Rephaim dehnt sich beinahe bis zur Stadt aus, welche, von derselben aus gesehen, fast in gleicher Höhe mit ihr zu sein scheint. Als wir näher kamen, wurde die Ebne durch einen unbedeutenden Felsrücken begrenzt, welcher den Rand des Thals Hinnom bildet. Dieser tiefe, enge Grund mit steilen, felsigen Wänden, stellenweis fast senkrecht, kommt hier von Norden herab, von der Nähe des Yâfa-Thors, und, um den Berg Zion fast in einem rechten Winkel sich herumbie-

---

1) Josephus sagt ausdrücklich, dafs das Riesenthal (Rephaim) nahe bei Jerusalem war und sich nach Bethlehem hinzog. Antiq. VII, 4, 1. VII, 12, 4. Siehe ferner Josua 15, 8. 18, 16. 2 Sam. 5, 18. 22. 23, 13. 14.

gend, senkt er sich mit grofser Schnelligkeit in das sehr tiefe Thal
Josaphat. Der südliche Abhang des Zion ist sehr steil, doch nicht
grade jäh zu nennen, während die grofse Tiefe des Thals Josaphat mich überraschte. Wir überschritten das Thal Hinnom,
der südwestlichen Ecke des Zion gegenüber, und gingen längs
der östlichen Seite des Thales nach dem Hebron- oder Yâfa-Thor.
Zu unsrer Linken war der „Untere Teich", ein ungeheures Reservoir, gegenwärtig verfallen und trocken. Oberhalb desselben
biegt sich die Wasserleitung von Salomons Teichen quer über das
Thal. — Endlich um 6 Uhr, unmittelbar vor Thorschlufs am
heiligen Abend vor Ostern, betraten wir die heilige Stadt el-Kuds,
und fanden eine willkommne Aufnahme in den Häusern unserer
Missions-Freunde und Landsleute.

Dies war der ermüdendste Tag unsrer ganzen Reise. Wir
waren sechszehn Stunden fast ununterbrochen auf den Kamelen gewesen; doch entstand die Erschöpfung mehr aus dem Mangel an Ruhe und Schlaf als aus zu grofser Anstrengung. Die
Entfernung zwischen Hebron und Jerusalem ist von Eusebius und
Hieronymus sehr bestimmt mit zwei und zwanzig römischen Meilen angegeben, was ungefähr sechszehn und einer halben engl.
geographischen Meilen gleichkommt. Die Dauer unsrer Reise auf
Kamelen zwischen diesen beiden Städten belief sich auf acht und
eine viertel Stunde, und dies stimmt genau damit überein.

Sechster Abschnitt.

Jerusalem.

Erste Eindrücke und Vorfälle.

Die Gefühle eines christlichen Wanderers, wenn er sich zuerst Jerusalem nähert, lassen sich besser denken als beschreiben. Auch ich war mächtig ergriffen. Vor uns, wie wir näher kamen, lag Zion, der Oelberg, die Thäler Hinnom und Josaphat, und andre Oerter voll des tiefsten Interesses; indefs oben die alten Hügel krönend, die Stadt ausgebreitet lag, wo Gott vor Alters gewohnt und wo der Heiland der Welt lebte, lehrte und litt. Von der frühsten Kindheit an hatte ich von jenen heiligen Stätten gelesen und gelernt; nun sah ich alles mit eignen Augen! Es schien mir so vertraut, als wenn ein früherer Traum nun wirklich ins Leben träte. Es war mir, als sähe ich die geliebten Stellen der Kindheit wieder, die ich lange nicht besucht, die mir aber noch frisch im Gedächtnifs lebten. Und so war die Unterbrechung fast schmerzlich, als mein Gefährte, der früher schon hier gewesen, die verschiedenen Gegenstände aufzusuchen und herzunennen anfing.

Endlich also standen „unsre Füfse in deinen Thoren, o Jerusalem! — Es müsse Friede sein inwendig in deinen Mauern, und Glück in deinen Pallästen!‟ Wir zogen in das Yâfa-Thor ein, über den kleinen offnen Platz drinnen, und dann den steilen engen Weg hinunter, längs dem obern Ende des alten Tyropoeon oder Käsemacherthales, bis wir zu der ersten Strafse

kamen, die nach Norden führt, unterwärts des Teiches des His-
kia. In dieser letztern Strafse, beinah gegen die Mitte des Teiches war der Wohnort des Missionarius, Herrn Whiting. Hier
hielten wir einige Augenblicke an, während unsre Kamele abgeladen und entlassen wurden. Von da gingen wir ein wenig mehr
nach Norden und dann hinunter über den Hof der Kirche des
heiligen Grabes nach der nächsten gleichlaufenden Strafse; hierauf
aber wandten wir uns ein paar Schritte links und traten sodann
in die erste Gasse rechter Hand. Hier befanden wir uns, nachdem wir wenige Thüren vorbeigegangen, vor der Wohnung des
Missionarius Herrn Lanneau. Eine Heimath war uns dort schon
gastlich bereitet, und wir blieben hier während unsres ganzen
Aufenthaltes in der Stadt. Beide genannte Herren waren unsre Landsleute und schon seit mehreren Jahren in der heiligen Stadt als Missionarien ansässig. Das Haus des letztern gehörte zu der bessern Klasse. Es war grofs, mit marmornen Fufsböden, und hatte auf einer Seite einen geräumigen, angenehmen
Garten mit Apfelsinen und andern Fruchtbäumen, und vielen Blumen. Es war in der That eine der wünschenswerthesten und ge-
sundesten Wohnungen der Stadt. Und doch betrug der Miethzins
nicht mehr als funfzig spanische Thaler das Jahr.

In den Häusern unsrer Freunde fanden wir mit einer einzigen Ausnahme alle Mitglieder der syrischen Mission beisammen,
sowohl von Beirût als von Cyprus; auch von Konstantinopel war
einer gegenwärtig [1]). Sie waren hierher gekommen mit Frauen
und Kindern, wie die alten Hebräer zur Zeit des Passahfestes, an
dieser Stelle ihren Gottesdienst zu verrichten, und mit einander
über die besten Mafsregeln zu berathschlagen zur Förderung des

---

1) Es versteht sich, dafs ich hier nur von solchen Missionarien
spreche, die von der amerikanischen Gesellschaft für ausländische Missionen, welche ihren Sitz in Boston hat, gesendet sind.

grofsen Werkes, in welchem sie begriffen sind. Unter den acht
Missionarien, die hier versammelt waren, konnte ich zu meiner
nicht geringen Freude fünf als ältere Freunde und Schüler be-
grüfsen. In jenen Tagen früheru Umganges hatten wir nie daran
gedacht, dafs wir uns einst auf dem Berg Zion wieder sehen würden; um so tiefer fühlten und schätzten wir nun Alle das Glück,
uns an der heiligen Stätte zu begegnen, wo wir wieder „freundlich mit einander waren unter uns, und wandelten im Hause Gottes zu Haufen."

Ich habe bereits bemerkt, dafs mir, indem wir quer durch
das Thal Hinnom gingen, die stark abschüssige Senkung des
letztern besonders auffiel, so wie die grofse Tiefe des Thales
Josaphat oder des Kedron, in welches jenes einmündet. In der
Stadt selbst fand ich die Strafsen, die nach Osten hinabgehen,
steiler als ich erwartet hatte. Aber indem wir in die Thore Jerusalems einzogen, sah ich mich dennoch, unabhängig von den
überwältigenden Erinnerungen, die sich dem Gemüth aufdrängten,
in vielen Hinsichten auf angenehme Weise enttäuscht. Nach den
Beschreibungen Chateaubriands und andrer Reisenden hatte ich
erwartet die Häuser der Stadt armselig zu finden, die Strafsen
schmutzig und die Einwohner in Lumpen gehüllt. Allein der erste Eindruck, den alles dies auf mein Gemüth machte, war anderer Art; auch hatte ich später keine Veranlassung, an der Richtigkeit dieses ersten Eindruckes zu zweifeln. Die Häuser sind
im Allgemeinen besser gebaut und die Strafsen reiner, als in
Alexandrien und Smyrna oder selbst in Constantinopel. In der
That von allen orientalischen Städten, die ich besuchte, ist, nach
Kairo, Jerusalem die reinlichste und bestgebaute. Zwar sind die
Strafsen eng und nur äufserst roh gepflastert; aber dies ist der
Fall mit allen Städten des Orients. Die Häuser sind von gehaue-
nen Steinen, oft grofs, und mit den kleinen Kuppeln auf den

24

Dächern, die ich bereits bei Hebron erwähnte, und die vielleicht dem Distrikt Judaea eigenthümlich sind. Diese Kuppeln scheinen nicht blofs zur Zierde, sondern wegen Mangel an Bauholz bestimmt zu sein, die sonst flachen Dächer zu unterstützen und zu befestigen. Gewöhnlich sind deren zwei oder mehr über jedem Gemach des Hauses; sie machen die Zimmer höher und geben den Decken inwendig einen architektonischen Effekt. Die Strafsen und das Volk, das sich in ihnen zusammendrängt, können auch mit denen andrer orientalischer Städte recht gut den Vergleich aushalten; obwohl wer hier oder sonst im Morgenlande die allgemeine Reinlichkeit und Wohlhäbigkeit sucht, die manche Stadt Europa's und Amerika's charakterisirt, sich natürlich getäuscht finden wird.

Sonntag den 15ten April. Dies war der christliche Sabbath und zugleich der Ostersonntag. Es war dieses Jahr ein besonders grofses Fest in Jerusalem, da das Osterfest der römischen und das der morgenländischen Kirchen, das gewöhnlich zu verschiedenen Zeiten fällt, diesmal zusammentraf. Während der Osterwoche war die Stadt voller Pilger, doch nicht im Uebermafse; man sah meist Griechen und Armenier, sehr wenige Lateiner, und nur hier und da einmal einen einzelnen Kopten. Die ganze Anzahl war geringer als gewöhnlich. Der jährliche Auszug nach dem Jordan war vorüber, und einige unsrer Freunde hatten sich ihm angeschlossen; auch das jährliche Possenspiel des griechischen heiligen Feuers hatte statt gefunden, kurz zuvor ehe wir die Stadt betraten. Die Lateiner hatten ebenfalls ihre Mummereien schon gehalten, indem sie die Scene der Kreuzigung darstellten. In Folge unsrer späten Ankunft hatten wir alle die Acte der heiligen Woche verfehlt. Wir betrachteten dies aber als keinen Verlust, vielmehr als einen Gewinn. Denn der Zweck unsres Besuchs war, die Stadt selbst in Rücksicht auf ihren alten

Ruhm und in ihren religiösen Beziehungen, nicht wie sie in ihrem jetzigen Zustande des Verfalles und der Entwürdigung durch
Aberglauben und Betrug erscheint. Auch die Juden feierten ihr
Passahfest. Unsre Freunde hatten ein Geschenk von einigen ihrer ungesäuerten Brote bekommen. Es war in sehr dünnen Blättern gebacken, fast wie Papier, sehr weifs, zart und schmackhaft.
So feierten alle Einwohner, mit Ausnahme der Muhammedaner,
und alle Fremde, mit Ausschlufs einiger weniger Protestanten, das
gröfste Fest im Jahre.

Die verschiednen christlichen Sekten, welche die Kirche
des heiligen Grabes in Besitz haben, waren natürlich genöthigt
gewesen, in dem Gebrauche derselben und der Verrichtung der
religiösen Ceremonien die Reihe zu halten. An diesem letzten
hohen Festtage hielten die Griechen ihr Hochamt am Grabe vor
Tagesanbruch; die Lateiner folgten um 9 Uhr. Ich ging auf
ein paar Augenblicke mit meinem Freunde, Herrn Homes, hinein,
während die letztre Ceremonie verrichtet ward. Nur wenige Menschen waren gegenwärtig aufser den beim Gottesdienst Beschäftigten. Diese wenigen waren alle unten im Schiffe der Kirche;
auf den Gallerien waren keine Zuschauer. Der Hochaltar war
grade vor der Thür des Grabes aufgestellt, so dafs wir nicht hinein gehn konnten. Die Ceremonien, die wir sahen, bestanden
blofs in einer Procession der Mönche und Andrer, die um das Grab
herumzog, eine Weile einhielt, um einen Theil des Evangeliums
zu lesen, und dann wieder mit Gesang und Gebet weiterschritt.
Der Glanz ihrer Kleider, die steif von goldnen und silbernen Sti-
ckereien waren, fiel mir auf; wahrscheinlich waren diese kostbaren Stoffe von frommen Katholiken aus allen Theilen Europa's
hierher geschenkt. Doch nicht weniger fielen mir die gemeinen
und unbedeutenden Gesichter auf, die aus den köstlichen Gewän-
dern heraussahen; sie schienen in der That mehr gemeinem Ge-

24 *

sindel anzugehören, als Dienern des Kreuzes Christi. Es ist auch
Grund zu glauben, dafs es oft unwissende und ununterrichtete
Leute sind, meist aus Spanien, der Auswurf der Geistlichkeit und
Mönche, die hierher in eine Art von Exil geschickt werden oder
auch freiwillig kommen, um die Theilnahme und die übel ange-
brachten Liebesgaben der Katholiken von ganz Europa zu empfangen. Kaum dafs ein einziges Gesicht darunter war, aus welchem Verstand gesprochen hätte. Einige stattliche französische
Seeoffiziere und ein paar irländische Katholiken hatten sich an
die Procession angeschlossen ; allein sie schienen nicht an ihrem
Orte zu sein, und sich fast ihrer Gefährten zu schämen.

Diese Bemerkungen gelten nur einer Thatsache, und ich
denke nicht, dafs sie irgend von einem Geist der Partheilichkeit
gegen die römische Kirche oder ihre Geistlichkeit diktirt worden.
Ich hatte einst die heilige Woche in Rom selbst zugebracht, und
dort die verständigen und edeln Züge vieler der daselbst versammelten Geistlichen bewundert; grade darum fiel mir der Contrast
jetzt desto stärker und unangenehmer auf. Das ganze Schauspiel
war dem protestantischen Sinne schmerzlich, ja empörend. Dies
wäre vielleicht weniger der Fall gewesen, hätte sich nur der geringste Grad von Gläubigkeit an die Echtheit der Gegenstände
umher kundgethan; allein selbst die Mönche behaupten nicht, dafs
das gegenwärtige Grab mehr als eine Nachbildung des ursprünglichen sei. Aber in der alten Stadt des Höchsten zu sein, und
diese ehrwürdigen Stätten und den Namen unsrer heiligen Religion durch solche eitle und lügenhafte Mummereien entweiht zu
sehen, während der stolze Muselmann mit hochmüthiger Verachtung darauf herabsieht, — alles dies erregte in meiner Seele eine
unerträglich schmerzliche Empfindung; und nie besuchte ich diesen Ort wieder.

Wir begaben uns nun nach dem Hause des Herrn Whiting, wo unsre Freunde seit lange in einem grofsen obern Zimmer einen regelmäfsigen Sonntagsgottesdienst in englischer Sprache eingerichtet hatten. Hierin wurden sie von Herrn Nicolayson, dem würdigen Missionarius der englischen Kirche, unterstützt, der von der Londoner Missionsgesellschaft für die Juden hierher geschickt ist. Wir fanden eine recht ehrenwerthe Versammlung, aus allen Missionarienfamilien, nebst mehrern europäischen Reisenden von Rang und Namen gebildet. Es war wohl die zahlreichste protestantische Versammlung, die je in den Mauern der heiligen Stadt gehalten worden; und besonders erfreulich war es, zu sehn, wie hier Protestanten von verschiednen Kirchen alle Unterscheidungen beiseit setzten, um vereint und Eines Herzens durch ihr Beispiel in Jerusalem selbst zu erklären, „dafs Gott ein Geist ist, und dafs die, so ihn anbeten, ihn anbeten müssen im Geist und in der Wahrheit." [1]. — Die Einfachheit und Geistigkeit des protestantischen Gottesdienstes war mir rührend und doppelt wohlgefällig im Contrast mit dem Prunkspiel, wovon wir so eben Zeugen gewesen waren.

Am frühen Nachmittage waren wir auch gegenwärtig bei dem arabischen Gottesdienste, den dieselben Missionarien im Hause des Herrn Lanneau eingerichtet hatten, und der von einigen zwanzig bis dreifsig arabischen Christen vom griechischen Cultus regelmäfsig besucht ward [2]. Es waren Männer von respektablem Ansehn, Kaufleute und dergleichen, die auch dem, was vorgetragen ward, ihre Aufmerksamkeit zu widmen schienen.

---

1) Joh. 4, 24.

2) Die gröfsere Anzahl der Christen in Palästina gehört zur griechischen Kirche, allein sie sind alle geborne Araber und brauchen nur die arabische Sprache bei ihrem Gottesdienste.

Es mag hier nicht am unrechten Orte sein, zu erwähnen, dafs die Absicht der amerikanischen Mission in Syrien und andern Theilen der Levante nicht dahin geht, die Mitglieder der morgenländischen Kirchen von diesen abzuziehen und zum Protestantismus zu führen; sondern lediglich dahin, solche zur Kenntnifs und zum Glauben an die Wahrheiten des Evangeliums zu erwecken in der Reinheit und Einfachheit, wie sie sich in ihrer ursprünglichen schriftlichen Form kund gethan. Auf dieses Ziel allein richten die Missionarien ihre vereinten Kräfte, in der Hoffnung, dafs solchergestalt erleuchtete Individuen, wenn sie im Schoofse ihrer eignen Kirche bleiben, nach und nach selbst die Werkzeuge werden mögen, in jene Leben und Kraft und eine Liebe zur Wahrheit zu ergiefsen, vor der die verschiednen Gestalten des Irrthums und des Aberglaubens von selbst verschwinden werden. Die Missionarien scheinen den rechten Weg ergriffen zu haben, indem sie blofs als Prediger des Evangeliums auftreten und nicht gradezu als Angreifer der einzelnen Irrthümer; auf diese Weise streben sie stillschweigend die Finsternifs zu verscheuchen, indem sie Licht verbreiten, statt sie laut als dichte Finsternifs anzuklagen. Es ist wahr, sie machen so weniger Geräusch. Denn die blofse Darstellung der Wahrheit erweckt weniger Widerspruch als das Inzweifelziehen langgenährter Irrthümer. Doch mit Gottes Hülfe mögen sie hoffen eine reichere Erndte zu gewinnen. Dieser Weg ist nicht ohne lange Erfahrung und Ueberlegung eingeschlagen worden, und die Missionarien sind alle nur einer Meinung in Bezug darauf. Er hat jedoch von Personen von weniger Erfahrung sowohl zu Hause als auswärts starken Widerspruch erfahren, und auch jetzt ist die Stimme des Tadels wohl noch nicht ganz verhallt. Allein die Missionarien verlassen sich mit Vertrauen auf die herzliche Unterstützung der erleuchteten Kirchen, die sie ausgesendet, und sind der innigen Theilnahme und der

Billigung derer gewifs, welchen Gelegenheit und Fähigkeit erlaubt, die Sache am Orte selbst zu untersuchen ¹).

Gegen Abend kamen die Familien wieder in einer weniger förmlichen Art auf eine Stunde zum Gebet und zur religiösen Ermahnung zusammen. Diese verschiedenen Andachtsübungen nebst andern, die gelegentlich an andern Tagen verrichtet werden, halten die Missionarien mit aller Regelmäfsigkeit, welche die Umstände erlauben. So lange wir in der Stadt blieben, wurden sie ohne Unterbrechung fortgesetzt; späterhin jedoch wurde alle Regelmäfsigkeit durch die Pest gehindert; und dazu kamen andre Umstände, wodurch die Thätigkeit der amerikanischen Missionarien in Jerusalem für eine Zeitlang gänzlich gehemmt wurde ²).

Montag den 16ten April. Nach unsrer langen Verbannung in die Wüste hatte ich natürlich nun viele Briefe zu schreiben, um den Meinen und fernen Freunden von unserm Wohlergehn Nachricht zu geben, so wie von unsrer Ankunft in der heiligen Stadt. Bis zu der Zeit, dafs wir Kairo verliefsen, war keine Schwierigkeit gewesen, Briefe zu befördern, wenn wir nur wollten; denn die verschiednen Linien der östereichischen und französischen Dampfböte hatten den Verkehr mit dem Westen so unmittelbar und so häufig gemacht, als nur immer zwischen den verschiedenen Theilen Europa's unter einander. Aber diese Bequemlichkeit war noch nicht bis Syrien ausgedehnt. Zwar kam das englische Dampfboot von Malta nach Alexandria alle Monat von letztrem Ort auf ein paar Stunden nach Beirüt; aber dies in

---

1) S. verschiedne Briefe und Papiere über diesen Gegenstand in den früheren Nummern des Missionary Herald vom J. 1838, den die amerikanische Missionsgesellschaft in Boston herausgiebt.

2) Durch Krankheit der Missionarien selbst, die sie zwang, anderswo Hülfe zu suchen.

Verbindung mit einer wöchentlichen Privatpost nach Beirût, die
eben errichtet war, bot auch die einzige regelmäfsige Gelegenheit,
Briefe von Jerusalem nach Europa zu senden. Des Pascha's Post
von Kairo nach Damascus und Aleppo geht durch Gaza und Yâfa
ohne mit Jerusalem zu communiciren. Wir konnten sie jedoch
benutzen, indem wir unsre Briefe an unsern Consularagenten nach
Yâfa schickten, der sie dann wiederum an die Consuln in Kairo
und Alexandrien zu senden hatte. Ich that dies ebenfalls einmal
in Gaza; ein andres Mal auch bot sich eine Gelegenheit durch
einen eignen Regierungsboten Briefe direkt von Jerusalem nach
Alexandria zu schicken.

Die allgemeine Versammlung der Missionarien hatte den
Zweck, verschiedene wichtige Angelegenheiten in Betracht zu ziehen und zu entscheiden. Sie kamen am heutigen Tage zum ersten Male zusammen, und setzten ihre Sitzungen Vor- und Nachmittags ungefähr 10 Tage lang fort. Die Zeit meines Gefährten
wurde durch diese Berathungen sehr in Anspruch genommen, und
was mich selbst betraf, so hatte ich gleich anfangs genug zu
thun mit Briefschreiben und der Einrichtung meiner Tagebücher;
der nothwendigen Vorbereitung durch Lesen nicht einmal zu gedenken, deren ich zu genauern Untersuchungen in Jerusalem und
auf unsern nachherigen Excursionen bedurfte. Es gewährte mir
auch Vergnügen, den Zusammenkünften der Missionarien beizuwohnen, so weit es Zeit und Umstände erlaubten. Es war wahr-
haft erfreulich, den Geist der Liebe und Eintracht zu beobachten,
der sie Alle beseelte. Bei vielen Punkten konnte kaum erwartet
werden, dafs nicht zuerst eine Verschiedenheit der Meinung hätte
Statt finden sollen; aber aus allem ward ein entschiedenes Verlangen und Bemühen offenbar, durch reife Ueberlegung und ge-
genseitiges Nachgeben in jedem Falle zu einem Beschlufs zu gelangen, in dem Alle sich von Herzen vereinigen konnten. Die

Resultate, zu denen sie gelangten, waren glaub' ich in jedem Punkte einstimmig; und der Einflufs dieser Zusammenkunft und dieser Berathungen, die die Bande der Liebe und Achtung unter ihnen nur enger ziehen mufsten, wird nach meinen Gefühlen zu urtheilen, sicherlich von Dauer sein.

Von solchen Empfindungen und Eindrücken angeregt, ward der Nachmittag des folgenden Sonntags der Feier des heiligen Abendmahls gewidmet. In dem grofsen obern Zimmer in Herrn Whiting's Hause, „da man zu beten pflegte," safsen eilf Gäste in der heiligen Stadt, alle protestantische Diener des Herrn und zehn davon aus der neuen Welt, zusammen mit mehreren Freundinnen und andern Christen, um den Liebestod des Erlösers zu feiern, nahe an der Stelle, wo die Verordnung dieser Feier zuerst gegeben ward. Dieser heilige Act, die ergreifenden Erinnerungen, die er hervorrief, und dann die Stadt und der Oelberg vor unsern Augen, die unerwartete Uebereinstimmung in Ort und Zahl — alles dies war vom tiefsten Eindruck, und gab dieser Stunde eine Weihe und uns eine innere Bewegung, die stets unvergefslich sein wird. Was mich insbesondere betraf, so stimmte der Gedanke, dafs dies das einzige Mal im Leben sei, dafs ich hoffen könnte diese hohe Gunst zu geniefsen, mich unaussprechlich feierlich.

***

Mit Beschäftigungen und Gemüthsfreuden dieser Art hätte ich leicht alle meine Zeit nützlich und angenehm ausfüllen können, wäre ich dazu geneigt gewesen. Allein ich hatte andre Pflichten. Der Zweck meiner Reise nach Jerusalem war weder Freunde zu besuchen, noch den Charakter der jetzigen Bevölkerung zu erforschen, noch ihren moralischen und politischen Zustand zu untersuchen, aufser wo es grade der Zufall darbot.

Mein einziger grofser Zweck war die Stadt selbst in ihren topographischen und historischen Beziehungen, ihre Lage, ihre Hügel, ihre Thäler, ihre Alterthumsüberreste, die Spuren ihrer einstigen Bevölkerung, kurz alles auf sie Bezügliche, was zur Erläuterung der heiligen Schrift dienen konnte. In allen diesen
Punkten waren unsre Freunde, die lange an Ort und Stelle gewesen, bereit uns die helfende Hand zu reichen; und obwohl sie
ihre eignen Geschäfte sehr in Anspruch nahmen, fanden wir doch
oft Zeit, Abends oder Morgens oder auch wohl während des Tages häufige, und zuweilen lange Spaziergänge durch die interessantern Theile der Stadt und Umgegend zu machen. Wieder und
wieder besuchten wir die wichtigsten Oerter und wiederholten unsre Beobachtungen und verglichen was wir selbst gesehn, mit
den Berichten der alten Schriftsteller und frühern Reisenden, bis
zuletzt Vermuthungen oder Meinungen zu Ueberzeugungen gereift,
oder auch nach und nach aufgegeben waren. Unser Motto waren
die Worte des Apostels, (wenn auch nicht ganz in seinem Sinne,) „Prüfet alles, und das Gute behaltet." Während dieser Zeit
unternahm ich auch viele Messungen, sowohl in als aufserhalb
·der Stadt.

Diese wiederholten Untersuchungen der nämlichen Gegenstände gaben von nun an unsern Nachforschungen in Jerusalem
einen unregelmäfsigern Charakter, so dafs es, wenn nicht schwer,
doch kaum! rathsam sein würde, sie ferner in der Gestalt eines
Tagebuches zu berichten. Ich werde mich demnach bestreben,
nachdem ich einige unsrer interessantern Wanderungen in und
um Jerusalem beschrieben, und einige Umstände unsers Aufenthalts daselbst erzählt, die Resultate unsrer Forschungen in Bezug auf die Topographie und die Antiquitäten der Stadt in einem
besondern Abschnitte zusammenzustellen. In diese allgemeine Beschreibung des Ortes und seiner Umgebungen mögen denn auch

unsre kleinen persönlichen Vorfälle, in so weit es nöthig, verwebt werden. Diese Art der Darstellung wird den Leser, mit
Hülfe des begleitenden Plans, am besten befähigen, unsern Untersuchungen zu folgen, und selbst die Gründe, auf denen unsre
Schlüsse ruhen, zu beurtheilen.

Bei jenen Wanderungen war unser Hauptzweck weniger
zu untersuchen, als einen allgemeinen Eindruck von der Stadt
und Umgegend zu erhalten, um so den Weg zu specielleren Nachforschungen zu andrer Zeit zu bahnen. Ich beschreibe sie hier
in der nämlichen Absicht, und möchte denselben allgemeinen Eindruck dem Leser mittheilen; eine genauere und umständlichere
Schilderung der verschiedenen Gegenstände und die Frage über
die Identität derselben, bleibe dem folgenden Abschnitt vorbehalten.

Zion, Siloam, u. s. w.

Unsre Wanderungen begannen Dienstag den 17ten April.
Wir speisten bei unsrem Freunde, Herrn Nicolayson, in seinem
Hause im Judenviertel, auf der nordöstlichen Seite des Zion.
Gegen Abend gingen wir, unser Wirth, Herr Smith und ich
durch das Yâfa-Thor aus der Stadt, und indem wir uns links
wendeten, nahmen wir unsern Weg den Abhang hinunter längs
dem tiefen Graben, der hier die Burg einfaßt. Wir gelangten
so auf den Grund des Thales Hinnom, längs welchem eine Zeit
lang der Weg nach Bethlehem hinläuft, den wir am Sonnabend
gekommen waren. Ein andrer Weg trennt sich von diesem beinahe gleich nach der linken Seite hin und hebt sich schräg den
Abhang des Zion hinauf nach der südwestlichen Ecke der Stadtmauer zu, die hoch über dem Thale liegt. Als wir die letztre
erreichten, kamen wir auf dem hohen ebnen Theile des Zion
heraus, den die neuere Stadt nicht mit in sich begreift. Es ist
zumeist eine offne Strecke Landes, an einigen Orten gepflügt,

mit einigen wenigen zerstreuten Gebäuden. Die vorzüglichsten
davon sind das sogenannte „Haus des Caiphas", jetzt ein armenisches Kloster; und das moslemitische Grab Davids mit einer
Moschee. Auch sieht man steinerne Mauereinfassungen um die
Gebäude herum und an andern Orten. Allein was unsre Aufmerksamkeit jetzt besonders anzog, das waren die christlichen
Begräbnifsplätze, die alle in diesem offnen Raume liegen; erst
der der Armenier nächst dem grofsen Kloster im südlichen Winkel der Stadt; südlich von diesem der griechische; und mehr östlich der der Lateiner. Auf allen diesen Gottesackern sind die
Gräber — wenn sie es überhaupt sind — blofs mit einem flachen Steine bezeichnet, der auf das Grab gelegt und mit einer
Inschrift versehn ist. Auf dem Begräbnifsplatze der Lateiner fiel eine Inschrift meinem Auge besonders auf; sie enthielt
den Namen meines Vaterlandes und bezeichnete das Grab eines
jungen Amerikaners. Zehn Jahre früher hatt' ich ihn in Paris
in der Blüthe seiner Jugend gekannt; er war ein Liebling in
der Familie Lafayette's, und heimisch in den glänzenden Kreisen
der glänzenden Hauptstadt. Er war bald nachher nach Aegypten
und dem Orient gegangen und im Jahre 1830 hier allein und
freundlos im lateinischen Kloster gestorben. Das Epitaphium,
durch welches die Mönche sein Grab geehrt haben, erklärt, dafs
er „freiwillig die Irrthümer Luther's und Calvins abgeschworen
und sich zur katholischen Religion bekannt habe." Der arme
junge Mann wufste zu wenig von den Lehren der Reformatoren
und noch weniger von denen der römischen Kirche. Kein Freund
war nahe, seine letzten Augenblicke zu bewachen; und der stärkste Schlufs, der aus der erwähnten Behauptung gezogen werden
kann, ist, dafs er, um in Ruhe gelassen zu werden, zu all ihren Fragen Ja sagte. Noch wahrscheinlicher beruht auch die
Angabe blofs auf dem Faktum, dafs in seiner Sterbestunde, wo

das Bewufstsein ihn vielleicht verlassen hatte, sie ihm die letzte Oelung gaben. Der Stein besagt, dafs „betrübte Freunde" ihn setzten; — erfreute Katholiken, versteht sich, denn keine andern hätten solch eine Inschrift auf sein Grab gesetzt [1]).

Nahe dabei ist das Grab eines andern Franken, dessen Tod unter Umständen von eigenthümlichem Interesse Statt fand. Ich meine Costigan, den irländischen Reisenden, der im Jahre 1835 in Folge seines romantischen und unvorsichtigen Versuches starb, das todte Meer in einem offnen Boote in der Mitte 'des Juli zu untersuchen. Er hatte sich ein kleines Boot von den Ufern des mittelländischen Meeres nach dem See Tiberias von Kamelen herübertragen lassen, und fuhr so auf dem Jordan nach dem todten Meere hinunter. Hier stach er mit seinem maltesischen Bedienten ganz allein in den See hinein, und es gelang ihm, das südliche Ende desselben zu erreichen; allein ihre Einrichtungen waren so mangelhaft, dafs sie zwei bis drei Tage ohne frisches Wasser waren, und so den brennenden Strahlen einer unbewölkten Sonne ausgesetzt, sich gezwungen sahen, angestrengt zu rudern, um nur wieder an das nördliche Ende zu kommen. Als sie das Ufer erreicht hatten, lagen sie einen ganzen Tag zu schwach sich weiter zu bewegen, indem sie einander mit dem

---

1) Die Inschrift lautet wie folgt:

D. O. M.
Hic jacet.
C. B. ex Americae
Regionibus
Lugduni Galliae Consul, Hierosolymis tactus intrinsecus sponte
Erroribus Lutheri et Calvini abjectis
Catholicam religionem professus, synanche correptus
E vita decessit IV nonas Augusti MDCCCXXX Aetatis suae
XXV.
Amici moerentes posuere.
Orate pro eo.

schweren Meerwasser wuschen, und so Stärke zu gewinnen suchten. Endlich raffte sich der Diener auf und arbeitete sich nach
Jericho, wo Costigan sein Pferd gelassen. Dies ward ihm sogleich geschickt, auch ward er mit frischem Wasser versehen.
Er wurde nach dem Dorfe gebracht, und schickte den folgenden
Tag einen Boten auf seinem eignen Pferde ab, Herrn Nicolayson
um Medicin zu bitten, und ihn von seiner Gefahr zu unterrichten.
Dieser machte sich auf der Stelle auf den Weg zu ihm, und kam
um zwei Uhr Donnerstag Morgens bei ihm an. Er fand ihn sehr
schlimm von einem schweren Wechselfieber ergriffen. Da keine
Hoffnung zu seiner Genesung vorhanden war, so lange er in Jericho blieb, so that Herr N. sein Möglichstes, um Leute zu bekommen, ihn in einer Sänfte nach Jerusalem zu tragen; allein
umsonst. Das einzige Mittel, ihn fortzuschaffen, war, einen grofsen Strohsack an jede Seite des Pferdes zu hängen, und so ihm
auf dessen Rücken ein Bett zu bereiten. Auf diese Weise ward
der Leidende mit grofser Schwierigkeit nach der Stadt gebracht.
Am Freitag Abend hatte er Jericho verlassen, den nächsten Morgen um 8 Uhr erreichte er Jerusalem. Die Reise hatte ihn sehr
erschöpft, keine Arznei wollte wirken. Am Montag Morgen starb
er im lateinischen Kloster, wo er ein Zimmer hatte. Keine Notizen noch irgend ein Bericht von seiner Reise wurden unter seinen Papieren gefunden. Diese Umstände wurden uns von Herrn
Nicolayson erzählt, während wir um sein Grab herumstanden [1]).

Ein wenig südwärts vom lateinischen Begräbnifsplatz, dicht

---

1) Stephens sah den Diener Costigan's in Beirut und suchte von
ihm etwas über die Expedition herauszubringen; aber alles, was er von
ihm erfuhr, |ist verwirrt und ohne Werth. Die Skizze vom todten
Meere, die Stephens seinem Buche nach diesem Berichte beigefügt hat,
liegt vor mir, während ich dies [schreibe. Die Gestalt derselben hat wenig Aehnlichkeit mit der dieses Meeres. Incidents of Trav. Vol. II. p. 278.

an der Mauereinfassung der Moschee und des Grabes Davids ist
ein kleines Stück Land, das von den amerikanischen Missionarien zum Beerdigungsort für ihre Todten erkauft worden ist. Zu
diesem Schritt wurden sie fast durch die Nothwendigkeit getrieben. Zwei ihrer Mitglieder, Mrs. Thomson und Dr. Dodge waren bereits in Jerusalem gestorben. Für die erstere wurde um
eine Begräbnifsstelle auf dem griechischen Gottesacker nachge-
sucht und solche ohne Schwierigkeit erhalten. Als der letztre starb,
wurde dieselbe Erlaubnifs ertheilt, und ein Grab gegraben; allein als die Leiche nach dem Begräbnifsplatz gebracht werden
sollte, kam die Botschaft, dafs die Erlaubnifs zurückgenommen
und das Grab wieder zugeschüttet sei. Nach dringenden Vorstellungen jedoch an das Oberhaupt des griechischen Klosters durfte
das Begräbnifs Statt finden, allein mit dem ausdrücklichen Vor-
behalt, dafs die Erlaubnifs nie wieder gegeben werden solle.
Demzufolge haben die Missionarien diesen kleinen Fleck auf dem
Berge Zion gekauft und ihn mit einer gewöhnlichen Steinmauer
eingeschlossen. Ein paar Oelbäume standen darin und alles sah
grün und friedlich aus, doch war der Platz noch unbewohnt.
Nachdem der Kauf geschlossen und die Besitznahme Statt gefunden, zögerte die Obrigkeit der Stadt mit der gerichtlichen Bestä-
tigung. Gegen die Sache selbst machten sie keine Einwendung,
allein sie wollten gern einige funfzig Thaler in ihre eigne Tasche
stecken. Die Angelegenheit war noch nicht zu Ende gebracht;
und bis das geschehn, wollten die Missionarien nicht die Ueberreste ihrer Freunde hinüber bringen.

Von den Begräbnifsplätzen gingen wir östlich längs der
südlichen Mauer der Stadt, indem wir bei dem Zionthore vorbei und dann den Abhang nach dem Tyropoeon oder Käsema-
cherthale hinunter kamen. Der Weg verläfst die Mauer bald und
wendet sich schräg hinunter längs dem südöstlichen Abhang in

der Richtung nach Siloam. Hier fängt er an steil zu werden;
auch das Tyropoeon, wie es von der Mauer nahe an der grofsen
Moschee herunterkommt, ist steil und bildet eine tiefe Schlucht mit
fast senkrechten Wänden. Am untern Ende wendet es sich östlich und läuft in das Thal Kedron aus. Hier, noch im Thale
Tyropoeon ist der Teich von Siloam ein kleiner, tiefer Wasserbehälter in der Form eines länglichen Vierecks, in welches das
Wasser unter dem Felsen weg aus einem kleinern Becken strömt,
das ein paar Fufs weiter hinauf in die Felsmasse eingehauen ist,
und zu welchem man vermittelst einiger Stufen hinuntersteigen
kann. Dies alles ist künstlich. Das Wasser kommt in dasselbe
durch einen unterirdischen Kanal von dem Marienbrunnen weiter
oben im Thale Kedron oder Josaphat. Der Hügel oder Rücken
Ophel, der die Thäler Tyropoeon und Josaphat scheidet, läuft grade
hier über dem Teiche von Siloam in einer steilen Felsenspitze
aus, vierzig bis fünfzig Fufs hoch. Längs dem Fufse desselben
wird das Wasser in einem in den felsigen Boden gehauenen Kanal abgeführt, und sohinunter geleitet, um die Feigen- und sonstigen Obst- und Pflanzengärten zu bewässern, die terrassenförmig
sich bis in den Grund des Thales Josaphat erstrecken, einen Abhang von vierzig bis fünfzig Fufs hinab. Die Wasser von Siloam, wie wir sie sahn, verloren sich in diesen Gärten. Zur
Rechten, grade unter dem Teiche und der Spitze von Ophel gegenüber, steht ein grofser Maulbeerbaum mit einer Terrasse von
Steinen um seinen Stamm herum, wo man sagt, dafs Jesaia zer-
sägt worden sein soll.

Wir gingen nun das Thal Josaphat hinauf. Dies ist hier
eng mit hohen steilen Wänden. Zu unsrer Rechten hingen fast
die Steinhütten des zerstreut liegenden Dorfes Siloam oder Kefr
Selwân an den felsigen Seiten des sogenannten Berges der Aer-
gernifs (Mons offensionis). Viele davon sind grade vor Höhlen

oder vielmehr ausgehöhlten Gräbern aufgebaut, während an mehrern Orten die Gräber selbst ohne weitern Anbau als Wohnungen
benutzt werden. Ein wenig weiter das Thal hinauf, unter dem
westlichen Berge ist der Brunnen der Jungfrau oder Marienbrunnen [1]); eine tiefe Aushöhlung in die Felsenmasse, augenscheinlich
künstlich, in welche man auf Stufen in zwei Absätzen hinab-
steigt. Das Wasser wird, wie es scheint, durch irgend einen
künstlichen Kanal hineingeführt, und fliefst durch einen unterirdischen Gang unter dem Ophel weg nach dem Teiche von Siloam.
Bei einem spätern Besuche krochen wir durch die ganze Länge
dieses Ganges. Wir tranken von dem Wasser und bemerkten
einen besondern, obwohl nicht unangenehmen Geschmack. Man
hatte uns gesagt, dafs es nicht zum Trinken gebraucht werde;
allein wir fanden hier wie am Siloam Weiber, die ihre Wasserschläuche füllten, welche sie wie Hagar auf ihren Schultern da-
vontrugen. Sie sagten uns, sie gebrauchten es jetzt zum Trinken; im Sommer jedoch, wenn das Wasser tiefer steht, ist es
nicht gut und bekommt einen salzigen Geschmack. — Ober-
wärts des Brunnens wird das Thal sehr eng. Es ist überall nur
ein Wasserbett zwischen hohen Hügeln; und der berühmte Kedron fliefst und flofs wahrscheinlich auch früher niemals über
seinen Boden als nur in den Regenzeiten.

Von dem Brunnen steigt ein steiler Pfad schräg hinauf nach
dem südöstlichen Winkel der Area der grofsen Moschee. Dieser
bildet zugleich die äufserste südöstliche Ecke der Stadtmauer, und
steht grade am Rande der fast senkrechten Wand des Thales, die
hier ungefähr hundert und funfzig Fufs hoch ist. Weiter nördlich,
wo der Berg mehr hervorspringt, während die Mauer in grader

---

1) Bisweilen auch der B r u n n e n Siloam genannt, zum Unterschiede vom T e i c h e von Siloam.

25

Linie fortläuft, bleibt aufser derselben ein schmaler Streifen ebnen Landes liegen, der zu einem muhammedanischen Gottesacker
benutzt worden ist. Die Gräber sind hier gedrängt an einander;
und oft wenn wir nachher dieses Weges gingen, bemerkten wir
einen Geruch, der wahrscheinlich von den in den flachen Gräbern
modernden Leichen herrührte. Die Muhammedaner ziehen diesen
Begräbnifsplatz allen andern vor, weil er so nahe an der grofsen
Moschee ist [1]). Der niedrigere Theil dieser Mauer besteht an
mehrern Stellen aus sehr grofsen Steinen, die dem Auge des Be-
schauers gleich als antik auffallen. Sie müssen wenigstens aus
der Zeit des Herodes sein, wenn nicht aus der Zeit Salomo's.
Der obere Theil der Mauer ist augenscheinlich neu, wie auch die
ganze Mauer an vielen Orten ist. Das goldne Thor, das einst
von der Area der Moschee auf dieser Seite herausführte, ist jetzt
zugemauert. Nahe dem nordöstlichen Winkel dieser Area, gegen
das Stephansthor zu, mafsen wir einen der grofsen Steine der
Mauer, und fauden ihn vierundzwanzig Fufs lang, sechs Fufs
breit und drei Fufs hoch. Grade im Norden desselben Thores
ist an der Aufsenseite ein kleiner Weiher oder Wasserbehälter,
und innerhalb des Thores links ist der sehr grofse, tiefe Wasserbehälter, dem gewöhnlich der Name Bethesda gegeben wird,
obwohl wahrscheinlich ohne hinreichenden Grund. Er ist ganz
trocken und auf seinem Boden wachsen grofse Bäume, deren Gipfel nicht einmal bis zur Strafse hinaufreichen. Nordwärts davon, ein wenig zur Rechten der Strafse ist die verfallne Kirche
der heiligen Anna über der Grotte, die als Geburtsstätte der Jungfrau gezeigt wird. Die Kirche hat spitze Bogen und ist offenbar
ein Werk der Kreuzfahrer [2]).

---

1) Geschichte v. Jerusalem in den Fundgruben des Orients, II. S. 134.

2) Wilhelm von Tyrus erwähnt an dieser Stelle das Haus der Anna,
als einen Ort, wo drei oder vier arme Frauen sich dem klösterlichen

Wir kehrten nun auf der Via dolorosa zurück, auf welcher die
Tradition der Mönche die ganze Localität sowohl historischer
als legendenhafter Begebenheiten zusammengebracht hat, die sich
an die Kreuzigung knüpfen. Diesen Weg entlang, wird erzählt,
trug der Heiland sein Kreuz. Hier kann man den Ort sehn,
wenn man sonst will, wo der Heiland unter der Last ermattend
sich an die Mauer eines Hauses anlehnte; und der Eindruck seiner Schulter ist noch bis auf diesen Tag sichtbar. Dicht dabei
werden auch die Häuser des reichen Mannes und des Lazarus
der Parabel gezeigt. Nach dem jetzigen Ansehn zu urtheilen,
war der Bettler eben so gut behaust, als sein reicher Nachbar.
Doch genug von diesen Abgeschmacktheiten!

Gethsemane, der Oelberg, u. s. w.

Am Vormittag des folgenden Tages, Mittwoch den 18ten
April, nahm ich unsern Diener Ibrahim mit mir, ging zum
Yâfa-Thor hinaus, und mich rechts haltend, um die nordwestliche Ecke der Stadtmauer herum, wo ein Terebinthen- oder
Butm-Baum von beträchtlicher Gröfse steht. Hierauf ging ich
nach dem Damaskus-Thore hinunter. Von da wendete ich mich
links durch das offne Feld nach der Grotte des Jeremia, wie sie
von den Mönchen genannt wird. Sie liegt unter einem runden
einzelnstehenden Hügel, dessen südliche Seite, wie es scheint,
unregelmäfsig weggehauen ist; darunter ist der Eingang der Grotte.
Vorn ist ein kleiner ummauerter Garten; doch die Thür war

Leben gewidmet hatten. Um das Jahr 1113 zwang Balduin I. seine armenische Gemahlin, den Schleier in diesem Kloster zu nehmen, und
stattete dasselbe zugleich reichlich aus. Will. Tyr. XI, 1. Wilkens Geschd.
d. Kreuzz. II. S. 397. — Nach Jaë. de Vitriaco wurde dies die Abtei
von St. Anna genannt, und von einer Aebtissin und schwarzen Nonnen
bewohnt. Hist. Hieros. 58. p. 1078. Saewulf im Jahre 1102—3 spricht
schon von einer Kirche hier; S. 264.

25*

verschlossen, so dafs ich nicht in die Höhle selbst hinein konnte.
Nicht glücklicher waren wir bei einem spätern Besuche. Oben
auf dem Hügel ist ein muslimitischer Begräbnifsplatz [1]). Die
südliche Front des Hügels (wo sich die Grotte befindet) steht
grade der steilen nördlichen Wand des Bezetha gegenüber, welche von der Stadtmauer gekrönt wird, und man sollte fast glauben, dafs beide Höhen einst zusammenhängend einen Rücken bildeten, und der fehlende Theil künstlich weggehauen sei.

Ich kehrte nach dem Wege zurück und hielt mich nun längs
der Stadtmauer, nach Osten zu. Ehe man den nordöstlichen Winkel der Stadt erreicht, ist nahe an der Mauer, oder vielmehr im
Graben eine Vertiefung, die ehemals ein kleiner Wasserbehälter
gewesen zu sein scheint, der vielleicht mit dem, den wir den Tag
vorher, nahe am Stephansthore gesehn, in Verbindung gestanden.
Wenn man nun die steile Höhe von dem Thore in das Thal des
Kedron hinunter, und auf der Brücke über das trockne Wasserbett geht, hat man zur Linken die halb unterirdische Kirche der
Jungfrau Maria, mit einer ausgehauenen Grotte oder Kapelle, die
ihr Grab genannt wird. Vor diesem niedern Gebäude ist ein kleiner, eingesunkener Hof, aus dem eine Treppe in die Kirche hinabgeht. Die frühste Nachricht von dieser Kirche fällt in das sie-
bente Jahrhundert; auch die Geschichtschreiber der Kreuzzüge
erwähnen ihrer [2]).

---

1) Prokesch beschreibt das Innere der Grotte als beinah rund, an
Gröfse etwa 40 Schritt im Durchmesser, in der Mitte ungefähr 30 Fufs
hoch, und von zwei massiven Pfeilern getragen. Sie wird von einem
Muslimheiligen bewohnt, der Plätze zu Gräbern verkauft in der Grotte
und im Garten davor, während oben, wie früher bemerkt, ebenfalls Gräber sind; Reise ins heilige Land S. 95. Der Ort war ziemlich schon
in demselben Zustande im 16ten Jahrhundert; s. Geschichte von Jerusalem aus dem Arabischen. Fundgr. des Orients II. S. 133.

2) Zuerst bei Adamnanus ex Arculfo I, 13. ungefähr 697. n. Chr.

Nahe an derselben Brücke und Kirche auf der rechten Seite
ist der Ort, den eine frühe Ueberlieferung als den ehemaligen
Garten von Gethsemane bezeichnet. Es ist ein Stück ebnes Land,
beinah viereckig, das von einer gewöhnlichen Steinmauer eingeschlossen ist. Der nordwestliche Winkel ist hundert und fünf-
undvierzig Fufs von der Brücke entfernt. Die Westseite mifst
einhundert und sechzig Fufs in die Länge, und die Nordseite hundert und funfzig Fufs. Innerhalb dieser Einhägung stehen acht
sehr alte Oelbäume; um ihre Stämme herum sind Steine aufgeworfen. Dieser Ort hat durchaus nichts Besonderes, was ihn als
Gethsemane bezeichnete. Eben solche Einhägungen stofsen daran,
mit eben so alten Oelbäumen. Der Ort ward nicht unwahrscheinlich während Helena's Besuch in Jerusalem im J. 326 dazu bestimmt, als man glaubte, die Stellen der Kreuzigung und Aufer-
stehung ausgemittelt zu haben. Vor dieser Zeit wird keiner solchen Ueberlieferung erwähnt. Eusebius, der einige Jahre nachher geschrieben zu haben scheint, sagt: Gethsemane war am Oelberge, und war dann ein Betplatz der Gläubigen [1]. Beinah ein

---

Dann von St. Willibald um das J. 765. Auch bei Will. Tyr. VIII, 2. Brocardus c. 8. Mar. Sanut. III, 14, 9. Die Tradition der Mönche schreibt
den Bau der Kirche, fast als wenn sich das von selbst verstünde, der
Helena zu; allein Marinus Sanutus (und wie es scheint auch Brocardus)
setzt ganz ernsthaft voraus, dafs sie schon vor der Zerstörung der Stadt
durch Hadrian existirt habe, und so tief unter den Ruinen, die damals
in das Thal gestürzt, verschüttet worden sei. De Secret. fid. l. c. Nicephorus Callistus jedoch, in demselben 14ten Jahrhundert, schreibt sie
schon der Helena zu. Lib. VIII. c. 30. Arabische Schriftsteller nennen
diese Kirche el-Jesmániyeh i. e. Gethsemane. Edrisi ed. Jaubert p. 344.
Gesch. von Jerusalem, in Fundgr. d. Orients II. S. 132. So auch die
jetzigen Araber.

1) Das Itin. Hieros. seu Burdigal. vom J. 333 erwähnt „des Felsens,
auf dem Judas Christum verrieth", als im Thale Josaphat befindlich.

Jahrhundert später setzt es Hieronymus an den Fuſs des Berges
und sagt, eine Kirche wäre darüber erbaut, die auch von Theo-
phanes, als noch existirend, zu Ende des siebenten Jahrhunderts
erwähnt wird [1]). Antoninus Martyr gedenkt gleichfalls des Gartens am Schlusse des sechsten Jahrhunderts, so wie auch Adamnanus und die Schriftsteller zur Zeit der Kreuzzüge [2]). Es ist
daher wenig Grund zu zweifeln, daſs der gegenwärtig Gethsemane genannte Garten derselbe ist, dessen Eusebius erwähnt.
Ob es die wahre Ortslage ist, kann natürlich nur eine Sache der
Vermuthung sein [3]).

Ich saſs eine Zeitlang allein unter einem der alten Bäume
und gab mich den Eindrücken des Augenblickes hin. Alles umher war still und einsam; nur eine Ziegenheerde weidete nicht
weit davon, und Schafe grasten am Abhang des Berges. Hoch
über mir thürmten sich die todten Mauern der Stadt auf, durch
die kein Laut menschlichen Lebens drang. Es war beinahe wie
die Stille und Oede der Wüste. Hier, mindestens nicht weit von
hier erduldete der Heiland „die Todesangst und den blutigen
Schweiſs‟, die der Erlösung der Welt vorangingen; hier betete
er in tiefer Unterwerfung: „Mein Vater, ists nicht möglich, daſs
dieser Kelch von mir gehe, ich trinke ihn denn; so geschehe
dein Wille!‟ [4])

---

1) Euseb. und Hieron. Onomast. Art. Gethsemane. Theophan.
Chron. A. D. 683. Vergl. Relands Paläst. p. 857. Cyrill von Jerus.
spricht auch von Gethsemane, Cat. XIII. p. 140.

2) Antonin. Martyr 17. Adamnanus ex Arculfo I, 13. Jac. de
Vitr. Hist. Hierosol. 63. Brocardus c. 8.

3) Die Erzählung, daſs die jetzigen Bäume die nemlichen seien,
die hier zur Zeit des Heilands standen, ist natürlich eine Fabel.

4) Matth. 26, 42. Nach dem Evangelisten Johannes ging „Jesus
hinaus mit seinen Jüngern über den Bach Kedron; da war ein Garten.‟

Von der Brücke leiten drei Pfade nach dem Gipfel des Oelberges. Einer, ein blofser Fufspfad, geht gradezu einen steilen
vorstehenden Theil des Abhangs hinauf. Ein andrer geht mehr
zur linken Seite herum, wo der Berg sich etwas zurückbiegt
und so sein Aufgang allmäliger wird. Der dritte windet sich
längs der Vorderseite gen Süden hin. An den Seiten des Berges stehen hin und wieder Oliven und andre Bäume; allein nicht
mehr dicht zusammen, wie es wahrscheinlich ehemals der Fall
war. Ich schlug den mittleren Weg ein, der mich hinauf an die
Himmelfahrtskirche und die Moschee brachte, die auf dem Gipfel
liegen [1]). Um beide herum stehen ein paar Hütten und bilden
ein erbärmliches Dorf. Hier kann man auf die Stadt niedersehn
und wenigstens die Dächer der Häuser überblicken. Die Ansicht
kann eine vollständige genannt werden, aber sie ist nicht besonders interessant. Die Dächer und Kuppeln liegen alle in todter,
grauer Masse da; aber die Entfernung ist zu grofs, um die einzelnen Gebäude oder topographischen Verhältnisse der Stadt zur
Gnüge unterscheiden zu können. Eine angenehmere Ansicht bietet sich von mehreren Punkten weiter unten dar.

Von der Kirche oben ist nur die Stadt und der Prospekt im
Westen sichtbar. Die östliche Aussicht wird durch eine höhere Stelle

----

Joh. 18, 1. 2. Nach Lucas jedoch ging er „hinaus n a c h s e i n e r Ge-
w o h n h e i t an den Oelberg," εἰς τὸ ὄρος; 22, 39. Diese letzte Stelle,
zusammengenommen mit Luc. 21, 37, kann Zweifel einflöfsen, ob nicht
Gethsemane vielleicht höher oben auf dem Oelberg gelegen.

1) Die verschiednen Ereignisse der heiligen Schrift, die die Mönche an die Seite des Oelbergs verlegen und bestimmte Stellen dazu zeigen, kann man finden bei Maundrell, Prokesch (S. 80) und andern Reisenden. — Edrisi spricht von einer grofsen Kirche am Abhang, die Pater Noster genannt werde; p. 344 ed. Jaubert. Dies ist wahrscheinlich
dieselbe, deren Maundeville gedenkt, als an oder nahe dem Ort liegend,
wo Jesus seine Jünger das Gebet des Herrn lehrte. S. 96. Lond. 1839.

des Berges hundert bis hundert und fünfzig Schritt ostwärts abgeschnitten, auf dem ein Wely oder Grab eines muslimitischen Heiligen
liegt. Von diesem Wely beherrscht der Blick das nördliche Ende
und einen Theil des todten Meeres ganz, so wie auch das herumlie-
gende Land, d. h. eine grofse Strecke des Jordanthales, und die nackte, traurige Gegend zwischen Jerusalem und Jericho, und zwischen
Bethlehem und dem todten Meere. Der Lauf des Jordanstroms ist
hier deutlich an dem schmalen grünen Streifen zu erkennen, der seine Ufer bekleidet. Jenseits seines Thales strecken sich die östlichen
Berge nach Norden und Süden aus, ein langer ebner Rücken, und
wie es von hier aus scheint, ganz ohne Einschnitt. Wie sie sich
hier bieten, zeigen sie dem Auge keine Spitze, keinen abgesonderten Gipfel, der für den Nebo der Schrift genommen werden könnte.
In beträchtlicher Entfernung im Norden von Jericho kann man al-
lerdings einen höhern Berggipfel sehen, der den höchsten Punkt
der Berge von Gilead bildet, nicht weit nördlich von es-Salt;
doch dies kann nicht der Nebo gewesen sein. Die Atmosphäre
war zur Zeit vollkommen klar, und die Gewässer des todten Meeres lagen hell und in den Sonnenstrahlen funkelnd da, scheinbar
nicht mehr als zwei bis drei Meilen entfernt, wirklich aber sehr
bedeutend weiter. Ich bedauere, dafs ich versäumte, mich nach
Kerak umzusehn, das an so einem lichten Tage gewifs sichtbar
war. Als wir bei einem spätern Besuche dieser Stelle uns danach umsahen, verhinderte uns die Trübe der Atmosphäre, es zu
erkennen. — Gegen Westen und Nordwesten erstreckt sich die
Aussicht bis nach dem sogenannten Terebinthenthale, und die Höhe
und Moschee von Neby Samwil.

Ich ging nun auf dem südlichen Pfade den Berg hinunter
zurück. Ein Abweg führte mich von ihm über den jüdischen
Gottesacker zu den sogenannten Gräbern Absaloms und Zacharias
im Thalgrunde, grade unter der südöstlichen Ecke der Mauer

der Stadt und der Moschee. Hier ist das Thal am engsten. Dicht bei den Gräbern ist ein Brunnen, welcher eben Wasser hatte, obwohl dieses nicht gebraucht zu werden schien. Hier ist auch noch eine andre Brücke über das Strombett, mit einem schönen Bogen. Von diesem Punkt geht ein rauher Fufspfad nach dem Stephansthore hinauf. Durch dasselbe kehrte ich nun auf der Via dolorosa heim.

Jüdischer Klageort u. s. w.

Am Nachmittage desselben Tages ging ich mit Herrn Lanneau nach dem Orte, wo es den Juden vergönnt worden, das Recht zu erkaufen, sich der Stelle, wo ihr Tempel stand, zu nähern, über seinen Ruinen zu beten, und den Verfall ihres Volkes zu beweinen. Der Platz ist auf der westlichen Aufsenseite der Area der grofsen Moschee beträchtlich südlich von der Mitte. Nur ein krummes Gäfschen führt dahin, das an der Mauer dort in einem kleinen Platze endet. Der untre Theil der Mauer besteht hier aus derselben Art alter Steine, die wir früher an der Ostseite gesehn hatten. Zwei greise Juden safsen hier auf der Erde, und lasen zusammen in einem hebräischen Gebetbuche. Am Freitag kommen sie hier in gröfsrer Anzahl zusammen. Es ist der äufserste Punkt, auf dem sie sich dem alten Tempel zu nähern wagen, und glücklicherweise schützt sie da die Enge der Gasse und die todten Mauern umher vor jeder Beobachtung. Hier mögen sie wenigstens tief in den Staub gebückt, ungestört den erloschnen Ruhm ihres Geschlechts beweinen, und mit ihren Thränen den Boden benetzen, den so viele ihrer Vorfahren mit ihrem Blute befeuchtet. Diese rührende Sitte der Juden ist nicht neuen Ursprungs. Benjamin von Tudela erwähnt ihrer in Verbindung mit demselben Ort schon im zwölften Jahrhundert [1]). Es ist sehr

---

1) Benj. de Tudèlo par Baratier I. p. 90.

wahrscheinlich, dafs der Gebrauch aus noch früherer Zeit her-
stammt. Nach der Einnahme von Jerusalem unter Hadrian, wurden die Juden aus der Stadt ausgeschlossen; und erst unter Constantin wurde ihnen vergönnt, sich der Stadt in so weit wieder
zu nähern, um sie von den benachbarten Hügeln erblicken zu
können [1]). Endlich ward es ihnen erlaubt, einmal im Jahre und
zwar am Tage, an welchem sie einst von Titus erobert, in die
Stadt zu gehen, um über den Trümmern des Tempels zu weinen.
Aber dieses Privilegium mufsten sie von den römischen Soldaten
erkaufen [2]). — Nach der oben angeführten Stelle bei Benjamin
betrachteten die Juden zu seiner Zeit dies Stück der Mauer als
zum Vorhof des alten Tempels gehörig.

Indem wir uns von da etwas rückwärts wendeten, und dann
unsern Weg durch andre enge, scharf gewinkelte Gäfschen, hierauf aber durch eine Anpflanzung indischer Feigenbäume (Cactus)
wanden, kamen wir nach der südwestlichen Ecke der Area der grofsen Moschee, wo die Mauer eine bedeutende Höhe hat. Um diese Ecke herum liegt ein freies, ebnes Stück Feld, das jetzt gepflügt war und sich bis zur Stadtmauer im Süden hinzieht. Diese
letztre, die hier von Westen nach Osten läuft, ist in der Innenseite niedrig, aber an der Aufsenseite hoch, so dafs sie zwischen
dem ebnen Platz oben und den Feldern draufsen weiter südlich,

---

1) Sulpic. Sev. Hist. Sacr. II, 45. Euseb. Chron. — Auch Euseb.
in Psalm. ed. Montfauc. S. 267, 382. Hilar. in Psalm. 58. No. 12. S.
Münter, der jüdische Krieg unter Trajan und Hadrian, S. 97.

2) Münter l. c. Hieron. in Zephan. 1, 15. „Et ut ruinam suae
eis flere liceat civitatis pretio redimunt; ut qui quondam emerant sangui-
nem Christi, emant lacrymas suas. Et ne fletus quidem eis gratuitus
sit, videas in die, quo capta est a Romanis et diruta Jerusalem, venire
populum lugubrem .... plangere ruinas templi sui. Et miles merce-
dem postulat, ut illis flere plus liceat." — S. auch Gregor. Nazianz.
Orat. XII. Valesii Annot. in Euseb. Hist. eccl. IV, 6.

eine hohe Abstufung bildet. Mehr nach Osten dreht sich diese
Mauer im rechten Winkel nach Norden, und vereinigt sich mit
der südlichen Mauer der Area der Moschee, ungefähr auf dem
dritten Theile des Weges von der südwestlichen bis zur südöstlichen Ecke. Die Steine in dem untern Theile der Mauer der
Area im südwestlichen Winkel sind von enormer Größe; auf der
westlichen Seite scheinen beim ersten Blick einige von ihren Stellen verrückt zu sein, als wäre die Mauer geborsten und auf dem
Punkte umzufallen. Wir schenkten diesmal dieser Sache wenig
Aufmerksamkeit, allein nachfolgende Untersuchungen leiteten hier
zu einer unsrer interessantesten Entdeckungen. Südlich von diesem Winkel, nahe am Bett oder Kanal des Tyropoeon ist in
der Stadtmauer ein kleines, jetzt zugemauertes Thor. Dieses haben die Mönche in ihrer Wuth, für jeden Gegenstand
eine Beziehung auf die Schrift zu finden, mit dem Namen
des Mistthors beehrt. Indessen kann weder das alte Thor dieses Namens noch die alte Mauer hier irgendwo herum gewesen sein.

Die jetzige Stadtmauer ist größtentheils mit einer Brustwehr versehen; d. h. die Außenseite ist mehrere Fuß höher aufgebaut, als der innre Theil der Mauer, so daß oben auf letztrer
ein breiter bequemer Gang für die Vertheidiger bleibt, der durch
jene Brustwehr (parapet) mit Zinnen und Schießslöchern geschützt
wird. Stufen gehen in bequemen Entfernungen hinan, damit man
von innen hinauf- und hinabsteigen kann. Indem wir nun die
Stadtmauer nahe bei der Area der Moschee auf diese Weise bestiegen, gingen wir über das sogenannte Mistthor hinweg und
den Berg Zion hinauf. Hier ließen wir einen Brunnen mit Wasser wegseits liegen, und gingen von der Mauer nahe am Zionthore hinunter und so durch das Judenviertel am nordöstlichen Abhange desselben Hügels nach Hause.

Der obere Teich oder Gihon, u. s. w.

Am Nachmittage des folgenden Tages, den 19ten April, gingen wir, die Herren Nicolayson, Smith und ich, von Neuem aus, die Gegend westlich und nordwestlich vom Yâfa - Thore und längs der Yâfa-Strafse zu besichtigen. Wir kamen erst nach dem grofsen Weiher, der in dem Becken liegt, womit das Thal Hinnom oder vielleicht eigentlich das Thal Gihon beginnt; denn dies scheint die Gegend zu sein, welcher dieser letzte Name vor Alters zugehörte. Der Teich war jetzt trocken; allein in der Regenzeit füllt er sich, und seine Gewässer werden dann durch einen kleinen ganz rohen Aquädukt oder Kanal in die Nähe des Yâfa-Thores und so nach dem Teiche des Hiskiah geführt, der innerhalb der Stadt liegt. Das Land um den Weiher herum, besonders an der Nordostseite, wird als ein muslimitischer Begräbnifsplatz benutzt, der gröfste bei der Stadt. Die zerstreut liegenden Gräber sind alt, ja einige haben das Ansehn hohen Alterthums [1]).

Wir nahmen den Rückweg, indem wir quer über den höhern Boden auf der Nordseite des Beckens auf das Thor von Damaskus zugingen, um zu untersuchen, ob vielleicht das Thal Tyropoeon sich in dieser Richtung bis jenseits der Stadt erstreckte. Es ist jedoch in dieser Gegend keine Spur eines Thales oder irgend einer Vertiefung bis zu derjenigen, in welcher das Damaskus-Thor liegt. Der Boden besteht zwischen letztrem und Gihon aus einem sehr breiten Landrücken oder einer allmähligen Erhöhung, die sogar etwas über den Boden des nordwestlichen Stadttheils sich erhebt. Der Boden sowohl westlich als nördlich von der gegenwärtigen Stadt scheint einst bebaut gewesen zu sein; wenigstens haben hier ein-

---

1) Dieser Gottesacker wird zu den Zeiten der Kreuzzüge schon erwähnt. Will. Tyr. VIII, 2.

zelne Gebäude gestanden. Stücken polirten Marmors werden oft
hier gefunden; besonders kleine marmorne Kubikstückchen von
verschiedener Farbe, nicht viel gröfser als Spielwürfel, die man
vor Alters in der Struktur der gewürfelten Fufsböden zu gebrauchen pflegte. — Hierauf gingen wir wieder durch das Yâfa-
oder Hebron-Thor in die Stadt zurück, und indem wir unsern
Weg nach der linken Seite durch mehrere Gäfschen wanden,
kamen wir bei dem koptischen Kloster vorbei, das am Nordende
des Teiches des Hiskiah liegt und grade wieder aufgebaut wurde.
Der Teich hatte Wasser auf dem Boden, allein nur flach, wie
es schien.

Thal Hinnom, Brunnen des Hiob, u. s. w.

Eines Tages ging ich allein aus, über den Berg Zion hinweg nach seinem südlichen Rande, und dann den steilen, pfad-
losen Abhang hinunter, nicht ohne einige Beschwerlichkeit, in das
Thal Hinnom. Der Grund des Thales ist hier von einiger Breite,
und neigt sich allmählig nach Osten zu; weiter unten wird er
enger, und fällt schneller abwärts. An der Südseite steigt der
Berg steil auf, ja an manchen Stellen wie eine schroffe Wand
mit Schichten von Felsen weiter oben; und diese Felsen, wie die
ganze Seite des Hügels sind voller ausgehauener Gräber. Auf
demselben Abhang, das Thal weiter hinab, ist das Akeldama oder
sogenannte Töpferfeld. Die Gräber dauern fort bis wo der Berg
sich südwärts abbiegt und längs dem Thale Josaphat hinläuft.
Ich ging an der Bergseite, zwischen den Gräbern hin; dann
stieg ich nahe an dem Punkte, wo die beiden Thäler sich vereinigen, hinab, und kam so an den Nehemias-Brunnen, wie die
Franken ihn nennen. Bei den Eingebornen heifst er der Brunnen des Hiob. Keiner der beiden Namen hat eine gute Begrün-
dung wie es scheint. Wir werden nachher sehen, dafs dies ziemlich unzweifelhaft der En-Rogel der Schrift ist. Es ist ein tie-

fer Brunnen voll lebendigen Wassers; in der Regenzeit fliefst er
über. — Von hier ging ich das Thal Josaphat hinauf und besuchte Siloam und das Grab Absaloms noch einmal. Durch das
Stephansthor kehrte ich in die Stadt zurück. Dieser Gang gab
mir einen gröfsern Begriff von der steilen Höhe des Zion, als
ich früher gehabt.

Gräber der Könige und Richter, Berg Zion, u. s. w.

Die sogenannten Gräber der Könige besuchten wir wieder-
holt und mafsen sie innerhalb, wie am rechten Ort beschrieben
werden soll. Sie liegen grade nördlich vom Damaskus-Thore,
an der Ostseite der grofsen Strafse, die nach Nábulus führt. Der
Weg zu ihnen geht durch den Olivenhain, der jetzt den ebnen
Strich Landes bedeckt, der auf dieser Seite vor der Stadt liegt.
Ein beträchtlicher Theil dieser Ebne scheint sonst von Gebäuden
besetzt gewesen zu sein; Stücken Marmor und Mosaikwürfel werden oft hier gefunden; auch bieten mehrere nun halb verfallne
Cisternen ein unzweideutiges Zeugnifs früherer Wohnungen dar.
Die Steine, mit denen der Boden dick besäet war, liegen jetzt
in Haufen gesammelt, oder zu Terrassen aufgeschichtet, und die
so gereinigten Felder sind seit Jahrhunderten bebaut worden.
Eines Vormittags (Freitag den 27ten April) gingen wir,
die Herren Smith und Lanneau und ich, nach den Gräbern der
Könige hinaus, sie noch einmal zu betrachten, und den Fortgang
einiger Ausgrabungen zu beaufsichtigen, die wir in's Werk gesetzt hatten. Wir blieben hier nur eine kurze Zeit, und gingen
dann weiter. Etwas jenseits dieser Gräber nimmt das Thal des
Kedron, das sich von der Stadt aus so weit nordwärts erstreckt,
eine Wendung nach Westen, so dafs es einen rechten Winkel
bildet; dann nimmt es auf einmal seine frühere Richtung wieder
an, und läuft gen Norden beinahe bis zu den Gräbern der Richter
hinauf. Die grofse Strafse nach Nábulus geht quer durch dieses

Thal, während es von Westen nach Osten läuft. Zur Rechten dieser
Strafse, fünf Minuten von den Gräbern der Könige, grade wo sie
sich in das Thal hinuntersenkt, ist ein Wely, d. h. das Grab eines
muslimitischen Heiligen, mit dem ein kleiner halb verfallner Khân
in Verbindung steht. Hier wohnt ein verwachsener Sheikh als
Hüter desselben, mit einem Krug Wasser und einer Kanne Kaffee
zur Erfrischung der Reisenden. Die Geschenke, die er von ihnen dafür erwartet, machen zum Theil seinen Unterhalt aus. Da
Herr L. mit ihm bekannt war, hielten wir ein paar Augenblicke
hier an, tranken Kaffee und besahen uns den Khân. Die Bo-
genställe für die Thiere rings um den kleinen Hof herum stehen
noch, allein die Kammern oben für die Gäste sind verschwunden.
Der Name des Heiligen war Husein Ibn 'Isay el-Jerrâhy. Nach
der Ueberlieferung, die der Sheikh uns mittheilte, war er ein
Gefährte des Khalifen Omar gewesen, als dieser Jerusalem er-
oberte.

Wir gingen nun das Thal Josaphat hinauf, dessen Seiten
überall mit in den Felsen gehauenen Gräbern bedeckt sind. So
kamen wir zu den sogenannten Gräbern der Richter. Diese liegen nahe am obern Ende des Thales rechts vom Pfade, grade
jenseits der Wasserscheide zwischen den Wassern des todten und
mittelländischen Meeres. Hier fängt der Boden an sich gegen
Nordwesten zu nach dem grofsen Thale hin zu senken, das gewöhnlich, obwohl fälschlich, von den Franken das Terpentin- oder
Terebinthenthal genannt wird. Die Eingebornen haben keinen
andern Namen dafür, als Wady Beit Hanîna. Auf diesem Punkte
hatten wir eine vollständige Ansicht des Neby Samwil, in der Richtung N. 40°W. auf einem hohen Berge jenseits des Thales, und
konnten auch Küstül sehn, in der Richtung nach Westen. — Nachdem wir die Grabmäler beschen, kehrten wir über den östlichen
Hügel zurück, indem wir die grofse nördliche Strafse nahe am

Rando des Abhangs berührten, den sie hinaufkommt, nachdem sie das Thal durchkreuzt. Dies ist wahrscheinlich der Scopus der Alten; er gewährt eine der gefälligsten Ansichten der Stadt, obwohl weniger deutlich als von einem andern mehr südöstlichen Punkte. Indem wir nun noch einmal an den Gräbern der Könige vorbeigingen, richteten wir unsern Weg nach dem nordwestlichen Winkel von Jerusalem, um wo möglich einige Baugrundlagen näher zu verfolgen, die wir früher gesehn, und die zu der dritten Mauer der alten Stadt gehört zu haben scheinen, wie sie Josephus beschreibt. Dies gelang uns auch zum Theil.

Endlich kamen wir, kurz nach zwölf Uhr, an das Yâfa-Thor und fanden es geschlossen. Es war Freitag, der muhammedanische Sabbath, an welchem Tage die Thore Jerusalems am Mittag, als der hauptsächlichsten muhammedanischen Betzeit, auf eine Stunde gesperrt werden. Indem wir nun um die Stadt herum nach Süden zu gingen, brachten wir die Stunde mit einem Spaziergang über den Berg Zion zu. Auch hier suchten wir nach Spuren der alten Stadtmauer, längs dem Bergrande, verfolgten den Aquädukt von Salomons Teichen, der sich um den südöstlichen Abhang herumwindet, und gingen dann wieder hinauf nach dem Zionthore. Es war noch nicht geöffnet; wir wollten daher noch den Sheikh des muslimitischen Grabes Davids besuchen, der ebenfalls ein Bekannter des Herrn Lanneau war. Er war aber ausgegangen. Wir besahen indefs das Gemach über dem Grabe, wo nach der legendenhaften Ueberlieferung das Abendmahl eingesetzt sein soll. Es ist ein grofser, trauriger, steinerner Saal, funfzig bis sechzig Fufs lang, und einige dreifsig Fufs breit. An der Ostseite ist eine kleine Vertiefung oder Nische in der Mauer, welche die Christen bei gewissen Gelegenheiten als einen Altarplatz benutzen, die Messe zu feiern. Auf der Südseite ist eine ähnliche, gröfsre Vertiefung, welche den Muhammedanern

als ein Mihráb dient, gegen welches sie ihr Gebet richten [1]).
So stehen hier die beiden abergläubischen Extreme in seltsamer
Nebeneinanderstellung, Seit' an Seite! — In die sogenannte
Gruft zu gehen, ist niemandem gestattet.

Dies Gebäude ist einst eine christliche Kirche gewesen, und
ist als solche von hohem Alterthum. Sehr wahrscheinlich meint
Cyrill im vierten Jahrhundert diese, wenn er von der Kirche der
Apostel spricht, wo sie am Pfingstfeiertag sollen versammelt gewesen sein. Daraus geht hervor, dafs sie damals schon wenigstens für älter als Constantin's Zeit gehalten wurde. Ungefähr
zur nämlichen Zeit spricht Epiphanius deutlich von ihr unter demselben Namen; und etwa um das Jahr 697 gedenkt ihrer Adamnanus auf gleiche Weise. Schon damals ward das Gebäude für
das Coenaculum gehalten, so wie es ferner die Säule in sich
schliefsen sollte, an die Christus gebunden wurde, um gegeifselt
zu werden [2]). Dieselbe Säule wird in dem Itin. Hieros. erwähnt
(A. D. 333); und beinah ein Jahrhundert später von Hieronymus.
Nach der Beschreibung des letztern gehörte sie zu seiner Zeit zu
dem Porticus einer Kirche auf dem Berge Zion, und war noch mit
des Heilandes Blute befleckt. Allein weder er noch andere frühere

---

1) Da die Muhammedaner immer während ihrer Gebete und sonstigen Andachtsübungen ihr Gesicht gegen Mekka richten, so hat jede
Moschee eine Blende in der Mauer, die Lage desselben zu bezeichnen.
Diese Blende wird das Mihráb genannt; und der Ort oder die Richtung, gegen welche das Gesicht gewendet ist, das Kibleh. Mekka
liegt ungefähr südlich von Syrien; daher ist das Wort Kibleh unter
den syrischen Arabern auch gebräuchlich um schlechtweg den Süden zu
bezeichnen.

2) Cyrill. Cat. XVI, 2. p. 225. Oxon. 1703. Epiphan. de Mensur.
et Pond. n. 14. Vergl. le Quien Oriens Christ. III. p. 105. — Adamnanus ex Arculf. I, 13. St. Willibald, im J. 781, nennt sie die Zionskir-
che; Hodopoer. 18.

26

Schriftsteller sprechen von irgend einer auf das heilige Abendmahl bezüglichen Ueberlieferung [1]). Schriftsteller aus den Zeiten der Kreuzzüge erwähnen dieser Kirche oft beiläufig als der Kirche von Zion, und betrachten sie auch als den Ort, wo der erste Märtyrer Stephanus begraben liegt [2]). Nach Maundeville und auch nach R. von Suchem scheint sie noch ums Jahr 1350 in den Händen der Lateiner gewesen zu sein. Es war zu dieser Zeit eine von den vielen Kirchen, die die Ueberlieferung der Kaiserin Helena zuzuschreiben anfing [3]). Mehr als ein Jahrhundert später, im J. 1479, fand Tucher von Nürnberg das Gebäude zu einer Moschee umgewandelt, wenigstens den untern Theil, der auch schon die Gräber Davids, Salomons und andrer Könige enthalten sollte. — Die anstofsenden Gebäude waren einst ein Kloster der Minoriten oder Franziskaner, die sie auch ein ganzes Jahrhundert oder länger in Besitz behielten, nachdem die Kirche schon wenigstens theilweise ihren Händen entrissen war [4]). In diesem Gebäude wohnt jetzt Ibrahim Pascha, wenn er nach Jerusalem kommt.

---

1) Hieron. epitaph. Paulae, ad Eustoch.

2) Will. Tyr. VIII, 5. Jac. de Vitr. Hist. Hieros. 61. Phocas de Locis Sanct. 14.

3) Zuerst erwähnt als eine von Helena's Kirchen von Nicephorus Callistus VIII, 30; einem Schriftsteller des 14ten Jahrhunderts.

4) Adrichomius Theatr. Terrae Sanct. p. 150. Quaresmius Terrae Sanct. Elucid. II. p. 51, 122. Wie bekannt, hatten die Minoriten oder Franziskaner hier ihren Hauptsitz vom Jahr 1313 bis 1561. Dann wurden sie von den Muslims herausgetrieben, kauften das jetzige lateinische Kloster St. Salvator in der Stadt, das früher den georgischen Griechen gehört hatte, und liefsen sich dort nieder. Vgl. Wadding Annal. Minor. Ed. 2. III. p. 485 etc. Quaresmius a. a. O. — Belon wohnte 1547 in ihrem Kloster auf dem Zion und spricht davon wie von dem einzigen lateinischen Kloster; Observations etc. Par. 1588. p. 313; auch in Paulus Sammlung Th. I. S. 259. So Baumgarten im Jahr 1512, lib. II, 5;

Weiter nördlich, näher dem Thore zu steht ein armenisches Kloster, das eine kleine Kirche enthält, welche nach einer ähnlichen Tradition den Platz einnimmt, auf welchem einst das Haus des Caiphas stand. Wir gingen hinein, und liefsen uns darin herumführen. Hier liegen die armenischen Patriarchen von Jerusalem begraben; ihre Monumente befinden sich in dem kleinen Hofe. Unter dem Altar der Kirche wird noch der Stein gezeigt, mit welchem das heilige Grab geschlossen gewesen sein soll. Auch wird gezeigt, was sie das Gefängnifs unsres Heilands nennen, sowie der Fleck, auf dem Petrus stand, als er seinen Herrn verleugnete, und der Hof, auf welchem der Hahn krähte. Diese Kirche kann nicht sehr alt sein [1]; ich bin nicht im Stande gewesen, eine Erwähnung derselben vor dem 14ten Jahrhundert aufzufinden. Sie wurde damals wie jetzt die Kirche von St. Salvator genannt, und der Helena zugeschrieben [2]. Die Armenier scheinen sie kurz nach den Kreuzzügen in Besitz gehabt zu haben [3].

---

und andre Reisende. Belon erwähnt auch, dafs die Mönche zu seiner Zeit wieder in den Besitz des Coenaculums gelangt seien, l. c. p. 315. Dieses Kloster war von Sancia, Gemahlin König Roberts von Sicilien, für die Franziskaner errichtet worden. Sie liefs auch das Coenaculum ausbessern oder wieder aufbauen. Quaresmius l. c. p. 122, und T. I. p. 176. Wadding l. c.

1) Benjamin von Tudela sagt, dafs es zu seiner Zeit, d. i. bald nach dem Jahre 1160, kein Gebäude auf dem Zion gab, aufser einer christlichen Kirche, ohne Zweifel das Coenaculum; I. p. 93. ed. Baratier.

2) Marin. Sanut. Secr. Fidel. Crucis, III, 14, 8. Rudolph von Suchem in Reifsbuch, S. 844. Niceph. Call. VIII, 30. Das Jerusalemer Itinerarium, vom J. 333, spricht vom Hause des Caiphas als einst auf dem Berge Zion gelegen, (ubi fuit domus Caiphae,) sagt aber nichts von einem damals bestehenden Gebäude. Vergl. Cyrill. Cat. XIII, 19.

3) Tucher von Nürnberg fand sie im J. 1479 in ihren Händen; s. Reyfsbuch des heiligen Landes S. 659.

26 *

Wir erreichten das Zion-Thor grade um 1 Uhr, da es eben geöffnet war. Innerhalb des Thores, ein wenig rechts stehen ein paar erbärmliche Hütten, die von Leuten bewohnt sind, welche Aussätzige genannt werden. Ob ihr Uebel der Aussatz der Schrift oder ein andres ist, bin ich nicht im Stande zu entscheiden. Die Symptome, wie sie mir beschrieben wurden, sind denen der Elephantiasis ähnlich. Auf jeden Fall sind sie bejammernswerthe Geschöpfe und ein elender Auswurf der Gesellschaft. Sie leben hier zusammen und heirathen nur unter einander. Die Kinder sollen bis zu den Jahren der Mannbarkeit oder noch später gesund sein; dann fängt das Uebel an, sich an einem Finger, an der Nase oder sonstwo an den Extremitäten des Körpers zu zeigen und steigert sich mehr und mehr, so lange das Opfer am Leben ist. Sie sollen es oft bis zum 40 oder 50sten Jahre bringen.

Unser Heimweg führte uns durch das Judenviertel; und wir sahen eine Weile ihren Vorbereitungen zum Bau einer neuen Synagoge zu. Beim Graben, um einen Grund dazu zu legen, waren sie auf mehrere kleine Häuser und Gemächer gestofsen, die vollkommen unter dem aufgehäuften Schutte begraben gewesen waren. Sie boten jedoch nichts von Interesse dar. Es wurde auch erzählt, dafs sie Stücke Marmor, ja Säulen gefunden hätten; doch konnten wir nichts bestimmtes darüber hören.

El-Haram esh-Sherîf, Thurm Davids.

Wir machten keinen Versuch, zum Haram esh-Sherif oder der grofsen Moschee Zutritt zu erlangen. Diese ist von Andern besucht und beschrieben worden und gehörte an sich selbst nicht zu unsern Reisezwecken. Wäre einige Hoffnung gewesen, in die Gewölbe oder unterirdischen Gänge vorzudringen, die unter der Area existiren sollen, so dafs wir diese hätten untersuchen können, so würden wir keine Mühe gespart haben, die nothwendige Er-

laubnifs zu erhalten. Allein so wie es war, hielten wir es für
klüger, unsre Nachforschungen in der Stille fortzusetzen, als durch
unzeitige und unrathsame Ausuchen bei den Behörden den Verdacht
und die Eifersucht derselben zu erwecken. Wir fanden zu keiner
Zeit Schwierigkeit, uns ihren Eingängen zu nähern und in die Area,
so lange wir nur wollten, hinein zu sehen.

Weil wir jedoch wünschten, eine bessere Ansicht des Haram
zu erlangen und auch die Citadelle nahe am Yâfa‑Thore zu be‑
suchen, so machte Herr Smith nebst unsern Freunden dem Kâim
Makâm d. h. den Generallientenant, der die Stadt befehligte, die
Aufwartung, um eine Ordre zu diesem Zwecke zu erhalten. Die‑
ser Beamte empfing sie mit grofser Höflichkeit, gewährte ihre Bitte
sogleich, und schickte sogar seinen Geheimschreiber mit, sie zu
begleiten und selbst an jedem Ort einzuführen. Sie holten mich
nun ab, und wir gingen erst zu dem Gebäude an der nordwest‑
lichen Ecke der Area des Haram. Dieses war früher die
Wohnung des Gouverneurs und steht wahrscheinlich ungefähr
da, wo einst die alte Feste Antonia stand. Es wird jetzt als eine
Baracke gebraucht. Von dem flachen Dache kann man die Mo‑
schee und ihren Hof ganz übersehen; dieser letzte ist eine gro‑
fse schöne Area, mit einzeln zerstreuten Bäumen und mehreren
Brunnen. Das Ganze bildet einen schönen Spaziergang. Wir
sahen darin eine Anzahl Frauen und eine Menge spielender Kin‑
der. Die grofse Moschee selbst, Kubbet es‑Sükhrah „Kup‑
pel des Felsens," ist ein achteckiges Gebäude mit einer schönen
Kuppel, und steht auf einer Platform ungefähr in der Mitte des
Hofes, zu der mehrere Stufen hinaufführen. An der Südseite
der Area steht eine andre grofse Moschee, el‑Jâmi'a el‑Aksa;
auch stehen andre kleinere Moscheen und sonstige Gebäude dicht
an der Mauer an andern Theilen. Die ganze Maucreinschliefsung
mit allen ihren heiligen Gebäuden und deren Zubehör wird el‑

Haram, auch el-Haram esh-Sherif genannt, d. h. „das
Heilige", „das edle Heiligthum". In nördlichen Theil der Area
ist der Felsenboden sichtbar, der offenbar durch Kunst geebnet
ist. Die Höhe der Mauer rings um den Hof an der Innenseite
schätzten wir von zehn bis funfzehn Fufs. — Gegen Westen
steigen die Häuser der Stadt steil auf, eins über dem andern,
und die beiden Hügel Zion und Akra unterscheiden sich deutlich [1]).

Wir begaben uns nun nach dem Schlosse oder der Citadelle
und wurden durch die verschiednen Theile geführt. Aber unsre
Aufmerksamkeit war hauptsächlich auf den einen, wie es scheint,
antiken Thurm gerichtet, der gewöhnlich von den Franken der
Thurm Davids genannt wird. Diesen mafsen wir; an einem andern Orte wird man die Beschreibung desselben finden. Von seiner Höhe hat man eine weite Aussicht besonders gegen Südosten,
wo ein kleiner Theil des todten Meeres, und jenseits die Berge
von Arabien sichtbar sind. Als wir hier auf die Stadt nieder
und über dieselbe hinweg blickten, erschien sie fast wie auf einer
Ebne, so sehr verschwand die bergige Gestalt des Bodens [2]).

Sowohl hier als in den Baracken war das Benehmen der
Officiere und Soldaten, die wir antrafen, äufserst höflich. Der
Geheimschreiber, der uns begleitete, war ein verständiger Mann,
und als wir schieden, lehnte er mit Artigkeit den Bakhshish
ab, den wir ihm boten. Dies war, glaub' ich, das einzige Beispiel der Art auf unsrer ganzen Reise.

------

1) Der Ort, auf dem wir standen, ist derselbe, von dem die Zeichnungen zu dem herrlichen Panorama von Jerusalem von Catherwood
aufgenommen sind.

2) Wir waren jedoch nicht so glücklich wie Stephan Schulz, der
von diesem Thurme den Berg Horeb im Süden und den Berg Tabor im
Norden gesehn haben will!! Leitungen des Höchsten. Th. V. S. 161.

Ueberall bei unsern Wanderungen in der Stadt und aufserhalb fiel uns die verhältnifsmäfsig geringe Zahl Leute auf, denen
wir begegneten, und die Gleichgültigkeit, mit der sie unser Treiben zu betrachten schienen. In der Stadt selbst waren die Basars gewöhnlich gedrängt voll, so dafs es manchmal schwer war,
durchzukommen. Auch in den grofsen Strafsen, wie in der, welche vom Yâfa-Thore nach der grofsen Moschee führt, und denen zwischen den Basars und dem Damaskus-Thore, gingen
gewöhnlich viele Menschen hin und her. Aber die andern Strafsen waren vergleichungsweise todt. Aufserhalb der Stadt war
es noch einsamer. Ein paar Bauern, die mit ihren Eseln aus
den Thoren oder nach den Thoren zogen, ein paar Schäfer, die
ihre Heerden am Abhange des Oelberges hüteten, einige Weiber
mit ihren Wasserschläuchen um den Brunnen im Thale Josaphat,
und gelegentlich einige muslimitische Frauen, die weifs ver-
schleiert zwischen den Gräbern der Ihrigen wandelten oder safsen — dies waren gewöhnlich die einzigen Lebens-und Thä-
tigkeitszeichen, die der Fremde gewahren konnte, wenn er umher-
wanderte um die einstmalige „Stadt des grofsen Königs." Aber
manchmal stiefsen wir auf bewegtere Scenen. Eines Tages als
wir neben der grofsen Terebinthe an der nordwestlichen Ecke
der Stadtmauer standen, kam der Mutesellim oder Gouverneur
mit einem Gefolge von zehn bis zwölf Reitern daher, auf
ihrer Rückkehr von einem Spazierritt und einer Uebung des
Jerîd. Sie waren auf das eleganteste beritten, Rofs und Reiter
stattlich aufgeputzt. Die Pferde bäumten sich hoch, und von Zeit
zu Zeit flogen sie wie Pfeile dahin auf dem felsigen Pfade. Ein
andres Mal ward auch die Stille durch den Abzug eines grofsen
Truppencorps nach Ramleh unterbrochen.

Wir nahmen innerhalb und aufserhalb der Stadt in allen
Richtungen Messungen, ohne Unterbrechung und ohne der kleinsten

Frage oder dem geringsten Verdachte ausgesetzt zu sein. Im
Gegentheil überraschte uns die Gleichgültigkeit, mit der unser
Vornehmen angesehn zu werden schien. Einige wenige Menschen
blieben gelegentlich einmal stehen, sahen uns an, und gingen
weiter; und ich bin überzeugt, dafs weder in London noch in
Neu-York etwas Aehnliches unternommen werden könnte, ohne
noch einmal so viel Aufsehn zu machen und einen Haufen Müfsig-
gänger zu versammeln. Wir gingen unsern Weg, begaben uns
wohin wir wollten und unternahmen was uns beliebte; wo es vermieden werden konnte, zogen wir keine Erlaubnifs von der Regierung ein, und stiefsen so auch auf keinen Widerspruch. Das
eine Mal, wo wir Gelegenheit hatten, von dem Kâim Makâm oder
militärischen Befehlshaber, eine Gunst zu verlangen, ward sie auf
das Höflichste bewilligt. Ein andres Mal verweigerte der Mufti
zu bewilligen, was er vorher sich bereit gefunden zu gewähren.

Mit den Eingebornen hatten wir durch unsre Freunde Gelegenheit zu häufigem Verkehr, so weit wir selbst diesen nur immer
wünschen konnten. Das Haus Herrn Lanneau's, in welchem wir
wohnten, lag im muhammedanischen Viertel und Thür an Thür
mit dem des Mufti von Jerusalem. Dafs er ein Haus in diesem
Stadttheil genommen, wurde von Seiten der Muslims sehr günstig angesehn. Seine Nachbarn, von denen einige zu den ersten
Männern der Stadt gehörten, pflegten ihm häufige Besuche abzu-
statten, und ein Austausch von Höflichkeiten und Freundlichkei-
ten ward sorgsam unterhalten. Ein griechischer Kaufmann, Namens Abu Salâmeh, der sich bemühte, von dem amerikanischen
Consul in Beirût zum Agenten gemacht zu werden, war ebenfalls
sehr aufmerksam, und von ihm und dem Oberarzt oder Apotheker
der Garnison hörten wir alle Gerüchte oder Neuigkeiten des Tages, die grade im Umlauf waren.

Der Mutesellim oder Gouverneur der Stadt war zu dieser

Zeit Sheikh Mustafa, ein junger Mann von schöner Gestalt und einnehmendem Gesicht, der Sohn Sheikh Sa'id's, des Gouverneurs von Gaza. Er stand in dem Rufe, gegen alle Franken eingenommen zu sein und ihren Ansuchen in der Regel kein günstiges Ohr leihen zu wollen. Wir hatten keine Gelegenheit, uns an ihn zu wenden, so lange wir in Jerusalem waren, aufser einmal, wo es die Klugheit erforderte, dafs wir unsern Firmân ihm erst zur Durchsicht sandten, ehe wir nach dem todten Meere aufbrachen. Allein wir trafen ihn nachher in Hebron, und sein schöner Anstand fiel uns auf. Der Kâim Makâm oder Militärgouverneur galt für artiger und offenherziger, und unsre Freunde pflegten sich in nothwendigen Fällen lieber an ihn, als an Sheikh Mustafa zu wenden.

Unser Nachbar, der Mufti, besuchte uns eines Morgens, gleich nach dem Frühstück, und safs wohl eine Stunde lang bei uns. Dieser hohe Geistliche geniefst des gröfsten Anschns bei den Muslims, da nur die Mufti's von Mekka und Constantinopel ihm an Rang voranstehen. Er war ein Mann vom besten Aeufsern, zwischen 60 und 70 Jahr, mit einem langen, weifsen, zierlich gehaltnen Barte und ein paar gescheuten Augen. Für einen Muselman war er äufserst lebendig. Er lehnte die angebotene Pfeife ab, und versicherte uns, er rauche nie. Er war kurzsichtig und hatte ein gewöhnliches Augenglas; meine Brille und noch mehr die unsres Freundes Homes ergötzten ihn höchlich. Er bot uns bereitwillig alle Erleichterungen an, deren wir bei unsern Nachsuchungen bedürfen würden, und so weit es sein eignes persönliches Gefühl betraf, war dieses Auerbieten vielleicht aufrichtig. Das flache Dach von Herrn Lanneau's Hause war nur durch eine niedre Mauer von seinem Gehöfte getrennt. Einige unsrer Freunde hatten ein paar Mal hinüber in seinen Hof gesehn, worauf er eine höfliche Botschaft geschickt, dafs dies ferner unterbleiben möchte. Eine Absicht seines jetzigen Besuches war nun, diese Botschaft zu entschuldigen oder vielmehr sie zu erklären.

Ein anderes Mal hatten wir einen ähnlichen Besuch von Abu Ghûsh, dem frühern Gouverneur von Jerusalem, der als einer der Sheikhs aus dem Dorfe Knryet el-'Enab auf dem Wege nach Yâfa bekannt ist, wo Reisende früher oft beraubt worden waren. Er ist jetzt alt, mit einem kühnen Räuberauge, und einer gescheuten Miene. Abu Ghûsh ist sein Familienname; es giebt mehrere Brüder Abu Ghûsh. Ein älterer, Ibrahim, war am berüchtigsten als Räuber; allein er sollte, wie man uns sagte, jetzt nicht mehr als Familienoberhaupt anerkannt werden.

Schon ehe wir Kairo verliefsen, war dort Nachricht von dem Aufstand der Drusen in Haurân eingelaufen, und da man sie als ein tapferes und in seinen Rechten verletztes Volk kannte, so war mit Grund ein längerer Krieg zu fürchten, dessen Ende nicht vorauszusehen war. Die Gelegenheit zum Aufstand sollten, wie wir hörten, die Versuche der ägyptischen Regierung gewesen sein, ihre jungen Leute mit Gewalt zum Militärdienste zu pressen. Diese Art des Druckes war bereits in andern Theilen von Syrien eingeführt worden, obwohl nicht mit demselben Erfolg wie in Aegypten; die Drusen, voll Muthes, und vergleichsweise frei, vermochten nicht ihn zu ertragen. Es erfolgte Krieg. Die Drusen fochten wie Verzweifelte, und wurden, wenn gefangen, gleich niedergehauen. Ihr Land ward überwältigt und verwüstet; ihre Dörfer niedergebrannt; ihre Weiber und Kinder auf dem Markte von Damaskus als Sclaven verkauft. Die Ueberlebenden zogen sich zurück in die Felsen und Festen von el-Leja; für eine Zeit trat Stille ein; dann brach der Krieg mit verdoppelter Wuth wieder aus. Nachdem mehr als ein Jahr verflossen, scheint endlich dieser Krieg vorüber, indem die Regierung alles das bewilligt hat, wofür die Drusen zuerst zu den Waffen gegriffen.

Wahrscheinlich hatten nur die Anzeichen des annähernden Krieges mit der Türkei eine solche Bewilligung zur Folge.

Während unsrer Reise in den Wüsten südlich von Palästina hatten wir natürlich wenig von diesem Kriege gehört. Die Bedawin wußten, daß er ausgebrochen; allein sie hatten keine bestimmten Nachrichten über seinen Verlauf, und der Kampfschauplatz war zu entfernt, als daß die Begebenheiten einen unmittelbaren Einfluß auf sie üben oder ihnen hätten einige Theilnahme einflößen können. Als wir in Jerusalem ankamen, waren die ersten Wehen des Kampfes noch nicht vorüber, und die Gemüther schwebten in Ungewißheit. Seit einiger Zeit war keine bestimmte Nachricht von dem Kriegsschauplatze eingelaufen; und die Stadt war voller Gerüchte. Niemand wußte, wo Ibrahim Pascha war; es hieß, eine bedeutende Abtheilung seines Heeres sei geschlagen worden, und ein andrer Trupp, mehrere Hundert stark, sei gänzlich abgeschnitten. In diesem Zustand der Dinge fingen die unruhigen Geister des Landes, die unter dem eisernen Arme der ägyptischen Herrschaft friedliche Bürger geworden, sich wieder zu regen an, und wieder nach den Früchten der Anarchie und gesetzlosen Raubes zu verlangen. Mehrere Räubereien und Mordthaten wurden in der Nachbarschaft von Jerusalem begangen; ein Fall dieser Art ist schon erwähnt worden. Ein andres Mal ward auf einen Pilger geschossen; er wurde beraubt und verwundet auf dem Wege nach Yáfa gefunden. Er ward nach der Stadt gebracht und einige unsrer Freunde sahen ihn hülflos und sterbend, wie es schien, im Hofe des griechischen Klosters liegen, bis die Behörde der Stadt oder das Kloster etwas thun würde, seiner Noth abzuhelfen. Erzählungen von andern Räubereien wurden häufig vernommen; allein sie waren offenbar sehr übertrieben, wenn nicht ganz grundlos.

Bei dieser Lage der Sachen war die Aussicht für uns trübe genug. Eine Zeitlang blieb es zweifelhaft, ob wir überhaupt ohne eine bewaffnete Begleitung oder selbst mit einer solchen im Lande würden reisen können. Waren die Drusen im Stande sich zu halten, und den Truppen des Pascha zu widerstehen, so wurden alle Wege in Palästina unsicher; denn wie wohlgesinnt der befsre Theil des Volks auch sein mochte, so konnte dies doch nicht die Banden gesetzloser Abenteurer hemmen, die nur auf eine Gelegenheit warteten, das Land plündernd zu durchstreifen. Es war jedoch noch nicht lange Zeit verstrichen, als die gewisse Nachricht einlief, dafs Ibrahim in Damaskus sei, wohin er seine Truppen zusammengezogen, und dafs er die Drusen gänzlich geschlagen habe. Nun war alles wieder ruhig; kein Gerücht von Raub und Mord ward mehr gehört, und wir reisten darauf der Länge und Breite nach durch das Land, ohne Furcht oder Unterbrechung — in der That mit demselben Gefühl der Sicherheit wie in England oder unsrem Geburtslande. Erst zwei Monat später hinderte uns ein neuer Ausbruch des Aufstandes in der Gegend von Jebel esh-Sheikh, uns Damaskus zu nähern.

Und als sollten wir eine Probe von allen Uebeln bekommen, denen die orientalische Welt ausgesetzt ist, begannen kurz nach unsrer Ankunft in der heiligen Stadt Gerüchte von der Pest sich zu verbreiten. Sie war mit Heftigkeit in Alexandrien ausgebrochen, und demzufolge war eine strenge Quarantäne in Yâfa eingerichtet worden. Aber am Sonntag, den 22ten April, kam das Gerücht, dafs die Pest auch in Yâfa sich gezeigt; sie sei durch Pilger von der Südküste von Kleinasien her eingeführt. Nun war es wohl bekannt, dafs einige dieser Pilger bis nach Jerusalem hinaufgekommen seien, und so wurden die Einwohner Tag für Tag mit verschiedenen Gerüchten gequält sowohl über die Existenz der Pest in Yâfa als unter ihnen selbst. Zuerst zweifelten Viele; allein mehrere Unglücksfälle in den Familien eini-

ger fränkischen Konsuln in Yâfa setzten die Sache bald in Betreff dieses Ortes aufser Zweifel. In Jerusalem ward mehrere
Tage lang kein entscheidender Fall bekannt. Todesfälle fanden
zwar Statt, die der Pest zugeschrieben wurden; aber niemand
sprach sich mit Entschiedenheit darüber aus. Doch war alles in
Furcht und auf seiner Hut. Mehrere Häuser wurden von der
Polizei gesperrt; mehrere Familien und einige der Klöster setzten
sich in Quarantäne; und jedermann hütete sich, auf der Strafse
mit andern Personen in Berührung zu kommen. Endlich nach
wenigen Tagen entwickelte sich die Pest mit Bestimmtheit. Aller Zweifel war gehoben, und das Uebel fuhr fort, nach allen
Seiten sich verheerend zu verbreiten, ohne Aufhören, doch gelinde.

Dies war ein Zustand der Dinge, wie ich ihn nimmer hatte
voraussehen können, und den ich nie vergessen werde. Der
Menschen Leben schien an einem Faden zu hängen; niemand
wufste was zu thun, und wohin sich zu wenden. Wer immer
konnte, eilte aus der Stadt; denn man fürchtete, dafs nach dem
orientalischen Gebrauche Jerusalem abgesperrt werden und ein
Cordon von Truppen darum gezogen werden würde, um die Ver-
breitung der Pest in den Dörfern umher zu verhindern. Auch
war diese Furcht nicht grundlos. Alle Geschäfte stockten. Die
Kaufleute von Damaskus und andern Orten verliefsen die Stadt.
Die Missionarien hoben ihre Sitzungen auf und die von auswärts
eilten, mit ihren Familien abzureisen. Sie verliefsen Jerusalem
am 30ten April. Mehrere fränkische Reisende eilten hinweg,
und Andre, die auf dem Wege von Beirût nach Jerusalem waren, kehrten zu Nâbulus um.

Unterdessen setzten wir unsre Untersuchungen ohne Unterbrechung fort, indem wir uns nur hüteten, mit irgend jemand,
der auf der Strafse an uns vorüber ging, in Berührung zu kommen. Und eine gütige Vorsehung bewahrte uns vor den Gefah-

ren, mit denen wir umringt waren. Am 18ten Mai ward die
Stadt wirklich abgesperrt. Keiner durfte heraus. Wir hatten sie
den Tag zuvor verlassen, eine lange Excursion nach Gaza, Hebron und Wady Mûsa zu machen, und obwohl wir nachher zu
ihren Thoren zurückkehrten, betraten wir sie doch nicht wieder.
Die Stadt blieb abgesperrt bis zum Anfang des Juli.

In der That, während unsrer ganzen Reise im Morgenlande,
obwohl umgeben von Krieg, Pest und Quarantänen, waren wir im
Stande, durch alle diese Uebel ohne Schaden und Hindernifs durch-
zugehen, — ja ohne von ihnen nur eine Stunde lang aufgehalten zu
werden. Nicht alle Reisende waren jedoch so begünstigt. Den 2ten
Mai traf ich im Hause des Herrn Nicolayson einen Engländer,
den Capellan eines Kriegsschiffes, der Kairo eine Woche nach uns
verlassen hatte, und auf dem gradesten Wege nach Jerusalem
gekommen war. Er war den Nil nach Damiette hinunter gegangen, wo er siebzehn Tage auf ein Schiff nach Yâfa hatte warten müssen. An diesem letztern Orte war er genöthigt gewesen,
funfzehn Tage Quarantäne zu halten, und dann bei seiner Ankunft in Jerusalem noch fünf. Diese hatten erst gestern geendet.
So hatte er von den dreiundvierzig Tagen, seit er Cairo verlassen, sechs auf der Reise zugebracht, und sieben und dreifsig in Quarantänen und Warten. Allein der Muth war ihm
nicht gesunken; und wirklich verliefs er Jerusalem den nächsten
Tag, um nach Beirût zu gehn. Es mag auch hier erwähnt werden, als ein Beweis der Sicherheit der Wege zur Zeit, dafs er
ohne ein Wort Arabisch zu verstehen, mit einem einzigen Maulthiertreiber sich auf diese lange Reise begab und Beirût glücklich erreichte ohne andre Unannehmlichkeiten, als die aus einer
solchen Art zu reisen nothwendig hervorgehen.

Nicht lange nachher kam Herzog Maximilian von Baiern
in Jerusalem an und zwar mit einem ziemlich zahlreichen Gefolge.

Er verliefs es, wie wir hörten, ungefähr um dieselbe Zeit wie wir, grade ehe die Stadt abgesperrt ward. Er war weniger glücklich oder in Betreff der Pest weniger vorsichtig gewesen als wir; denn er hatte die Stadt kaum verlassen, als die schreckliche Plage unter seiner Dienerschaft ausbrach. Sein Arzt starb daran in Nazareth. Ein Andrer seiner Begleiter, ein Mulatte, wurde krank im Lazareth zu Sidon zurückgelassen, wo er mehrere Wochen dahinschmachtete, bis er starb.

Unter den Reisenden, die Jerusalem zu dieser Zeit verliefsen, war auch M. de Bertou, ein Franzose, der eben von einer Reise nach Wady Músa und 'Akabah längs dem todten Meere und dem Wady el-'Arabah zurückgekehrt war. Wir hatten gehofft die ersten zu sein, die den nördlichen Theil dieses grofsen Wady untersuchten, waren aber darum nicht weniger erfreut, von ihm die Resultate seiner Reise zu vernehmen. Er brachte den Abend des 30sten April mit uns zu. Er glaubte den Namen Kadesh auf einer Stelle nicht weit von der Vereinigung der Wege von Hebron und Gaza nach Wady Músa gefunden zu haben ; und auch den von Zoar auf der Westseite des todten Meeres. Allein als wir späterhin dies an Ort und Stelle selbst untersuchten, fanden wir beide Voraussetzungen irrig.

Anmerkungen und Erläuterungen.

Anmerkung I. zu S. 24.

Diocletians Säule. Siehe Wilkinson's Thebes and Egypt. Lond. 1835. S. 289: „Die Diocletians-Säule hat eine Inschrift ganz unten, und oben drauf befand sich früher wahrscheinlich eine Reiter-Statue, da man noch vier Krampen auf der Spitze bemerkt. .... Die Länge des Schafts ist drei und siebenzig Fuſs (ein ganzer Granitblock); die ganze Höhe beträgt acht und neunzig Fuſs neun Zoll; der Umfang sieben und zwanzig Fuſs und acht Zoll; und der Durchmesser oben am Kapital sechzehn Fuſs sechs Zoll. Der Schaft ist zierlich und in gutem Stile; aber das Kapital und der Sockel sind schlechter gearbeitet und scheinen aus einer andern Zeit zu sein. Es ist wahrscheinlich, daſs der Schaft aus der griechischen Periode ist; und daſs das unvollendete Kapital und der Sockel bei Anfrichtung der Säule zu Ehren Diocletians erst hinzugefügt worden sind." Die Inschrift, wie sie Wilkinson mit Hülfe einer Leiter und durch Einkreiden der Buchstaben herausgebracht hat, so daſs jedoch das letzte Wort noch zweifelhaft bleibt, ist folgende:

$$\text{Τον τιμιωτατον αυτοχρατορα}$$
$$\text{τον πολιουχον αλεξανδρειας}$$
$$\text{διοχλητιανον τον ανιχητον}$$
$$\text{πουβλιος επαρχος αιγυπτου}$$
$$\text{επαγαθω (?)}$$

Anmerkung II. zu S. 30.

Bewässerung. Ueber die verschiedenen Maschieuen, Wasser zu schöpfen, siehe Niebuhrs Reisebeschr. I. S. 148. und Tab. XV. Ueber den Shadûf, siehe Lane's Modern Egyptians, II. S. 24. — Das Wasserrad, Sàkich, wird gewöhnlich von Ochsen in Bewegung gesetzt und hebt das Wasser durch irdne Gefäſse, die an einem kreisenden oder endlosen Taue befestigt sind, das über dem Rade hängt. Der Shadûf hat eine sehr mühsame Arbeit. Sein Werkzeug gleicht dem Brunnenschwengel in Neu-

England im Kleinen; derselbe ruht auf einem Kreuzholz, das durch zwei senkrechte Pfosten von Holz oder Erde unterstützt wird. Der Eimer ist von Leder oder Weidengeflecht. Zwei von diesen Maschinen stehn gewöhnlich neben einander und die beiden Arbeiter halten Takt, indem sie das Wasser fünf bis sechs Fufs hoch heben. Wo das Ufer hoch ist, werden zwei, drei und selbst vier Paar Arbeiter auf diese Weise über einander gestellt.

Es findet sich jetzt nichts in Aegypten, was die alte Bewässerungsart mit dem Fufse, auf welche 5 Mos. 11, 10. hingedeutet wird, veranschaulichen könnte [1]). Man bezieht dies oft auf die Vertheilung des Wassers, wo es schon in die Höhe gebracht ist, durch die Kanäle im Felde, indem man mit dem Fufse die Rinne, in welcher das Wasser fliefst, macht oder niedertritt. Aber das scheint die Sache nicht zu treffen; denn die angeführte Stelle bezieht sich offenbar auf die Art und Weise, wie die Aecker mit Wasser versorgt, nicht wie das Wasser vertheilt wurde. Vielleicht ist das Wasserrad in alten Zeiten kleiner gewesen und nicht von Ochsen, sondern von Menschen dadurch in Bewegung gesetzt, dafs sie mit dem Fufse darauf traten, ebenso wie das Wasser noch oft in Palästina aus den Brunnen geschöpft wird, wie wir später sehn werden. Niebuhr sah eine solche Maschine in Kairo, wo man sie „Sâkich tedûr bir-rijl," eine Bewässerungsmaschiene, die man mit dem Fufse dreht, nannte, wovon er auch eine Abbildung giebt. Der Arbeiter sitzt in gleicher Höhe mit der Axe des Rades und dreht es dadurch, dafs er den obern Theil mit den Händen nach sich zieht, und zugleich den untern Theil abwechselnd mit dem einen und dem andern Fufse herumstöfst. In Palästina ist das Rad roher, und ein einziges Tau wird dabei angewandt, das um dasselbe auf die nämliche Weise aufgewunden wird.

Anmerkung III. zu S. 31.

Theben. Das Meer. Nahum 3, 8. Das Meer, worauf in dieser Stelle hingedeutet wird, ist der Nil, der bis auf den heutigen Tag in Aegypten ganz gewöhnlich el-Bahr, das Meer, genannt wird. Vergl. Wilkinsons Thebes etc. S. 40. Unser ägyptischer Diener, der englisch sprach, nannte ihn auch auf Englisch immer: das Meer. In Aegypten wird das Wort el-Bahr, das zugleich das mittelländische Meer bezeichnet, auch gewöhnlich für „Norden" gebraucht;

[1) Siehe den Grundtext dieser Bibelstelle; in der lutherischen Uebersetzung ist es nicht genau ausgedrückt.

der Nordwind wird Meerwind genannt, weil er vom mittelländischen Meere herkommt. Dies zeigt die Unrichtigkeit eines manchmal gebrauchten Argumentes, zu beweisen, dafs das Hebräische die Ursprache Palästinas war: das Wort Meer (בָּם) ist nämlich der hebräische Ausdruck für Westen. Wenn aus diesem Grunde das Hebräische als die Ursprache Palästina's angesehn wird, so mufs das Arabische eben so in Aegypten betrachtet werden. — So wird gleichfalls in Syrien das Wort Kibleh, das sich auf Mekka bezieht, allgemein für „Süden" genommen.

Anmerkung IV. zu S. 34.

Gräber. Unter den Gräbern der Könige ist das von Wilkinson als No. 2 bezeichnete gleichsam ein Stammbuch für Reisende geworden. Sheikh Ibrahim (Burckhardt) hat im Jahre 1813 seinen Namen zweimal notirt, sowohl auf seiner Reise den Nil hinauf nach Dongola, als auf seiner Rückreise: Ibrahim post reditum suum a limitibus regni Dongolae. Auch befanden sich daselbst die Namen Belzoni, Irby und Mangles, Rüppell, und vieler andrer Reisenden. In einer Ecke nahe dabei, — einer amerikanischen Ecke, — fügten wir unsre Namen denen unsrer Landsleute hinzu; deren etliche schon ihr Grab in fernen Ländern gefunden haben.

Alle diese Gräber sind der Plünderung der Araber und der Reisenden unbeschränkt ausgesetzt; und werden von Jahr zu Jahr entstellter. Das Grab, welches Wilkinson mit No. 35 bezeichnet, nahe am Fufs des Hügels Sheikh Abd el-Kurneh, das er mit Recht „als das merkwürdigste von allen Gräbern Thebens" ansieht, wurde zur Zeit unsers Besuchs von einer arabischen Familie mit ihrem Vieh benutzt. Die Wände waren schon vom Rauch schwarz und viele von den Bildern zerstört. Siehe Wilkinson's Thebes etc. S. 151—157.

Anmerkung V. zu S. 38.

Kairo. Lane's, Manners and Customs of the modern Egyptians. Lond. 1836. 2 Voll. Durch unsern Freund Herrn Lieder machten wir die Bekanntschaft des Buchhändlers, der auf eine so ergötzliche Weise von Lane in seiner Vorrede beschrieben wird. Er besuchte uns mehrere Male in unserm Hause und brachte uns die Bücher, die wir gern sehen wollten. So waren wir, und besonders mein Reisegefährte im Stande, verschiedne werthvolle arabische Werke zu kaufen.

Den Zauberer, der durch Lane (Vol. I. S. 347.) in Europa so berühmt geworden, haben wir nicht gesehen. Aber wir hörten genug darüber, um die Meinung zu gewinnen, dafs das Ganze von einer gewissen Geneigtheit zu glauben von Seiten der Zuschauer, so wie auch von einer Menge lenkender Fragen von Seiten des Wundermannes abhängt. Wir vernahmen auch aus guter Quelle, dafs er seine Kunst nur vor Franken zu zeigen pflege, und dafs die eingebornen Aegypter nichts davon wissen.

Anmerkung VI. zu S. 50.

Aegypten. Für einen Reisenden in Aegypten sind die beiden bereits so oft angeführten Werke, nämlich: *Wilkinson's* Topography of Thebes and general View of Egypt, Lond. 1835; und *Lane's* Account of the Manners and Customs of the Modern Egyptians, Lond. 1836, 2 Voll. ganz unentbehrlich. Wenn er die Lebensweise der alten Aegypter kennen zu lernen wünschen sollte, so wird er am besten thun, *Wilkinson's* Account of the Manners and Customs of the ancient Egyptians, Lond. 1837. 3 Bde. hinzuzufügen. Wenn er ferner ein Verlangen haben sollte, die widersprechenden Erzählungen und Theorien früherer Reisender zu vergleichen, so mag er die Bände des Modern Traveller zur Hand nehmen.

Die besten Werke über den gegenwärtigen Zustand und die Statistik Aegyptens sind folgende: *Mengin* Histoire de l'Egypte sous le gonvernement de Mohammed Aly... avec notes par M. M. Langlès et Jomard, Paris 1823. 2 Bde. Dasselbe Werk fortgesetzt „de l'an 1823 à l'an 1838." Paris 1839. *St. John,* Egypt ;and Mohammed Ali, or Travels in the Valley of the Nile, Lond. 1834. 2 Bde. *Marmont* (Duc de Raguse) Voyage en Hongrie etc. en Syrie, en Palestine et en Egypt, Paris 1837. 4 Bde. Ich hörte indefs aus guter Quelle, dafs die statistischen Angaben in diesen Werken nicht immer ganz zuverlässig seien. Die gedrängtesten und genauesten Berichte über Aegypten und Mohammed Ali, die ich überhaupt gesehen habe, findet man in den ersten Abschnitten von *Rüppell's* Reise in Abyssinien, Frankfurt a. M. 1838. *Dr. Bowrings* Bericht an das Parlament über den Zustand von Aegypten im Jahre 1838, ist noch nicht im Druck erschienen.

Die besten Karten von Aegypten sind die von *Leake* und *Arrowsmith.* Es ist zu bedauern, dafs Wilkinson's grofse Karte dieses Landes noch nicht erschienen ist.

27 *

Anmerkung VII. zu S. 73.

Länge der Wegstunden. Während unsrer Reise maſsen
wir mehrere Male den gewöhnlichen Schritt unsrer Kamele und
fanden, daſs sie im Durchschnitt $2\frac{1}{2}$ englische Meilen die Stunde machten, wenn sie im vollen Gange waren. Aber es giebt
immer kleine Verzögerungen; zuweilen weiden die Thiere mehr,
oder eine Last muſs besser zurecht gelegt werden, oder man muſs
Beobachtungen machen, so daſs die obige Schätzung für eine
ganze Tagereise zu hoch sein würde. Wenn wir daher die Stunde auf der Reise mit Kamelen auf 2 geographische oder beinah
$2\frac{1}{3}$ englische Meilen annehmen, so werden wir sowohl der Wahrheit ziemlich nahe kommen, als auch einen bequemen Maſsstab
haben. Die Angaben im Texte sind nach dieser Schätzung gemacht. Nach Wilkinson beträgt die Entfernung von Kairo nach
Suez ungefähr 69 engl. Meilen in grader Linie und 74 auf dem
Wege. Thebes etc. S. 319 und 320.
Der Schritt des Kamels, und natürlich auch der Weg, den
es in einer Stunde macht, ist verschieden je nach der Beschaffenheit des Bodens. Auf den mit Kies bedeckten Ebenen der
Wüste ist er natürlich schneller, als in bergigen und felsigen
Gegenden. Die folgenden Angaben der Länge unserer Wegestun-
den auf unsrer nachherigen Reise sind von Berghaus aus jener Vergleichung unsrer Tagemärsche mit bekannten geographischen Entfernungen zwischen den gegebnen Punkten hergenommen:

Zwischen Suez und Sinai G. M. 2.090)
Zwischen Sinai und 'Akabah - - 1.837 } Medium = 2.019 G. M.
Zwischen 'Akabah u. Hebron - - 2.130)

In Palästina reist man auf Pferden und Maulthieren bedeutend schneller, als oben angegeben, und man nimmt gewöhnlich drei englische Meilen die Stunde an. Einigen Abzug muſs
man indeſs auch davon machen; auſserdem ist der Grad der Geschwindigkeit derselben viel veränderlicher als bei den Kamelen,
was theils von der Eigenthümlichkeit der Thiere, theils von der
Beschaffenheit des Weges und den Unebenheiten der Gegend abhängt. Unter allen Umständen kann ich keinen genauern Durchschnitt in einer Stunde mit Pferden oder Maulthieren festsetzen,
als 2,4 geographische Meilen oder ungefähr $2\frac{3}{4}$ englische Meilen. Aber der Maſsstab, der zwischen Gaza und Ramleh ganz
genau wäre, würde es keinesweges zwischen Ramleh und Jerusalem sein, da der erstere Weg beinah eben, der letztere bergig
und schwer zu passiren ist.

Anmerkung VIII. zu S. 75.

Suez. Die jetzige Stadt Suez scheint in der ersten Hälfte
des sechzehnten Jahrhunderts entstanden zu sein. Die frühern arabischen Schriftsteller sprechen blos von Kolzum, das Abulfeda
(geb. 1273. n. Chr.), als eine unbedeutende Stadt beschreibt.
Reiske's Uebers. in Büsching's Magazin Th. IV. S. 196. Rudolf
de Suchem, der hier um's Jahr 1340 reiste, spricht von einer
Burg der „Soldan" in dieser Gegend des rothen Meeres, wahrscheinlich die Ueberreste von Kolzum, aber er giebt keinen Namen dabei an. Tucher von Nürnberg war im Jahr 1480 hier
und erwähnt den „Berg von Suez" an der Spitze des Meerbusens, womit er wahrscheinlich den 'Atâkah meinte. Er sagt, es
befand sich hier ein Landungsplatz, wohin Gewürze und andere
Waaren von Althor (et - Tûr) gebracht und so nach Kairo und
Alexandrien geführt werden. Breidenbach und Felix Fabri reisten
1483 hier durch, geben aber keinen Namen an und sprechen nur
von den Ueberresten des Kanals. Im Jahre 1516 wird es noch
von Ben-Ayas, einem arabischen Schriftsteller, als ein Landungsplatz erwähnt; und 1538 wurde hier von Suleimán eine Flotte
erbaut, die von diesem Orte zu einer Expedition nach Yemen
auslief. Siehe Notices et Extraits des Mss. etc. Tom. VI. p. 356.
Ritters Erdkunde Th. II. S. 231 der Ausg. von 1818. Belon,
ums Jahr 1546, beschreibt Suez und sagt, dafs dicht dabei eine
alte Burg auf einem kleinen Hügel liege, ohne Zweifel Tell Kolzum. Löwenstein und Wormbser 1561 und Helffrich 1565 erwähnen Suez als einer Festung, in deren Nähe Schiffe liegen;
und der letztere sagt, dafs es aus mehrern Blockhäusern bestehe, die aus Palmbaumstämmen erbaut und mit Erde ausgefüllt
seien, nebst einigen wenigen Wohnhäusern. Nach Monconys (I.
S. 209) war es 1647 ein kleiner, verfallener Ort, hauptsächlich
von griechischen Christen bewohnt. Zu Niebuhr's Zeit war es
noch ohne Mauern; Reisebeschr. I. S. 219. Die ältern obengenannten Reisenden findet man in Reyssbuch des heiligen Landes
fol. Belon in Paulus Sammlung von Reisen Th. I. S. 235.

Die Spitze dieses Meerbusens ist immer ein Ort gewesen,
wo Flotten gebaut wurden. Aelius Gallus bei seinem berühmten
Zuge nach dem steinigen Arabien baute zu Cleopatris zuerst eine
Flotte von achtzig grofsen Galeeren und dann einhundert und drei-
fsig kleinere Schiffe. Strabo XVI, 4, 23. Während der Kreuz-
züge liefs auch Saladin's Bruder in grofser Eil eine Flotte zu
Kolzum gegen die Christen bauen, die Ailah angegriffen hatten.
Siehe Wilkens Gesch. der Kreuzzüge III, 2. S. 223.

Anmerkung IX. zu S. 80.

Wady Tawârik. Unsre Führer vom Tâwarah-Stamm,
so wie auch verständige Eingeborne von Suez kannten keinen
andern Namen für das Thal südlich vom Jebel 'Atâkah als Wady Tawârik. Von den französischen Ingenieurs, so wie auch von
einigen Schriftstellern vor ihnen wird es „Wady er-Ramliyeh"
der sandige Wady genannt. Niebuhr und etliche frühere Reisende erwähnen des Theiles nahe am Meerbusen unter dem Namen Bedea; obgleich der erstere sagt, dafs sein arabischer Führer diesen Namen nicht kannte. Siehe Le Père in der Descr.
de l'Egypte, Et. Mod. I. S. 47. Niebuhrs Beschr. von Arabien
S. 409.

Der Name Wady et-Tih oder Wanderthal, der demselben Thale zuweilen von Reisenden beigelegt ist, scheint jetzt
unbekannt zu sein, und wenn er je unter den Arabern sich vorfand, so war er wahrscheinlich christlichen Ursprungs. Monconys reiste 1647 durch dieses Thal, aber er hat nichts von diesem Namen gehört. Der Jesuit Pater Sicard, Missionar in Aegypten, der eine Abhandlung schrieb, um zu beweisen, dafs die Israeliten durch dieses Thal (das er selbst 1720 besuchte) gezogen
seien, erwähnt diesen Namen nicht; obgleich er ihm einen will-
kommnen Beweis aus der Tradition für seine Theorie dargeboten
hätte. Der Name hat daher wahrscheinlich zu jener Zeit noch
nicht existirt und mag vielleicht erst hie und da unter den Lateinern und unter den Arabern, die von diesen abhängig sind, in
Folge eben dieser Theorie, gebraucht worden sein. Doch weder
Pococke noch Niebuhr haben diesen Namen zur Bezeichnung dieses Thals. Letzterer giebt freilich dem Theile der wüsten Ebne,
diesem Thale gegenüber an der östlichen Seite des Meerbusens,
den Namen Etti, wovon aber jetzt sich keine Spur findet. Reisebeschr. I. S. 229. 251. Siehe Nouv. Mem. des Missions T. VI.
p. 1 sq. Paulus Sammlung der Reisen etc. Th. V. S. 210.

Anmerkung X. zu S. 81.

Thal der sieben Brunnen. Im Februar 1827 reiste mein
Begleiter, Herr Smith, mit einer Karavane die grade Strafse von
Belbeis nach el-'Arish, bei dem Brunnen Abu Suweirah vorbei.
Folgendes ist ein Auszug aus einem Briefe, worin er damals eine
Beschreibung des Thals der sieben Brunnen lieferte. „Wir durch-
zogen," sagt er, „einen Landstrich, dessen Aussehn so beson-
ders war, dafs er unsre Neugier sehr reizte. Es war eine Art
Thal, etwas niedriger als die Umgegend, in das wir etwa zehn

und eine halbe Stunde von Belbeis hinabstiegen. Es dehnt sich nach Nordwest und Südost aus, hat seine Abdachung nach dem Nil zu und wird nach dieser Seite hin enger. Man sagte uns, dafs der Nil zuweilen in diesem Thale bis zu der Stelle steigt, wo wir es durchschnitten. Gegen Südost erhebt es sich allmälig und läuft in eine ungeheure Ebne aus, deren Grenzen wir nach dieser Seite hin nicht genau erkennen konnten. Von dieser Ebne aus liegt die östliche Spitze des Suez - Berges ('Atákah), der jetzt zum ersten Male sichtbar wurde, in der Richtung Süd gen Ost. Der Boden dieses Landstrichs war schwarze Dammerde. Ich zweifle nicht daran, dafs man hier überall Wasser finden würde, wenn man einige Fufs tief graben wollte. Nachdem wir vier und eine halbe Stunde darauf fortgegangen waren, kamen wir zu einem Brunnen, der nur zwölf oder funfzehn Fufs tief war, aber Wasser genug hatte, um die 200 Kamele zu tränken und die Wasserschläuche der ganzen Karavane zu füllen. Dies war das einzige süfse Wasser, das wir in der Wüste antrafen, alle andere Brunnen waren salzig. Er wird Abu - Suweirah genannt. Da ich gesehn, in welchem hohen Grade die künstliche Bewässerung in Aegypten angewandt wird, so konnte ich mir sehr leicht vorstellen, dafs dieser Landstrich einst auf's Höchste cultivirt gewesen sein mag."

Anmerkung XI. zu S. 82.

Messungen. Der Kanal. Die Angaben im Texte, hier an andern Stellen, in Bezug auf das Land längs des alten Kanals beruhen auf den Resultaten der französischen Ingenieurs, wie sie in dem grofsen Werke über Aegypten, und in einer bequemen Form in dem Artikel von Maclarin Edinburg Philos. Journal 1825 Vol. XIII. p. 274 ff. dargelegt sind. Hierbei möge indessen nicht unerwähnt bleiben, dafs man einige Zweifel über die Genauigkeit dieser Angaben hegt. Ich habe erfahren, dafs ein gelehrter Ausländer sich Zugang zu den Original - Bemerkungen und Messungen zu verschaffen suchte, um sie einer nochmaligen Prüfung zu unterwerfen, aber ohne Erfolg.

Die Franzosen fanden, dafs der Spiegel des rothen Meeres bei Suez zur Zeit der Fluth $30^1/_2$ franz. Fufs über dem Spiegel des mittelländischen Meers war; und zur Zeit der Ebbe 25 franz. Fufs, was einen Durchschnitt von $27^1/_2$ franz. Fufs giebt. Die Höhe des Nils bei Kairo fanden sie bei der gewöhnlichen Flut $39^1/_2$ franz. Fufs über dem mittelländischen Meere; und beim niedrigsten Wasserstande 16 franz. Fufs; was einen Durchschnitt

von 27½ franz. Fufs giebt. Hieraus erhellt, dafs die mittlere
Höhe des Nil bei Kairo der mittleren Höhe des Meerbusens von
Suez gleichkommt; während gewöhnlich der Nil einige Fufs unter
dem Spiegel des Meerbusens steht. Aber das fast einstim-
mige Zeugnifs der alten Schriftsteller, und besonders das des
Strabo, der als Augenzeuge schrieb, zeigt ziemlich bündig, dafs
der Kanal ganz und gar mit Wasser vom Nil aus versorgt wurde und dafs das Wasser dieses Flusses durch den
ganzen Kanal in das rothe Meer flofs. Siehe den Auszug aus Strabo unten Anmerkung XIII. Das Zeugnifs arabischer
Geschichtsschreiber in Betreff der Eröffnung des Kanals unter
dem Khalifen Omar, ungefähr um 640 n. Chr. bestätigt diese
Ansicht. Siehe besonders Makrizi in Notices et Extraits des
Mss. etc. Tom. VI. p. 333. Dies würde sich jedoch offenbar
mit Genauigkeit in den französischen Messungen nicht vereinigen
lassen, ausgenommen bei der Ueberschwemmungshöhe des Nil.

Im Jahre 1810 reiste Seetzen mit Kamelen durch die Gegend
den alten Kanal entlang; seine Bemerkungen darüber findet man in
Zachs monatlicher Correspondenz, Band XXVI. S. 385 ff. Er
nennt das Thal der sieben Brunnen Wady Sho'aib und die Krokodil-Seen el-Memlah. Der Sümpfe weiter östlich erwähnt er
als einer Salzebne von weifsem Aussehn, die an einigen Stellen
von steilen Hügeln begrenzt ist. Die Erdwälle des alten Kanals
fingen etwa anderthalb Stunden nördlich von Shuez an, wo wir sie
sahen. Von diesem Punkte aus folgte ihnen Seetzen zwei und
eine halbe Stunde weit, und dann reiste er noch anderthalb Stunden weiter bis zur Grenze der Salzebne. Dies stimmt mit der
Entfernung von Suez bis zn den Bitterseen, wie sie von den Franzosen angegeben wird, nämlich beinah 11¼ geographische Meilen, ziemlich überein. Von dieser Stelle bis nach el-Arbek,
welches das Nilwasser bei hohen Ueberschwemmungen erreicht,
fand Seetzen eine Entfernung von zwei Stunden; und die ganze
Entfernung von Suez acht Stunden; a. a. O. S. 389. Dieser
Reisende scheint nicht gewufst zu haben, dafs die Franzosen entdeckt hatten, die Höhe dieses Landstrichs sei niedriger als der
Meerbusen von Suez; denn er bemerkt, dafs diese Ebne überall eine sanfte Abdachung nach dem Salzsee el-Memlah zu hat,
der jährlich Wasser vom Nil aufnimmt. a. a. O. S. 388.

Die übriggebliebenen Erddämme des Kanals sind von
zwei bis funfzehn oder zwanzig Fufs hoch, und der Raum
zwischen ihnen ist gewöhnlich ungefähr vierzig oder funfzig
Yards.

Anmerkung XII. zu S. 84.

Der Pelusische Nil. Den Pelusischen Arm des Nil hat man gewöhnlich für schiffbar gehalten nach einer Stelle im Arrian, wo er den Zug Alexanders nach Memphis beschreibt. Exped. Alex. III, 1, 4. Von Pelusium, sagt er, beorderte Alexander einen Theil seines Heeres mit der Flotte den Flufs hinauf nach Memphis zu segeln, während er mit den Uebrigen durch die Wüste nach Heliopolis marschirte, indem er den Nil zur Rechten hatte. ῾Ο δὲ εἰς μὲν Πηλούσιον φυλακὴν εἰσήγαγε, τοὺς δὲ ἐπὶ τῶν νεῶν ἀναπλεῖν κατὰ τὸν ποταμὸν κελεύσας, ἔς τε ἐπὶ Μέμφιν πόλιν, αὐτὸς ἐφ᾽ Ἡλιουπόλεως ἤει, ἐν δεξιᾷ ἔχων τὸν ποταμὸν Νεῖλον, καὶ . . . . διὰ τῆς ἐρήμου ἀφίκετο ἐς Ἡλιούπολιν. — Aber diese Ausdrücke zwingen nicht zu der Annahme, dafs die Flotte auch den Pelusischen Arm hinaufgesegelt, oder dafs sie nicht eine kleine Strecke die Küste entlang und dann einen andern Arm hinaufgegangen sei. Grade so heifst es heutiges Tages, ein Schiff gehe von Alexandrien den Flufs hinauf nach Kairo, wo man nicht meint, dafs es den Kanal oder den alten Kanopischen Arm hinauf, sondern dafs es die Küste entlang nach dem Rosette - oder Damiette - Arm segelt. — Kein alter Schriftsteller redet von der Gröfse des östlichen Nilarms; es liegt auch nichts in der Beschaffenheit und dem Aussehn des Landes, woraus man abnehmen könnte, dafs er früher viel gröfser gewesen sei als der neuere Kanal, der sich an dessen Stelle befindet. Am genauesten erwähnt ihn Strabo XVII, 1, 4. Vergl. Rennell's Geogr. Syst. of Herodot. II. p. 171.

Anmerkung XIII. zu S. 88.

Heroopolis. Siehe über diesen ganzen Gegenstand die Memoires von Le Père und Du Bois - Aymé in Deser. de l'Egypte, Et. Mod. I. S. 21 f. S. 187 f. u. Rozière ibid. Antiq. Mem. I. S. 127 f. Ritter's Erdkunde II. S. 234. Ausg. 1818. Eine Stelle des Strabo ist zu merkwürdig und entscheidend, als dafs ich sie nicht hersetzen sollte, XVII, 1, 25, 26: Ἄλλη δ᾽ ἐστιν [διῶρυξ] ἐκδιδοῦσα εἰς τὴν Ἐρυθρὰν καὶ τὸν Ἀράβιον κόλπον, καὶ [κατὰ] πόλιν Ἀρσινόην, ἣν ἔνιοι Κλεοπατρίδα καλοῦσι. Διαρρεῖ δὲ καὶ διὰ τῶν πικρῶν καλουμένων λιμνῶν, αἳ πρότερον μὲν ἦσαν πικραί. τμηθείσης δὲ τῆς διώρυγος τῆς λεχθείσης μετεβάλλοντο τῇ κράσει τοῦ ποταμοῦ· καὶ νῦν εἰσι εὔοψοι, μεσταὶ δὲ καὶ τῶν λιμναίων ὀρνέων. — Πλησίον δὲ τῆς Ἀρσινόης καὶ ἡ τῶν Ἡρώων ἐστὶ πόλις καὶ ἡ Κλεοπατρὶς ἐν τῷ μυχῷ τοῦ Ἀραβίου κόλπου τῷ πρὸς Αἴγυπτον, κ. τ. λ. „Ein andrer [Kanal] aber ergiefst sich in das rothe Meer und den arabischen Meerbusen bei der Stadt Arsinoë, die Einige Kleopatris nennen. Er fliefst auch durch die sogenannten Bitterseen, die früher wohl bitter waren; aber nachdem der genannte Kanal gegraben, veränderten sie sich durch die Mischung mit dem Flufs und sind jetzt reichlich mit Fischen und Wasservögeln versehen. — Nahe bei Arsinoë ist auch Heroopolis und Kleopatris im Winkel des arabischen Meerbusens nach Aegypten zu.“ An zwei andern Stellen wird dieselbe Lage von Heroopolis angegeben lib. XVI, 4, 2. 5. Daher gab sie ganz natürlich dem Meerbusen den Namen Sinus Heroopoliticus.

Auf den ersten Blick möchte die hier angegebne Lage von Heroopolis mit den Ausdrücken der siebenzig Dolmetscher und des Josephus nicht ganz übereinzustimmen scheinen, die den Joseph (wahrscheinlich von Memphis aus) bis nach Heroopolis hinauf gehn lassen, um seinen Vater Jacob, der von Bersaba nach Aegypten zieht, entgegen zu reisen. Sept. 1 Mos. 46, 28. 29. Joseph. Antiq. II, 7. 5. Dies ist jedoch nur eine scheinbare Schwierigkeit; denn wir erfuhren später auf unsrer Reise, dafs jetzt die gewöhnliche Karavanen-Strafse von Hebron über Bersaba nach Kairo immer noch über 'Ajrûd geht.

Anmerkung XIV. zu S. 189.

Manna. Ueber das Insect, welches das Manna hervorbringt, Coccus manniparus, siehe Ehrenberg's Symbolae Physicae, Insecta, Decas I. Tab. 10. Die Darstellung einer Tamariske mit den Insecten und Manna darauf, in demselben Werke, Plantae, Dec. I. Tab. 1. 2. Siehe ebenfalls einen vollständigen Artikel über die Tamariske von demselben Gelehrten in *Schlechtendal's* Linnaea, Journal für die Botanik, Bd. II. S. 241. Berlin 1827.

Eine chemische Analyse von Prof. Mitscherlich in Berlin ergab, dafs das Manna der Tamariske vom Sinai kein crystallisirbares Mannin enthält, und sich als ein reiner Schleimzucker zeigte. Ebendas. S. 282. Josephus spricht vom Manna, das zu seiner Zeit sich auf dem Sinai vorfand; Antiq. III, 1, 6. Eine ähnliche Substanz findet man auf verschiedenen Bäumen in verschiedenen Ländern des Orients; siehe Niebuhr's Beschreib. von Arab. S. 145. Hardwicke in Asiat. Researches XIV. p. 182 sq. Wiener Bibl. Realw. II. S. 64.

Anmerkung XV. zu S. 198.

Horeb und Sinai. Dieselbe Ansicht in Betreff des Gebrauchs von Horeb als der allgemeinen und Sinai als der besondern Bezeichnung, wird auch von Hengstenberg ausgesprochen, Authentie des Pent. II. S. 396. Berl. 1839. — Der Berg wird zuerst blos als Horeb erwähnt 2 Mos. 3, 1. und 17, 6.; ebenso muſs man auch 2 Mos. 3, 12. 4, 28 und 18, 5 verstehn. Sinai kommt zuerst 2 Mos. 19, 1. 2. vor, wo es heiſst, daſs die Israeliten von Raphidim auszogen und in die Wüste Sinai wollten. Von dieser Zeit an wird während ihres ganzen Aufenthalts in dieser Gegend, mit einer einzigen Ausnahme (2 Mos. 33, 6.) nur vom Sinai gesprochen. 2 Mos. 19, 11. 18. 23. 24, 16. 31, 18. 34, 29. 32. 3 Mos. 7, 38. 25, 1. 26, 46. 27, 34. 4 Mos. 1, 1. 3, 1. 14. In 4 Mos. 10, 12 brechen sie vom Sinai auf und in der Liste der Lagerplätze 4 Mos. 33, 15 kommt natürlicher Weise auch Sinai vor. Aber an andern Orten nach ihrer Abreise und durch das ganze 5te Buch Mose's (ausgenommen in dem Segen Mose's Kap. 33, 2.) wird nur Horeb genannt; und es wird von denselben Begebenheiten als am Horeb vorgefallen gesprochen, die vorher als am Sinai beschrieben worden. 5 Mos. 1, 2. 6. 19. 4, 10. 15. 5, 2. 9, 8. 18, 16. 28, 69 (29, 1.) Später werden in der heiligen Schrift beide Namen gebraucht, z. B. Horeb 1 Könige 8, 9. 19, 8. 2 Chron. 5, 10. Ps. 106, 19. Mal. 3, 22. (4, 4.) Sinai Richt. 5, 5. Ps. 68, 9. 18 (8. 17.) — Im neuen Testament kommt nur Sinai vor und war offenbar ein allgemeiner Name geworden, wie jetzt; Apgsch. 7, 30. 38. Gal. 4, 24. 25. Dasselbe ist der Fall in Josephus Schriften. Um das Ende des sechsten Jahrhunderts nach der Reisebeschreibung des Antonins Martyr wurde der Name Horeb vorzugsweise von dem jetzigen Kreuzberge gebraucht, der sich östlich von dem Thale befindet, in welchem das Kloster liegt.

In der neuern Zeit und zwar seit den Kreuzzügen haben die Reisenden in der Benennung einzelner Berge und Spitzen mit dem Namen Sinai und Horeb sehr geschwankt. Sir John Manndeville um 1322 — 1356 gebraucht Sinai als einen allgemeinen Namen, der Jebel Mûsa und St. Catharina in sich schloſs; sagt aber, der Theil, wo die Kapelle des Elias steht, heiſse Horeb, dem jetzigen Gebrauche beinah entsprechend. Rudolph oder Peter von Suchem im Jahr 1336 — 50, giebt dem Jebel Mûsa allein den besondern Namen Sinai, und gebraucht wie es scheint den Namen Horeb vom St. Katharinenberg. — Tucher von Nürn-

berg im Jahr 1479 nennt den Jebel Músa Horeb und den St.
Katharinenberg Sinai; dieser Benennung folgt auch Breidenbach
und Fabri im Jahr 1483; und ganz ausdrücklich Baumgarten im
Jahr 1507; lib. I. c. 24. — Später wird Sinai nur als ein allgemeiner Name gebraucht, und Horeb wird noch immer als Bezeichnung des Jebel Músa genommen; so Belon im Jahr 1546,
Löwenstein und Wormbser im Jahr 1562 und Troilo noch im
Jahr 1667. Aber schon im Jahr 1565 spricht Helffrich speciell
vom Jebel Músa als dem Sinai; so auch Monconys im Jahre
1647. — Im Jahr 1722 war der jetzige Gebrauch, wonach Jebel Músa Sinai, und der nördliche Theil desselben Bergrückens
Horeb genannt wird, schon eingeführt, wie man aus dem Tagebuch des Franziskaner-Generals von demselben Jahre sieht, wie
auch aus van Egmond und Heymann, ungefähr um dieselbe Zeit;
Reizen etc. II. S. 174. Seit jener Zeit hat, so viel ich weifs,
keine Veränderung stattgefunden, bis Rüppell seltsamer Weise
den St. Katharinenberg wieder als Horeb bezeichnet. Reise in
Abyssinien I. S. 120.

Anmerkung XVI. zu S. 207.

Pharan, Feirân. Edrisi um's Jahr 1150 und Makrizi
um's Jahr 1400 sprechen beide von Feirân als einer Stadt; und
die Beschreibung, welche Letzterer davon giebt, wird von Burckhardt ausführlich citirt S. 617. (975). Laborde hat eine Ansicht
von den Ruinen derselben in seiner Original-Ausgabe gegeben.

Wahrscheinlich ist dies das Pharan oder Faran des Ptolemäus, westlich von Ailah; und ebenso das des Eusebius und Hieronymus, das sie freilich östlich von Ailah verlegen, entweder aus einer verkehrten Theorie oder aus Verwechselung der
Namen. Hieronymus sagt ausdrücklich, dafs die Wüste Pharan an den Horeb anstöfst. Siehe Cellarius, Not. Orb. II. p.
582. Euseb. et Hieronym. Onomast. Art. Φαράν, Faran, Χω-
ρήβ, Choreb. — Das von Josephus erwähnte Thal Pharan
(B. J. IV, 9, 4.) ist offenbar ein ganz anderes, irgendwo in der
Gegend des todten Meers; vielleicht steht es mit dem Berge und
der Wüste Paran in Verbindung, die so oft in dem alten Testamente erwähnt wird und dicht bei Kadesch liegt. 4 Mos. 13, 26.

Anmerkung XVII. zu S. 212.

Sinaitische Inschriften. Diese Inschriften werden von
mehreren früheren Reisenden erwähnt, wie Neitschitz S. 149;
Monconys I. p. 245; ebenso bei Pococke I. S. 148 fol. und Nie-

buhr in seiner Reisebeschr. I. S. 250. Angebliche Abschriften einiger derselben haben geliefert Kircher in seinem Prodromus Coptus; so wie auch Pococke und Niebuhr; sie sind jedoch sehr unvollkommen. Die von Seetzen sind besser, und einige von den Burckhardt'schen haben wir bei der Vergleichung mit den Originalen ziemlich genau gefunden. Eine grofse Anzahl derselben ist copirt und herausgegeben von Grey in den Transactions of the Royal Society of Literature Vol. II. pt. 1. Lond. 1832. Es sind ihrer ein hundert sieben und siebenzig in den unbekannten Schriftzügen, neun griechische, und eine lateinische.

Die Bemerkungen von Gesenius über die sinaitischen Inschriften findet man in einer Note zur deutschen Ausgabe von Burckhardts Reisen in Syrien u. s. w. Weimar 1824. S. 1071.

Die Inschriften sind erst im gegenwärtigen Jahre (1839) von Professor Beer in Leipzig entziffert worden. Dieser ausgezeichnete Paläograph hatte sich schon im Jahr 1833 mit ihnen beschäftigt, jedoch ohne Erfolg. Siehe dessen Abhandlung: Inscriptiones et Papyri veteres Semitici quotquot etc. Partie. I. 4to. Lips. 1833. Im Winter 1838 — 1839 ward seine Aufmerksamkeit wiederum auf diese Inschriften gerichtet, vielleicht in Verbindung mit unsern Berichten und dem Aufenthalt meines Gefährten in Leipzig. Nach mehreren Monaten des beharrlichsten und mühvollsten Fleifses gelang es ihm, das Alphabet herauszubringen, und es ward ihm so möglich, alle diejenigen Inschriften zu lesen, die mit einiger Genauigkeit copirt worden sind. Die Resultate, zu welchen er gelangt, werden so eben, wie ich von ihm höre, zum Druck vorbereitet, und sein Werk wird vermuthlich erscheinen, ehe diese Blätter die Presse verlassen haben. Durch gütige Mittheilung des Professor Beer bin ich in Stand gesetzt, hier eine summarische Uebersicht dieser Resultate zu geben. Vielleicht sollte ich hinzufügen, dafs alle Paläographen, denen sie vorläufig mitgetheilt worden, sich mit ihrer Richtigkeit einverstanden erklärt haben, und dafs einige derselben mir mündlich ihre entschiedne Billigung von Beers Arbeiten und Ansichten ausgedrückt haben.

Die Buchstaben der sinaitischen Inschriften findet Prof. Beer zu einem besondern und für sich bestehenden Alphabete gehörig. Einige derselben sind ganz eigenthümlich; die andern haben mehr oder minder Verwandtschaft mit dem Palmyrenischen, und besonders mit dem Estrangelo und Cufischen. In der That ist ihre Aehnlichkeit mit dem letztern grofs genug, um zu dem Gedanken zu leiten, dafs das Cufische sich später aus diesem Alphabete entwickelt haben möge. Die Lettern werden von der

Rechten zur Linken geschrieben. In der Form gleichen sich einige derselben unter einander sehr, wie es der Fall in andern alten Alphabeten ist. Dies veranlaſst bisweilen bedeutende Schwierigkeit beim Entziffern einer Inschrift; indessen keine gröſsre als im Cufischen. Allein die Schwierigkeit ist hier erhöht durch die Nachlässigkeit der Copisten, die oft nicht einmal die geringen Unterscheidungszeichen, deren es wirklich giebt, angemerkt haben. Dies geht deutlich aus den verschiednen Copien hervor, die wir bisweilen von ein und derselben Inschrift haben.

Der Inhalt der Inscriptionen, so weit Professor Beer gediehen ist, besteht nur in Eigennamen, denen gewöhnlich das Wort שלם Friede vorausgeht; manchmal auch דביר memoratus sit; und einige wenige Mal: בריך gesegnet. Zwischen den Namen kommt das Wort בר oder בן Sohn, oft vor; manchmal folgen ihnen am Ende ein oder zwei Worte. So kommt das Wort כהן Priester zweimal als ein Titel vor. In einigen wenigen Fällen folgt auf die Namen auch ein ganzer Satz; diese sind noch nicht entziffert. Die Namen sind solche, die unter den Arabern gebräuchlich sind, haben aber das Besondre, daſs die meisten von ihnen, wenn sie einfach sind, mit einem Vav (ו) enden, mögen sie nun im Nominativ oder im Genitiv stehen; während die zusammengesetzten Namen mit einem Jod (י) enden. So haben wir עמרו, זידו, עודו, אושו, כלבו, אלמבקרו; und auch: עבד אלבעלי, אוש אלהי, עבד אלהי. Den arabischen Artikel haben die Namen häufig; derselbe hat aber nicht immer das Alef (א) bei der Zusammensetzung. Es ist ein merkwürdiges Faktum, daſs nicht ein einziger jüdischer oder christlicher Name bisher aufgefunden ist. — Diejenigen Worte, die nicht Namen sind, scheinen zu einem aramäischen Dialekte zu gehören. Prof. Beer vermuthet, daſs eine Sprache dieser Gattung von den Einwohnern des steinigen Arabiens, d. h. von den Nabathäern gesprochen worden sei, ehe die jetzige arabische Sprache sich über diese Gegenden ausbreitete. Von dieser Sprache und Schrift betrachtet er nun diese Inscriptionen als die Ueberreste, und zwar als die einzigen, deren Existenz bisher bekannt geworden.

Die Frage nach den Verfassern der Inschriften erhält sehr wenig Licht von ihrem Inhalte. Ein Wort zu Ende einiger derselben kann so gelesen werden, daſs sie dadurch als Pilger bezeichnet werden; und diese Meinung nimmt Beer auch an. Allein diese Lesart ist nicht sicher, und die Meinung stützt sich hauptsächlich auf die Thatsache, daſs die Inscriptionen nur auf den groſsen Wegen gefunden werden, die von Suez nach dem Berge Sinai führen. Die Menge derselben im Wady Mukatteb und um den Serbâl herum kann durch die Voraussetzung erklärt werden, dafs jener Berg, oder irgend eine Stelle in seiner Nachbarschaft als ein besonders heiliger Ort betrachtet worden ist, obwohl wahrscheinlich nicht als der Sinai. — Dafs die Schreiber Christen waren, scheint aus den Kreuzen hervorzugehen, die mit einer Menge dieser Inschriften verbunden sind. Dieselbe Inschrift wird in mehreren Fällen an verschiednen Orten gefunden, einmal mit dem Kreuz, einmal ohne dasselbe. Die Kreuze sind so gestaltet, dafs sie nicht zufällig oder bedeutungslos sein können, z. B. Y, †, P.

Auch das Alter der Inscriptionen wird durch ihren Inhalt nicht aufgehellt, da noch kein Datum herausgelesen worden ist. Aus paläographischen Gründen vermuthet Prof. Beer, dafs der gröfste Theil derselben nicht nach dem vierten Jahrhundert geschrieben worden sein kann. Wären sie später geschrieben, so hätte wahrscheinlich eine auf sie bezügliche Ueberlieferung zur Zeit des Cosmas existirt. Auch der Charakter der Schrift verbietet diese Meinung.

So weit Professor Beer; und so weit ist auch alles klar genug. Es bleiben jedoch noch einige historische Punkte von schwieriger Lösung übrig. Wer waren diese christlichen Pilger? Woher kamen sie? Der Umstand, dafs alle diese Inschriften nur auf den grofsen Strafsen von Aegypten her gefunden werden, scheint anzudeuten, dafs sie von diesem Lande kamen oder wenigstens von der westlichen Seite des Golfes von Suez. Aber wenn dem so ist, wie geht es zu, dafs keine Spur dieses Alphabetes und dieser Sprache in Aegypten oder in dessen Nachbarschaft zu finden ist? Aegypten war auch, wie wir wissen, in den frühern Jahrhunderten voll von Juden und Christen: wie kommt es, dafs keine jüdischen und christlichen Namen sich in den Inschriften finden? Es ist wahr, dafs die heidnischen Eigennamen noch lange nach der Einführung des Christenthumes üblich blieben, wie wir aus den Namen der frühern Kirchenväter und Bischöfe sehen; allein dies erklärt dennoch nicht das gänzliche Nichtvorhandensein christlicher und jüdischer Namen unter solchen Heeren von Pilgern, die aus Aegypten kamen.

Auf der andern Seite waren diese Pilger Nabathäer, Ismaeliten, Saracenen, die eingebornen Bewohner der Halbinsel und des steinigen Arabiens überhaupt? Die heidnischen Namen und Sprache und Schrift möchten zu dieser Vermuthung führen. Allein wenn dem so ist, wie kommt es, dafs alle Inscriptionen auf der westlichen Seite der Halbinsel gefunden werden und nicht eine auf der östlichen? Aufserdem hat es keine historische Evi-

denz, dafs es irgend eine eingeborne christliche Bevölkerung
auf oder nahe bei der Halbinsel in den ersten Jahrhunderten gegeben habe; vielmehr fand das Gegentheil statt, wie wir oben
im Text gesehn haben Die christlichen Exilirten aus Aegypten und die Einsiedler auf den Bergen lebten in beständiger Gefahr des Todes und der Sclaverei durch die Heiden um sie her.

Wiederum: Wie kommt es, dafs zur Zeit des Cosmas ungefähr im Jahre 530 alle Kenntnifs dieser Sprache und dieser
Schriftzeichen bereits unter den Christen der Halbinsel untergegangen war, und keine die Inscriptionen betreffende Tradition sich
mehr erhalten hatte?

In den Reisen von Irby und Mangles wird eines Umstandes erwähnt, der einer weitern Untersuchung durch künftige Reisende verdiente. In der Nachbarschaft von Wady Mûsa auf der
linken Seite des Pfades, der nach dem Dorfe Dibdiba im Norden
führt, fanden diese Reisenden auf einem Grabe mit einer breiten
Vorderseite und vier Säulen daran, eine längliche Tafel mit einer Inschrift „in fünf langen Linien und unmittelbar darunter einen
einzelnen Schriftzug in gröfseren Verhältnissen, wahrscheinlich das
Datum." Sie beschreiben die Lettern als „gut geschnitten und
wunderbar erhalten, was dem Schutze zuzuschreiben, den sie
durch den Vorsprung des Gesimses und ihre Richtung nach Osten
erhalten. Niemand aus unsrer Gesellschaft hatte diese Charak-
tere vorher gesehn, ausgenommen Hr. Bankes, der sie bei der
Vergleichung denen durchaus ähnlich fand, welche er in die Felsen von Wady Mukatteb und um den Fufs des Sinai herum hatte
eingekratzt gesehn." Sie copirten diese Inschrift; allein ihre Copie
ist nie veröffentlicht worden. S. Travels of Irby and Mangles, p.
411, 412, 413.

Als wir in Wady Mûsa waren, war mir die Lage dieser
Inschrift nicht bekannt; und die Umstände, unter denen wir uns
dort befanden, verhinderten uns, dieselbe aufzufinden.

In Kairo sagte man mir, dafs sich ähnliche Inschriften in
den grofsen alten Steinbrüchen, hinter Tûra, ein wenig oberhalb
Kairo befänden; so auch in den Granitbrüchen von Aswân. Wir
hörten auch, dafs sie von Reisenden copirt worden seien, aber
nichts von dieser Art ist je bekannt gemacht worden.

Anmerkung XVIII. zu S. 206 u. 223.

Das Kloster und seine Leibeigenen. Die folgende Stelle
aus den arabischen Annalen des Eutychius, (Sa'îd Iba el-Batrîk),

zweiten Hälfte des neunten Jahrhunderts, ist bisher übersehen worden und scheint wichtig genug hier in einer Uebersetzung angeführt zu werden. Sie findet sich Tom. II. p. 160 sq. Oxon. 1658.

„Als aber die Mönche vom Berge Sinai von der Neigung des Kaisers Justinian hörten und von seiner Vorliebe Kirchen zu bauen und Klöster zu stiften, da reisten sie zu ihm und klagten ihm, wie die herumstreifenden Söhne Ismaels sie plötzlich überfielen, ihre Mundvorräthe aufäfsen, den Ort verwüsteten, in die Zellen drängen und dort alles wegnähmen, und wie sie endlich in die Kirche brächen und dort die Hostie verschlängen. Da fragte sie der Kaiser: „Und was verlangt Ihr?" Sie antworteten ihm: „Wir bitten dich, o Kaiser! Du möchtest uns ein festes Kloster bauen". Es war nämlich bis zu dieser Zeit kein allgemeines Kloster für die Mönche auf dem Berge Sinai, sie lebten zerstreut auf den Bergen und in den Thälern, die den Dornbusch umgeben, von welchem Gott, sein Name sei verherrlicht, Moses angeredet hat. Aufwärts vom Dornbusche hatten sie einen grofsen Thurm, der noch heutigen Tags steht. In demselben befand sich die Kapelle Sancta Maria. Die Mönche, sobald ihnen Gefahr drohte, flüchteten sich in diesen Thurm und befestigten sich darin. Der Kaiser entliefs sie und schickte einen Bevollmächtigten, mit vielem Gelde versehen, mit ihnen. Zugleich schrieb er an seinen Präfekten in Aegypten, jenem Bevollmächtigten Geld zu übergeben, so viel er verlangen würde; ihm auch Leute zur Verfügung zu stellen, und ihm die Getreidelieferungen aus Aegypten zu überweisen. Dem Bevollmächtigten aber trug er auf, zu Kolzum eine Kirche, das Kloster Râyeh (Raithu?) und ein Kloster auf dem Berge Sinai zu bauen, welches er so befestigen solle, dafs kein Kloster in der Welt fester gefunden werde; und er solle es so sichern, dafs von keiner Stelle Nachtheil für Kloster und Mönche zu fürchten sei.

„Als der Legat in Kolzum eingetroffen war, baute er daselbst die Kirche St. Athanasius, baute auch das Kloster Râyeh. Hierauf verfügte er sich nach dem Berge Sinai, wo er den Dornbusch an einem von zwei Bergen eingeengten Orte fand, und in der Nähe jenen Thurm und sprudelnde Wasserquellen; die Mönche aber waren in den Thälern umher zerstreut. Er war Anfangs Willens, das Kloster oben auf dem Berge, fern vom Dornbusch und Thurme zu bauen. Er verwarf aber diesen Vorsatz wegen des Wassers, denn es war auf der Höhe des Berges kein Wasser. Er baute also das Kloster in der Nähe des Dornbusches, den Thurm mit einschliefsend in dem eingeengten Orte zwischen zwei Bergen, so dafs nun Jemand, der auf den Gipfel des nörd-

28

lichen Berges steigt und einen Stein wirft, grade in die Mitte
des Klosters trifft und die Mönche beschädigt. Er aber baute es
defshalb an diesen Ort, weil hier der Dornbusch, andere erhabene
Denkmäler, und Wasser zu finden waren. Auf der Spitze des
Berges, an der Stelle wo Moses das Gesetz empfing, baute er
eine Kirche. Der Name des Vorstehers des Klosters war Daûda.

„Der Legat kehrte zu Justinian zurück, berichtete ihm über
die von ihm erbauten Kirchen und Klöster, und beschrieb ihm,
wie er das Kloster auf dem Berge Sinai gebaut habe. Da sagte
der Kaiser: „Du hast gefehlt, hast den Mönchen Böses gethan;
denn du hast sie ihren Feinden Preis gegeben! Warum hast
du denn das Kloster nicht auf den Gipfel des Berges gebaut?"
Der Legat antwortete: „Ich habe das Kloster beim Dornbusch
und in der Nähe des Wassers gebaut. Hätte ich es auf den Gipfel gebaut, so hätten die Mönche Wassermangel leiden müssen;
und wenn feindliches Volk sie umringt, so wären sie von den
Quellen abgeschnitten und müfsten vor Durst sterben. Auch würde
dann der Dornbusch fern von ihnen sein." Der Kaiser sagte:
„So hättest du wenigstens den nördlichen, das Kloster beherr-
schenden Berg der Erde gleich machen sollen, damit von hier aus
den Mönchen kein Leid zugefügt werden könne." Worauf der
Legat erwiederte: „Und hätten wir die Schätze Aegyptens, Roms
und Syriens daran gewendet, so wäre es uns nicht gelungen den
Berg abzutragen." Da gerieth der Kaiser in Zorn und befahl,
dem Legaten den Kopf abzuschlagen.

„Er sandte hierauf einen andern Legaten und gab ihm
hundert Sklaven Roms mit ihren Weibern und Kindern bei; befahl ihm zugleich 100 andere Sklaven Roms mit Weib und Kind
aus Aegypten zu nehmen, denen er aufserhalb des Berges Sinai
Wohnungen bauen solle, darin zu wohnen und Kloster und Mönche zu bewachen. Er solle für ihren Lebensunterhalt sorgen;
solle ihnen ihren und des Klosters Bedarf von den Getreide-Lie-
ferungen aus Aegypten zuführen lassen. Nachdem der Legat auf
Sinai angekommen war, baute er östlich vom Kloster mehrere
Wohnungen, befestigte sie und legte die Sklaven hinein, damit
sie das Kloster bewachen und beschützen. Der Ort heifst bis
auf diese Stunde Deir el-'Abîd, Kloster der Sklaven.

„Als aber nach langer Zeit sie viele Kinder erzeugt und
sich gemehrt hatten, und der Islam sich verbreitete (dies geschah
unter dem Khalifen 'Abd el-Melek Ibn Merwân), da fielen sie
über einander her und erwürgten einer den andern. Viele wurden erschlagen, viele flohen, und andere wieder bekannten sich
zum Islam. Ihre Nachkommen, die bis zu dieser Stunde in den

Klöstern den Islam bekennen, heifsen Benu Sâlih. Sie heifsen auch Burschen (Knechte) des Klosters. Unter ihnen sind die Lakhmiyin. Die Mönche aber zerstörten die Wohnungen der Sklaven, nachdem diese Muhammedaner geworden waren, so dafs keiner mehr darin wohnen konnte. Sie sind bis auf den heutigen Tag noch zerstört."

Anmerkung XIX. zu S. 278.

Tezkirah, oder Pafs des Gouverneurs von 'Akabah.

Der Grund des Schreibens ist es, dafs, als es Mittwoch den 10ten Muhürram im Jahr 1254 war, Herr Robinson zu uns kam und mit ihm zwei Andre, der eine Antwort vom Rathe an uns hatte. Diese Antwort gab er uns, und wir haben sie gelesen und verstanden, was darin steht. Dadurch werden wir benachrichtigt, dafs sie Kamele und Araber brauchen, um sie nach Wady Mûsa zu bringen.

Jetzt haben wir keine Kamele in unsrer Nachbarschaft gefunden, da alle Araber in Syrien sind. Daher sagten wir ihnen: „Was meint ihr? Wir haben weder Araber noch Kamele. Wir wollen den Husein herholen lassen" Sie sagten: „Wir werden aufgehalten werden." Und wir sagten: „Fragt eure Meinung um Rath, damit wir ruhig sein können, sowohl wir als auch ihr." Und sie sagten: „Wir wollen nach Gaza gehn; Wady Mûsa ist nicht nöthig; wir wollen nach Gaza gehn." Deshalb gaben wir ihnen Araber von den Táwarah und einen Führer, um sie bis nach Wady el-Abyad zu bringen. Und sie gingen nach Gaza mit dem Frieden Gottes des Allerhöchsten.

Wir haben diese Antwort geschrieben, um Eingriffe gegen sie zu verhüten; und keiner darf ihnen Eintrag thun.

Gegeben den 10ten Muhürram.　　(Gezeichnet) Othman
　　im Jahr '54.　　　　　　*Gouverneur der Feste 'Akabah.*

(L. S.)

Anmerkung XX. zu S. 284.

Haj-Stationen. Folgendes ist ein Verzeichnifs der Stationen auf der Haj-Strafse von Kairo bis nach Muweilih mit Geleitsstrecken, für welche die verschiedenen Araber-Stämme verantwortlich sind und eine Bedeckung stellen müssen.

Stationen:

1. Birket el-Haj.　　　　　　3. 'Ajrûd.
2. Dar el-Hümra; ohne Wasser.　4. en-Nawatir; Wass. zu Mab'ûk

5. Jebeil Hasau; ohne Wasser.   10. el-'Akabah.
6. Nükhl.   11. Hakl.
7. Wady el-Kureis.   12. Râs esh-Shüraf; ohne W.
8. eth-Themed.   13. el-Beda'.
9. Râs en-Nükb; ohne Wasser.   14. Muweilih.

Zwischen el-Beda' und Muweilih setzt Rüppell noch eine Station, die er Amune nennt. Reisen in Nubien etc. S. 218.

Geleite. Die Strafse von Kairo nach 'Ajrûd ist frei. Die Táwarah sind dann verantwortlich für die Strecke von Ajrûd bis Nükhl. Seitdem sie jedoch vor etlichen Jahren eine Karavane geplündert haben und dafür vom Pascha bestraft sind, hat man ihnen den Zoll der Haj abgenommen; obgleich es immer noch ihre Pflicht ist, eine Bedeckung zu stellen, und sie sind noch immer für die Sicherheit der Karavane auf dieser Strecke des Weges verantwortlich. — Die Tiyâhah sind nur verantwortlich bei Nükhl. — Die Haiwât von Nükhl bis nach Râs en-Nükb. — Die 'Alawîn von Râs en-Nükb bis nach 'Akabah. — Die 'Amrân von 'Akabah bis nach el-Beda'. — Die Haweilät von el-Beda' bis nach Muweilih u. s. w. — Alle diese Stämme, ausgenommen die Táwarah empfangen Zoll.

Ein Verzeichnifs der Stationen auf der Strafse der syrischen Haj von Damaskus bis nach Mekka befindet sich im Anhange zu Burckhardt's Travels in Syria etc. p. 656 sq. (1031.)

Anmerkung XXI. zu S. 322.

'Abdeh, Eboda. Unsre 'Amrân-Führer kannten diese Ruinen nur unter dem Namen 'Aujeh. Tuweileb nannte sie 'Abdeh, sagte uns jedoch nachher, dafs er diesen Namen nur von Herrn Linant erfahren, der vor etlichen Jahren diesen Ort besucht hatte. In Hebron fragte man uns, ob wir in 'Abdeh gewesen seien, welches drei Tagereisen von jener Stadt entfernt sein soll. Nach dem, was man uns da sagte, waren wir eine Zeit lang zweifelhaft, ob der Ort, den wir besucht hatten, das 'Abdeh der Araber sei. Wir konnten lange Zeit keine bestimmte Auskunft darüber erlangen, noch auch jemand finden, der dagewesen wäre. Einige sagten, es liege dem 'Arabah näher, östlich von el-Bîrein. Nur erst nach unsrer Rückkehr von Wady Mûsa, im Juni, kamen wir hierüber in's Klare. Wir trafen nämlich in Hebron einen sehr verständigen Kamel-Besitzer, der selbst durch ganz Syrien und die angrenzenden Länder gereist und auch in 'Abdeh gewesen war. Er beschrieb uns den Weg, den er eingeschlagen hatte, und machte uns eine genaue Beschreibung von den Ruinen und deren Lage, und erwähnte ausdrücklich, dafs sie nordwestlich von el-Birein liegen. Diese Beschreibung stimmte so genau mit dem, was wir selbst gesehn hatten, dafs wir hierüber nicht länger zweifelhaft blieben.

Diese Ruinen sind bis jetzt von keinem Reisenden beschrieben; auch bin ich nicht gewifs, ob sie je von einem, aufser, wie oben erwähnt, von Herrn Linant, besucht worden sind. Sir F. Henniker spricht freilich bei seinem Durchzuge durch die Wüste vom Kloster nach Gaza davon, dafs er in dieser Gegend zwei grofse steinerne Gebäude, dem Ansehn nach, Forts, am Rande eines hohen Felsens gesehn habe. (Notes etc. p. 253.) Diese Worte und alle andern Umstände hierbei könnten zu dem Schlufs leiten, dafs hier 'Abdeh gemeint sei; indefs die Beschreibung der einzelnen Gegenstände ist so durchaus verschieden von dem, was wir gesehn haben, dafs ich entweder diese Schlufsfolge oder die Genauigkeit des Schreibers in Zweifel ziehn mufs. — Seetzen reiste im Jahr 1807 gradeswegs von der Umgebung Gaza's nach dem Sinai. Am dritten Tage gelangte er zu Ruinen, 'Abdeh genannt, wovon er früher viel gehört hatte; aber er fand weiter nichts als einen Flecken, dessen Häuser alle in Trümmern lagen, welche nichts Sehenswerthes zeigten. (Zachs Monatl. Corresp. XVII. S. 144.) Das war unmöglich das 'Abdeh, das wir besuchten, und ich vermuthe, es möchte dies vielleicht Elusa gewesen sein. — Auch Herr Callier, der im Jahr 1834 in den am 'Arabah angrenzenden Bergen reiste, wo die Wadys dem todten Meere zulaufen, spricht vom Besuch der Ruinen Abdé, die nahe dabei waren; aber er beschreibt sie nicht weiter. (Journal des Savans. Jan. 1836 p. 47.) Diese Oertlichkeit entspricht gar nicht dem 'Abdeh, das wir gesehen haben. — Ich bin geneigt anzunehmen, dafs beide letztgenannte Reisende von ihren arabischen Führern schlecht berichtet worden sind. Beide hatten von 'Abdeh gehört und erkundigten sich natürlich danach; und die Araber antworteten ihnen auf ihre gewöhnliche Weise so auf's Gerathewohl und wiesen auf irgend eine Stelle hin, die ihnen zuerst einfiel. — Es ist keine Frage, dafs die Ruinen, welche wir gesehn haben, an oder nahe an der Römer-Strafse liegen und der **Lage Eboda's** auf der Peutingerschen Tafel entsprechen.

Anmerkung XXII. zu S. 124. 329.

Wege vom Berge Sinai etc. durch die Wüste nach Gaza und Hebron.

I. Hauptweg vom Kloster nach Gaza über den Pafs el-Mureikhy. Zehn Tagereisen.

1ster Tag. Vom Kloster nach
'Ain el-Akhdar im Wady gleichen Namens. Siehe Text S. 139.

2ter Tag. el-Mureikhy, der Pafs.
'Ammâr es-Sâlimeh, eine Ebne.

3ter Tag. er-Rejim, eine Wasserquelle nahe am obern Ende des Wady el-'Arîsh.

4ter Tag. Hümâdet el-Berbery, eine Ebne; hier vereinigt sich die Strafse No. II mit dieser.

el-Jüghâmileh, eine Quelle bittern Wassers im Wady el-'Arîsh, eine kleine Strecke von der Strafse ab.

Themâil Um es-Sa'ideh, Gruben mit bitterm Wasser.

5ter Tag. Wady el-Hamd.

6ter Tag. Wady el-'Arîsh. Der Pfad durchschneidet den Wady und geht etwas mehr nach Osten weiter.

Jebel Ikhrimm; siehe S. 305.

Wady el-Kureiyeh; siehe S. 305.

esh-Shureif.

7ter Tag. Wady el-Lussân ⎫
Wady Jerûr ⎬ an Stellen links von unsrer Strafse.
Wady Jâifeh ⎭ Siehe S. 310, 312, 313.

el-Muweilih mit salzigem Wasser nahe am W. el-'Ain. Siehe S. 315.

8ter Tag. Wady es-Serâm, das obre Ende. Hier vereinigt sich dieser Weg mit dem unsrigen. Siehe S. 317.

9ter Tag. er-Ruhaibeh. Derselbe Weg mit dem unsrigen.

10ter Tag. Nüttâr Abu Sümâr, wo die Bedawîn Kornmagazine haben.

Wady esh-Sheri'ah, nach dem Meere zu laufend.

Ghüzzeh (Gaza).

Dies scheint der Weg zu sein, den Seetzen im Jahr 1807 von der Umgegend Gaza's nach dem Kloster eingeschlagen hat. Zachs Monatl. Corr. XVII. S. 142 ff.

II. Weg über den westlichen Pafs er-Râkineh. Zehn Tage.

1ster Tag. Vom Kloster bis zum
Wady Berâh. Siehe S. 136.

2ter Tag. el-Mürâk, am Fuße des Tih. Siehe S. 125.
3ter Tag. er-Râkineh, der Paſs.
        Abu Nuteighineh, mit gutem Wasser.
4ter Tag. Hümâdet el-Berbery in No. I.
        Von hier wie oben bis nach Gaza.

    III. Nebenweg von No. I und II über Nükhl. Eilf Tage
bis Gaza.

3 Tage bis er-Rejîm wie in No. I; oder bis Abu Nuteighineh
     wie in No. II.
4ter Tag. Abu Ülejân.
5ter Tag. Nükhl, Feste an der Haj-Straße.
6ter Tag. Wady er-Rawâk. Vergl. Burckhardt p. 449. (742.)
7ter Tag. esh-Shureif in No. I.
        Von hier wie oben bis nach Gaza.

    Sir F. Henniker reiste über er-Râkineh und Nükhl (No-
tes etc. p. 246. 247). Russegger ging etliche Monate nach unsrer Reise über den Tih durch den Paſs el-Mureikhy und dann
über Nükhl nach Ruhaibeh und Hebron. Siehe Berghaus Annalen der Erdkunde etc. März 1839, S. 427 ff.

    IV. Oestlicher Weg über el-'Ain etc. Zehn Tage bis Gaza.

2 Tage vom Kloster bis zum obern Ende des Wady ez-Zülakah;
     siehe S. 243, 252.
3ter Tag. el-'Ain; fließendes Wasser.
4ter Tag. Wady el-'Atiyeh, der nach Wady Wetîr zu läuft.
5ter Tag. Paſs des Tih, nördlicher Rücken, am obern Ende des
        Wady el-Jerâfeh.
        eth-Themed; Wasser. Siehe S. 291.
6ter Tag. el-Mushehhem. Vergl. unter No. VII.
7ter Tag. Wady el-Mâyein auf unserm Wege.
        Von hier ist der Weg eins mit dem unsrigen.

    V. Nebenweg von No. I und II direct nach Gaza längs der
westlichen Seite des Wady el-'Arîsh.

    Vom Kloster nach
    Wady el-Hamd, 5 Tage wie in No. I oder II.
    Müktül edh-Dhuleim.
    Wady el-Hasana. Vergl. No. VI.
    el-Burkein.
    Mukrih el-Ibna.

Jebel el-Helâl.   Siehe S. 306, 315.
el-Kûsaby; hier durchschneidet der Weg den Wady
    el-'Arîsh.
el-Khûbarah; siehe S. 335.
el-Bawâty.
el-Minyây.
Ghûzzeh (Gaza).
\   Dies scheint die Strafse der Pilger im 15ten und 16ten Jahrhundert gewesen zu sein.   Siehe unten.

VI. Von Suez oder 'Ajrûd nach Hebron.

Von Suez oder 'Ajrûd nach
el-Mab'ûk, Brunnen südlich nahe an der Haj-
    Strafse.
Ferâshât esh-Shih.
Wady el-Mudheiyât, der sich mit Wady et-Tawâl
    verbindet und dann bei 'Ambek ins Meer geht.
Kâ'a el-Barûk.
el-Hasana, eine Ebne mit fliefsendem Wasser. Ver-
    gleiche No. V.
Wady el-'Arîsh, bei der Vereinigung mit Wady el-
    'Ain.   Siehe S. 315.
Wady es-Serâm, auf unserm Wege.
Von hier bis Hebron auf unserm Wege.

VII. Lord Prudhoe's Weg von 'Ajrûd direct nach Wady Mûsa.

Von 'Ajrûd nach	Richtung.	St.	Engl. M.
Mahebeug [Mab'ûk]		11.	27.
Wady el-Hadj (schlängelnd) . . .	N. N. O.	8.	20.
Nakl [Nükhl]	O. S. O.	14.	38.
Wady Reah ˌ [er-Rawâk] . . .	O. N. O.	2.	5.
Wady Acaba ⎱ Alle mit vielem Ge-	N. O. gen O.	2.	5.
Wady 'Arîsh ⎰ sträuch und Kräutern.	O. N. O.	2.	5.
Wady Souph (Hadjar il Abiad) . .	O. N. O.	1.	2½.
Wady il-Mushakam [el-Mushehhem	⎱O. N. O.⎰		
Vergl. No. IV.]	⎰O. S. O.⎱	5.	13.
Gaza und Tor [Kloster] Weg. Der	S. S. O.	1.	2½.
Brunnen Meleyha liegt 4 (engl.)			
Meilen nördlich.			
Wady Ghureir	O. N. O.	5.	14.
Wady Geraffe [el-Jerâfeh] . . .	S. O.	5½.	14.
Wady Lechiyaneh [el-Lehyâneh] .	O.	5.	12.
el-'Arabah.			

Vergl. Burckhardt's Reise in der entgegengesetzten Richtung.
Travels etc. p. 444 sq. (735 ff.)

Im Jahre 1483 reisten Breydenbach und Felix Fabri, die zu verschiedenen Pilgerzügen gehörten, mit einander von Gaza nach dem Berge Sinai, und jeder giebt eine Beschreibung von dem Wege. Fabri's Bericht ist am vollständigsten, bietet aber wenig mehr als einige Namen, die man kaum wieder erkennen kann, ausgenommen den Pafs er-Râkinch, durch welchen sie den Tih überstiegen. Der Weg war folgender: den 10ten September Lebhem, ein Dorf. — den 11ten Chawata, ein District, Lateinisch Cades genannt. — 12ten Gayan, ein Wady. — 13ten Wadalar, ein Giefsbach, [Wady el-'Arish?]. Magdabey, ein Giefsbach. — 14ten Magare, ein Giefsbach dicht bei Gebelhelel [Jebel Helâl]. — 15ten Hachssene, ein Giefsbach, [el-Hasana]. Minschene, ein Giefsbach. — 16ten Alherock, ein Giefsbach. — 17ten Chalep, ein hoher weifser Berg. Meschmar, ein Giefsbach. — 19ten Rackani, ein Pafs, [er-Râkinch]. Ramathim. — 20sten Schoyle. — 21sten Abelharocka, nahe am Sitz Mosis.

Vier Jahre früher, im Jahr 1479, war Tucher von Nürnberg ebenfalls von Gaza nach dem Sinai gereist; aber seine Reiseroute ist noch weniger verständlich als die Fabri's. Er scheint den Tih durch den Pafs el-Mureikhy, den er Roacki nennt, überstiegen zu haben; und sagt ausdrücklich, dafs der gewöhnliche Weg viel weiter rechts oder westlich hinübergehe. Er giebt folgende Namen an: 22ten September Mackati, Wady. — 23ten Nockra, Wady. — 26ten Lodro, Wady. — 27ten Schilludy, Berg. — 28ten Torcko. — 30ten Vintheine, Wady. — 1sten October Roacki, Pafs, [el-Mureikhy]. — 2ten Malchalach, Wady.

Ueber die Reisen aller dieser Wallfahrer siehe das Reifsbuch des heil. Landes.

Höhen. Die Höhen der folgenden Punkte unter andern auf dem mittleren Wege und über Nükhl werden von Russegger nach barometrischen Beobachtungen im Jahre 1838 angegeben. Siehe Berghaus Annalen der Erdkunde, März 1839. S. 428. Man darf jedoch hierbei nicht vergessen, dafs die hier angegebnen Zahlen mit den Beobachtungen Rüppell's am Sinai und Schuberts bei Hebron nicht ganz übereinstimmen.

Das Kloster auf dem Sinai . . . . . . 5115 Paris. F.
'Ain el-Akhdar . . . . 3793 —

Das Hoch-Plateau des Jebel et-Tih . . . 4322 Paris. F.
Wady el-'Arish, das obere Ende . . . . 2832 —
— — bei 'Ain er-Rejim . . . 2492 —
Nükhl . . . . 1396 —
Wady Jerûr . . . . 1013 —
er-Ruhaibeh . . . . 1032 —
Khülasah . . . . 661 —
Wady el-Khülil (?) . . . . 1097 —
edh-Dhoheriyeh . . . . 2040 —
Hebron . . . . 2842 —
Hebron nach Schubert . . . . 2664 —

Anmerkung XXIII. zu S. 322. u. 334.

Elusa. Nach einer Bemerkung des Hieronymus (Comment.
in Esa. XV, 4.) scheint es, dafs der aramäische Name dieser
Stadt רֶחֶלְבַּל war, der im Griechischen durch ῎Ελουσα wiederge-
geben wurde. Die arabische Uebersetzung hat 1 Mos. 20, 1. 2.
und 26, 1. el-Khûlûs statt Gerar, als ob es sich auf Elusa be-
zöge. Siehe Reland's Palaest. p. 755. 805. Bochart Phaleg.
p. 309.

Die Länge einer römischen Meile wird gewöhnlich zu $^4/_5$
einer englischen geographischen Meile, oder 75 auf einen Grad
in grader Linie angenommen. Aber bei der Construction von
Karten meint Rennell, man müsse 84 auf den Grad annehmen,
um die Krümmungen des Weges mit einzurechnen u. s. w. Die
Annahme von zwei geogr. Meilen auf die Länge unsrer Wegstunden, ist von Berghaus nach trigonometrischen Berechnungen gemacht (siehe Anmerkung VII); obgleich der Weg zwischen Elusa
und Jerusalem grofsentheils bergig und schwierig ist. Wenn wir
daher auf diesem Wege die römische Meile 80 auf einen Grad
annehmen, was $^3/_4$ einer geogr. Meile gleichkommt (4 R. M. =
3 G. M.), so würde dann die angegebne Entfernung von 71 röm.
M. auf der Peutingerschen Tafel zwischen Elusa und Jerusalem
$53^1/_4$ G. M. gleichkommen, was beinah ganz genau mit dem Resultat unserer Rechnung übereinstimmt. Siehe Rennell's Compar.
Geogr. of Western Asia, I. p. XXXVII.

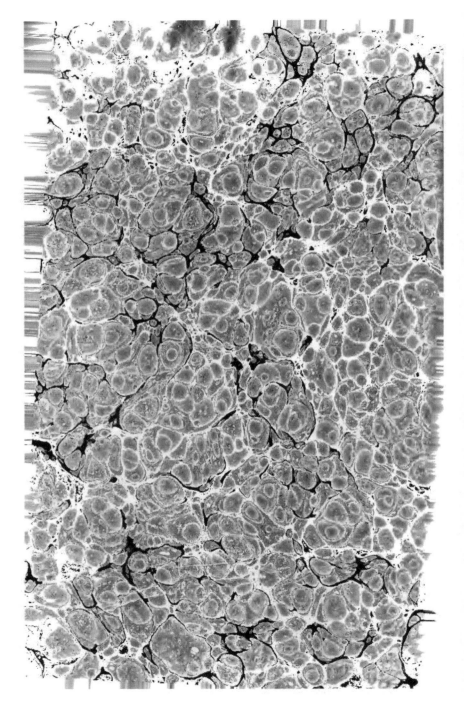

536

Druck:
Customized Business Services GmbH
im Auftrag der KNV-Gruppe
Ferdinand-Jühlke-Str. 7
99095 Erfurt